LA COMTESSE DE CHARNY

ALEXANDRE DUMAS

La Comtesse de Charny

**INTRODUCTION ET ADAPTATION
DE JEAN-MARIE BRETAGNE**

LE LIVRE DE POCHE

NOTE LIMINAIRE

Les personnages que nous allons découvrir dans *La Comtesse de Charny* ont déjà une longue existence derrière eux. En effet, ce roman fait partie d'un ensemble de quatre volumes qui débute avec *Joseph Balsamo*, se poursuit avec *Le Collier de la Reine* puis avec *Ange Pitou*. *La Comtesse de Charny* clôt cette tétralogie écrite par Alexandre Dumas entre 1849 et 1860. Rassemblés sous le titre de *Mémoires d'un médecin*, ces quatre romans font revivre les derniers temps de la royauté et le début de la Révolution. Pour faciliter l'intelligence de *La Comtesse de Charny*, nous rappelons les principaux épisodes des volumes précédents.

Le crime de Gilbert

Gilbert était un jeune orphelin. Il a été recueilli et élevé par Jean-Jacques Rousseau, à Paris. Le mystérieux Cagliostro (qui se fait aussi appeler Joseph Balsamo, ou Baron Zannone) a également pris ce jeune homme en amitié.

Malheureusement, Gilbert a commis une faute irréparable. Amoureux fou d'Andrée de Taverney, fille du baron de Taverney, il s'est un jour introduit chez elle. Profitant d'un évanouissement de la jeune fille, il l'a violée. Enceinte, Andrée a mis au monde un petit garçon, Sébastien. Alors, surgissant une nouvelle fois chez elle, Gilbert s'est emparé de l'enfant pour l'emmener avec lui. Ensuite, il a confié

Sébastien à l'abbé Fortier, qui tient un collège jésuite près d'Haramont...

Les malheurs d'Andrée de Taverney

Depuis ce jour, Andrée n'a plus jamais revu son enfant. Et un nouveau malheur est venu la frapper : amie d'enfance de Marie-Antoinette, elle a dû, pour lui rendre service, épouser le comte Olivier de Charny.

Marie-Antoinette et Olivier de Charny entretenaient en effet une liaison passionnée, dont le bruit commençait à se répandre à la cour. Pour faire taire la rumeur, la reine a demandé à son amie Andrée d'épouser Olivier.

C'était, en principe, un mariage de convenance, destiné à protéger l'honneur de Marie-Antoinette. Cette « union », au début de *La Comtesse de Charny*, dure depuis déjà cinq ans, cinq ans durant lesquels Andrée et son époux se sont à peine adressé la parole... Pour Andrée, c'est un calvaire, car, sans que la reine et Olivier le sachent, elle est amoureuse de ce dernier. Et elle est sûre qu'Olivier n'a d'yeux que pour sa maîtresse, Marie-Antoinette...

Un amour invisible...

Or, Olivier de Charny se détache peu à peu de Marie-Antoinette. Lentement, sans rien lui en dire, il se trouve séduit par la douceur, l'abnégation de son épouse Andrée. Pourquoi n'avoue-t-il pas son amour à la comtesse ? Tout simplement parce qu'il croit lui être indifférent. Dans son esprit, Andrée ne l'a épousé que pour rendre service à la reine.

En fait, seule Marie-Antoinette devine qu'Andrée et Olivier s'aiment, sans le savoir. Follement amoureuse du comte, elle sent qu'il s'éloigne d'elle et en conçoit une jalousie féroce. Elle commence à détester Andrée, qui était sa meilleure amie...

L'amour d'Isidore et Catherine

Olivier de Charny a deux frères, Isidore et Georges. Isidore vit dans le château des Charny, à Boursonnes, près de Villers-Cotterêt — non loin également d'Haramont, où le petit Sébastien Gilbert est en pension. Isidore a rencontré une petite paysanne, Catherine Billot, et partage avec elle un amour impossible...

Billot, le père de Catherine, est un farouche révolutionnaire. Pour lui, Isidore n'est qu'un de ces aristocrates coureurs qui séduisent les filles avant de les abandonner.

Incomprise par son père, Catherine n'a qu'un seul ami, Ange Pitou, un brave paysan qui travaille à la ferme des Billot, depuis qu'il a été chassé par sa tante Angélique : elle lui reproche ses opinions révolutionnaires.

Pitou est prêt à tout pour Catherine, car il l'adore, sans le moindre espoir : comment oserait-il se comparer avec le vicomte Isidore de Charny ?

L'arrière-plan historique

Tous ces personnages ont pris part à la révolution, dans des camps opposés :

Billot et Pitou ont marché sur la Bastille, le 14 juillet. De retour dans son village d'Haramont, Pitou s'est même vu confier le commandement de la garde. Billot, lui, est resté à Paris, au service de Gilbert.

Les Charny sont royalistes. Olivier, Isidore et Georges sont au service du roi et de la reine.

Gilbert, lui, a une position plus ambiguë. Après

la faute impardonnable qu'il a commise envers Andrée, il s'est plongé dans des études de médecine. Puis, il est allé se battre auprès de Washington et La Fayette, en Amérique. De retour à Paris, il a été jeté à la Bastille pour avoir écrit un mémoire sur la royauté constitutionnelle. Depuis le 14 juillet, il est rentré en grâce et est devenu le médecin du roi. Par ses idées modérées, il a su gagner la confiance d'hommes aussi opposés que Pitou, Billot d'un côté, le roi et Olivier de Charny de l'autre...

Cagliostro, pour sa part, encourage sans réserve la révolution. Dans l'ombre, il en est même l'un des instigateurs...

La nuit du 5 au 6 octobre

C'est au lendemain de ce moment historique que débute *La Comtesse de Charny*. Dans la nuit du 5 au 6 octobre 1789, le peuple de Paris, craignant une contre-révolution, marche sur Versailles. Qu'advient-il de nos personnages ?

Georges de Charny, le frère d'Olivier et d'Isidore, est tué par la foule.

La reine, le roi et leurs proches (dont Andrée, Olivier et Gilbert) sont conduits de force aux Tuileries, qui deviendront la nouvelle résidence royale. Le 7 octobre, Andrée décide de quitter les Tuileries pour aller vivre dans son petit pavillon parisien, rue du Coq-Héron. La jalousie que lui manifeste la reine lui devient insupportable...

Ce même 7 octobre, Isidore de Charny rejoint précipitamment Paris : il vient d'apprendre la mort de Georges, à Versailles.

Il laisse Catherine désespérée. Elle erre sur les routes et s'évanouit. Pitou quitte un banquet de la garde nationale d'Haramont pour se mettre à sa recherche et lui porter secours.

Cependant, dans cette soirée si mouvementée du 7 octobre 1789, un autre de nos personnages entre en jeu...

Jean-Marie BRETAGNE.

LA ROUTE DE PARIS

Un événement grave avait mis en rumeur tout le collège de l'abbé Fortier.

Sébastien Gilbert avait disparu vers les six heures du soir, et, à minuit, malgré les recherches minutieuses faites dans toute la maison, par l'abbé Fortier et mademoiselle Alexandrine Fortier, sa sœur, il n'avait point été retrouvé.

On s'était informé à tout le monde, et tout le monde ignorait ce qu'il était devenu.

La tante Angélique seule, sortant de l'église, où elle était allée ranger les chaises, vers les huit heures du soir, croyait l'avoir vu prendre la petite rue qui passe entre l'église et la prison, et gagner tout courant le Parterre.

Ce rapport, au lieu de rassurer l'abbé Fortier, avait ajouté à ses inquiétudes. Il n'ignorait pas les étranges hallucinations qui parfois s'emparaient de Sébastien, quand cette femme qu'il appelait sa mère lui apparaissait, et plus d'une fois, en promenade, l'abbé, qui était prévenu de cette espèce de vertige, avait suivi l'enfant des yeux quand il l'avait vu par trop s'enfoncer dans le bois, et, au moment où il craignait de le voir disparaître, avait lancé après lui les meilleurs coureurs de son collège.

Les coureurs avaient toujours trouvé l'enfant haletant, presque évanoui, adossé à quelque arbre ou

couché tout de son long sur la mousse, tapis
verdoyant de ces magnifiques futaies.

Mais jamais pareils vertiges n'avaient pris Sébastien le soir ; jamais, pendant la nuit, on n'avait été
obligé de courir après lui.

Il fallait donc qu'il fût arrivé quelque chose
d'extraordinaire ; mais l'abbé Fortier avait beau se
creuser la tête, il ne pouvait deviner ce qui était
arrivé.

Pour parvenir à un plus heureux résultat que
l'abbé Fortier, nous allons suivre Sébastien Gilbert,
nous qui savons où il est allé.

La tante Angélique ne s'était point trompée :
c'était bien Sébastien Gilbert qu'elle avait vu se
glissant dans l'ombre, et gagnant à toutes jambes
cette portion du parc qu'on appelle le Parterre.

Arrivé dans le Parterre, il avait gagné la Faisanderie ; puis en sortant de la Faisanderie, il s'était
lancé dans cette petite rue qui conduit droit à
Haramont.

En trois quarts d'heure, il avait été au village.

Du moment où nous savons que le but de la
course de Sébastien était le village d'Háramont, il
ne nous est point difficile de deviner qui Sébastien
avait été chercher dans ce village.

Sébastien était allé y chercher Pitou.

Malheureusement, Pitou sortait par un côté du
village tandis que Sébastien Gilbert était entré par
l'autre.

Pitou s'était mis à la recherche de Catherine, et
ne l'avait retrouvée qu'évanouie sur le chemin de
Villers-Cotterets à Pisseleu, et ne conservant de
chaleur que celle du dernier baiser que lui avait
donné Isidore.

Gilbert ignorait tout cela ; il alla droit à la chau-
mière de Pitou, dont il trouva la porte ouverte.

Pitou, dans la simplicité de sa vie, ne croyait pas
qu'il eût besoin de tenir sa porte fermée, présent à
la maison comme absent. Mais, d'ailleurs, eût-il eu

l'habitude de fermer scrupuleusement sa porte, que, ce soir-là, il était sous le poids de préoccupations telles, qu'il eût bien certainement oublié de prendre cette précaution.

Sébastien connaissait le logis de Pitou comme le sien propre : il chercha l'amadou et la pierre à feu, trouva le couteau qui servait à Pitou de briquet, alluma l'amadou, avec l'amadou alluma la chandelle, et attendit.

Mais Sébastien était trop agité pour attendre tranquillement, et surtout pour attendre longtemps.

Il allait incessamment de la cheminée à la porte, de la porte à l'angle de la rue ; puis, comme sœur Anne, ne voyant rien venir, il retournait vers la maison pour s'assurer qu'en son absence Pitou n'y était pas rentré.

Enfin, voyant que le temps s'écoulait, il s'approcha d'une table boiteuse où il y avait de l'encre, des plumes et du papier.

Sur la première page de ce papier étaient inscrits les nom, prénoms et âge des trente-trois hommes formant l'effectif de la garde nationale d'Haramont, et marchant sous les ordres de Pitou.

Sébastien enleva soigneusement cette première feuille, chef-d'œuvre de calligraphie du commandant, qui ne rougissait pas, pour que la besogne fût mieux faite, de descendre parfois au grade subalterne de fourrier.

Puis il écrivit sur la seconde :

« Mon cher Pitou,

» J'étais venu pour te dire que j'ai entendu, il y a huit jours, une conversation entre monsieur l'abbé Fortier et le vicaire de Villers-Cotterets. Il paraît que l'abbé Fortier a des connivences avec les aristocrates de Paris ; il disait au vicaire qu'il se préparait à Versailles une contre-révolution.

» C'était ce que nous avons appris depuis, à

l'endroit de la reine, qui a mis la cocarde noire et foulé aux pieds la cocarde tricolore.

» Cette menace de contre-révolution, ce que nous avons appris ensuite des événements qui ont suivi le banquet, m'avaient déjà fort inquiété pour mon père, qui, comme tu le sais, est l'ennemi des aristocrates ; mais, ce soir, mon cher Pitou, cela a été bien pis.

» Le vicaire est revenu voir le curé, et, comme j'avais peur pour mon père, je n'ai point cru qu'il y eût du mal à écouter exprès la suite de ce que, l'autre jour, j'avais entendu par hasard.

» Il paraît, mon cher Pitou, que le peuple s'est porté sur Versailles : il a massacré beaucoup de personnes, et, entre ces personnes-là, monsieur Georges de Charny.

» L'abbé Fortier ajoutait :

» — Parlons bas, pour ne pas inquiéter le petit Gilbert, dont le père était allé à Versailles, et pourrait bien avoir été tué comme les autres.

» Tu comprends bien, mon cher Pitou, que je n'en ai pas écouté davantage.

» Je me suis glissé tout doucement hors de ma cachette, sans que personne m'entendît, j'ai pris par le jardin, je me suis trouvé sur la place du Château, et, tout courant, je suis arrivé chez toi, pour te demander de me reconduire à Paris, ce que tu ne manquerais pas de faire, et de grand cœur même, si tu étais ici.

» Mais, comme tu n'y es pas, comme tu peux tarder à revenir, étant probablement allé tendre des collets dans la forêt de Villers-Cotterets comme, dans ce cas-là, tu ne rentreras qu'au jour, mon inquiétude est trop grande, et je ne saurais attendre jusque-là.

» Je pars donc tout seul ; sois tranquille, je sais le chemin. D'ailleurs, sur l'argent que mon père m'a donné, il me reste encore deux louis, et je prendrai une place dans la première voiture que je rencontrerai sur la route.

» *P.S.* J'ai fait ma lettre bien longue, d'abord pour t'expliquer la cause de mon départ, et ensuite parce que j'espérais toujours que tu reviendrais avant qu'elle fût finie.

» Elle est finie, tu n'es pas revenu, je pars ! Adieu, ou plutôt au revoir ; s'il n'est rien arrivé à mon père, et s'il ne court aucun danger, je reviendrai.

» Sinon, je suis bien décidé à lui demander instamment de me garder auprès de lui.

» Tranquillise l'abbé Fortier sur mon départ ; mais surtout, ne le tranquillise que demain, afin qu'il soit trop tard pour faire courir après moi.

» Décidément, puisque tu ne reviens pas, je pars. Adieu, ou plutôt au revoir. »

Et, sur quoi, Sébastien Gilbert, qui connaissait l'économie de son ami Pitou, éteignit la chandelle, tira la porte, et partit.

Dire que Sébastien Gilbert n'était pas un peu ému en entreprenant de nuit un si long voyage, ce serait mentir certainement ; mais cette émotion n'était point ce qu'elle eût été chez un autre enfant, — de la peur : c'était purement et simplement le sentiment complet de l'action qu'il entreprenait, laquelle était une désobéissance aux ordres de son père, mais, en même temps, une grande preuve d'amour filial, et cette désobéissance devait être pardonnée par tous les pères.

D'ailleurs, Sébastien, depuis que nous nous occupons de lui, avait grandi. Sébastien, un peu pâle, un peu frêle, un peu nerveux pour son âge, allait avoir quinze ans. À cet âge, avec le tempérament de Sébastien, et quand on est le fils de Gilbert et d'Andrée, on est bien près d'être un homme.

Le jeune homme, sans autre sentiment que cette émotion inséparable de l'action qu'il commettait, se mit donc à courir vers Largny, qu'il découvrit bientôt à cette *pâle clarté qui tombe des étoiles*, comme dit le vieux Corneille. Il longea le village, gagna le grand ravin qui s'étend de ce village à celui de Vauciennes, et qui encaisse les étangs de Walue ; à Vauciennes, il trouva la grande route, et se mit à marcher plus tranquillement en se voyant sur le chemin du roi.

Sébastien, qui était un garçon plein de sens, qui était venu en parlant latin de Paris à Villers-Cotterets, et qui avait mis trois jours pour venir, comprenait bien qu'on ne retourne pas à Paris en une nuit, et ne perdit pas son souffle à parler aucune langue.

Il descendit donc la première et remonta la seconde montagne de Vauciennes au pas ; puis, arrivé sur un terrain plat, il se mit à marcher un peu plus vivement.

Peut-être cette vivacité dans la marche de Sébastien était-elle excitée par l'approche d'un assez mauvais passage qui se trouve sur la route, et qui, à cette époque, avait une réputation d'embuscade complètement perdue aujourd'hui. Ce mauvais passage s'appelle la Fontaine-Eau-Claire, parce qu'une source limpide coule à vingt pas de deux carrières qui, pareilles à deux antres de l'enfer, ouvrent leur gueule sombre sur la route.

Sébastien eut-il ou n'eut-il pas peur en traversant cet endroit, c'est ce que l'on ne saurait dire, car il ne pressa point le pas, car, pouvant passer sur le revers opposé de la route, il ne s'écarta point du milieu du chemin, ralentit son pas un peu plus loin, mais sans doute parce qu'il était arrivé à une petite montée, et enfin atteignit l'embranchement des deux routes de Paris et de Crespy.

Là, il s'arrêta tout à coup. En venant de Paris, il n'avait pas remarqué quelle route il suivait ; en retournant à Paris, il ignorait quelle route il devait suivre.

Était-ce celle de gauche ? était-ce celle de droite ?

Toutes deux étaient bordées d'arbres pareils, toutes deux étaient pavées également.

Personne n'était là pour répondre à la question de Sébastien.

Les deux routes partant d'un même point s'éloignaient l'une de l'autre visiblement et promptement ; il en résultait que, si Sébastien, au lieu de prendre la bonne route, prenait la mauvaise, il serait, le lendemain au jour, bien loin de son chemin.

Sébastien s'arrêta indécis.

Il chercha par un indice quelconque à reconnaître celle des deux routes qu'il avait suivie : mais cet indice, qui lui eût manqué pendant le jour, lui manquait bien autrement dans l'obscurité.

Il venait de s'asseoir, découragé, à l'angle des deux routes, moitié pour se reposer, moitié pour réfléchir, lorsqu'il lui sembla entendre dans le lointain, venant du côté de Villers-Cotterets, le galop d'un ou de deux chevaux.

Il prêta l'oreille en se soulevant.

Ce n'était pas une erreur : le bruit des fers de chevaux retentissant sur la route devenait de plus en plus distinct.

Sébastien allait donc avoir le renseignement qu'il attendait.

Il s'apprêta à arrêter les cavaliers au passage, et à leur demander ce renseignement.

Bientôt il vit poindre leur ombre dans la nuit, tandis que, sous les pieds ferrés de leurs chevaux, jaillissaient de nombreuses étincelles.

Alors, il se leva tout à fait, traversa le fossé, et attendit.

La cavalcade se composait de deux hommes, dont l'un galopait trois ou quatre pas en avant de l'autre.

Sébastien pensa avec raison que le premier de

ces deux hommes était un maître, le second un domestique.

Il fit donc trois pas pour s'adresser au premier.

Celui-ci, qui vit un homme saillir en quelque sorte du fossé, crut à quelque guet-apens, et mit la main à ses fontes.

Sébastien remarqua le mouvement.

— Monsieur, dit-il, je ne suis pas un voleur ; je suis un enfant que les derniers événements arrivés à Versailles attirent à Paris pour y chercher son père ; je ne sais laquelle de ces deux routes je dois prendre ; indiquez-moi celle qui conduit à Paris, et vous m'aurez rendu un grand service.

La distinction des paroles de Sébastien, l'éclat juvénile de sa voix, qui ne semblait pas inconnue au cavalier, firent que, si pressé qu'il parût être, il arrêta son cheval.

— Mon enfant, demanda-t-il avec bienveillance, qui êtes-vous, et comment vous hasardez-vous à pareille heure sur une grande route ?

— Je ne vous demande pas qui vous êtes, moi, monsieur... je vous demande ma route, la route au bout de laquelle je saurai si mon père est mort ou vivant.

Il y avait, dans cette voix presque enfantine encore, un accent de fermeté qui frappa le cavalier.

— Mon ami, la route de Paris est celle que nous suivons, dit-il ; je la connais mal moi-même, n'ayant été à Paris que deux fois, mais je n'en suis pas moins sûr que celle que nous suivons est la bonne.

Sébastien fit un pas en arrière en remerciant. Les chevaux avaient besoin de souffler, le cavalier qui paraissait le maître reprit sa course, mais d'une allure moins vive.

Son laquais le suivit.

— Monsieur le vicomte, dit-il, a-t-il reconnu cet enfant ?

— Non ; mais il me semble cependant...

— Comment, monsieur le vicomte n'a pas reconnu

le jeune Sébastien Gilbert, qui est en pension chez l'abbé Fortier ?

— Sébastien Gilbert ?

— Mais oui, qui venait de temps en temps à la ferme de mademoiselle Catherine avec le grand Pitou.

— Tu as raison, en effet.

Puis, arrêtant son cheval, et se retournant :

— Est-ce donc vous, Sébastien ? demanda-t-il.

— Oui, monsieur Isidore, répondit l'enfant, qui, lui, avait parfaitement reconnu le cavalier.

— Mais, alors, venez donc, mon jeune ami, dit le cavalier, et apprenez-moi comment il se fait que je vous trouve seul sur cette route, à une pareille heure.

— Je vous l'ai dit, monsieur Isidore, je vais à Paris m'assurer si mon père a été tué ou vit encore.

— Hélas ! pauvre enfant, dit Isidore avec un profond sentiment de tristesse, je vais à Paris pour une cause pareille ; seulement, je ne doute plus, moi !

— Oui, je sais... votre frère ?...

— Un de mes frères... mon frère Georges a été tué hier matin à Versailles !

— Ah ! monsieur de Charny !...

Sébastien fit un mouvement en avant en tendant les deux mains à Isidore.

Isidore les lui prit et les lui serra.

— Eh bien, mon cher enfant, reprit Isidore, puisque notre sort est pareil, il ne faut pas nous séparer ; vous devez être, comme moi, pressé d'arriver à Paris.

— Oh ! oui, monsieur !

— Vous ne pouvez aller à pied.

— J'irais bien à pied, mais ce serait long ; aussi je compte demain payer ma place à la première voiture que je rencontrerai sur la route faisant le même chemin que moi, et aller avec elle le plus loin que je pourrai vers Paris.

— Et, si vous n'en rencontrez pas ?...

— J'irai à pied.

— Faites mieux que cela, mon cher enfant, montez en croupe derrière mon laquais.

Sébastien retira ses deux mains de celles d'Isidore.

— Merci, monsieur le vicomte, dit-il.

Ces paroles furent accentuées avec un timbre si expressif, qu'Isidore comprit qu'il avait blessé l'enfant en lui offrant de monter en croupe derrière son laquais.

— Ou plutôt, dit-il, j'y pense, montez à sa place ; lui nous rejoindra à Paris. En s'informant aux Tuileries, il saura toujours où je suis.

— Merci encore, monsieur, dit Sébastien d'une voix plus douce, car il avait compris la délicatesse de cette nouvelle proposition ; merci, je ne veux pas vous priver de ses services.

Il n'y avait plus qu'à s'entendre, les préliminaires de paix étaient posés.

— Eh bien, faites mieux encore que tout cela, Sébastien, montez derrière moi. Voici le jour qui vient ; à dix heures du matin, nous serons à Dammartin, c'est-à-dire à moitié route ; nous laisserons les deux chevaux, qui ne doivent pas nous conduire plus loin, à la garde de Baptiste, et nous prendrons une voiture de poste qui nous mènera à Paris : c'est ce que je comptais faire, vous ne changez donc en rien mes dispositions.

— Est-ce bien vrai, monsieur Isidore ?

— Parole d'honneur !

— Alors, fit le jeune homme hésitant, mais mourant d'envie d'accepter.

— Descends, Baptiste, et aide monsieur Sébastien à monter.

— Merci, c'est inutile, monsieur Isidore, dit Sébastien, qui, agile comme un écolier, sauta ou plutôt bondit en croupe.

Puis les trois hommes et les deux chevaux repartirent au galop, et disparurent bientôt de l'autre côté de la montée de Gondreville.

L'APPARITION

Les trois cavaliers avaient continué leur chemin, comme il était convenu, à cheval jusqu'à Dammartin.

Ils arrivèrent à Dammartin vers dix heures.

Tout le monde avait besoin de prendre quelque chose ; d'ailleurs, il fallait s'enquérir d'une voiture et de chevaux de poste.

Pendant qu'on servait le déjeuner à Isidore et à Sébastien, — qui en proie, Sébastien à l'inquiétude, Isidore à la tristesse, n'avaient pas échangé une parole, — Baptiste faisait panser les chevaux de son maître, et s'occupait de trouver une carriole et des chevaux de poste.

A midi, le déjeuner était achevé, et les chevaux et la carriole attendaient à la porte.

Seulement, Isidore, qui avait toujours couru la poste avec sa voiture, ignorait que, lorsqu'on voyage avec les voitures des administrations, il faut changer de voiture à chaque relais.

Il en résulta que les maîtres de poste, qui faisaient observer strictement les règlements, mais qui se gardaient bien de les observer eux-mêmes, n'avaient pas toujours des voitures sous leurs remises et des chevaux dans leurs écuries.

En conséquence, partis à midi de Dammartin, les voyageurs ne furent à la barrière qu'à quatre heures et demie, et aux portes des Tuileries qu'à cinq heures du soir.

Là, il fallut encore se faire reconnaître : monsieur de La Fayette s'était emparé de tous les postes, et, dans ces temps de troubles, ayant répondu à l'Assemblée de la personne du roi, il gardait le roi avec conscience.

Cependant, lorsque Charny se nomma, lorsqu'il invoqua le nom de son frère, les difficultés s'aplanirent, et l'on introduisit Isidore et Sébastien dans la cour des Suisses, d'où ils passèrent dans la cour du milieu.

Sébastien voulait se faire conduire à l'instant même rue Saint-Honoré, au logement qu'habitait son père. Mais Isidore lui fit observer que, le docteur Gilbert étant médecin du roi par quartier, on saurait chez le roi mieux que partout ailleurs ce qui lui était arrivé.

Sébastien, dont l'esprit était parfaitement juste, s'était rendu à ce raisonnement.

En conséquence, il suivit Isidore.

On était déjà parvenu, quoique arrivé de la veille, à établir une certaine étiquette dans le palais des Tuileries. Isidore fut introduit par l'escalier d'honneur, et un huissier le fit attendre dans un grand salon tendu de vert, faiblement éclairé par deux candélabres.

Le reste du palais lui-même était plongé dans une demi-obscurité ; le palais ayant toujours été habité par des particuliers, les grands éclairages, qui font partie du luxe royal, avaient été négligés.

L'huissier devait s'informer à la fois, et de monsieur le comte de Charny, et du docteur Gilbert.

L'enfant s'assit sur un canapé ; Isidore se promena de long en large.

Au bout de dix minutes, l'huissier reparut.

Monsieur le comte de Charny était chez la reine.

Quant au docteur Gilbert, il ne lui était rien arrivé ; on croyait même, mais sans pouvoir en répondre, qu'il était chez le roi, — le roi étant enfermé, avait répondu le valet de chambre de service, avec son médecin.

Seulement, comme le roi avait quatre médecins

par quartier et son médecin ordinaire, on ne savait pas bien précisément si le médecin enfermé avec Sa Majesté était monsieur Gilbert.

Si c'était lui, on le préviendrait à sa sortie que quelqu'un l'attendait dans les antichambres de la reine.

Sébastien respira librement ; il n'avait donc plus rien à craindre, son père vivait et était sain et sauf.

Il alla à Isidore pour le remercier de l'avoir amené.

Isidore l'embrassa en pleurant.

Cette idée, que Sébastien venait de retrouver son père, lui rendait plus cher encore ce frère qu'il avait perdu et ne retrouverait pas.

En ce moment, la porte s'ouvrit ; un huissier cria :

— Monsieur le vicomte de Charny ?

— C'est moi, répondit Isidore en s'avançant.

— On demande monsieur le vicomte chez la reine, dit en s'effaçant l'huissier.

— Vous m'attendrez, n'est-ce pas, Sébastien, dit Isidore, à moins que monsieur le docteur Gilbert ne vienne vous chercher ?... Songez que je réponds de vous à votre père.

— Oui, monsieur, dit Sébastien, et, en attendant, recevez de nouveau mes remerciements.

Isidore suivit l'huissier, et la porte se referma.

Sébastien reprit sa place sur le canapé.

Alors, tranquille sur la santé de son père, tranquille sur lui-même, bien certain qu'il était d'être pardonné par le docteur en faveur de l'intention, son souvenir se reporta sur l'abbé Fortier, sur Pitou et sur l'inquiétude qu'allaient causer, à l'un sa fuite, et à l'autre sa lettre.

Il ne comprenait même pas comment, avec tous les retards qu'ils avaient éprouvés en route, Pitou, qui n'avait qu'à déployer le compas de ses longues jambes pour marcher aussi vite que la poste, ne les avait pas rejoints.

Et, tout naturellement, par le simple mécanisme

des idées, en pensant à Pitou, il pensait à son encadrement ordinaire, c'est-à-dire à ces grands arbres, à ces belles routes ombreuses, à ces lointains bleuâtres qui terminent les horizons des forêts ; puis, par un enchaînement graduel, il se rappelait ces visions étranges qui parfois lui apparaissaient sous ces grands arbres, dans la profondeur de ces immenses voûtes.

Il pensait à cette femme qu'il avait vue tant de fois en rêve, et une fois seulement, il le croyait du moins, en réalité, le jour où il se promenait dans les bois de Satory, et où cette femme vint, passa et disparut comme un nuage, emportée dans une magnifique calèche par le galop de deux superbes chevaux.

Et il se rappelait l'émotion profonde que lui causait toujours cette vue, et, à moitié plongé dans ce songe, il murmurait tout bas :

— Ma mère ! ma mère ! ma mère !

Tout à coup, la porte, qui s'était refermée derrière Isidore de Charny, se rouvrit de nouveau. Cette fois, ce fut une femme qui apparut.

Par hasard, les yeux de l'enfant étaient fixés sur cette porte au moment de l'apparition.

L'apparition était si bien en harmonie avec ce qui se passait dans sa pensée, que, voyant son rêve s'animer d'une créature réelle, l'enfant tressaillit.

Mais ce fut bien autre chose encore quand, dans cette femme qui venait d'entrer, il vit tout à la fois l'ombre et la réalité.

L'ombre de ses rêves, la réalité de Satory.

Il se dressa tout debout, comme si un ressort l'eût mis sur ses pieds.

Ses lèvres se desserrèrent, son œil s'agrandit, sa pupille se dilata.

Sa poitrine haletante essaya inutilement de former un son.

La femme passa majestueuse, fière, dédaigneuse, sans faire attention à lui.

Toute calme qu'elle semblait extérieurement, cette femme aux sourcils froncés, au teint pâle, à la respiration sifflante, devait être sous le coup d'une grande irritation nerveuse.

Elle traversa diagonalement la salle, ouvrit la porte opposée à celle par laquelle elle avait apparu, et s'éloigna dans le corridor.

Sébastien comprit qu'elle allait encore lui échapper, s'il ne se hâtait. Il regarda d'un air effaré, comme pour s'assurer de la réalité de son passage, la porte par laquelle elle était entrée, la porte par laquelle elle avait disparu, et s'élança sur sa trace, avant que le pan de sa robe soyeuse eût disparu à l'angle du corridor.

Mais elle, entendant un pas derrière elle, marcha plus vite, comme si elle eût craint d'être poursuivie.

Sébastien hâta sa course le plus qu'il put : le corridor était sombre ; il craignait, cette fois encore, que la chère vision ne s'envolât.

Elle, entendant une marche toujours plus rapprochée, pressa sa marche en se retournant.

Sébastien poussa un faible cri de joie : c'était bien elle, toujours elle !

La femme, de son côté, voyant un enfant qui la suivait les bras tendus, et ne comprenant rien à cette poursuite, arriva au haut d'un escalier, et se lança par les degrés.

Mais à peine avait-elle descendu un étage, que Sébastien apparut à son tour au bout du corridor, en criant :

— Madame ! madame !

Cette voix produisit une sensation étrange dans tout l'être de cette jeune femme ; il lui sembla qu'un coup, la frappant au cœur, moitié douloureux, moitié charmant, et, du cœur, courant avec le sang dans les veines, répandait un frisson par tout son corps.

Et, cependant, ne comprenant rien encore ni à cet appel ni a l'émotion qu'elle éprouvait, elle doubla le pas, et, de la course, passa en quelque sorte à la fuite.

Mais elle n'avait plus sur l'enfant assez d'avance pour lui échapper.

Ils arrivèrent presque ensemble au bas de l'escalier.

La jeune femme s'élança dans la cour ; une voiture l'y attendait, un domestique tenait ouverte la portière de la voiture.

Elle y monta rapidement, et s'y assit.

Mais, avant que la portière fût refermée, Sébastien s'était glissé entre le domestique et la portière, et, ayant saisi le bas de la robe de la fugitive, il la baisait avec passion en s'écriant :

— Oh ! madame ! oh ! madame !

La jeune femme, alors, regarda ce charmant enfant, qui l'avait effrayée d'abord, et, d'une voix plus douce qu'elle n'était d'habitude, quoique cette voix eût encore conservé un mélange d'émotion et de frayeur :

— Eh bien ! dit-elle, mon ami, pourquoi courez-vous après moi ? pourquoi m'appelez-vous ? que me voulez-vous ?

— Je veux, dit l'enfant tout haletant, je veux vous voir, je veux vous embrasser.

Et, assez bas pour que la jeune femme seule pût l'entendre :

— Je veux vous appeler *ma mère*, ajouta-t-il.

La jeune femme jeta un cri, prit la tête de l'enfant dans ses deux mains, et, comme par une révélation subite, l'approchant vivement d'elle, colla ses deux lèvres ardentes sur son front.

Puis, comme si elle eût craint à son tour que quelqu'un ne vînt et ne lui enlevât cet enfant qu'elle venait de retrouver, elle l'attira à elle jusqu'à ce qu'il fût tout entier dans la voiture ; elle le poussa du côté opposé, tira elle-même la portière, et, abaissant la glace, qu'elle releva aussitôt :

— Chez moi, dit-elle, rue Coq-Héron, n° 9, à la

première porte cochère en partant de la rue Plâtrière.

Et, se retournant vers l'enfant :

— Ton nom ? demanda-t-elle.

— Sébastien.

— Ah ! viens, Sébastien, viens-là... là, sur mon cœur !

Puis, se renversant en arrière, comme si elle était près de s'évanouir :

— Oh ! murmura-t-elle, qu'est-ce donc que cette sensation inconnue ? Serait-ce ce qu'on appelle le bonheur ?

LE PAVILLON D'ANDRÉE

La route ne fut qu'un long baiser échangé entre la mère et le fils.

Ainsi, cet enfant, — car son cœur n'avait pas douté un instant que ce ne fût lui, — cet enfant qui lui avait été enlevé dans une nuit terrible, nuit d'angoisses et de déshonneur ; cet enfant qui avait disparu sans que son ravisseur laissât d'autre trace que l'empreinte de ses pas sur la neige ; cet enfant qu'elle avait détesté, maudit d'abord, tant qu'elle n'avait pas entendu son premier cri, recueilli son premier vagissement ; cet enfant qu'elle avait appelé, cherché, redemandé, que son frère avait poursuivi dans la personne de Gilbert jusque sur l'Océan ; cet enfant qu'elle avait regretté quinze ans, qu'elle avait désespéré de revoir jamais, auquel elle ne songeait plus que comme on songe à un mort bien-aimé, à une ombre chérie ; cet enfant, voilà que tout à coup, là où elle devait le moins s'attendre à le rencontrer, il se retrouve par miracle ! par miracle, il la reconnaît, court après elle à son tour, la poursuit, l'appelle sa mère ! cet enfant, voilà qu'elle le tient sur son cœur, le presse contre sa poitrine ! voilà que, sans l'avoir jamais vue, il l'aime d'un amour filial, comme elle l'aime d'un amour maternel ! voilà que sa lèvre, pure de tout baiser, retrouve toutes les joies de sa vie perdue, dans le premier baiser qu'elle donne à son enfant !

Il y avait donc au-dessus de la tête des hommes quelque chose de plus que ce vide où roulent les mondes ; il y avait donc dans la vie autre chose que le hasard et la fatalité.

« Rue Coq-Héron, n° 9, à la première porte cochère en partant de la rue Plâtrière », avait dit la comtesse de Charny.

Étrange coïncidence qui ramenait, après quatorze ans passés, l'enfant dans la maison même où il était né, où il avait aspiré les premiers souffles de la vie, et d'où il avait été enlevé par son père !

Cette petite maison, achetée autrefois par le père Taverney, lorsque, avec cette grande faveur dont la reine avait honoré sa famille, un peu d'aisance était rentrée dans l'intérieur du baron, avait été conservée par Philippe de Taverney, et gardée par un vieux concierge que les anciens propriétaires semblaient avoir vendu avec la maison. Elle servait de pied-à-terre au jeune homme, quand il revenait de ses voyages, ou à la jeune femme quand elle couchait à Paris.

Après cette dernière scène qu'Andrée avait eue avec la reine, après la nuit passée auprès d'elle, Andrée avait résolu de s'éloigner de cette rivale, qui lui renvoyait le contre-coup de chacune de ses douleurs, et chez laquelle les malheurs de la reine, si grands qu'ils fussent, restaient toujours au-dessous des angoisses de la femme.

Aussi, dès le matin, elle avait envoyé sa servante dans la petite maison de la rue Coq-Héron, avec ordre de préparer le pavillon, qui, comme on se le rappelle, se composait d'une antichambre, d'une petite salle à manger, d'un salon et d'une chambre à coucher.

Autrefois Andrée avait fait, pour loger Nicole auprès d'elle, du salon une seconde chambre à coucher ; mais, depuis, cette nécessité ayant disparu, chaque pièce avait été rendue à sa destination première, et la femme de chambre, laissant le bas entièrement libre à sa maîtresse, qui d'ailleurs n'y venait que bien rarement, et toujours seule, s'était accommodée d'une petite mansarde pratiquée dans les combles.

Andrée s'était donc excusée près de la reine de ne point garder cette chambre voisine de la sienne, sur ce que la reine, étant si étroitement logée, avait plutôt besoin près d'elle d'une de ses femmes de chambre que d'une personne qui *n'était point particulièrement attachée à son service*.

La reine n'avait pas insisté pour garder Andrée, ou plutôt n'avait insisté que selon les strictes convenances, et, vers quatre heures de l'après-midi, la femme de chambre d'Andrée étant venue lui dire que le pavillon était prêt, elle avait ordonné à sa femme de chambre de partir à l'instant même pour Versailles, de réunir ses effets, que, dans la précipitation du départ, elle avait laissés dans l'appartement qu'elle occupait au château, et de lui rapporter, le lendemain, ces effets à la rue Coq-Héron.

A cinq heures, la comtesse de Charny avait, en conséquence, quitté les Tuileries, regardant comme un adieu suffisant le peu de mots qu'elle avait dits, le matin, à la reine en lui rendant la faculté de disposer de la chambre qu'elle avait occupée une nuit.

C'était en sortant de chez la reine, ou plutôt de la chambre attenante à celle de la reine, qu'elle avait traversé le salon vert où attendait Sébastien, et que, poursuivie par lui, elle avait fui à travers les corridors, jusqu'au moment où Sébastien s'était précipité après elle dans le fiacre, qui, commandé d'avance par la femme de chambre, l'attendait à la porte des Tuileries, dans la cour des Princes.

Ainsi, tout concourait à faire pour Andrée, de cette soirée, une soirée heureuse, et que rien ne devait troubler. Au lieu de son appartement de Versailles ou de sa chambre des Tuileries, où elle n'eût pas pu recevoir cet enfant, si miraculeusement retrouvé, où elle n'eût pu, du moins, se livrer à toute l'expansion de son amour maternel, elle était dans une maison à elle, dans un pavillon isolé, sans domestique, sans femme de chambre, sans un seul regard interrogateur enfin !

Aussi était-ce avec une expression de joie bien sentie qu'elle avait donné l'adresse que nous avons inscrite plus haut, et qui a fourni matière à toute cette digression.

Six heures sonnaient, comme la porte cochère s'ouvrait à l'appel du cocher, et comme le fiacre s'arrêtait devant la porte du pavillon.

Andrée n'attendit pas même que le cocher descendît de son siège ; elle ouvrit la portière, sauta sur la première marche du perron, tirant Sébastien après elle.

Puis, donnant vivement au cocher une pièce de monnaie qui faisait le double à peu près de ce qui lui était dû, elle s'élança, toujours tenant l'enfant par la main, dans l'intérieur du pavillon, après avoir fermé avec soin la porte de l'antichambre.

Arrivée au salon, elle s'arrêta.

Le salon était éclairé seulement par le feu brûlant dans l'âtre, et par deux bougies allumées sur la cheminée.

Andrée entraîna son fils sur une espèce de causeuse où se concentrait la double lumière des bougies et du feu.

Puis, avec une explosion de joie dans laquelle tremblait encore un dernier doute :

— Oh ! mon enfant, mon enfant, dit-elle, c'est donc bien toi ?

— Ma mère ! répondit Sébastien avec un épa-
nouissement de cœur qui se répandit comme une
rosée adoucissante sur le cœur bondissant et dans
les veines fiévreuses d'Andrée.

— Et ici, ici ! s'écria Andrée en regardant autour
d'elle, en se retrouvant dans ce même salon où elle
avait donné le jour à Sébastien, et en jetant avec
terreur les yeux vers cette même chambre d'où il
avait été enlevé.

— Ici ! répéta Sébastien ; que veut dire cela, ma
mère ?

— Cela veut dire, mon enfant, que voici bientôt
quinze ans, tu naquis dans cette chambre où nous
sommes, et que je bénis la miséricorde du Seigneur
tout-puissant, qui, au bout de quinze ans, t'y a
miraculeusement ramené.

— Oh ! oui, miraculeusement, dit Sébastien ; car
si je n'eusse pas craint pour la vie de mon père, je
ne fusse point parti seul et la nuit pour Paris ; si je
ne fusse point parti seul et la nuit, je n'eusse point
été embarrassé pour savoir celle des deux routes
qu'il me fallait prendre ; je n'eusse point attendu
sur le grand chemin ; je n'eusse point interrogé
monsieur Isidore de Charny, en passant ; il ne m'eût
point reconnu, ne m'eût point offert de venir à
Paris avec lui, ne m'eût point conduit au palais des
Tuileries ; et, aussi, je ne vous eusse point vue au
moment où vous traversiez le salon vert ; je ne vous
eusse pas reconnue ; je n'eusse point couru après
vous ; je ne vous eusse pas rejointe ; je ne vous
eusse point, enfin, appelée ma mère ! ce qui est un
mot bien doux et bien tendre à prononcer !

A ces mots de Sébastien : « Si je n'eusse pas craint
pour la vie de mon père », Andrée avait senti un
serrement de cœur aigu ; elle avait fermé les yeux
et renversé sa tête en arrière.

A ceux-ci : « Monsieur Isidore de Charny ne m'eût
point reconnu, ne m'eût point offert de venir à
Paris avec lui, ne m'eût point conduit au palais des

Tuileries », ses yeux se rouvrirent, son cœur se desserra, son regard remercia le ciel ; car, en effet, c'était bien un miracle qui lui rendait Sébastien, conduit par le frère de son mari.

Enfin, à ceux-ci : « Je ne vous eusse point appelée ma mère ! ce qui est un mot bien doux et bien tendre à prononcer », rappelée au sentiment de son bonheur, elle serra de nouveau Sébastien sur sa poitrine.

— Oui, oui, tu as raison, mon enfant, dit-elle ; bien doux ! il n'y en a qu'un plus doux et plus tendre peut-être, c'est celui que je te dis en te serrant sur mon cœur : mon fils ! mon fils !

Puis il y eut un instant de silence pendant lequel on n'entendit que le doux frémissement des lèvres maternelles sur le front de l'enfant.

— Mais enfin, s'écria tout à coup Andrée, il est impossible que tout reste ainsi mystérieux en moi et autour de moi ; tu m'as bien expliqué comment tu étais là, mais tu ne m'as pas expliqué comment tu m'avais reconnue, comment tu avais couru après moi, comment tu m'avais appelée ta mère.

— Puis-je vous dire cela ? répondit Sébastien en regardant Andrée avec une indicible expression d'amour. Je ne le sais pas moi-même. Vous parlez de mystères ; tout est mystérieux en moi comme en vous.

— Mais quelqu'un t'a donc dit au moment où je passais : « Enfant, voici ta mère ! »

— Oui : mon cœur.

— Ton cœur ?...

— Écoutez, ma mère, je vais vous dire une chose qui tient du prodige.

Andrée s'approcha encore de l'enfant, tout en jetant un regard au ciel, comme pour le remercier de ce qu'en lui rendant son fils, il le lui rendait ainsi.

— Il y a dix ans que je vous connais, ma mère.

Andrée tressaillit.

— Vous ne comprenez pas ?

Andrée secoua la tête.

— Laissez-moi vous dire ; j'ai parfois des rêves étranges que mon père appelle des hallucinations.

Au souvenir de Gilbert, passant comme une pointe d'acier des lèvres de l'enfant à son cœur, Andrée frissonna.

— Vingt fois déjà, je vous ai vue, ma mère.

— Comment cela ?

— Dans ces rêves dont je vous parlais tout à l'heure.

Andrée pensa, de son côté, à ces rêves terribles qui avaient agité sa vie, et à l'un desquels l'enfant devait sa naissance.

— Imaginez-vous, ma mère, continua Sébastien, que, tout enfant, lorsque je jouais avec les enfants du village, et que je restais dans le village, mes impressions étaient celles des autres enfants, et rien ne m'apparaissait que les objets réels et véritables ; mais, dès que j'avais quitté le village, dès que je dépassais les derniers jardins, dès que j'avais franchi la lisière de la forêt, je sentais passer près de moi comme le frôlement d'une robe ; je tendais les bras pour la saisir, mais je ne saisissais que l'air ; alors, le fantôme s'éloignait. Mais, d'invisible qu'il était d'abord, il se faisait visible peu à peu ; dans le premier moment, c'était une vapeur transparente comme un nuage, semblable à celle dont Virgile enveloppa la mère d'Énée, quand elle apparaît à son fils sur la rive de Carthage ; bientôt cette vapeur s'épaississait et prenait une forme humaine ; cette forme humaine, qui était celle d'une femme, glissait sur le sol plutôt qu'elle ne marchait sur la terre... Alors un pouvoir inconnu, étrange, irrésistible, m'entraînait après elle. Elle s'enfonçait dans les endroits les plus sombres de la forêt, et je l'y poursuivais les bras tendus, muet comme elle ; car, quoique j'essayasse de l'appeler, jamais ma voix n'est parvenue à articuler un son, et je la poursuivais ainsi, sans qu'elle s'arrêtât, sans que je pusse la joindre, jusqu'à ce que le prodige qui m'avait annoncé sa présence me signalât son départ. Le fantôme s'effaçait peu à peu. Mais elle semblait autant souffrir que moi de cette volonté du ciel qui nous séparait l'un de l'autre ; car elle s'éloignait en me regardant, et, moi, écrasé de fatigue, comme si je n'eusse été soutenu que par sa présence, je tombais à l'endroit même où elle avait disparu.

Cette espèce de seconde existence de Sébastien, ce rêve vivant dans sa vie, ressemblait trop à ce qui était arrivé à Andrée elle-même pour qu'elle ne se reconnût pas dans son enfant.

— Pauvre ami, dit-elle en le serrant sur son cœur, c'était donc inutilement que la haine t'avait éloigné de moi ! Dieu nous avait rapproché sans que je m'en doutasse ; seulement, moins heureuse que toi, mon cher enfant, je ne te voyais ni en rêve ni en réalité ; et cependant, quand je suis passée dans ce salon vert, un frissonnement m'a prise ; quand j'ai entendu tes pas derrière les miens, quelque chose comme un vertige a passé entre mon esprit et mon cœur ; quand tu m'as appelée *madame*, j'ai failli m'arrêter ; quand tu m'as appelée *ma mère*, j'ai failli m'évanouir ; quand je t'ai touché, je t'ai reconnu !

— Ma mère ! ma mère ! ma mère ! répéta trois fois Sébastien, comme s'il eût voulu consoler Andrée d'avoir été si longtemps sans entendre prononcer ce doux nom.

— Oui, oui, ta mère ! répliqua la jeune femme avec un transport d'amour impossible à décrire.

— Et, maintenant que nous nous sommes retrouvés, dit l'enfant, puisque tu es si contente et si heureuse de me revoir, nous ne nous quitterons plus, n'est-ce pas ?

Andrée tressaillit. Elle avait saisi le présent au passage en fermant à moitié les yeux sur le passé, en les fermant tout à fait sur l'avenir.

— Mon pauvre enfant, murmura-t-elle avec un

soupir, comme je te bénirais, si tu pouvais opérer un pareil miracle !

— Laisse-moi faire, dit Sébastien, j'arrangerai tout cela, moi.

— Et comment ? demanda Andrée.

— Je ne connais point les causes qui t'ont séparée de mon père.

Andrée pâlit.

— Mais, reprit Sébastien, si graves que soient ces causes, elles s'effaceront devant mes prières et devant mes larmes, s'il le faut.

Andrée secoua la tête.

— Jamais ! jamais ! dit-elle.

— Écoute, dit Sébastien, qui, d'après ces mots que lui avait dits Gilbert : *Enfant, ne me parle jamais de ta mère*, avait dû croire que les torts de la séparation étaient à celle-ci ; écoute, mon père m'adore !

Les mains d'Andrée, qui tenaient celles de son fils, se desserrèrent ; l'enfant ne parut point y faire et peut-être n'y fit point attention.

Il continua :

— Je le préparerai à te revoir ; je lui raconterai tout le bonheur que tu m'as donné ; puis, un jour, je te prendrai par la main, je te conduirai à lui et je lui dirai : « La voici ! regarde, père, comme elle est belle ! »

Andrée repoussa Gilbert, et se leva.

L'enfant fixa sur elle des yeux étonnés ; elle était si pâle qu'elle lui fit peur.

— Jamais ! répéta-t-elle, jamais !

Et, cette fois, son accent exprimait quelque chose de plus que l'effroi, il exprimait la menace.

A son tour, l'enfant se recula sur son canapé ; il venait de découvrir, dans ce visage de femme, ces lignes terribles que Raphaël donne aux anges irrités.

— Et pourquoi, demanda-t-il d'une voix sourde, pourquoi refuses-tu de voir mon père ?

A ces mots, comme au choc de deux nuages pendant une tempête, la foudre éclata !

— Pourquoi ? dit Andrée, tu me demandes pourquoi ? En effet, pauvre enfant, tu ne sais rien !

— Oui, dit Sébastien avec fermeté, je demande pourquoi.

— Eh bien, répéta Andrée, incapable de se contenir plus longtemps sous les morsures du serpent haineux qui lui rongeait le cœur, parce que ton père est un misérable ! parce que ton père est un infâme !

Sébastien bondit du meuble où il était accroupi et se trouva debout devant Andrée.

— C'est de mon père que vous dites cela, madame ! s'écria-t-il, de mon père, c'est-à-dire du docteur Gilbert, de celui qui m'a élevé, de celui à qui je dois tout, de celui que seul je connais ? Je me trompais, madame, vous n'êtes pas ma mère !

L'enfant fit un mouvement pour s'élancer vers la porte.

Andrée l'arrêta.

— Écoute, dit-elle, tu ne peux savoir, tu ne peux comprendre, tu ne peux juger !

— Non ! mais je puis sentir et je sens que je ne vous aime plus !

Andrée jeta un cri de douleur.

Mais, au même instant, un bruit extérieur vint faire diversion à l'émotion qu'elle éprouvait, quoique cette émotion l'eût momentanément envahie tout entière.

Ce bruit, c'était celui de la porte de la rue qui s'ouvrait et d'une voiture qui s'arrêtait devant le perron.

Il courut, à ce bruit, un tel frisson dans les membres d'Andrée, que ce frisson passa de son corps dans celui de l'enfant.

— Attends ! lui dit-elle, attends, et tais-toi !

L'enfant subjugué, obéit.

On entendit s'ouvrir la porte de l'antichambre, et des pas s'approcher de celle du salon.

Andrée se redressa immobile, muette, les yeux fixés sur la porte, pâle et froide comme la statue de l'Attente.

— Qui annoncerai-je à madame la comtesse ? demanda la voix du vieux concierge.

— Annoncez le comte de Charny, et demandez à la comtesse si elle veut me faire l'honneur de me recevoir.

— Oh ! s'écria Andrée, dans cette chambre ! enfant, dans cette chambre ! il ne faut pas qu'il te voie ! il ne faut pas qu'il sache que tu existes !

Et elle poussa l'enfant, effaré, dans la chambre voisine.

Puis, en refermant la porte sur lui :

— Reste là ! dit-elle, et, quand il sera parti, je te dirai, je te raconterai... Non ! non ! rien de tout cela ! Je t'embrasserai, et tu comprendras que je suis bien réellement ta mère !

Sébastien ne répondit que par un espèce de gémissement.

En ce moment, la porte de l'antichambre s'ouvrit, et, son bonnet à la main, le vieux concierge s'acquitta de la commission dont il était chargé.

Derrière lui, dans la pénombre, l'œil perçant d'Andrée devinait une forme humaine.

— Faites entrer monsieur le comte de Charny, dit-elle de la voix la plus ferme qu'elle put trouver.

Le vieux concierge se retira en arrière, et le comte de Charny, le chapeau à la main, parut à son tour sur le seuil.

En deuil de son frère, tué deux jours auparavant, le comte de Charny était tout vêtu de noir.

Puis, comme ce deuil, pareil à celui d'Hamlet, était encore non seulement sur les habits, mais encore au fond du cœur, son visage pâli attestait des larmes qu'il avait versées et des douleurs qu'il avait souffertes.

La comtesse embrassa tout cet ensemble d'un rapide regard. Jamais les belles figures ne sont si belles qu'après les larmes. Jamais Charny n'avait été si beau.

Elle ferma un instant les yeux, renversa légèrement sa tête en arrière, comme pour donner à sa poitrine la faculté de respirer, et appuya sa main sur son cœur, qu'elle sentait près de se briser.

Quand elle rouvrit les yeux, — et ce fut une seconde après les avoir fermés, — elle retrouva Charny à la même place.

Le geste et le regard d'Andrée lui demandèrent en même temps et si visiblement pourquoi il n'était pas entré, qu'il répondit tout naturellement à ce geste et à ce regard :

— Madame, j'attendais.

Il fit un pas en avant.

— Faut-il renvoyer la voiture de monsieur ? demanda le concierge, sollicité à cette interrogation par le domestique du comte.

Un regard d'une indicible expression jaillit de la prunelle du comte et se porta sur Andrée, qui, comme éblouie, ferma les yeux une seconde fois et resta immobile, la respiration suspendue, comme si elle n'eût point entendu l'interrogation, comme si elle n'eût point vu le regard.

L'une et l'autre cependant avaient pénétré tout droit jusqu'à son cœur.

Charny chercha, par toute cette statue vivante, un

signe qui lui indiquât ce qu'il avait à répondre. Puis, comme le frissonnement qui échappa à Andrée pouvait être aussi bien de la crainte que le comte ne s'en allât point que du désir qu'il restât :

— Dites au cocher d'attendre, répondit-il.

La porte se referma, et, pour la première fois peut-être depuis leur mariage, le comte et la comtesse se trouvèrent seuls.

Ce fut le comte qui rompit le premier le silence.

— Pardon, madame, dit-il, mais ma présence inattendue serait-elle encore indiscrète ? Je suis debout, la voiture est à la porte, et je repars comme je suis venu.

— Non, monsieur, dit vivement Andrée, au contraire. Je vous savais sain et sauf, mais je n'en suis pas moins heureuse de vous revoir, après les événements qui se sont passés.

— Vous avez donc eu la bonté de vous informer de moi, madame ? demanda le comte.

— Sans doute... hier et ce matin, et l'on m'a répondu que vous étiez à Versailles ; ce soir, et l'on m'a répondu que vous étiez près de la reine.

Ces derniers mots avaient-ils été prononcés simplement, ou contenaient-ils un reproche ?

Il est évident que le comte lui-même, ne sachant à quoi s'en tenir, s'en préoccupa un instant.

Mais, presque aussitôt, laissant probablement à la suite de la conversation le soin de relever le voile un instant abaissé sur son esprit :

— Madame, répondit-il, un soir triste et pieux me retenait hier et aujourd'hui à Versailles ; un devoir que je regarde comme sacré, dans la situation où la reine se trouve, m'a conduit, aussitôt mon arrivée à Paris, chez Sa Majesté.

A son tour, Andrée essaya visiblement de saisir, dans tout son réalisme, l'intention des dernières paroles du comte.

Puis, pensant qu'elle devait surtout une réponse aux premières :

— Oui, monsieur, dit-elle. Hélas ! j'ai su la perte terrible que...

Elle hésita un instant :

— Que *vous* avez faite.

Andrée avait été sur le point de dire : « que *nous* avons faite ». Elle n'osa point et continua :

— Vous avez eu le malheur de perdre *votre* frère le baron Georges de Charny.

On eût dit que Charny attendait au passage les deux mots que nous avons soulignés, car il tressaillit au moment où chacun d'eux fut prononcé.

— Oui, madame, répondit-il ; c'est, comme vous le dites, une perte terrible pour moi, que celle de ce jeune homme, une perte que, par bonheur, vous ne pouvez apprécier, ayant si peu connu le pauvre Georges.

Il y avait un doux et mélancolique reproche dans ces mots : *par bonheur*.

Andrée le comprit, mais aucun signe extérieur ne manifesta qu'elle y eût fait attention.

— Au reste, une chose me consolerait de cette perte ; si je pouvais en être consolé, reprit Charny : c'est que le pauvre Georges est mort comme mourra Isidore, comme je mourrai probablement, — en faisant son devoir.

Ces mots : *comme je mourrai probablement*, atteignirent profondément Andrée.

— Hélas ! monsieur, demanda-t-elle, croyez-vous donc les choses si désespérées, qu'il y ait encore besoin, pour désarmer la colère céleste, de nouveaux sacrifices de sang ?

— Je crois, madame, que l'heure des rois est sinon arrivée, du moins bien près de sonner. Je crois qu'il y a un mauvais génie qui pousse la monarchie vers l'abîme. Je pense, enfin, que si elle y tombe, elle doit être accompagnée, dans sa chute, de tous ceux qui ont eu part à sa splendeur.

— C'est vrai, dit Andrée, et, quand le jour sera

venu, croyez qu'il me trouvera comme vous, monsieur, prête à tous les dévouements.

— Oh! madame, dit Charny, vous avez donné trop de preuves de ce dévouement dans le passé, pour que qui que ce soit, et moi moins que personne, doute de ce dévouement dans l'avenir, et peut-être ai-je d'autant moins le droit de douter du vôtre, que le mien, pour la première fois peut-être, vient de reculer devant un ordre de la reine.

— Je ne comprends pas, monsieur, dit Andrée.

— En arrivant de Versailles, madame, j'ai trouvé l'ordre de me présenter à l'instant même chez Sa Majesté.

— Oh! fit Andrée en souriant tristement.

Puis, après un instant de silence :

— Cela est tout simple, dit-elle, la reine voit comme vous l'avenir mystérieux et sombre, et veut réunir autour d'elle les hommes sur lesquels elle sait pouvoir compter.

— Vous vous trompez, madame, répondit Charny, ce n'était point pour me rapprocher d'elle que la reine m'appelait ; c'était pour m'en éloigner.

— Vous éloigner d'elle ! dit vivement Andrée en faisant un pas vers le comte.

Puis, après un moment, s'apercevant que le comte était, depuis le commencement de la conversation, demeuré debout près de la porte :

— Pardon, dit-elle en lui indiquant un fauteuil, je vous tiens debout, monsieur le comte.

Et, en disant ces mots, elle retomba elle-même, incapable de se soutenir plus longtemps, sur le canapé où, un instant auparavant, elle était assise près de Sébastien.

— Vous éloigner ! répéta-t-elle avec une émotion qui n'était pas exempte de joie, en pensant que Charny et la reine allaient être séparés. Et dans quel but ?

— Dans le but d'aller remplir à Turin une mission

près de messieurs le comte d'Artois et le duc de Bourbon, qui ont quitté la France.

— Et vous avez accepté ?

Charny regarda fixement Andrée.

— Non, madame, dit-il.

Andrée pâlit tellement, que Charny fit un pas vers elle, comme pour lui porter secours ; mais, à ce mouvement du comte, elle rappela ses forces, et revint à elle.

— Non ? balbutia-t-elle ; vous avez répondu non à un ordre de la reine... vous, monsieur ?...

Et les deux derniers mots furent prononcés avec un accent de doute et d'étonnement impossible à rendre.

— J'ai répondu, madame, que je croyais ma présence, en ce moment surtout, plus nécessaire à Paris qu'à Turin ; que tout le monde pouvait remplir la mission dont on voulait bien me faire l'honneur de me charger, et que j'avais là justement un second frère à moi, arrivé à l'instant même de province pour se mettre aux ordres de Sa Majesté, et qui était près de partir à ma place.

— Et sans doute, monsieur, la reine a été heureuse d'accepter la substitution ? s'écria Andrée avec une expression d'amertume qu'elle ne put contenir, et qui parut ne pas échapper à Charny.

— Non, madame, au contraire ; car ce refus parut la blesser profondément. J'eusse donc été forcé de partir, si, par bonheur, le roi n'était entré dans ce moment, et si je ne l'eusse fait juge.

— Et le roi vous donna raison, monsieur ? reprit Andrée avec un sourire ironique ; et le roi fut, comme vous, d'avis que vous deviez rester aux Tuileries ?... Oh ! que Sa Majesté est bonne !

Charny ne sourcilla point.

— Le roi dit, reprit-il, qu'en effet, mon frère Isidore était très convenable pour cette mission, d'autant plus convenable que, venant pour la première fois à la cour, et presque pour la première

fois à Paris, son absence ne serait point remarquée ;
et il ajouta qu'il serait cruel à la reine d'exiger que,
dans un pareil moment, je m'éloignasse de vous.

— De moi ? s'écria Andrée ; le roi a dit de moi ?

— Je vous répète ses propres paroles, madame.
Alors, cherchant des yeux autour de la reine, et
s'adressant à moi : « Mais, en effet, où est la comtesse
de Charny ? demanda-t-il. Je ne l'ai pas vue depuis
hier au soir. » Comme c'était surtout à moi que la
question était adressé, ce fut moi qui y fis droit.
« Sire, répondis-je, j'ai si peu le bonheur de voir
madame de Charny, qu'il me serait impossible de
vous dire, en ce moment, où est la comtesse ; mais,
si Votre Majesté désire être informée à ce sujet,
qu'elle s'adresse à la reine ; la reine le sait, la reine
répondra. » Et j'insistai, parce que, voyant le sourcil
de la reine se froncer, je pensais que quelque chose
d'ignoré par moi s'était passé entre vous et elle.

Andrée paraissait si ardente à écouter, qu'elle ne
songea pas même à répondre.

Alors Charny continua :

— « Sire, répondit la reine, madame la Comtesse
de Charny a quitté les Tuileries, il y a une heure.
— Comment ! demanda le roi, madame la comtesse
de Charny a quitté les Tuileries ? — Oui, sire. —
Mais pour y revenir bientôt ? — Je ne crois pas. —
Vous ne croyez pas, madame ? reprit le roi. Mais
quel motif a donc eu madame de Charny, votre
meilleure amie, madame ?... » La reine fit un mouvement. « Oui, je le dis, votre meilleure amie,
répéta-t-il, pour quitter les Tuileries dans un pareil
moment ? — Mais, dit la reine, je crois qu'elle se
trouve mal logée. — Mal logée, sans doute, si notre
intention eût été de la laisser dans cette chambre
attenante à la nôtre ; mais nous lui eussions trouvé
un logement, pardieu ! un logement pour elle et
pour le comte. N'est-ce pas, comte, et vous ne vous
seriez pas montré trop difficile, j'espère ? — Sire,
répondis-je, le roi sait que je me tiendrai toujours

pour satisfait du poste qu'il m'assignera, pourvu que ce poste me donne occasion de le servir. — Eh! que je le savais bien! reprit le roi; de sorte que madame de Charny s'est retirée... où cela, madame? savez-vous? — Non, sire, je ne sais. — Comment! votre amie vous quitte, et vous ne lui demandez point où elle va? — Quand mes amis me quittent, je les laisse libres d'aller où ils veulent, et n'ai point l'indiscrétion de leur demander où ils vont. — Bon! me dit le roi, bouderie de femme... Monsieur de Charny, j'ai quelques mots à dire à la reine; allez m'attendre chez moi et présentez-moi votre frère. Ce soir même, il partira pour Turin; je suis de votre avis, monsieur de Charny, j'ai besoin de vous, et je vous garde. » J'envoyai chercher mon frère, qui venait d'arriver, et qui, m'avait-on fait dire, m'attendait dans le salon vert.

A ces mots, *dans le salon vert*, Andrée, qui avait presque oublié Sébastien, tant elle semblait attacher d'intérêt au récit de son mari, se reporta par la pensée à tout ce qui venait de se passer entre elle et son fils, et jeta les yeux avec angoisse sur la porte de la chambre à coucher, où elle l'avait enfermé.

— Mais, pardon, madame, dit Charny, je vous entretiens, j'en ai peur, de choses qui vous intéressent médiocrement, et sans doute vous vous demandez comment je suis ici, et ce que j'y viens faire.

— Non, monsieur, dit Andrée, tout au contraire, ce que vous me faites l'honneur de me raconter est pour moi du plus vif intérêt; et, quant à votre présence chez moi, vous savez qu'à la suite des craintes que j'ai éprouvées sur votre compte, cette présence, qui prouve qu'à vous personnellement rien n'est arrivé de malheureux, cette présence ne peut que m'être agréable. Continuez donc, je vous prie; le roi venait de vous dire de l'aller attendre chez lui, et vous aviez fait prévenir votre frère.

— Nous nous rendîmes chez le roi, madame. Dix minutes après nous, il revint. Comme la mission pour les princes était urgente, ce fut par elle que le roi commença. Elle avait pour but d'instruire Leurs Altesses des événements qui venaient de se passer. Un quart d'heure après le retour de Sa Majesté, mon frère était parti pour Turin. Nous restâmes seuls. Le roi se promena un instant tout pensif ; puis, tout à coup, s'arrêtant devant moi : « Monsieur le comte, me dit-il, savez-vous ce qui s'est passé entre la reine et la comtesse ? — Non, sire, répondis-je. — Il faut cependant qu'il se soit passé quelque chose, ajouta-t-il, car j'ai trouvé la reine d'une humeur massacrante, et même, à ce qu'il m'a paru, injuste pour la comtesse, ce qui n'est point son habitude à l'endroit de ses amis, qu'elle défend, même quand ils ont des torts. — Je ne puis que répéter à Votre Majesté ce que j'ai eu l'honneur de lui dire, repris-je. J'ignore complètement ce qui s'est passé entre la comtesse et la reine, et même s'il s'est passé quelque chose. En tout cas, sire, j'ose affirmer d'avance que, s'il y a des torts d'un côté ou de l'autre, en supposant qu'une reine puisse avoir des torts, ces torts ne viennent pas du côté de la comtesse. »

— Je vous remercie, monsieur, dit Andrée, d'avoir si bien présumé de moi.

Charny s'inclina.

— « En tout cas, reprit le roi, si la reine ne sait pas où est la comtesse, vous devez le savoir, vous. » Je n'étais guère mieux instruit que la reine ; cependant, je repris : « Sire, je sais que madame la comtesse a un pied-à-terre, rue Coq-Héron ; c'est là sans doute qu'elle se sera retirée. — Eh ! oui, sans doute, c'est là, dit le roi. Allez-y, comte, je vous donne congé jusqu'à demain, pourvu que demain vous nous rameniez la comtesse. »

Le regard de Charny, en prononçant ces mots, s'était arrêté si fixement sur Andrée, que celle-ci, mal à l'aise, et sentant qu'elle ne pouvait éviter ce regard, ferma les yeux.

— « Vous lui direz, continua Charny, — toujours
parlant au nom du roi, que nous lui trouverons ici,
dussé-je le lui chercher moi-même, un logement
moins grand que celui qu'elle avait à Versailles
bien certainement, mais enfin suffisant pour un
mari et une femme. Allez, monsieur de Charny,
allez ; elle doit être inquiète de vous, et vous devez
être inquiet d'elle, allez ! » Puis, me rappelant, comme
j'avais fait déjà quelques pas vers la porte : « A
propos, monsieur de Charny, dit-il en me tendant
sa main, que je baisai, en vous voyant vêtu de deuil,
c'est par là que j'eusse dû commencer... vous avez
eu le malheur de perdre votre frère ; on est impuissant, fût-on roi, à consoler de ces malheurs-là ;
mais, roi, on peut dire : Votre frère était-il marié ?
avait-il une femme, des enfants ? cette femme et ces
enfants peuvent-ils être adoptés par moi ? En ce
cas, monsieur, s'ils existent, amenez-les-moi, pré-
sentez-les-moi ; la reine se chargera de la mère, et
moi, des enfants.

Et, comme, en disant ces mots, des larmes apparaissaient au bord des paupières de Charny :

— Et sans doute, lui demanda Andrée, le roi ne
faisait que vous répéter ce que vous avait dit la
reine ?

— La reine, madame, répondit Charny d'une voix
tremblante, ne m'avait pas même fait l'honneur de
m'adresser la parole à ce sujet, et voilà pourquoi ce
souvenir du roi me toucha si profondément, que,
me voyant éclater en larmes, il me dit : « Allons,
allons, monsieur de Charny, j'ai eu tort peut-être de
vous parler de cela ; mais j'agis presque toujours
sous l'inspiration de mon cœur, et mon cœur m'a
dit de faire ce que j'ai fait. Retournez près de notre
chère Andrée, comte ; car, si les gens que nous
aimons ne peuvent pas nous consoler, ils peuvent
pleurer avec nous, et nous pouvons pleurer avec
eux, ce qui est toujours un grand allégement. » Et
voilà comment, continua Charny, je suis venu, par

ordre du roi, madame... ce qui fait que vous m'excuserez peut-être.

— Ah ! monsieur, s'écria Andrée en se levant vivement, et en tendant ses deux mains à Charny, en doutez-vous ?

Charny saisit vivement ces deux mains entre les siennes, et y posa ses lèvres.

Andrée jeta un cri, comme si ces lèvres eussent été un feu rouge, et retomba sur le canapé.

Mais ses mains crispées s'étaient attachées à celles de Charny ; de sorte que, en retombant sur le canapé, elle entraîna le comte, qui, sans qu'elle l'eût voulu, sans qu'il l'eût voulu lui-même, se trouva assis auprès d'elle.

En ce moment, Andrée, ayant cru entendre du bruit dans la chambre voisine, s'éloigna si vivement de Charny, que celui-ci, ne sachant à quel sentiment attribuer et ce cri poussé par la comtesse et ce brusque mouvement qu'elle avait fait, se releva vivement et se retrouva debout devant elle.

LA CHAMBRE A COUCHER

Charny s'appuya sur le dossier du canapé en poussant un soupir.

Andrée laissa tomber sa tête sur sa main.

Le soupir de Charny avait refoulé le sien au plus profond de sa poitrine.

Ce qui se passait en ce moment dans le cœur de la jeune femme est tout simplement une chose impossible à décrire.

Mariée depuis quatre ans à un homme qu'elle adorait, sans que cet homme, occupé sans cesse d'une autre femme, eût jamais eu l'idée du terrible sacrifice qu'elle avait fait en l'épousant, elle avait, avec l'abnégation de son double devoir de femme et de sujette, tout vu, tout supporté, tout renfermé en elle-même : enfin, depuis quelque temps, il lui semblait, à quelques regards plus doux de son mari, à quelques mots plus durs de la reine, il lui semblait que son dévouement n'était pas tout à fait stérile. Pendant les jours qui venaient de s'écouler, jours terribles, pleins d'angoisses incessantes pour tout le monde, seule peut-être au milieu de tous ces courtisans et parmi ces serviteurs effarés, Andrée avait ressenti des commotions joyeuses et de doux frémissements ; c'était quand, dans les moments suprêmes, par un geste, un regard, un mot, Charny paraissait s'occuper d'elle, la cherchant avec inquiétude, la retrouvant avec joie ; c'était une légère pression de main à la dérobée, communiquant un sentiment inaperçu de cette foule qui les entourait, et faisant vivre pour eux seuls une pensée commune ; enfin, c'étaient des sensations délicieuses, inconnues à ce corps de neige et à ce cœur de diamant, qui n'avait jamais connu de l'amour que ce qu'il a de douloureux, c'est-à-dire la solitude.

Et voilà que tout à coup, au moment où la pauvre créature isolée venait de retrouver son enfant et de redevenir mère, voilà que quelque chose comme une aube d'amour se soulevait à son horizon triste et sombre jusque-là. Seulement, — coïncidence étrange et qui prouvait bien que le bonheur n'était point fait pour elle — ces deux événements se combinaient de telle façon, que l'un détruisait l'autre, et que inévitablement le retour du mari écartait l'amour de l'enfant, vu que la présence de l'enfant tuait l'amour naissant du mari.

Voilà ce que ne pouvait deviner Charny dans ce cri échappé à la bouche d'Andrée, dans cette main qui l'avait repoussé, et dans ce silence plein de tristesse qui succédait à ce cri si semblable à un cri de douleur, et qui cependant était un cri d'amour, et à ce mouvement qu'on eût cru inspiré par la répulsion, et qui ne l'était que par la crainte.

Charny contempla un instant Andrée avec une expression à laquelle la jeune femme ne se fût point trompée, si elle eût levé les yeux sur son mari.

Charny poussa un soupir, et, reprenant la conversation où il l'avait abandonnée :

— Que dois-je reporter au roi, madame ? demanda-t-il.

Andrée tressaillit au son de cette voix ; puis, relevant sur le comte son œil clair et limpide :

— Monsieur, dit-elle, j'ai tant souffert depuis que j'habite la cour, que, la reine ayant la bonté de me donner mon congé, j'accepte ce congé avec reconnaissance. Je ne suis pas née pour vivre dans le monde, et j'ai toujours trouvé dans la solitude, sinon le bonheur, du moins le repos. Les jours les plus heureux de ma vie sont ceux que j'ai passés, jeune fille, au château de Taverney, et plus tard, ceux pendant lesquels j'ai vécu en retraite au couvent de Saint-Denis, près de cette noble fille de France que l'on appelait madame Louise. Mais, avec votre permission, monsieur, j'habiterai ce pavillon, plein pour moi de souvenirs qui, malgré leur tristesse, ne sont point sans quelque douceur.

A cette permission qui lui était demandée par Andrée, Charny s'inclina en homme prêt, non seulement à se rendre à une prière, mais encore à obéir à un ordre.

— Ainsi, madame, dit-il, c'est une résolution prise ?

— Oui, monsieur, répondit doucement, mais fermement, Andrée.

Charny s'inclina de nouveau.

— Et, maintenant, madame, dit-il, il ne me reste à vous demander qu'une chose : c'est s'il me sera permis de venir vous visiter ici ?

Andrée fixa sur Charny son grand œil limpide, ordinairement calme et froid, mais, cette fois, au contraire, plein d'étonnement et de douceur.

— Sans doute, monsieur, dit-elle, et, comme je ne verrai personne, lorsque les devoirs que vous avez à remplir aux Tuileries vous permettront de perdre quelques instants, je vous serai toujours reconnaissante de me les consacrer, si courts qu'ils soient.

Jamais Charny n'avait vu tant de charme dans le regard d'Andrée, jamais il n'avait remarqué cet accent de tendresse dans sa voix.

Quelque chose courut dans ses veines, pareil à ce frisson velouté que donne une première caresse.

Il fixa son regard sur cette place qu'il avait occupée près d'Andrée, et qui était restée vide lorsqu'il s'était relevé.

Charny eût donné une année de sa vie pour s'y asseoir, sans qu'Andrée le repoussât ainsi qu'elle l'avait fait la première fois.

Mais, timide comme un enfant, il n'osait se permettre cette hardiesse sans y être encouragé.

De son côté, Andrée eût donné, non pas une année, mais dix années pour sentir là, à ses côtés, celui qui si longtemps avait été éloigné d'elle.

Malheureusement, chacun d'eux ignorait l'autre, et chacun d'eux se tenait immobile, dans une attente presque douloureuse.

Charny rompit encore une fois le premier le silence auquel celui-là seul à qui il est permis de lire dans le cœur pouvait donner sa véritable interprétation.

— Vous dites que vous avez beaucoup souffert, depuis que vous habitez la cour, madame ? demanda-t-il. Le roi n'a-t-il pas toujours eu pour vous un respect qui allait jusqu'à la vénération, et la reine une tendresse qui allait jusqu'à l'idolâtrie ?

— Oh ! si fait, monsieur, dit Andrée, le roi a toujours été parfait pour moi.

— Vous me permettrez de vous faire observer, madame, que vous ne répondez qu'à une partie de ma question ; la reine aurait-elle été moins parfaite pour vous que ne l'a été le roi ?

Les mâchoires d'Andrée se serrèrent comme si la nature révoltée se refusait à une réponse. Mais, enfin, avec un effort :

— Je n'ai rien à reprocher à la reine, dit-elle, et je serais injuste si je ne rendais pas toute justice à Sa Majesté.

— Je vous dis cela, madame, insista Charny, parce que, depuis quelque temps... je me trompe sans doute... mais il me semble que cette amitié qu'elle vous portait a reçu quelque atteinte.

— C'est possible, monsieur, dit Andrée, et voilà pourquoi, comme j'avais l'honneur de vous le dire, je désire quitter la cour.

— Mais enfin, madame, vous serez bien seule, bien isolée !

— Ne l'ai-je pas toujours été, monsieur, répondit Andrée avec un soupir, comme enfant... comme jeune fille... et comme... ?

Andrée s'arrêta, voyant qu'elle allait aller trop loin.

— Achevez, madame, dit Charny.

— Oh ! vous m'avez devinée, monsieur... J'allais dire : et comme femme...

— Aurais-je le bonheur que vous daignassiez me faire un reproche ?

— Un reproche, monsieur ! reprit vivement Andrée ; et quel droit aurais-je, grand Dieu ! de vous faire un reproche ?... Croyez-vous que j'aie oublié les circonstances dans lesquelles nous avons été unis ?... Tout au contraire de ceux qui se jurent au pied des autels amour réciproque, protection mutuelle, nous nous sommes juré, nous, indifférence éternelle, séparation complète... Nous n'aurions donc de reproche à nous faire que si l'un de nous avait oublié son serment.

Un soupir, refoulé par les paroles d'Andrée, retomba sur le cœur de Charny.

— Je vois que votre résolution est arrêtée, madame, dit-il ; mais, au moins me permettrez-vous de m'inquiéter de la façon dont vous allez vivre ici ? Ne serez-vous pas bien mal ?

Andrée sourit tristement.

— La maison de mon père était si pauvre, dit-elle, que, près d'elle, ce pavillon, tout dénué qu'il vous paraît, est meublé avec un luxe auquel je n'ai point été habituée.

— Mais cependant... cette charmante retraite de Trianon... ce palais de Versailles...

— Oh ! je savais bien, monsieur, que je ne faisais qu'y passer.

— Aurez-vous au moins ici tout ce qui vous est nécessaire ?

— J'y retrouverai tout ce que j'avais autrefois.

— Voyons, dit Charny, qui voulait se faire une idée de cet appartement qu'allait habiter Andrée, et qui commençait à regarder autour de lui.

— Que voulez-vous voir, monsieur ? demanda Andrée en se levant vivement, et en jetant un regard rapide et inquiet vers la chambre à coucher.

— Mais si vous ne mettez pas trop d'humilité dans vos désirs. Ce pavillon n'est vraiment pas une demeure, madame... j'ai traversé une antichambre ; me voici dans le salon ; cette porte, — et il ouvrit une porte latérale, — ah ! oui, cette porte donne dans une salle à manger, et celle-ci...

Andrée s'élança entre le comte de Charny et la porte vers laquelle il s'avançait, et derrière laquelle, en pensée, elle voyait Sébastien.

— Monsieur ! s'écria-t-elle, je vous supplie, pas un pas de plus !

Et ses bras étendus fermaient le passage.

— Oui, je comprends, dit Charny avec un soupir, celle-ci est la porte de votre chambre à coucher.

— Oui, monsieur, balbutia Andrée d'une voix étouffée.

Charny regarda la comtesse, elle était tremblante

et pâle ; jamais l'effroi ne s'était manifesté par une expression plus réelle que celle qui venait se répandre sur son visage.

— Ah ! madame, murmura-t-il avec une voix pleine de larmes, je savais bien que vous ne m'aimiez pas ; mais j'ignorais que vous me haïssiez tant !

Et, incapable de rester plus longtemps près d'Andrée sans éclater, il chancela un instant comme un homme ivre ; puis, rappelant toutes ses forces, il s'élança hors de l'appartement avec un cri de douleur qui retentit jusqu'au fond du cœur d'Andrée.

La jeune femme le suivit des yeux jusqu'à ce qu'il eût disparu ; elle demeura l'oreille tendue tant qu'elle put distinguer le bruit de sa voiture, qui allait s'éloignant de plus en plus ; puis, comme elle sentait son cœur près de se briser, et qu'elle comprenait qu'elle n'avait pas trop de l'amour maternel pour combattre cet autre amour, elle s'élança dans la chambre à coucher en s'écriant :

— Sébastien, Sébastien !

Mais aucune voix ne répondit à la sienne, et, à ce cri de douleur, elle demanda en vain un écho consolant.

A la lueur de la veilleuse qui éclairait la chambre, elle regarda anxieusement autour d'elle, et elle s'aperçut que la chambre était vide.

Et cependant, elle avait peine à en croire ses yeux.

Une seconde fois, elle appela :

— Sébastien ! Sébastien !

Même silence.

Ce fut alors seulement qu'elle reconnut que la fenêtre était ouverte, et que l'air extérieur, en pénétrant dans la chambre, faisait trembler la flamme de la veilleuse.

C'était cette même fenêtre qui avait déjà été ouverte lorsque, quinze ans auparavant, l'enfant avait disparu pour la première fois.

— Ah ! c'est juste ! s'écria-t-elle, ne m'a-t-il pas dit que je n'étais pas sa mère ?

Alors, comprenant qu'elle perdait tout à la fois enfant et mari, au moment où elle avait failli tout retrouver, Andrée se jeta sur son lit, les bras étendus, les mains crispées ; elle était à bout de ses forces, à bout de sa résignation, à bout de ses prières.

Elle n'avait plus que des cris, des larmes, des sanglots et un immense sentiment de sa douleur.

Une heure à peu près se passa dans un anéantissement profond, dans cet oubli du monde entier, dans ce désir de destruction universelle qui vient aux malheureux, l'espérance qu'en rentrant dans le néant, le monde les y entraînera avec eux.

Tout à coup, il sembla à Andrée que quelque chose de plus terrible encore que sa douleur se glissait entre cette douleur et ses larmes. Une sensation qu'elle n'avait éprouvée que trois ou quatre fois encore, et qui avait toujours précédé les crises suprêmes de son existence, envahit lentement tout ce qui restait de vivant en elle. Par un mouvement presque indépendant de sa volonté, elle se redressa lentement : sa voix frémissante dans sa gorge s'éteignit ; tout son corps, comme attiré involontairement, pivota sur lui-même. Ses yeux, à travers l'humide brouillard de ses larmes, crurent distinguer qu'elle n'était plus seule. Son regard, en se séchant, se fixa et s'éclaircit : un homme, qui paraissait avoir franchi l'appui de la croisée pour pénétrer dans la chambre, était debout devant elle. Elle voulut appeler, crier, étendre la main vers un cordon de sonnette, mais ce fut chose impossible... elle venait de ressentir cet engourdissement invincible qui autrefois lui signalait la présence de Balsamo. Enfin, dans cet homme, debout devant elle, et la fascinant du geste et du regard, elle avait reconnu Gilbert.

Comment Gilbert, ce père exécré, se trouvait-il là, à la place du fils bien-aimé qu'elle y cherchait ?

C'est ce que nous allons tâcher d'expliquer au lecteur.

UN CHEMIN CONNU

C'était bien le docteur Gilbert qui était enfermé avec le roi au moment où, d'après l'ordre d'Isidore et sur la demande de Sébastien, l'huissier s'était informé.

Au bout d'une demi-heure à peu près, Gilbert sortit. Le roi prenait de plus en plus confiance en lui ; le cœur droit du roi appréciait ce qu'il y avait de loyauté dans le cœur de Gilbert.

En sortant, l'huissier lui annonça qu'il était attendu dans l'antichambre de la reine.

Il venait de s'engager dans le corridor qui y conduisait, lorsqu'une porte de dégagement s'ouvrit et se referma à quelques pas de lui, en donnant passage à un jeune homme qui, sans doute, ignorant des localités, hésitait à prendre à droite ou à gauche.

Ce jeune homme vit Gilbert venir à lui, et s'arrêta pour l'interroger. Tout à coup, Gilbert s'arrêta lui-même : la flamme d'un quinquet frappait droit sur le visage du jeune homme.

— M. Isidore de Charny !... s'écria Gilbert.

— Le docteur Gilbert !... répondit Isidore.

— Est-ce vous qui me faisiez l'honneur de me demander ?

— Justement... oui, docteur, moi... et puis quelqu'un encore...

— Qui cela ?...

— Quelqu'un, continua Isidore, que vous aurez plaisir à revoir.

— Serait-ce indiscret de vous demander qui ?

— Non ! mais ce serait cruel de vous arrêter plus longtemps... Venez... ou plutôt conduisez-moi dans cette partie des antichambres de la reine qu'on appelle le salon vert.

— Ma foi, dit Gilbert en souriant, je ne suis guère plus fort que vous sur la topographie des palais, et surtout sur celle du palais des Tuileries, mais je vais essayer cependant d'être votre guide.

Gilbert passa le premier, et, après quelques tâtonnements, poussa une porte. Cette porte donnait dans le salon vert.

Seulement, le salon vert était vide.

Isidore chercha des yeux autour de lui, et appela un huissier. La confusion était si grande encore au palais, que, contre toutes les règles de l'étiquette, il n'y avait pas d'huissier dans l'antichambre.

— Attendons un instant, dit Gilbert ; cet homme ne peut être loin, et, en attendant, monsieur, à moins que quelque chose ne s'oppose à cette confidence, dites-moi, je vous prie, qui m'attendait ?

Isidore regarda avec inquiétude autour de lui.

— Ne devinez-vous pas ? dit-il.

— Non.

— Quelqu'un que j'ai rencontré sur la route, inquiet de ce qui pouvait vous être arrivé, venant à pied à Paris... quelqu'un que j'ai pris en croupe, et que j'ai amené ici.

— Vous ne voulez point parler de Pitou ?

— Non, docteur. Je veux parler de votre fils, de Sébastien.

— De Sébastien !... s'écria Gilbert. Eh bien, mais où est-il ?

Et son œil parcourut rapidement tous les angles du vaste salon.

— Il était ici ; il avait promis de m'attendre. Sans doute, l'huissier à qui je l'avais recommandé, ne voulant pas le laisser seul, l'aura emmené avec lui.

En ce moment, l'huissier rentra. Il était seul.

— Qu'est devenu le jeune homme que j'avais laissé ici ? demanda Isidore.

— Quel heune homme ? fit l'huissier.

Gilbert avait une énorme puissance sur lui-même. Il se sentit frissonner, mais il se contint.

Il s'approcha à son tour.

— Oh ! mon Dieu ! ne put s'empêcher de murmurer le baron de Charny, en proie à un commencement d'inquiétude.

— Voyons, monsieur, dit Gilbert d'une voix ferme, rappelez bien tous vos souvenirs... Cet enfant, c'est mon fils... il ne connaît point Paris, et si, par malheur, il est sorti du château, comme il ne connaît point Paris, il court risque de se perdre.

— Un enfant ? dit un second huissier en entrant.

— Oui, un enfant, déjà presqu'un jeune homme.

— D'une quinzaine d'années ?

— C'est cela !

— Je l'ai aperçu par les corridors, suivant une dame qui sortait de chez Sa Majesté.

— Et cette dame, savez-vous qui elle était ?

— Non. Elle portait sa mante rabattue sur ses yeux.

— Mais, enfin, que faisait-elle ?

— Elle paraissait fuir, et l'enfant la poursuivait en criant : « Madame ! »

— Descendons, dit Gilbert, le concierge nous dira s'il est sorti.

Isidore et Gilbert s'engagèrent dans le même corridor où, une heure auparavant, avait passé Andrée, poursuivie par Sébastien.

On arriva à la porte de la cour des Princes.

On interrogea le concierge.

— Oui, en effet, répondit celui-ci, j'ai vu une femme qui marchait si rapidement, qu'elle semblait fuir ; un enfant venait après elle... Elle a monté en voiture ; l'enfant s'est élancé, et l'a rejointe.

— Eh bien, après ? demanda Gilbert.

— Eh bien, la dame a attiré l'enfant dans la

voiture, l'a embrassé ardemment, a donné son adresse, a refermé la portière, et la voiture est partie.

— Avez-vous retenu cette adresse ? demanda avec anxiété Gilbert.

— Oui, parfaitement : *rue Coq-Héron, n° 9, la première porte cochère en partant de la rue Plâtrière.*

Gilbert tressaillit.

— Eh ! mais, dit Isidore, cette adresse est celle de ma belle-sœur, la comtesse de Charny.

— Fatalité ! murmura Gilbert.

A cette époque-là, on était trop philosophe pour dire : « Providence ! »

Puis tout bas, il ajouta :

— Il l'aura reconnue...

— Eh bien, dit Isidore, allons chez la comtesse de Charny.

Gilbert comprit dans quelle situation il allait mettre Andrée, s'il se présentait chez elle avec le frère de son mari.

— Monsieur, dit-il, du moment où mon fils est chez madame la comtesse de Charny, il est en sûreté, et, comme j'ai l'honneur de la connaître, je crois qu'au lieu de m'accompagner, il serait plus à propos que vous vous missiez en route ; car, d'après ce que j'ai entendu dire chez le roi, je présume que c'est vous qui partez pour Turin.

— Oui, monsieur.

— Eh bien, alors, recevez mes remerciements de ce que vous avez bien voulu faire pour Sébastien, et partez sans perdre une minute.

— Cependant, docteur ?...

— Monsieur, du moment où un père vous dit qu'il est sans inquiétude, partez. En quelque lieu que se trouve maintenant Sébastien, soit chez la comtesse de Charny, soit ailleurs, ne craignez rien, mon fils se retrouvera.

— Allons, puisque vous le voulez, docteur...

— Je vous en prie.

Isidore tendit la main à Gilbert, qui la lui serra avec plus de cordialité qu'il n'avait coutume de le faire aux hommes de sa caste, et, tandis qu'Isidore rentrait au château, il gagna la place du Carrousel, s'engagea dans la rue de Chartres, traversa diagonalement la place du Palais-Royal, longea la rue Saint-Honoré, et, perdu un instant dans ce dédale de petites rues qui aboutissent à la halle, il se retrouva à l'angle de deux rues.

C'étaient la rue Plâtrière et la rue Coq-Héron.

Ces rues avaient toutes deux pour Gilbert de terribles souvenirs ; là, bien souvent, à l'endroit même où il était, son cœur avait battu peut-être plus violemment encore qu'il ne battait à cette heure ; aussi, parut-il hésiter un instant entre les deux rues, mais il se décida promptement, et prit la rue Coq-Héron.

Malgré les quinze ans écoulés, le jardin était si présent à la mémoire de Gilbert, qu'il reconnut tout, arbres, plates-bandes, et jusqu'à l'angle garni d'une vigne où le jardinier posait son échelle.

Il ignorait si, à cette heure de la nuit, les portes étaient fermées ; il ignorait si M. de Charny était près de sa femme, ou, à défaut de M. de Charny, quelque domestique ou quelque femme de chambre.

Résolu à tout pour retrouver Sébastien, il n'en avait pas moins arrêté dans son esprit qu'il ne compromettrait Andrée qu'à la dernière extrémité, et ferait d'abord tout ce qu'il pourrait pour la voir seule.

Son premier essai fut sur la porte du perron : il pressa le bouton de la porte, et la porte céda.

Il en augura que, puisque la porte n'était point fermée, Andrée ne devait point être seule.

A moins de grande préoccupation, une femme qui habite seule un pavillon ne néglige point d'en fermer la porte.

Il la tira doucement et sans bruit, heureux de

savoir cependant que cette entrée lui restait comme dernière ressource.

Il descendit les marches du perron, et courut appliquer son œil à cette persienne qui, quinze ans auparavant, s'ouvrant tout à coup sous la main d'Andrée, était venu le heurter au front, cette nuit où, les cent mille écus de Balsamo à la main, il venait offrir à la hautaine jeune fille de l'épouser.

Cette persienne était celle du salon.

Le salon était éclairé.

Mais, comme des rideaux tombaient devant les vitres, il était impossible de rien voir à l'intérieur.

Gilbert continua sa ronde.

Tout à coup, il lui sembla voir trembler sur la terre et sur les arbres une faible lueur venant d'une fenêtre ouverte.

Cette fenêtre ouverte, c'était celle de la chambre à coucher ; cette fenêtre, il la reconnaissait aussi, car c'était par là qu'il avait enlevé cet enfant qu'aujourd'hui il venait chercher.

Il s'écarta, afin de sortir du rayon de lumière projeté par la fenêtre, et de pouvoir, perdu dans l'obscurité, voir sans être vu.

Arrivé sur une ligne qui lui permettait de plonger son regard dans l'intérieur de la chambre, il vit d'abord la porte du salon ouverte, puis, dans le cercle que parcourut son œil, l'œil rencontra le lit.

Sur le lit était une femme roidie, échevelée, mourante ; des sons rauques et gutturaux comme ceux d'un râle mortel s'échappaient de sa bouche, interrompus de temps en temps par des cris et par des sanglots.

Gilbert s'approcha lentement en contournant cette ligne lumineuse dans laquelle il hésitait à entrer, de peur d'être vu.

Il finit par appuyer sa tête pâle à l'angle de la fenêtre.

Il n'y avait plus de doute pour Gilbert : cette femme était Andrée, et Andrée était seule.

Mais comment Andrée était-elle seule ? Pourquoi Andrée pleurait-elle ?

C'était ce que Gilbert ne pouvait savoir qu'en l'interrogeant.

Ce fut alors que, sans bruit, il franchit la fenêtre, et se trouva derrière elle, au moment où cette attraction magnétique à laquelle Andrée était si accessible la força de se retourner.

Les deux ennemis se retrouvèrent donc encore une fois en présence !

CE QU'ÉTAIT DEVENU SÉBASTIEN

Le premier sentiment d'Andrée en apercevant Gilbert fut, non seulement une terreur profonde, mais encore une répugnance invincible.

Pour elle, le Gilbert américain, le Gilbert de Washington et de La Fayette, aristocratisé par la science, par l'étude et par le génie, était toujours ce misérable petit Gilbert, gnome terreux perdu dans les massifs de Trianon.

Au contraire, de la part de Gilbert, il y avait pour Andrée, malgré les mépris, malgré les injures, malgré les persécutions même de celle-ci, non plus cet amour ardent qui avait fait commettre un crime au jeune homme, mais cet intérêt tendre et profond qui eût poussé l'homme à lui rendre un service, même au péril de sa vie.

C'est que, dans ce sens intime dont la nature avait doué Gilbert, dans cette justice immuable qu'il avait reçue de l'éducation, il s'était jugé lui-même ; il avait compris que tous les malheurs d'Andrée venaient de lui, et qu'il ne serait quitte envers elle que lorsqu'il lui aurait rendu une somme de félicité égale à la somme d'infortune qu'elle lui devait.

Or, en quoi et comment Gilbert pouvait-il, d'une façon bienfaisante, influer sur l'avenir d'Andrée ?

C'est ce qu'il lui était impossible de comprendre.

En retrouvant donc cette femme, qu'il avait vue en proie à tant de désespoirs, en proie à un désespoir nouveau, tout ce qu'il y avait de fibres miséricordieuses dans son cœur s'émut pour cette grande infortune.

Aussi, au lieu d'user subitement de cette puissance magnétique dont une fois déjà il avait fait l'essai sur elle, il essaya de lui parler doucement, — quitte, s'il trouvait Andrée rebelle comme toujours, à revenir à ce moyen correctif, qui ne pouvait lui échapper.

Il en résulta qu'Andrée, enveloppée tout d'abord du fluide magnétique, sentit que peu à peu, par la volonté, et nous dirons presque avec la permission de Gilbert, ce fluide se dissipait, pareil à un brouillard qui s'évapore, et qui permet aux yeux de plonger dans de lointains horizons.

Ce fut elle la première qui prit la parole.

— Que me voulez-vous, monsieur ? dit-elle ; comment êtes-vous ici ? par où êtes-vous venu ?

— Par où je suis venu, madame ? répondit Gilbert. Par où je venais autrefois. Ainsi soyez donc tranquille, personne ne soupçonne ma présence ici... Pourquoi je suis venu ? Je suis venu parce que j'avais à vous réclamer un trésor, indifférent à vous, précieux à moi, — mon fils... Ce que je vous veux ? Je veux que vous me disiez où est ce fils, que vous avez entraîné à votre suite, emporté dans votre voiture, et amené ici.

— Ce qu'il est devenu ? reprit Andrée. Le sais-je ?... Il m'a fuie... vous l'avez si bien habitué à haïr sa mère !

— Sa mère, madame ! Êtes-vous réellement sa mère ?

— Oh ! s'écria Andrée, il voit ma douleur, il a

entendu mes cris, il a contemplé mon désespoir, et il me demande si je suis sa mère !

— Alors, vous ignorez donc où il est ?

— Mais puisque je vous dis qu'il a fui, qu'il était dans cette chambre, que j'y suis rentrée, croyant le rejoindre, et que j'ai trouvé cette fenêtre ouverte et la chambre vide.

— Mon Dieu ! s'écria Gilbert, où sera-t-il allé ?... Le malheureux ne connaît point Paris, et il est minuit passé !

— Oh ! s'écria à son tour Andrée en faisant un pas vers Gilbert, croyez-vous qu'il lui soit arrivé malheur ?

— C'est ce que nous allons savoir, dit Gilbert ; c'est ce que vous allez me dire.

Et il étendit la main vers Andrée.

— Monsieur ! monsieur ! s'écria celle-ci en reculant pour se soustraire à l'influence magnétique.

— Madame, dit Gilbert, ne craignez rien ; c'est une mère que je vais interroger sur ce qu'est devenu son fils... vous m'êtes sacrée !

Andrée poussa un soupir, et tomba sur un fauteuil en murmurant le nom de Sébastien.

— Dormez, dit Gilbert ; mais, tout endormie que vous êtes, voyez par le cœur.

— Je dors, dit Andrée.

— Dois-je employer toute la force de ma volonté, demanda Gilbert, ou êtes-vous disposée à répondre volontairement ?

— Direz-vous encore à mon enfant que je ne suis pas sa mère ?

— C'est selon... L'aimez-vous ?

— Oh ! il demande si je l'aime, cet enfant de mes entrailles !... Oh ! oui, oui, je l'aime et ardemment.

— Alors, vous êtes sa mère, comme je suis son père, madame, puisque vous l'aimez comme je l'aime.

— Ah ! fit Andrée en respirant.

— Ainsi, dit Gilbert, vous allez répondre volontairement ?

— Me permettez-vous de le revoir, quand vous l'aurez retrouvé ?

— Ne vous ai-je pas dit que vous étiez sa mère, comme j'étais son père ?... Vous aimez votre enfant, madame ; vous reverrez votre enfant.

— Merci, dit Andrée avec une indicible expression de joie, et en frappant ses mains l'une contre l'autre. Maintenant, interrogez, je vois... Seulement...

— Quoi ?

— Suivez-le depuis son départ, afin que je sois plus sûre de ne pas perdre sa trace.

— Soit. Où vous a-t-il vue ?

— Dans le salon vert.

— Où vous a-t-il suivie ?

— A travers les corridors.

— Où vous a-t-il rejointe ?

— Au moment où je montais en voiture.

— Où l'avez-vous conduit ?

— Dans le salon... le salon à côté.

— Où s'est-il assis ?

— Près de moi, sur le canapé.

— Y est-il resté longtemps ?

— Une demi-heure à peu près.

— Pourquoi vous a-t-il quittée ?

— Parce que le bruit d'une voiture s'est fait entendre.

— Qui était dans cette voiture ?

Andrée hésita.

— Qui était dans cette voiture ? répéta Gilbert d'un ton plus ferme, et avec une volonté plus forte.

— Le comte de Charny.

— Où avez-vous caché l'enfant ?

— Je l'ai poussé dans cette chambre.

— Que vous a-t-il dit en y entrant ?

— Que je n'étais plus sa mère.

— Et pourquoi vous a-t-il dit cela ?

Andrée se tut.

— Et pourquoi vous a-t-il dit cela ? Parlez, je le veux.

— Parce que je lui ai dit...

— Que lui avez-vous dit ?

— Parce que je lui ai dit, — Andrée fit un effort, — que vous étiez un misérable et un infâme.

— Regardez au cœur du pauvre enfant, madame, et rendez-vous compte du mal que vous lui avez fait.

— Oh ! mon Dieu ! mon Dieu !... murmura Andrée. Pardon, mon enfant, pardon !

— M. de Charny se doutait-il que l'enfant fût ici ?

— Non.

— Vous en êtes sûre ?

— Oui.

— Pourquoi n'est-il pas resté ?

— Parce que M. de Charny ne reste pas chez moi.

— Que venait-il y faire, alors ?

Andrée demeura un instant pensive, les yeux fixes, comme si elle essayait de voir dans l'obscurité.

— Oh ! dit-elle, mon Dieu ! mon Dieu !... Olivier, cher Olivier !

Gilbert la regarda avec étonnement.

— Oh ! malheureuse que je suis ! murmura Andrée. Il revenait à moi... c'était pour rester près de moi qu'il avait refusé cette mission. Il m'aime ! il m'aime !...

Gilbert commençait à lire confusément dans ce drame terrible, où son œil pénétrait le premier.

— Et vous, demanda-t-il, l'aimez-vous ?

Andrée soupira.

— L'aimez-vous ? répéta Gilbert.

— Pourquoi me faites-vous cette question ? demanda Andrée.

— Lisez dans ma pensée.

— Ah ! oui, je le vois, votre intention est bonne : vous voudriez me rendre assez de bonheur pour me faire oublier le mal que vous m'avez fait ; mais je refuserais le bonheur, s'il devait me venir par vous. Je vous hais et veux continuer de vous haïr.

— Pauvre humanité ! murmura Gilbert, t'est-il donc départi une si grande somme de félicité, que tu puisses choisir ceux dont tu doives la recevoir ? Ainsi vous l'aimez, ajouta-t-il.

— Oui.

— Depuis quand ?

— Depuis le moment où je l'ai vu, depuis le jour où il est revenu de Paris à Versailles dans la même voiture que la reine et moi.

— Ainsi vous savez ce que c'est que l'amour, Andrée ? murmura tristement Gilbert.

— Je sais que l'amour a été donné à l'homme, répondit la jeune femme, pour qu'il ait la mesure de ce qu'il peut souffrir.

— C'est bien, vous voilà femme, vous voilà mère. Diamant brut, vous vous êtes enfin façonnée aux mains de ce terrible lapidaire qu'on appelle la douleur... Revenons à Sébastien.

— Oui, oui, revenons à lui ! Défendez-moi de penser à M. de Charny ; cela me trouble, et, au lieu de suivre mon enfant, je suivrais peut-être le comte.

— C'est bien ! Épouse, oublie ton époux ; mère, ne pense qu'à ton enfant.

Cette expression de moite douceur qui s'était un instant emparée, non seulement de la physionomie, mais encore de toute la personne d'Andrée, disparut pour faire place à son expression habituelle.

— Où était-il pendant que vous causiez avec M. de Charny ?

— Il était ici, écoutant... là... là, à la porte.

— Qu'a-t-il entendu de cette conversation ?

— Toute la première partie.

— A quel moment s'est-il décidé à quitter cette chambre ?

— Au moment où M. de Charny...

Andrée s'arrêta.

— Au moment où M. de Charny ?... répéta impitoyablement Gilbert.

— Au moment où, M. de Charny m'ayant baisé la main, je jetai un cri.

— Vous le voyez bien, alors ?

— Oui, je le vois avec son front plissé, ses lèvres crispées, un de ses poings fermé sur sa poitrine.

— Suivez-le donc des yeux, et, à partir de ce moment, ne soyez plus qu'à lui, et ne le perdez pas de vue.

— Je le vois, je le vois ! dit Andrée.

— Que fait-il ?

— Il regarde autour de lui pour voir s'il n'existe pas une porte donnant sur le jardin ; puis, comme il n'en voit pas, il va à la fenêtre, l'ouvre, jette une dernière fois les yeux du côté du salon, franchit l'appui de la fenêtre et disparaît.

— Suivez-le dans l'obscurité.

— Je ne puis pas.

Gilbert s'approcha d'Andrée et passa la main devant ses yeux.

— Vous savez bien qu'il n'y a pas de nuit pour vous, dit-il. Voyez.

— Ah ! le voici courant par l'allée qui longe le mur ; il gagne la grande porte, l'ouvre sans que personne le voie, s'élance vers la rue Plâtrière... Ah ! il s'arrête ; il parle à une femme qui passe.

— Écoutez bien, dit Gilbert, et vous entendrez ce qu'il demande.

— J'écoute.

— Et que demande-t-il ?

— Il demande la rue Saint-Honoré.

— Oui, c'est là que je demeure ; il sera rentré chez moi. Il m'attend, pauvre enfant !

Andrée secoua la tête.

— Non ! dit-elle avec une expression visible d'inquiétude ; non... il n'est pas rentré... non... il n'attend pas...

— Mais où est-il, alors ?

— Laissez-moi donc le suivre, ou je vais le perdre.

— Oh ! suivez-le ! suivez-le ! s'écria Gilbert, comprenant qu'Andrée devinait quelque malheur.

— Ah ! dit-elle, je le vois ! je le vois !

— Bien.

— Le voici qui entre dans la rue de Grenelle... le voici qui entre dans la rue Saint-Honoré. Il traverse, toujours courant, la place du Palais-Royal. Il demande de nouveau son chemin ; de nouveau il s'élance. Le voici à la rue Richelieu... le voici à la rue des Frondeurs... le voici à la rue Neuve-Saint-Roch. Arrête-toi, enfant ! arrête-toi, malheureux !... Sébastien ! Sébastien ! ne vois-tu pas cette voiture qui vient par la rue de la Sourdière ? Je la vois, moi, je la vois !... les chevaux... Ah !...

Andrée jeta un cri terrible, se dressa tout debout, l'angoisse maternelle peinte sur son visage, où roulaient à la fois, en larges gouttes, la sueur et les larmes.

— Oh ! s'écria Gilbert, s'il lui arrive malheur, souviens-toi que ce malheur retombera sur ta tête.

— Ah !... fit Andrée respirant sans écouter, sans entendre ce que disait Gilbert, ah ! Dieu du ciel ! soyez loué ! le poitrail du cheval l'a heurté et l'a jeté de côté, hors du rayon de la roue... Le voici là, tombé, étendu sans connaissance ; mais il n'est pas mort... oh ! non... non... il n'est pas mort !... évanoui... évanoui, seulement ! Du secours ! du secours ! c'est mon enfant... c'est mon enfant !...

Et, avec un cri déchirant, Andrée retomba presque évanouie elle-même sur son fauteuil.

Quel que fût le désir de Gilbert d'en savoir davantage, il accorda à Andrée haletante ce repos d'un instant dont elle avait un grand besoin.

Il craignait qu'en la poussant plus loin, une fibre ne se rompît dans son cœur, ou qu'une veine n'éclatât dans son cerveau.

Mais, dès qu'il pensa pouvoir l'interroger sans danger :

— Eh bien ?... lui demanda-t-il.

— Attendez, attendez, répondit Andrée, il s'est fait un grand cercle autour de lui. Oh ! par grâce, laissez-moi passer ! laissez-moi voir : c'est mon fils ! c'est mon Sébastien !... Ah ! mon Dieu ! n'y a-t-il pas, parmi vous tous, un chirurgien ou un médecin ?

— Oh ! j'y cours, s'écria Gilbert.

— Attendez, dit encore Andrée l'arrêtant par le bras, voici la foule qui s'écarte. Sans doute c'est celui qu'on appelle ; sans doute c'est celui qu'on attend... Venez, venez, monsieur ; vous voyez bien qu'il n'est pas mort, vous voyez bien qu'on peut le sauver.

Et, poussant une exclamation qui ressemblait à un cri d'effroi :

— Oh ! s'écria-t-elle.

— Qu'y a-t-il, mon Dieu ?... demanda Gilbert.

— Je ne veux pas que cet homme touche mon enfant, criait Andrée ; ce n'est pas un homme, c'est un nain... c'est un gnome... c'est un vampire... Oh ! hideux !... hideux !...

— Madame, madame..., murmura Gilbert tout frissonnant, au nom du ciel ! ne perdez point Sébastien de vue !

— Oh ! répondit Andrée, l'œil fixe, la lèvre frémissante, le doigt tendu, soyez tranquille... je le suis... je le suis...

— Qu'en fait-il, cet homme ?

— Il l'emporte... Il remonte la rue de la Sourdière ; il entre à gauche dans l'impasse Sainte-Hyacinthe ; il s'approche d'une porte basse restée entr'ouverte ; il la pousse, il se courbe, il descend un escalier. Il le couche sur une table où il y a une plume, de l'encre, des papiers manuscrits et imprimés ; il lui ôte son habit ; il relève sa manche ; il lui serre le bras avec des bandes que lui apporte une femme sale et hideuse comme lui : il ouvre une trousse ; il en tire une lancette ; il va le saigner...

Oh ! je ne veux pas voir cela ! je ne veux pas voir le sang de mon fils !

— Eh bien, alors, remontez, dit Gilbert, et comptez les marches de l'escalier.

— J'ai compté : il y en a onze.

— Examinez la porte avec soin, et dites-moi si vous y voyez quelque chose de remarquable.

— Oui... un petit jour carré, fermé par un barreau en croix.

— C'est bien, voilà tout ce qu'il me faut.

— Courez... courez... et vous le retrouverez où j'ai dit.

— Voulez-vous vous réveiller tout de suite et vous souvenir ? Voulez-vous ne vous réveiller que demain matin, et avoir tout oublié ?

— Réveillez-moi tout de suite, et que je me souvienne !

Gilbert passa, en suivant leur courbe, ses deux pouces sur les sourcils d'Andrée, lui souffla sur le front, et prononça ces seuls mots :

— Réveillez-vous.

Aussitôt les yeux de la jeune femme s'animèrent ; ses membres s'assouplirent ; elle regarda Gilbert presque sans terreur, et, continuant, éveillée, les recommandations de son sommeil :

— Oh ! courez ! courez ! dit-elle, et tirez-le des mains de cet homme qui me fait peur !

L'HOMME DE LA PLACE LOUIS XV

Gilbert n'avait pas besoin d'être encouragé dans ses recherches. Il s'élança hors de la chambre, et, comme il eût été trop long de reprendre le chemin par lequel il était venu, il courut droit à la porte de la rue Coq-Héron, l'ouvrit sans le secours du concierge, la tira derrière lui, et se trouva sur le pavé du roi.

Il avait parfaitement retenu l'itinéraire tracé par Andrée, et il s'élança sur les traces de Sébastien.

Comme l'enfant, il traversa la place du Palais-Royal, et longea la rue Saint-Honoré, devenue déserte, car il était près d'une heure du matin. Arrivé au coin de la rue de la Sourdière, il appuya à droite, puis à gauche, et se trouva dans l'impasse Sainte-Hyacinthe.

Là commença de sa part une inspection plus approfondie des localités.

Dans la troisième porte à droite, il reconnut, à son ouverture carrée fermée en croix par un barreau, la porte qu'Andrée avait décrite.

La désignation était si positive, qu'il n'y avait point à s'y tromper. Il frappa.

Personne ne répondit. Il frappa une seconde fois.

Alors, il lui sembla entendre ramper le long de l'escalier et s'approcher de lui un pas craintif et soupçonneux.

Il heurta une troisième fois.

— Qui frappe ? demanda une voix de femme.

— Ouvrez, répondit Gilbert, et ne craignez rien, je suis le père de l'enfant blessé que vous avez recueilli.

— Ouvre, Albertine, dit une autre voix, c'est le docteur Gilbert.

— Mon père ! mon père ! cria une troisième voix, dans laquelle Gilbert reconnut celle de Sébastien.

Gilbert respira.

La porte s'ouvrit. Gilbert, en balbutiant un remerciement, se précipita par les degrés.

Arrivé au bas du dernier, il se trouva dans une espèce de cave éclairée par une lampe posée sur cette table chargée de papiers imprimés et manuscrits qu'Andrée avait vue.

Dans l'ombre et couché sur une espèce de grabat, Gilbert aperçut son fils qui l'appelait, les bras tendus. Si puissante que fût la force de Gilbert sur lui-même, l'amour paternel l'emporta sur le décorum philosophique, et il s'élança vers l'enfant, qu'il pressa contre son cœur, tout en ayant soin de ne pas froisser son bras saignant, ni sa poitrine endolorie.

Puis, lorsque, dans un long baiser paternel, lorsque, par ce doux murmure de deux bouches qui se cherchent, ils se furent tout dit sans prononcer une parole, Gilbert se retourne vers son hôte qu'il avait à peine entrevu.

Il se tenait debout, les jambes écartées, une main appuyée sur la table, l'autre sur sa hanche, éclairé par la lumière de la lampe, dont il avait enlevé l'abat-jour pour mieux jouir de la scène qui se passait sous ses yeux.

— Regarde, Albertine, dit-il, et remercie avec moi le hasard qui m'a permis de rendre ce service à l'un de mes frères.

Au moment où le chirurgien prononçait ces paroles quelque peu emphatiques, Gilbert se retournait, comme nous l'avons dit, et jetait un premier regard sur l'être informe qu'il avait devant les yeux.

C'était quelque chose de jaune et vert avec des yeux gris qui lui sortaient de la tête, un de ces paysans poursuivis par la colère de Latone, et qui, en train d'accomplir leur métamorphose ne sont déjà plus hommes, mais ne sont pas encore crapauds.

Gilbert frissonna malgré lui ; il lui sembla, comme dans un rêve hideux, comme à travers un voile de sang, avoir déjà vu cet homme.

Il se rapprocha de Sébastien, et le pressa plus tendrement encore contre lui.

Cependant, Gilbert triompha de ce premier mouvement, et, allant à l'homme étrange qu'Andrée avait vu dans son sommeil magnétique, et qui l'avait si fort épouvantée :

— Monsieur, dit-il, recevez tous les remercie-

72

ments d'un père à qui vous avez conservé son fils ; ils sont sincères et partent du fond du cœur.

— Monsieur, répondit le chirurgien, je n'ai fait que le devoir qui m'était à la fois inspiré par mon cœur et recommandé par la science. Je suis homme, et, comme dit Térence, rien de ce qui est humain ne m'est étranger ; d'ailleurs, j'ai le cœur tendre, je ne puis voir souffrir un insecte, et, par conséquent, et à bien plus forte raison, mon semblable.

— Aurai-je l'honneur de savoir à quel respectable philanthrope j'ai l'honneur de parler ?

— Vous ne me connaissez pas, confrère ? dit le chirurgien en riant d'un rire qu'il voulait rendre bienveillant, et qui n'était que hideux. Eh bien, moi, je vous connais : vous êtes le docteur Gilbert, l'ami de Washington et de La Fayette, — il appuya d'une façon étrange sur ce dernier nom, — l'homme de l'Amérique et de la France, l'honnête utopiste qui a fait, sur la royauté constitutionnelle, de magnifiques mémoires que vous avez adressés d'Amérique à Sa Majesté Louis XVI, mémoires dont Sa Majesté Louis XVI vous a récompensé en vous envoyant à la Bastille, au moment où vous touchiez le sol de la France. Vous aviez voulu le sauver en lui déblayant d'avance le chemin de l'avenir, il vous a ouvert celui d'une prison, — reconnaissance royale !

Et, cette fois, le chirurgien se mit à rire de nouveau, mais d'un rire terrible et menaçant.

— Si vous me connaissez, monsieur, c'est une raison de plus pour que j'insiste sur ma demande, et que j'aie l'honneur de faire votre connaissance à mon tour.

— Oh ! il y a longtemps que nous avons fait connaissance, monsieur, dit le chirurgien. Il y a vingt ans, et, cela dans une nuit terrible, dans la nuit du 30 mai 1770. Vous aviez l'âge de cet enfant ; vous me fûtes apporté comme lui, blessé, mourant, écrasé, vous me fûtes apporté par mon maître Rousseau, et je vous saignai sur une table tout entourée de cadavres et de membres coupés. Oh ! dans cette nuit terrible, et c'est un bon souvenir pour moi, j'ai, grâce au fer qui sait jusqu'où il faut entrer pour guérir, jusqu'où il faut couper pour cicatriser, j'ai sauvé bien des existences.

— Oh ! s'écria Gilbert, alors, monsieur, vous êtes Jean-Paul Marat.

Et, malgré lui, il recula d'un pas.

— Tu vois, Albertine, dit Marat, mon nom fait son effet.

Et il éclata dans un rire sinistre.

— Mais, reprit vivement Gilbert, pourquoi ici, pourquoi dans cette cave, pourquoi éclairé par cette lampe fumeuse ?... Je vous croyais médecin de M. le comte d'Artois.

— Vétérinaire de ses écuries, vous voulez dire, répondit Marat. Mais le prince a émigré ; plus de prince, plus d'écuries ; plus d'écuries, plus de vétérinaire. D'ailleurs, j'avais donné ma démission, je ne veux pas servir les tyrans.

Et le nain se redressa de toute la hauteur de sa petite taille.

— Mais, enfin, dit Gilbert, pourquoi ici, dans ce trou, dans cette cave ?

— Pourquoi, monsieur le philosophe ? Parce que je suis patriote, parce que j'écris pour dénoncer les ambitieux, parce que Bailly me craint, parce que Necker m'exècre, parce que La Fayette me traque, parce qu'il me fait traquer par sa garde nationale, parce qu'il a mis ma tête à prix, l'ambitieux, le dictateur ; mais je le brave ! Du fond de mon caveau, je le poursuis, je le dénonce, le dictateur ! Vous savez ce qu'il vient de faire ?

— Non, dit naïvement Gilbert.

— Il vient de faire fabriquer, au faubourg Saint-Antoine, quinze mille tabatières avec son portrait ; il y a là-dessous quelque chose, à ce que je crois, hein ?... Aussi, je prie les bons citoyens de les briser, quand ils pourront se les procurer. Ils y trouveront le mot du grand complot royaliste, car vous ne l'ignorez pas, tandis que le pauvre Louis XVI pleure à chaudes larmes les sottises que lui fait faire l'Autrichienne, La Fayette conspire avec la reine.

— Avec la reine ? répéta Gilbert pensif.

— Oui, avec la reine. Vous ne direz point qu'elle ne conspire pas, celle-là ; elle a distribué, ces jours derniers, tant de cocardes blanches, que le ruban blanc en a enchéri de trois sous l'aune. La chose est sûre, je le tiens d'une des filles de la Bertin, la marchande de modes de la reine, son premier ministre, celle qui dit : « J'ai travaillé ce matin avec Sa Majesté. »

— Et où dénoncez-vous tout cela ? demanda Gilbert.

— Dans mon journal, dans le journal que je viens de fonder, et dont j'ai déjà fait paraître vingt numéros, dans *L'Ami du Peuple, ou le Publiciste parisien*, journal politique et impartial. Pour payer le papier et l'impression des premiers numéros, — tenez, regardez derrière vous, — j'ai vendu jusqu'aux draps et aux couvertures du lit où votre fils est couché.

Gilbert se retourna, et vit qu'en effet le petit Sébastien était étendu sur le coutil éraillé d'un matelas absolument nu, où il venait de s'endormir, vaincu par la douleur et la fatigue.

Le docteur s'approcha de l'enfant pour voir si ce sommeil n'était pas un évanouissement ; mais, rassuré par sa respiration douce et égale, il revint à cet homme qui, sans qu'il pût s'en défendre, lui inspirait à peu près le même intérêt de curiosité que lui eût inspiré un animal sauvage, un tigre ou une hyène.

— Et quels sont vos collaborateurs dans cette œuvre gigantesque ?

— Mes collaborateurs ? dit Marat. Ah ! ah ! ah ! ce sont les dindons qui vont par troupes ; l'aigle marche seul. Mes collaborateurs, les voici.

Marat montra sa tête et sa main.

— Voyez-vous cette table ? continua-t-il. C'est l'atelier où Vulcain, — la comparaison est bien trouvée, n'est-ce pas ? — où Vulcain forge la foudre. Chaque nuit, j'écris huit pages in-octavo, qu'on vend le matin ; huit pages, souvent cela ne suffit pas, et je double la livraison ; seize pages, c'est trop peu encore parfois ; ce que j'ai commencé en gros caractères, presque toujours je l'achève en petits. Les autres journalistes paraissent par intervalles, se relaient, se font aider ! moi, jamais ; *L'Ami du Peuple*, — vous pouvez voir la copie, elle est là, — *L'Ami du Peuple* est tout entier de la même main. Aussi ce n'est pas simplement un journal ; non, c'est un homme ; c'est une personnalité ; c'est moi !

— Mais, demanda Gilbert, comment suffisez-vous à ce travail énorme ?

— Ah ! voilà le secret de la nature !... C'est un pacte entre la mort et moi... je lui donne dix ans de ma vie, et elle m'accorde des jours qui n'ont pas besoin de repos, des nuits qui n'ont pas besoin de sommeil... Mon existence est une, simple ; j'écris... j'écris la nuit, j'écris le jour... La police de La Fayette me force de vivre caché, enfermé ; elle me livre corps et âme au travail ; elle double mon activité... Cette vie m'a pesé d'abord ; j'y suis fait maintenant. Il me plaît de voir la société misérable à travers le jour étroit et oblique de ma cave, par le soupirail humide et sombre. Du fond de ma nuit, je règne sur le monde des vivants ; je juge sans appel la science et la politique... D'une main, je démolis Newton, Franklin, Laplace, Monge, Lavoisier ; de l'autre, j'ébranle Bailly, Necker, La Fayette... Je renverserai tout cela... oui, comme Samson a renversé le temple et, sous les débris qui m'écraseront peut-être moi-même, j'ensevelirai la royauté...

Gilbert frissonna malgré lui ; cet homme lui répétait, dans une cave et sous les haillons de la misère, à peu près ce que Cagliostro, sous ses habits brodés, lui avait dit dans un palais.

— Mais, dit-il, pourquoi, populaire comme vous l'êtes, n'avez-vous pas essayé de vous faire nommer à l'Assemblée nationale.

— Parce que le jour n'est pas encore venu, dit Marat.

Puis, exprimant un regret :

— Oh ! si j'étais tribun du peuple ! ajouta-t-il presque aussitôt, si j'étais soutenu par quelques milliers d'hommes déterminés, je réponds que, d'ici à six semaines, la Constitution serait parfaite ; que la machine politique marcherait au mieux ; qu'aucun fripon n'oserait la déranger ; que la nation serait libre et heureuse ; qu'en moins d'une année, elle redeviendrait florissante et redoutable, et qu'elle resterait ainsi tant que je vivrais.

Et la vaniteuse créature se transformait sous le regard de Gilbert : son œil s'infiltrait de sang ; sa peau jaune luisait de sueur ; le monstre était grand de sa hideur, comme un autre est grand de sa beauté.

— Oui, mais, continua-t-il reprenant sa pensée où l'enthousiasme l'avait interrompu, oui, mais je ne le suis pas, tribun ; mais je n'ai pas ces quelques milliers d'hommes dont j'aurais besoin... Non, mais je suis journaliste... non, mais j'ai mon écritoire, mon papier, mes plumes... non, mais j'ai mes abonnés, j'ai mes lecteurs, pour qui je suis un oracle, un prophète, un devin... J'ai mon peuple dont je suis l'ami, et que je mène, tout tremblant, de trahison en trahison, de découverte en découverte, d'épouvante en épouvante... Dans le premier numéro de *L'Ami du Peuple*, je dénonçais les aristocrates ; je disais qu'il y avait six cents coupables en France, que six cents bouts de corde suffiraient... Ah ! ah ! ah ! je me trompais un peu, il y a un mois ! Les 5 et 6 octobre ont eu lieu et m'ont éclairci la vue... Aussi, ce n'est pas six cents coupables qu'il faut juger, c'est dix mille, c'est vingt mille aristocrates qu'il faut pendre.

Gilbert souriait. La fureur, arrivée à ce point, lui paraissait de la folie.

— Prenez garde, dit-il, il n'y aura point en France assez de chanvre pour ce que vous voulez faire, et les cordes vont devenir hors de prix.

— Aussi, dit Marat, trouvera-t-on, je l'espère, des moyens nouveaux et plus expéditifs... Savez-vous qui j'attends ce soir... qui, d'ici à dix minutes, va frapper à cette porte ?

— Non, monsieur.

— Eh bien, j'attends un de nos confrères... un membre de l'Assemblée nationale que vous connaissez de nom, le citoyen Guillotin...

— Oui, dit Gilbert, celui qui a proposé aux députés de se réunir dans le Jeu de Paume, lorsqu'on les a chassés de la salle des séances ; un homme fort savant.

— Eh bien, savez-vous ce qu'il vient de trouver, le citoyen Guillotin ?... Il vient de trouver une machine merveilleuse, une machine qui tue sans faire souffrir ; — car il faut que la mort soit une punition et non une souffrance ; — il vient de trouver cette machine-là, et, un de ces matins, nous l'essayons.

Gilbert frissonna. C'était la seconde fois que cet homme, dans sa cave, lui rappelait Cagliostro. Cette machine, c'était sans doute la même que celle dont Cagliostro lui avait parlé.

— Eh ! tenez, dit Marat, justement on frappe ; c'est lui... Va ouvrir, Albertine, va ouvrir.

La femme, ou plutôt la femelle de Marat, se leva de l'escabeau sur lequel elle était accroupie, dormant à moitié, et s'avança machinalement et chancelante vers la porte.

Quant à Gilbert, étourdi, terrifié, en proie à un éblouissement qui ressemblait au vertige, il alla instinctivement du côté de Sébastien, qu'il s'apprêta à prendre entre ses bras et à transporter chez lui.

— Voyez-vous, continua Marat avec enthousiasme, voyez-vous une machine qui fonctionne toute seule ! qui n'a besoin que d'un homme pour la faire marcher ! qui peut, en changeant trois fois le couteau, trancher trois cents têtes par jour !

— Et ajoutez, dit une petite voix douce et flûtée derrière Marat, qui peut trancher ces trois cents têtes sans souffrance, sans autre sensation qu'une légère fraîcheur sur le cou.

— Ah ! c'est vous, docteur, s'écria Marat en se retournant vers un petit homme de quarante à quarante-cinq ans, dont la mise soignée et l'air de douceur faisaient un contraste des plus étranges avec Marat, et qui portait à la main une boîte de la dimension et de la forme de celles qui renferment des jouets d'enfant. — Que m'apportez-vous là ?

— Un modèle de ma fameuse machine, mon cher Marat... Mais je ne me trompe pas, ajouta le petit homme en essayant de distinguer dans l'obscurité, c'est M. le docteur Gilbert que je vois là ?

— Lui-même, monsieur, dit Gilbert en s'inclinant.

— Enchanté de vous rencontrer, monsieur ; vous n'êtes point de trop, Dieu merci, et je serai heureux d'avoir l'avis d'un homme aussi distingué que vous sur l'invention que je vais mettre au jour ; — car il faut vous dire, mon cher Marat, que j'ai trouvé un très habile charpentier, nommé maître Guidon, qui me fabrique ma machine en grand... C'est cher ! il me demande cinq mille cinq cents francs ! mais aucun sacrifice ne me coûtera pour le bien de l'humanité... Dans deux mois, elle sera faite, mon ami, et nous pourrons l'essayer ; puis je la proposerai à l'Assemblée nationale. J'espère que vous appuierez la proposition dans votre excellent journal, — quoique, en vérité ma machine se recommande d'elle-même, monsieur Gilbert, comme vous allez en juger par vos yeux ; — mais quelques lignes dans *L'Ami du Peuple* ne lui feront pas de mal.

— Oh ! soyez tranquille ! ce n'est point quelques lignes que je lui consacrerai ; c'est un numéro tout entier.

— Vous êtes bien bon, mon cher Marat ; mais, comme on dit, je ne veux pas vous vendre chat en poche.

Et il tira de son habit une seconde boîte d'un quart plus petite que la première, et qu'un certain bruit intérieur dénonçait comme étant habitée par quelque animal, ou plutôt par quelques animaux impatients de leur prison.

Ce bruit n'échappa point à l'oreille subtile de Marat.

— Oh ! oh ! qu'avons-nous là dedans ? demanda-t-il.

— Vous allez voir, dit le docteur.

Marat porta la main à la boîte.

— Prenez garde, s'écria vivement le docteur, prenez garde de les laisser fuir, nous ne pourrions plus les rattraper ; ce sont des souris auxquelles nous allons trancher la tête. — Eh bien, que faites-vous donc, docteur Gilbert ?... vous nous quittez ?...

— Hélas ! oui, monsieur, répondit Gilbert, et à mon grand regret ; mais mon fils, blessé ce soir par un cheval qui l'a renversé sur le pavé, a été relevé, saigné et pansé par le docteur Marat, à qui j'ai déjà dû la vie moi-même dans une circonstance pareille, et à qui je présente de nouveau tous mes remerciements. L'enfant a besoin d'un lit frais, de repos, de soins ; je ne puis donc assister à votre intéressante expérience.

— Mais vous assisterez à celle que nous ferons en grand dans deux mois, n'est-ce pas, vous me le promettez, docteur ?

— Je vous le promets, monsieur.

— Je retiens votre parole, entendez-vous ?

— Elle est donnée.

— Docteur, dit Marat, je n'ai pas besoin de vous recommander le secret sur le lieu de ma retraite ?

— Oh ! monsieur...

— C'est que votre ami La Fayette, s'il la découvrait, me ferait fusiller comme un chien ou pendre comme un voleur.

— Fusiller ! pendre ! s'écria Guillotin. On va donc en finir avec toutes ces morts de cannibales ; il va donc y avoir une mort douce, facile, instantanée ! une mort telle, que les vieillards qui seront dégoûtés de la vie, et qui voudront finir en philosophes et en sages, la préféreront à une mort naturelle ! — Venez voir cela, mon cher Marat, venez voir !

Et, sans s'occuper davantage du docteur Gilbert, Guillotin ouvrit sa grande boîte, et commença à dresser sa machine sur la table de Marat, qui le regardait faire avec une curiosité égale à son enthousiasme.

Gilbert profita de cette préoccupation pour soulever Sébastien endormi, et l'emporter entre ses bras. Albertine le reconduisit jusqu'à la porte, qu'elle referma avec soin derrière lui.

Une fois dans la rue, il sentit au froid de son visage qu'il était couvert de sueur et que le vent de la nuit glaçait cette sueur sur son front.

— Oh ! mon Dieu, murmura-t-il, que va-t-il arriver de cette ville dont les caveaux cachent peut-être, à l'heure qu'il est, cinq cents philanthropes occupés d'œuvres pareilles à celle que je viens de voir préparer, et qui, un beau jour, éclateront à la lumière du ciel ?...

De la rue de la Sourdière à la maison qu'habitait Gilbert, rue Saint-Honoré, il n'y avait qu'un pas.

Cette maison était située un peu plus loin que l'Assomption, en face d'un menuisier nommé Duplay.

Le froid et le mouvement avaient réveillé Sébastien. Il avait voulu marcher, mais son père s'y était opposé, et continuait de le porter entre ses bras.

Le docteur, arrivé à la porte, posa un instant Sébastien sur ses pieds, et frappa assez fort pour que, si endormi que fût le concierge, il n'eût point à attendre trop longtemps dans la rue.

En effet, un pas lourd, quoique rapide, retentit bientôt de l'autre côté de la porte.

— Est-ce vous, monsieur Gilbert ? demanda une voix.

— Tiens, dit Sébastien, c'est la voix de Pitou.

— Ah ! Dieu soit loué ! s'écria Pitou en ouvrant la porte, Sébastien est retrouvé !

Puis, se retournant vers l'escalier, dans les profondeurs duquel on commençait à apercevoir les lueurs d'une bougie :

— Monsieur Billot ! monsieur Billot ! cria Pitou, Sébastien est retrouvé, et sans accident, j'espère, — n'est-ce pas, monsieur Gilbert ?

— Sans accident grave, du moins, dit le docteur. Viens, Sébastien, viens !

Et, laissant à Pitou le soin de fermer la porte, il enleva de nouveau, — aux yeux du concierge ébahi, qui paraissait sur le seuil de sa loge, en bonnet de coton et en chemise, — Sébastien entre ses bras, et commença de monter l'escalier.

Billot marcha le premier, éclairant le docteur ; Pitou emboîta le pas derrière eux.

Le docteur demeurait au second ; les portes, toutes grandes ouvertes, annonçaient qu'il était attendu. Il déposa Sébastien sur son lit.

Pitou suivait, inquiet et timide. A la boue qui couvrait ses souliers, ses bas, sa culotte, et qui mouchetait le reste de ses vêtements, il était facile de voir qu'il était tout frais arrivé d'une longue route.

En effet, après avoir reconduit Catherine éplorée chez elle, après avoir appris de la bouche de la jeune fille, frappée trop profondément pour cacher sa douleur, que cette douleur venait du départ de M. Isidore de Charny pour Paris, Pitou, à qui l'expression de cette douleur brisait doublement le cœur, et comme amant et comme ami, Pitou avait pris congé de Catherine couchée, de la mère Billot pleurant au pied de son lit, et s'était, d'un pas bien autrement tardif que celui qui l'avait amené, acheminé vers Haramont.

La lenteur de ce pas, la quantité de fois qu'il se retourna pour regarder tristement la ferme, d'où il s'éloignait le cœur gros à la fois et de la douleur de Catherine et de sa propre douleur à lui, firent qu'il n'arriva à Haramont qu'au point du jour.

La préoccupation qui le tenait fit aussi que, comme Sextus retrouvant sa femme morte, il alla s'asseoir sur son lit les yeux fixes et les mains croisées sur ses genoux.

Enfin, il se releva, et, pareil à un homme qui s'éveille, non pas de son sommeil, mais de sa pensée, il jeta les yeux autour de lui, et vit, près de la feuille de papier écrite de sa main, une autre feuille de papier couverte d'une écriture différente.

Il s'approcha de la table et lut la lettre de Sébastien.

Il faut le dire à la louange de Pitou, il oublia à l'instant même ses chagrins personnels pour ne songer qu'aux dangers que pouvait courir son ami pendant le voyage qu'il venait d'entreprendre.

Puis, sans s'inquiéter de l'avance que l'enfant, parti la veille, pouvait avoir sur lui, Pitou, confiant dans ses longues jambes, se mit à sa poursuite, avec l'espoir de le rejoindre, si Sébastien ne trouvant pas de moyens de transport, avait été forcé de continuer sa route à pied.

D'ailleurs, il faudrait bien que Sébastien s'arrêtât, tandis que lui, Pitou, marcherait toujours.

Pitou ne s'inquiéta point d'un bagage quelconque. Il ceignit ses reins d'une ceinture de cuir, comme il avait l'habitude d'en user quand il avait une longue traite à faire ; il prit sous son bras un pain de quatre livres dans lequel il introduisit un saucisson, et, son bâton de voyage à la main, il se mit en route.

Pitou, de son pas ordinaire, faisait une lieue et demie à l'heure ; en prenant le pas accéléré, il en fit deux.

Cependant, comme il lui fallut s'arrêter pour boire, pour renouer les cordons de ses souliers et pour demander des nouvelles de Sébastien, il mit dix heures à venir de l'extrémité de la rue de Largny à la barrière de la Villette ; puis une heure, à cause des embarras de voitures, à venir de la barrière de la Villette à la maison du docteur Gilbert : cela fit onze heures. Il était parti à neuf heures du matin, il était arrivé à huit heures du soir.

C'était, on se le rappelle, juste le moment où Andrée enlevait Sébastien des Tuileries, et où le docteur Gilbert causait avec le roi. Pitou ne trouva donc ni le docteur Gilbert, ni Sébastien mais il trouva Billot.

Billot n'avait aucunement entendu parler de Sébastien, et ne savait pas à quelle heure Gilbert rentrerait.

Le malheureux Pitou était si inquiet, qu'il ne songea point à parler à Billot de Catherine. Toute sa conversation ne fut qu'un long gémissement sur le malheur qu'il avait eu de ne pas se trouver dans sa chambre lorsque Sébastien y était venu.

Puis, comme il avait emporté la lettre de Sébastien pour se justifier au besoin près du docteur, il relisait cette lettre, chose bien inutile, car il l'avait déjà lue et relue tant de fois, qu'il la savait par cœur.

Le temps avait passé ainsi, lent et triste, pour Pitou et Billot, depuis huit heures du soir jusqu'à deux heures du matin.

C'était bien long, six heures ! Il n'avait pas fallu à Pitou le double de ce temps-là pour venir de Villers-Cotterets à Paris.

A deux heures du matin, le bruit du marteau avait retenti pour la dixième fois depuis l'arrivée de Pitou.

A chaque fois, Pitou s'était précipité par les degrés, et, malgré les quarante marches qu'il y avait à descendre, il était toujours arrivé au moment où le concierge tirait le cordon.

Mais, chaque fois, son espérance avait été trompée : ni Gilbert ni Sébastien n'avaient paru, et il était remonté près de Billot lentement et tristement.

Enfin, nous avons dit comment, une dernière fois, étant descendu plus précipitamment encore que les autres, son attente avait été comblée en voyant reparaître, en même temps, le père et le fils, le docteur Gilbert et Sébastien.

Gilbert remercia Pitou comme le brave garçon devait être remercié, c'est-à-dire par une poignée de main ; puis, comme il pensait qu'après une trotte de dix-huit lieues, et une attente de six heures, le voyageur devait avoir besoin de repos, il lui souhaita une bonne nuit et l'envoya se coucher.

Mais, tranquille à l'endroit de Sébastien, Pitou avait, maintenant, ses confidences à faire à Billot. Il fit donc signe à Billot de le suivre, et Billot le suivit.

Quant à Gilbert, il ne voulut s'en rapporter à personne du soin de coucher et de veiller Sébastien. Il examina lui-même l'ecchymose empreinte sur la poitrine de l'enfant, appliqua son oreille sur plusieurs endroits du torse ; puis, s'étant assuré que la respiration était parfaitement libre, il se coucha sur une chaise longue près de l'enfant, qui, malgré une fièvre assez forte, ne tarda pas à s'endormir.

Mais bientôt, pensant à l'inquiétude que devait éprouver Andrée, d'après celle qu'il avait éprouvée lui-même, il appela son valet de chambre, et lui ordonna d'aller à l'instant même jeter à la plus prochaine poste, afin qu'elle parvînt à son adresse à la première levée, une lettre dans laquelle étaient ces seules paroles :

« Rassurez-vous, l'enfant est retrouvé et n'a aucun mal. »

Le lendemain, Billot fit demander dès le matin à Gilbert la permission d'entrer chez lui, permission qui lui fut accordée.

La bonne figure de Pitou apparut souriante à la porte derrière celle de Billot, dont Gilbert remarqua l'expression triste et grave.

— Qu'y a-t-il donc, mon ami, et qu'avez-vous ? demanda le docteur.

— J'ai, monsieur Gilbert, que vous avez bien fait de me retenir ici, puisque je pouvais vous être utile, à vous et au pays ; mais, tandis que je reste à Paris, tout va mal là-bas.

Que l'on n'aille cependant pas croire, d'après ces paroles, que Pitou eût révélé les secrets de Catherine, et parlé des amours de la jeune fille avec Isidore. Non, l'âme honnête du brave commandant de la garde nationale d'Haramont se refusait à une délation. Il avait seulement dit à Billot que la récolte avait été mauvaise, que les seigles avaient manqué, qu'une partie des blés avait été couchée par la grêle, que les granges étaient au tiers pleines, et qu'il avait trouvé Catherine sur le chemin de Villers-Cotterets à Pisseleu.

Or, Billot s'était assez peu inquiété du manque des seigles et du versement des blés ; mais il avait failli se trouver mal lui-même en apprenant l'évanouissement de Catherine.

C'est qu'il savait, le brave père Billot, qu'une

jeune fille du tempérament et de la force de Catherine ne s'évanouit pas sans raison sur les grands chemins.

D'ailleurs, il avait fort interrogé Pitou, et, quelque réserve que Pitou eût mise dans ses réponses, plus d'une fois Billot avait secoué la tête en disant :

— Allons, allons, je crois qu'il est temps que je retourne là-bas.

Gilbert, qui venait d'éprouver lui-même ce qu'un cœur de père peut souffrir, comprit, cette fois, ce qui se passait dans celui de Billot, lorsque Billot lui eut dit les nouvelles apportées par Pitou.

— Allez donc, mon cher Billot, lui répondit-il, puisque ferme, terre et famille vous réclament ; mais n'oubliez pas qu'au nom de la patrie, dans un cas pressant, je dispose de vous.

— Un mot, monsieur Gilbert, répondit le brave fermier, et, en douze heures, je suis à Paris.

Alors, ayant embrassé Sébastien, qui, après une nuit heureusement passée, se trouvait complètement hors de danger, ayant serré la main fine et délicate de Gilbert dans ses deux larges mains, Billot prit le chemin de sa ferme, qu'il avait quittée pour huit jours, et dont il était absent depuis trois mois.

Pitou le suivit emportant — offrande du docteur Gilbert — vingt-cinq louis destinés à aider à l'habillement et à l'équipement de la garde nationale d'Haramont.

Sébastien resta avec son père.

[Gilbert confie son enfant à l'abbé Bérardier, qui dirige un collège à Paris...]

OU LE ROI S'OCCUPE D'AFFAIRES D'ÉTAT

Quoique le roi ne fût installé aux Tuileries que depuis quinze jours à peine, il y avait deux pièces de son appartement qui avaient été mises au grand complet, et où rien ne manquait du mobilier nécessaire.

Ces deux pièces étaient sa forge et son cabinet.

Plus tard, et dans une occasion qui n'eut pas sur la destinée du malheureux prince une influence moindre que celle-ci, nous introduirons le lecteur dans la forge royale ; mais, pour le moment, c'est dans son cabinet que nous avons affaire ; entrons donc à la suite de Charny, qui se tient debout devant le bureau où le roi vient de s'asseoir.

Ce bureau est chargé de cartes, de livres de géographie, de journaux anglais et de papiers parmi lesquels on distingue ceux de l'écriture de Louis XVI, à la multiplicité des lignes qui les couvrent et qui ne laissent de blanc ni en haut, ni en bas, ni sur la marge.

Le caractère se révèle dans le plus petit détail : le parcimonieux Louis XVI, non seulement ne laissait pas perdre le moindre morceau de papier blanc, mais encore, sous sa main, ce papier blanc se couvrait d'autant de lettres qu'il en pouvait matériellement contenir.

Charny, depuis trois ou quatre ans qu'il demeurait dans la familiarité des deux augustes époux, était trop habitué à tous ces détails pour faire les remarques que nous consignons ici. C'est pourquoi, sans que son œil s'arrêtât particulièrement sur aucun objet, il attendit respectueusement que le roi lui adressât la parole.

Mais, arrivé où il en était, le roi, malgré la confidence annoncée d'avance, semblait éprouver un certain embarras à entrer en matière.

D'abord, et comme pour se donner du courage, il ouvrit un tiroir de son bureau, et dans ce tiroir, un compartiment secret d'où il tira quelques papiers couverts d'enveloppes qu'il mit sur la table, et où il posa la main.

— Monsieur de Charny, dit-il enfin, j'ai remarqué une chose...

Il s'arrêta regardant fixement Charny, lequel attendit respectueusement qu'il plût au roi de continuer.

— C'est que, dans la nuit du 5 au 6 octobre, ayant à choisir entre la garde de la reine et la mienne, vous aviez placé votre frère près de la reine, et que vous étiez resté près de moi.

— Sire, dit Charny, je suis le chef de la famille comme vous êtes le chef de l'État, j'avais donc le droit de mourir près de vous.

— Cela m'a fait penser, continua Louis XVI, que, si jamais j'avais à donner une mission à la fois secrète, difficile et dangereuse, je pouvais la confier à votre loyauté comme Français, à votre cœur comme ami.

— Oh ! sire, s'écria Charny, si haut que le roi m'élève, je n'ai pas la prétention de croire qu'il puisse faire de moi autre chose qu'un sujet fidèle et reconnaissant.

— Monsieur de Charny, vous êtes un homme grave, quoique vous ayez trente-six ans à peine ; vous n'avez point passé à travers tous les événements qui viennent de se dérouler autour de nous sans en avoir tiré une conclusion quelconque... Monsieur de Charny, que pensez-vous de ma situation, et si vous étiez mon premier ministre, quels moyens me proposeriez-vous pour l'améliorer ?

— Sire, dit Charny avec plus d'hésitation que d'embarras, je suis un soldat... un marin... ces hautes questions sociales dépassent la portée de mon intelligence.

— Monsieur, dit le roi en tendant la main à

Charny avec une dignité qui semblait jaillir tout à coup de la situation même où il venait de se placer, vous êtes un homme ; et un autre homme, qui vous croit son ami, vous demande purement et simplement, à vous, cœur droit, esprit sain, sujet loyal, ce que vous feriez à sa place.

— Sire, répondit Charny, dans une situation non moins grave que l'est celle-ci, la reine m'a fait un jour l'honneur, comme le fait le roi en ce moment, de me demander mon avis ; c'était le jour de la prise de la Bastille : elle voulait pousser, contre les cent mille Parisiens armés et roulant comme une hydre de fer et de feu sur les boulevards et dans les rues du faubourg Saint-Antoine, ses huit ou dix mille soldats étrangers. Si j'eusse été moins connu de la reine, si elle eût vu moins de dévouement et de respect dans mon cœur, ma réponse m'eût sans aucun doute brouillé avec elle... Hélas ! sire, ne puis-je pas craindre aujourd'hui, qu'interrogé par le roi, ma réponse trop franche ne blesse le roi ?

— Qu'avez-vous répondu à la reine, monsieur ?

— Que Votre Majesté, n'étant point assez forte pour entrer à Paris en conquérant, devait y entrer en père.

— Eh bien ! monsieur, répondit Louis XVI, n'est-ce pas le conseil que j'ai suivi ?

— Si fait, sire.

— Maintenant, reste à savoir si j'ai bien fait de le suivre ; car, cette fois-ci, dites-le vous-même, y suis-je entré en roi ou prisonnier ?

— Sire, dit Charny, le roi me permet-il de lui parler avec toute franchise ?

— Faites, monsieur ; du moment où je vous demande votre avis, je vous demande en même temps votre opinion.

— Sire, vous n'êtes pas injuste pour le peuple, n'est-ce pas ? le peuple est bon, le peuple vous aime, le peuple est royaliste ; mais le peuple souffre, mais le peuple a froid, mais le peuple a faim : il a au-

dessus de lui, au-dessous de lui, à côté de lui, de
mauvais conseillers qui le jettent en avant : il marche,
il pousse, il renverse, car lui-même ne connaît pas
sa force ; une fois lâché, répandu, roulant, c'est une
inondation ou un incendie, il noie ou il brûle.

— Eh bien, monsieur de Charny, supposez, ce
qui est bien naturel, que je ne veuille être ni noyé
ni brûlé, que faut-il que je fasse ?

— Sire, il faut ne point donner prétexte à l'inondation de se répandre, à l'incendie de s'allumer...
Mais pardon, dit Charny en s'arrêtant, j'oublie que,
même sur un ordre du roi...

— Vous voulez dire sur une prière. Continuez,
monsieur de Charny, continuez, le roi vous en prie.

— Eh bien, sire, vous l'avez vu ce peuple de Paris
si longtemps veuf de ses souverains, si affamé de
les revoir, vous l'avez vu menaçant, incendiaire,
assassin à Versailles, ou plutôt vous avez cru le voir
tel, car à Versailles, ce n'était pas le peuple ! vous
l'avez vu, dis-je, aux Tuileries, saluant, sous le
double balcon du palais, vous, la reine, la famille
royale, pénétrant dans vos appartements par le
moyen de ses députations, députations de dames de
la halle, députations de garde civique, députations
de corps municipaux, et ceux qui n'avaient pas le
bonheur d'être députés, de pénétrer dans vos appartements, d'échanger des paroles avec vous, ceux-là
vous les avez vus se presser aux fenêtres de votre
salle à manger, à travers lesquelles les mères
envoyaient, douces offrandes ! aux illustres convives,
les baisers de leurs petits enfants ?

— Oui, dit le roi, j'ai vu tout cela, et de là vient
mon hésitation. Je me demande quel est le vrai
peuple, de celui qui brûle et assassine, ou de celui
qui caresse et qui acclame.

— Oh ! le dernier, sire, le dernier ! Fiez-vous à
celui-là, et il vous défendra contre l'autre.

— Comte, vous me répétez, à deux heures de

distance, exactement ce que me disait, ce matin, le docteur Gilbert.

— Eh bien, sire, comment, ayant pris l'avis d'un homme aussi profond, aussi savant, aussi grave que le docteur, daignez-vous venir me demander le mien, à moi, pauvre officier ?

— Je vais vous le dire, monsieur de Charny, répondit Louis XVI. C'est qu'il y a, je crois, une grande différence entre vous deux. Vous êtes dévoué au roi, vous, et le docteur Gilbert n'est dévoué qu'à la royauté.

— Je ne comprends pas bien, sire.

— J'entends que, pourvu que la royauté, c'est-à-dire le principe, fût sauf, il abandonnerait volontiers le roi, c'est-à-dire l'homme.

— Alors, Votre Majesté dit vrai, reprit Charny, il y a cette différence entre nous deux : que vous êtes en même temps pour moi, sire, le roi et la royauté. C'est donc à ce titre que je vous prie de disposer de moi.

— Auparavant, je veux savoir de vous, monsieur de Charny, à qui vous vous adresseriez, dans ce moment de calme où nous sommes, entre deux orages peut-être, pour effacer les traces de l'orage passé et conjurer l'orage à venir.

— Si j'avais à la fois l'honneur et le malheur d'être roi, sire, je me rappellerais les cris qui ont entouré ma voiture à mon retour de Versailles, et je tendrais la main droite à M. de La Fayette et la main gauche à M. de Mirabeau.

— Comte, s'écria vivement le roi, comment me dites-vous cela, détestant l'un et méprisant l'autre ?

— Sire, il ne s'agit point ici de mes sympathies ; il s'agit du salut du roi et de l'avenir de la royauté.

— Juste ce que m'a dit le docteur Gilbert, murmura le roi comme se parlant à lui-même.

— Sire, reprit Charny, je suis heureux de me rencontrer d'opinion avec un homme aussi éminent que le docteur Gilbert.

— Ainsi vous croyez, mon cher comte, que de l'union de ces deux hommes pourraient ressortir le calme de la nation et la sécurité du roi ?

— Avec l'aide de Dieu, sire, j'espérerais beaucoup de l'union de ces deux hommes.

— Mais, enfin, si je me prêtais à cette union, si je consentais à ce pacte, et que, malgré mon désir, malgré le leur peut-être, la combinaison ministérielle qui doit les réunir échouât, que pensez-vous qu'il faudrait que je fisse ?

— Je crois qu'ayant épuisé tous les moyens mis entre ses mains par la Providence, je crois qu'ayant rempli tous les devoirs imposés par sa position, il serait temps que le roi songeât à sa sûreté, et à celle de sa famille.

— Alors, vous me proposeriez de fuir ?

— Je proposerais à Votre Majesté de se retirer, avec ceux de ses régiments et de ses gentilshommes sur lesquels elle croirait pouvoir compter, dans quelque place forte, comme Metz, Nancy ou Strasbourg.

La figure du roi rayonna.

— Ah ! ah ! dit-il, et, parmi tous les généraux qui m'ont donné des preuves de dévouement, voyons, dites franchement Charny, vous qui les connaissez tous, auquel confieriez-vous cette dangereuse mission d'enlever ou de recevoir son roi ?

— Oh ! sire, sire ! murmura Charny, c'est une grave responsabilité que celle de guider le roi dans un choix pareil... sire, je reconnais mon ignorance, ma faiblesse, mon impuissance... sire, je me récuse.

— Eh bien, je vais vous mettre à votre aise, monsieur, dit le roi. Ce choix est fait ; c'est près de cet homme que je veux vous envoyer. Voici la lettre tout écrite que vous aurez mission de lui remettre ; le nom que vous m'indiquerez n'aura donc aucune influence sur ma détermination ; seulement, il me désignera un fidèle serviteur de plus, lequel, à son tour, aura sans doute occasion de montrer sa fidélité. Voyons, monsieur de Charny, si vous aviez à confier votre roi au courage, à la loyauté, à l'intelligence d'un homme, quel homme choisiriez-vous ?

— Sire, dit Charny après avoir réfléchi un instant, ce n'est point, je le jure à Votre Majesté, parce que des liens d'amitié, je dirai presque de famille, m'attachent à lui, mais il y a, dans l'armée, un homme qui est connu par le grand dévouement qu'il porte au roi ; un homme qui, comme gouverneur des Iles sous le vent, a, lors de la guerre d'Amérique, efficacement protégé nos possessions des Antilles, et même enlevé plusieurs îles aux Anglais ; qui, depuis, a été chargé de divers commandements importants, et qui, à cette heure, est, je crois, général gouverneur de la ville de Metz ; — cet homme, sire, c'est le marquis de Bouillé. — Père, je lui confierais mon fils, fils, je lui confierais mon père ; sujet, je lui confierais mon roi !

Si peu démonstratif que fût Louis XVI, il suivait avec une évidente anxiété les paroles du comte, et l'on aurait pu voir son visage s'éclaircir au fur et à mesure qu'il croyait reconnaître le personnage dont voulait lui parler Charny. Au nom de ce personnage prononcé par le comte, il ne put retenir un cri de joie.

— Tenez, tenez, comte, dit-il, lisez l'adresse de cette lettre, et voyez si ce n'est pas la Providence elle-même qui m'a inspiré l'idée de m'adresser à vous !

Charny prit la lettre des mains du roi, et lut cette suscription :

A monsieur François-Claude-Amour, marquis de Bouillé, général commandant la ville de Metz.

Des larmes de joie et d'orgueil montèrent jusqu'aux paupières de Charny.

— Sire, s'écria-t-il, je ne saurais vous dire après

cela qu'une seule chose : c'est que je suis prêt à mourir pour Votre Majesté.

— Et moi, monsieur, je vous dirai qu'après ce qui vient de se passer, je ne me crois plus le droit d'avoir de secrets envers vous, attendu que, l'heure venue, c'est à vous, et à vous seul, entendez-vous bien ? que je confierai ma personne, celle de la reine et celle de mes enfants. Écoutez-moi donc, voici ce que l'on me propose et ce que je refuse.

Charny s'inclina, donnant toute son attention à ce qu'allait dire le roi.

— Ce n'est pas la première fois, vous le pensez bien, monsieur de Charny, que l'idée me vient, à moi ou à ceux qui m'entourent, d'exécuter un projet analogue à celui dont nous nous entretenons en ce moment. Pendant la nuit du 5 au 6 octobre, j'ai songé à faire évader la reine ; une voiture l'eût conduite à Rambouillet ; je l'y eusse jointe à cheval, et, de là, nous eussions facilement gagné la frontière, car la surveillance qui nous environne aujourd'hui n'était pas encore éveillée. Le projet échoua parce que la reine ne voulut point partir sans moi, et me fit jurer à mon tour de ne point partir sans elle.

— Sire, j'étais là lorsque ce pieux serment fut échangé entre le roi et la reine, ou plutôt entre l'épouse et l'époux.

— Depuis, M. de Breteuil a ouvert des négociations avec moi, par l'entremise du comte d'Innisdal, et, il y a huit jours, j'ai reçu une lettre de Soleure.

Le roi s'arrêta, et, voyant que le comte restait immobile et muet :

— Vous ne répondez pas, comte ? dit-il.

— Sire, fit Charny en s'inclinant, je sais que M. le baron de Breteuil est l'homme de l'Autriche, et je crains de blesser de légitimes sympathies du roi, à l'endroit de la reine son épouse et de l'empereur Joseph II son beau-frère.

Le roi saisit la main de Charny, et, se penchant vers lui :

— Ne craignez rien, comte, dit-il à demi-voix, je n'aime pas plus l'Autriche que vous ne l'aimez vous-même.

La main de Charny tressaillit de surprise entre les mains du roi.

— Comte, comte ! quand un homme de votre valeur va se dévouer, c'est-à-dire faire le sacrifice de sa vie pour un autre homme qui n'a sur lui que le triste avantage d'être roi, encore faut-il qu'il connaisse celui pour lequel il va se dévouer. Comte, je vous l'ai dit et je vous le répète, je n'aime pas l'Autriche ; je n'aime pas Marie-Thérèse, qui nous a engagés dans cette guerre de sept ans, où nous avons perdu deux cent mille hommes, deux cents millions et dix-sept cents lieues de terrain en Amérique ; qui appelait madame de Pompadour — une prostituée ! — sa cousine, et qui faisait empoisonner mon père — un saint ! — par M. de Choiseul ; qui se servait de ses filles comme d'agents diplomatiques ; qui, par l'archiduchesse Caroline, gouvernait Naples ; qui, par l'archiduchesse Marie-Antoinette, comptait gouverner la France.

— Sire ! sire ! fit Charny, Votre Majesté oublie que je suis un étranger, un simple sujet du roi et de la *reine* de France.

Et Charny souligna par son accent le mot *reine* comme nous venons de le souligner avec la plume.

— Je vous l'ai déjà dit, comte, reprit le roi, vous êtes un ami, et je puis vous parler d'autant plus franchement que le préjugé que j'avais contre la reine est, à cette heure, complètement effacé de mon esprit. Mais c'est malgré moi que j'ai reçu une femme de cette maison deux fois ennemie de la maison de France, ennemie comme Autriche, ennemie comme Lorraine ; c'est malgré moi que j'ai vu venir à ma cour cet abbé de Vermond, précepteur de la dauphine en apparence, espion de Marie-

Thérèse en réalité, que je coudoyais deux ou trois fois par jour, tant il avait mission de se fourrer entre mes jambes, et à qui, pendant dix-neuf ans, je n'ai pas adressé une seule parole ; c'est malgré moi qu'après dix années de lutte, j'ai chargé M. de Breteuil du département de ma maison et du gouvernement de Paris ; c'est malgré moi que j'ai pris pour premier ministre l'archevêque de Toulouse, un athée ; c'est malgré moi, enfin, que j'ai payé à l'Autriche les millions qu'elle voulait extorquer à la Hollande. Aujourd'hui encore, à l'heure où je vous parle, succédant à Marie-Thérèse morte, qui conseille et dirige la reine ? Son frère Joseph II, lequel, heureusement, se meurt. Par qui la conseille-t-il ? Vous le savez comme moi : par l'organe de ce même abbé de Vermond, du baron de Breteuil et de l'ambassadeur d'Autriche, Mercy d'Argenteau. Derrière ce vieillard est caché un autre vieillard, Kaunitz, ministre septuagénaire de la centenaire Autriche. Ces deux vieux fats, ou plutôt ces deux vieilles douairières, mènent la reine de France, par mademoiselle Bertin, sa marchande de modes, et par Léonard, son coiffeur, à qui ils font des pensions, et à quoi la mènent-ils ? A l'alliance de l'Autriche ! de l'Autriche, toujours funeste à la France, comme amie et comme ennemie ; qui a mis un couteau aux mains de Jacques Clément, un poignard aux mains de Ravaillac, un canif aux mains de Damiens. L'Autriche ! l'Autriche catholique et dévote autrefois, qui abjure aujourd'hui et se fait à moitié philosophe sous Joseph II ; l'Autriche imprudente, qui tourne contre elle sa propre épée, la Hongrie ; l'Autriche imprévoyante, qui se laisse enlever par les prêtres belges la plus belle partie de sa couronne, les Pays-Bas ; l'Autriche vassale, qui tourne le dos à l'Europe, que son regard ne devrait pas perdre de vue, en usant contre les Turcs, nos alliés, ses meilleures troupes au profit de la Russie. Non, non, non, monsieur de

Charny, je hais l'Autriche, je ne pouvais me fier à elle.

— Sire, sire, murmura Charny, de pareilles confidences sont bien honorables, mais, en même temps, bien dangereuses pour celui à qui on les fait ! Sire, si, un jour, vous vous repentiez de me les avoir faites !

— Oh ! je ne crains pas cela, monsieur, et, la preuve, c'est que j'achève.

— Sire, Votre Majesté m'a ordonné d'écouter, j'écoute.

— Cette ouverture de fuite n'est pas la seule qui m'ait été faite. Connaissez-vous M. de Favras, comte ?

— Le marquis de Favras, l'ancien capitaine au régiment de Belzunce, l'ancien lieutenant aux gardes de Monsieur ? Oui, sire.

— C'est cela même, reprit le roi en appuyant sur la dernière qualification, *l'ancien lieutenant aux gardes de Monsieur*. Qu'en pensez-vous ?

— Mais c'est un brave soldat, un loyal gentilhomme, sire, ruiné, par malheur, ce qui le rend inquiet, et le pousse à une foule de tentatives hasardeuses, de projets insensés ; mais homme d'honneur, sire, et qui mourra sans reculer d'un pas, sans jeter une plainte, afin de tenir la parole donnée. C'est un homme à qui Votre Majesté aurait raison de se fier pour un coup de main, mais qui, j'en ai peur, ne vaudrait rien comme chef d'entreprise.

— Aussi, reprit le roi avec une certaine amertume, le chef de l'entreprise, n'est-ce pas lui ; c'est Monsieur... oui, c'est Monsieur qui fait l'argent ; c'est Monsieur qui prépare tout ; c'est Monsieur qui, se dévouant jusqu'au bout, reste quand je serai parti, si je pars avec Favras.

Charny fit un mouvement.

— Eh bien, qu'avez-vous, comte ? poursuivit le roi. Cela n'est point le parti de l'Autriche ; c'est le parti des princes, des émigrés, de la noblesse.

— Sire, excusez-moi ; je vous l'ai dit, je ne doute pas de la loyauté ni du courage de M. de Favras ; dans quelque lieu que M. de Favras promette de conduire Votre Majesté, il la conduira ou se fera tuer en la défendant en travers du chemin. Mais pourquoi Monsieur ne part-il pas avec Votre Majesté ? pourquoi Monsieur reste-t-il ?

— Par dévouement, je vous l'ai dit, et puis aussi, peut-être, — dans le cas où le besoin de déposer le roi ét de nommer un régent se ferait sentir, — pour que le peuple, fatigué d'avoir couru inutilement après le roi, n'ait pas à chercher son régent trop loin.

— Sire, s'écria Charny, Votre Majesté me dit de terribles choses.

— Je vous dis ce que tout le monde sait, mon cher comte, ce que votre frère m'a écrit hier ; c'est-à-dire que, dans le dernier conseil des princes, à Turin, il a été question de me déposer et de nommer un régent ; c'est-à-dire que, dans ce même conseil, M. de Condé, mon cousin, a proposé de marcher sur Lyon, quelque chose qu'il pût en arriver au roi... Vous voyez donc bien, qu'à moins d'extrémité je ne puis pas plus accepter Favras que Breteuil, l'Autriche que les princes. Voilà, mon cher comte, ce que je n'ai dit à personne que vous, et ce que je vous dis, à vous, afin que personne, *pas même la reine*, — soit par hasard, soit à dessein, Louis XVI appuya sur les mots que nous soulignons, — afin que personne, pas même la reine, ne vous ayant montré une confiance pareille à celle que je vous montre, vous ne soyez dévoué à personne comme à moi.

— Sire, demanda Charny en s'inclinant, le secret de mon voyage doit-il être gardé devant tout le monde ?

— Peu importe, mon cher comte, que l'on sache que vous partez, si l'on ignore dans quel but vous partez.

— Et le but doit être révélé à M. de Bouillé seul ?

— A M. de Bouillé seul, et encore lorsque vous vous serez assuré de ses sentiments. La lettre que je vous remets pour lui est une simple lettre d'introduction. Vous savez ma position, mes craintes, mes espérances, mieux que la reine ma femme, mieux que M. Necker, mon ministre, mieux que M. Gilbert, mon conseiller. Agissez en conséquence, je mets le fil et les ciseaux entre vos mains, déroulez ou coupez.

Puis, présentant au comte la lettre tout ouverte :

— Lisez, dit-il.

Charny prit la lettre et lut :

« Palais des Tuileries, ce 20 octobre.

» J'espère, monsieur, que vous continuez à être content de votre position de gouverneur de Metz. M. le comte de Charny, lieutenant de mes gardes, qui passe par cette ville, vous demandera s'il est dans vos désirs que je fasse autre chose pour vous ; je saisirais, en ce cas, l'occasion de vous être agréable, comme je saisis celle de vous renouveler l'assurance de tous mes sentiments d'estime pour vous.

» LOUIS. »

— Et maintenant, dit le roi, allez, monsieur de Charny, vous avez plein pouvoir pour les promesses à faire à M. de Bouillé, si vous croyez qu'il soit besoin de lui faire des promesses ; seulement, ne m'engagez que dans la mesure de ce que je puis tenir.

Et il lui tendit une seconde fois la main.

Charny baisa cette main avec une émotion qui le dispensa de nouvelles protestations, et il sortit du cabinet, laissant le roi convaincu — et cela était en effet — qu'il venait, par cette confiance, de s'acquérir le cœur du comte, mieux qu'il n'eût pu faire par toutes les richesses et toutes les faveurs dont il avait disposé aux jours de sa toute-puissance.

CHEZ LA REINE

Charny sortait de chez le roi le cœur plein des sentiments les plus opposés.

Mais le premier de ces sentiments, celui qui montait à la surface de ces flots de pensées roulant tumultueusement dans son cerveau, c'était la reconnaissance profonde qu'il ressentait pour cette confiance sans bornes que le roi venait de lui témoigner.

Cette confiance, en effet, lui imposait des devoirs d'autant plus sacrés que sa conscience était loin d'être muette, au souvenir des torts qu'il avait envers ce digne roi, qui, au moment du danger, posait sa main sur son épaule comme sur un fidèle et loyal appui.

Aussi plus Charny, au fond du cœur, se reconnaissait de torts envers son maître, plus il était prêt à se dévouer pour lui.

Et plus ce sentiment de respectueux dévouement croissait dans le cœur du comte, plus décroissait ce sentiment moins pur que, pendant des jours, des mois, des années, il avait voué à la reine.

C'est pourquoi Charny, retenu une première fois par un vague espoir né au milieu des dangers, comme ces fleurs qui éclosent sur les précipices et qui parfument les abîmes, espoir qui l'avait instinctivement ramené près d'Andrée, Charny, cet espoir perdu, venait de saisir avec empressement une mission qui l'éloignait de la cour, où il éprouvait ce double tourment d'être encore aimé de la femme

qu'il n'aimait plus, et de n'être pas encore aimé —
il le croyait du moins — de la femme qu'il aimait
déjà.

Profitant donc de la froideur qui, depuis quelques
jours, s'était introduite dans ses relations avec la
reine, il rentrait dans sa chambre, décidé à lui
annoncer son départ par une simple lettre, lorsque,
à sa porte, il trouva Weber qui l'attendait.

La reine voulait lui parler et désirait le voir à
l'instant même.

Il n'y avait pas moyen de se soustraire à ce désir
de la reine. Les désirs des têtes couronnées sont
des commandements.

Charny donna quelques ordres à son valet de
chambre pour qu'on mît les chevaux à sa voiture,
et descendit sur les pas du frère de lait de la reine.

Marie-Antoinette était dans une disposition d'esprit tout opposée à celle de Charny ; elle s'était
rappelé sa dureté envers le comte, et, au souvenir
du dévouement qu'il avait montré à Versailles ; à la
vue, — car cette vue lui était toujours présente, —
à la vue du frère de Charny, étendu sanglant en
travers du corridor qui précédait sa chambre, elle
sentait quelque chose comme un remords, et elle
s'avouait à elle-même qu'en supposant que M. de
Charny ne lui eût montré que du dévouement, elle
avait bien mal récompensé ce dévouement.

Mais aussi, n'avait-elle pas le droit de demander
à Charny autre chose que du dévouement ?...

Cependant, en y réfléchissant, Charny avait-il envers
elle tous les torts qu'elle lui supposait ?

Ne fallait-il pas mettre sur le compte du deuil
fraternel cette espèce d'indifférence qu'il avait laissé
voir à son retour de Versailles ? D'ailleurs, cette
indifférence n'existait qu'à la surface, et peut-être,
amante inquiète, s'était-elle trop pressée de
condamner Charny, lorsqu'elle lui avait fait offrir la
mission de Turin, pour l'éloigner d'Andrée, et qu'il
avait refusé ? Son premier mouvement, mouvement

jaloux et mauvais, avait été que ce refus était causé par le naissant amour du comte pour Andrée, et par son désir de rester près de sa femme ; et, en effet, celle-ci, partant des Tuileries à sept heures, avait été suivie, deux heures après, par son mari jusque dans sa retraite de la rue Coq-Héron. Mais l'absence de Charny n'avait pas été longue ; à neuf heures sonnantes, il était rentré au château ; puis une fois rentré au château, il avait refusé l'appartement composé de trois chambres que, par ordre du roi, on lui avait préparé, et s'était contenté de la mansarde désignée pour son domestique.

D'abord, toute cette combinaison avait paru à la pauvre reine une combinaison dans laquelle son amour-propre et son amour avaient tout à souffrir ; mais l'investigation la plus sévère n'avait pu surprendre Charny hors du palais, excepté pour les affaires de son service, et il était bien constaté, aux yeux de la reine, comme aux yeux des autres commensaux du palais, que, depuis son retour à Paris et son entrée au château, Charny avait à peine quitté sa chambre.

Il était bien constaté aussi, d'un autre côté, que, depuis sa sortie du château, Andrée n'y avait pas reparu.

Si Andrée et Charny s'étaient vus, c'était donc une heure seulement, le jour où le comte avait refusé la mission de Turin.

Il est vrai que, pendant toute cette période, Charny n'avait pas cherché non plus à voir la reine ; mais, au lieu de reconnaître dans cette abstention une marque d'indifférence, un regard clairvoyant n'y trouverait-il pas, au contraire, une preuve d'amour ?

Charny, blessé par les injustes soupçons de la reine, n'avait-il pas pu se tenir à l'écart, non point par un excès de froideur, mais bien plutôt par un excès d'amour ?

Car la reine convenait elle-même qu'elle avait été

injuste et dure pour Charny ; injuste, en lui reprochant d'être, pendant cette terrible nuit du 5 au 6 octobre, resté près du roi au lieu d'être resté près de la reine, et, entre deux regards pour elle, d'avoir eu un regard pour Andrée ; dure, en ne participant pas, d'un cœur plus tendre, à cette profonde douleur qu'avait éprouvée Charny à la vue de son frère mort.

Il en est ainsi, au reste, de tout amour profond et réel ; présent, l'être qui en est l'objet apparaît, aux yeux de celui ou de celle qui croit avoir à s'en plaindre, avec toutes les aspérités de la présence. A cette courte distance qu'il est de nous, tous les reproches qu'on croit avoir à lui faire semblent fondés ; défauts de caractère, bizarreries d'esprit, oublis de cœur, tout apparaît comme à travers un verre grossissant ; on ne comprend pas qu'on ait été si longtemps sans voir toutes ces défectuosités amoureuses, et que si longtemps on les ait supportées. Mais l'objet de cette fatale investigation s'éloigne-t-il, de sa propre volonté ou par force, à peine éloigné, ces aspérités, qui, de près, blessaient comme des épines, disparaissent ; ces contours trop arrêtés s'effacent ; le réalisme trop rigoureux tombe sous le souffle poétique de la distance et au regard caressant du souvenir ; on ne juge plus, on compare, on revient sur soi-même avec une rigueur mesurée à l'indulgence qu'on ressent pour cet autre, que l'on reconnaît avoir mal apprécié, et le résultat de tout ce travail du cœur, c'est qu'après cette absence de huit ou dix jours, la personne absente nous semble plus chère et plus nécessaire que jamais.

Il est bien entendu que nous supposons le cas où aucun autre amour ne profite de cette absence, pour venir prendre dans le cœur la place du premier.

Telles étaient donc les dispositions de la reine à l'égard de Charny, lorsque la porte s'ouvrit, et que le comte, qui sortait, comme nous l'avons vu, du cabinet du roi, parut dans l'irréprochable tenue d'un officier de service.

Mais il y avait, en même temps, dans son maintien, toujours si profondément respectueux, quelque chose de glacé qui sembla repousser ces effluves magnétiques prêtes à s'élancer du cœur de la reine, pour aller chercher dans le cœur de Charny tous les souvenirs, doux, tendres ou douloureux, qui s'y étaient entassés depuis quatre ans, au fur et à mesure que le temps, lent et rapide tour à tour, avait fait du présent le passé et de l'avenir le présent.

Charny s'inclina, et demeura presque sur le seuil.

La reine regarda autour d'elle, comme pour se demander quelle cause retenait ainsi le jeune homme à l'autre bout de l'appartement, et, s'étant assurée que la volonté de Charny était la seule cause de son éloignement :

— Approchez, monsieur de Charny, dit-elle, nous sommes seuls.

Charny s'approcha. Puis, d'une voix douce, mais, en même temps, si ferme, qu'il était impossible d'y reconnaître la moindre émotion :

— Me voici aux ordres de Votre Majesté, madame, dit-il.

— Comte, reprit la reine avec sa voix la plus affectueuse, n'avez-vous point entendu que je vous ai dit que nous étions seuls ?

— Si fait, madame, dit Charny ; mais je ne vois pas en quoi cette solitude peut changer la façon dont un sujet doit parler à sa souveraine.

— Lorsque je vous ai envoyé chercher, comte, et que j'ai su par Weber que vous le suiviez, j'ai cru que c'était un ami qui venait parler à une amie.

Un sourire amer se dessina légèrement sur les lèvres de Charny.

— Oui, comte, dit la reine, je comprends ce sourire et je sais ce que vous vous dites intérieurement. Vous vous dites que j'ai été injuste à Versailles, et qu'à Paris je suis capricieuse.

— Injustice ou caprice, madame, répondit Charny, tout est permis à une femme ; à plus forte raison, à une reine.

— Eh ! mon Dieu, mon ami, dit Marie-Antoinette avec tout le charme qu'elle put mettre dans ses yeux et dans sa voix, vous savez bien une chose : c'est que, — le caprice vienne de la femme ou de la reine, — la reine ne peut pas se passer de vous comme conseiller, la femme ne peut pas se passer de vous comme ami.

Et elle lui tendit sa main blanche, effilée, un peu maigrie, mais toujours digne de servir de modèle à un statuaire.

Charny prit cette main royale, et, après l'avoir baisée respectueusement, s'apprêtait à la laisser retomber, quand il sentit que Marie-Antoinette retenait la sienne.

— Eh bien, oui, dit la pauvre femme répondant par ces paroles au mouvement qu'il avait fait, eh bien, oui, j'ai été injuste, plus qu'injuste, cruelle ! Vous avez perdu à mon service, mon cher comte, un frère que vous aimiez d'un amour presque paternel. Ce frère était mort pour moi ; je devais le pleurer avec vous ; en ce moment-là, la terreur, la colère, la jalousie, — que voulez-vous, Charny ! je suis femme ! — ont arrêté les larmes dans mes yeux... Mais, restée seule, pendant ces dix jours où je ne vous ai pas vu, je vous ai payé ma dette en le pleurant ; et, la preuve, tenez, regardez-moi, mon ami, c'est que je pleure encore.

Et Marie-Antoinette renversa légèrement en arrière sa belle tête, afin que Charny pût voir deux larmes, limpides comme deux diamants, rouler dans le sillon que la douleur commençait à creuser sur ses joues.

Ah ! si Charny eût pu savoir quelle quantité de larmes devait suivre celles qui coulaient devant lui, sans doute qu'ému d'une immense pitié, il fût tombé aux genoux de la reine, et lui eût demandé pardon des torts qu'elle avait eus envers lui.

Mais l'avenir, par la permission du Seigneur miséricordieux, est enveloppé d'un voile que nulle main ne peut soulever, que nul regard ne peut percer avant l'heure, et l'étoffe noire dont le destin avait fait celui de Marie-Antoinette semblait encore enrichi d'assez de broderies d'or pour qu'on ne s'aperçût pas que c'était une étoffe de deuil.

D'ailleurs, il y avait trop peu de temps que Charny avait baisé la main du roi pour que le baiser qu'il venait de déposer sur la main de la reine fût autre chose qu'une simple marque de respect.

— Croyez, madame, dit-il, que je suis bien reconnaissant de ce souvenir qui s'adresse à moi, et de cette douleur qui s'adresse à mon frère ; par malheur, à peine ai-je le temps de vous en exprimer ma reconnaissance...

— Comment cela, et que voulez-vous dire ? demanda Marie-Antoinette étonnée.

— Je veux dire, madame, que je quitte Paris dans une heure.

— Vous quittez Paris dans une heure ?

— Oui, madame.

— Oh ! mon Dieu ! nous abandonnez-vous comme les autres ? s'écria la reine. Émigrez-vous, monsieur de Charny ?

— Hélas ! dit Charny, Votre Majesté vient de me prouver, par cette cruelle question, que j'ai eu, sans doute à mon insu, bien des torts envers elle !...

— Pardon, mon ami, mais vous me dites que vous partez... Pourquoi partez-vous ?

— Pour accomplir une mission dont le roi m'a fait l'honneur de me charger.

— Et vous quittez Paris ? demanda la reine avec anxiété.

— Je quitte Paris, oui, madame.

— Pour quel temps ?

— Je l'ignore.

— Mais, il y a huit jours, vous refusiez une mission, ce me semble ?

— C'est vrai, madame.

— Pourquoi donc, ayant refusé une mission, il y a huit jours, en acceptez-vous une aujourd'hui ?

— Parce qu'en huit jours, madame, bien des changements peuvent arriver dans l'existence d'un homme, et, par conséquent, dans ses résolutions.

La reine parut faire un effort à la fois sur sa volonté et sur les différents organes soumis à cette volonté et chargés de la transmettre.

— Et vous partez... seul ? demanda-t-elle.

— Oui, madame, seul.

Marie-Antoinette respira.

Puis, comme accablée par l'effort qu'elle venait de faire, elle s'affaissa un instant sur elle-même, ferma les yeux, et, passant son mouchoir de batiste sur son front :

— Et où allez-vous ainsi ? demanda-t-elle encore.

— Madame, répondit respectueusement Charny, le roi, je le sais, n'a point de secrets pour Votre Majesté ; que la reine demande à son auguste époux et le but de mon voyage et l'objet de ma mission, je ne doute pas un instant qu'il ne les lui dise.

Marie-Antoinette rouvrit les yeux, et fixa sur Charny un regard étonné.

— Mais pourquoi m'adresserais-je à lui, quand je puis m'adresser à vous ? dit-elle.

— Parce que le secret que j'emporte en moi est celui du roi, madame, et non pas le mien.

— Il me semble, monsieur, reprit Marie-Antoinette avec une certaine hauteur, que, si c'est le secret du roi, c'est aussi celui de la reine ?

— Je n'en doute point, madame, répondit Charny en s'inclinant ; voilà pourquoi j'ose affirmer à Votre Majesté que le roi ne fera aucune difficulté de le lui confier.

— Mais, enfin, cette mission est-elle à l'intérieur de la France ou à l'étranger ?

— Le roi seul peut donner là-dessus à Sa Majesté l'éclaircissement qu'elle demande.

— Ainsi, dit la reine avec le sentiment d'une profonde douleur qui momentanément l'emportait sur l'irritation que lui causait la retenue de Charny, ainsi vous partez, vous vous éloignez de moi, vous allez courir des dangers sans doute, et je ne saurai ni où vous êtes ni quels dangers vous courez !

— Madame, quelque part que je sois, vous aurez là où je serai, je puis en faire serment à Votre Majesté, un sujet fidèle, un cœur dévoué ; et, quels que soient les dangers que je m'expose à courir, ils me seront doux, puisque je m'y exposerai pour le service des deux têtes que je vénère le plus au monde.

Et, s'inclinant, le comte parut ne plus attendre, pour se retirer, que le congé de la reine.

La reine poussa un soupir qui ressemblait à un sanglot étouffé, et, prenant sa gorge avec sa main, comme pour aider ses larmes à redescendre dans sa poitrine :

— C'est bien, monsieur, dit-elle, allez.

Charny s'inclina de nouveau, et, d'un pas ferme, marcha vers la porte.

Mais, au moment où le comte mettait la main sur le bouton :

— Charny ! s'écria la reine les bras étendus vers lui.

Le comte tressaillit, et se retourna pâlissant.

— Charny, continua Marie-Antoinette, venez ici !

Il s'approcha chancelant.

— Venez ici, plus près, ajouta la reine ; regardez-moi en face... Vous ne m'aimez plus, n'est-ce pas ?

Charny sentit tout un frisson courir dans ses veines ; il crut un instant qu'il allait s'évanouir.

C'était la première fois que la femme hautaine, que la souveraine pliait devant lui.

Dans toute autre circonstance, à tout autre moment, il fût tombé aux genoux de Marie-Antoinette, il lui eût demandé pardon ; mais le souvenir de ce qui venait de se passer entre lui et le roi le soutint, et, rappelant toutes ses forces :

— Madame, dit-il, après les marques de confiance et de bonté dont vient de me combler le roi, je serais en vérité un misérable, si j'assurais, à cette heure, Votre Majesté d'autre chose que de mon dévouement et de mon respect.

— C'est bien, comte, dit la reine, vous êtes libre, allez.

Un moment, Charny fut pris d'un irrésistible désir de se précipiter aux pieds de la reine ; mais cette invincible loyauté qui vivait en lui terrassa, sans les étouffer, les restes de cet amour qu'il croyait éteint et qui avait été sur le point de se ranimer plus ardent et plus vivace que jamais.

Il s'élança donc hors de la chambre, une main sur son front, l'autre sur sa poitrine, en murmurant des paroles sans suite, mais qui, tout incohérentes qu'elles étaient, eussent changé, si elle les eût entendues, en un sourire de triomphe, les larmes désespérées de Marie-Antoinette.

La reine le suivit des yeux, espérant toujours qu'il allait se retourner et revenir à elle.

Mais elle vit la porte s'ouvrir devant lui, et se refermer sur lui ; mais elle entendit ses pas s'éloigner dans les antichambres et les corridors.

Cinq minutes après qu'il avait disparu, et que le bruit de ses pas s'était éteint, elle regardait et écoutait encore.

Tout à coup, son attention fut attirée par un bruit nouveau, et qui venait de la cour.

C'était celui d'une voiture.

Elle courut à la fenêtre, et reconnut la voiture de voyage de Charny, qui traversait la cour des Suisses et s'éloignait par la rue du Carrousel.

Elle sonna Weber.

Weber entra.

— Si je n'étais point prisonnière au château, dit-

110

elle, et que je voulusse aller rue Coq-Héron, quel chemin faudrait-il que je prisse ?

— Madame, dit Weber, il vous faudrait sortir par la porte de la cour des Suisses, et tourner par la rue du Carrousel, puis suivre la rue Saint-Honoré jusqu'à...

— C'est bien... assez... — Il va lui dire adieu, murmura-t-elle.

Et, après avoir laissé un instant son front s'appuyer sur la vitre glacée.

— Oh ! il faut pourtant que je sache à quoi m'en tenir, continua-t-elle à voix basse, brisant chaque parole entre ses dents serrées.

Puis, tout haut :

— Weber, dit-elle, tu passeras rue Coq-Héron, n° 9, chez madame la comtesse de Charny, et tu lui diras que je désire lui parler ce soir.

— Pardon, madame, dit le valet de chambre, mais je croyais que Votre Majesté avait déjà disposé de sa soirée en faveur de M. le docteur Gilbert ?

— Ah ! c'est vrai, dit la reine hésitant.

— Qu'ordonne Votre Majesté ?

— Contremande le docteur Gilbert, et donne-lui rendez-vous pour demain matin.

Puis, tout bas :

— Oui, c'est cela, dit-elle ; à demain matin la politique. D'ailleurs, la conversation que je vais avoir avec madame de Charny pourra bien avoir quelque influence sur la détermination que je prendrai.

Et, de la main, elle congédia Weber.

La reine se trompait. Charny n'allait point chez la comtesse. Il allait à la poste royale faire mettre des chevaux de poste à sa voiture.

Seulement, tandis qu'on attelait, il entra chez le maître de poste, demanda plume, encre, papier, et écrivit à la comtesse une lettre qu'il chargea le domestique qui ramenait ses chevaux de porter chez elle.

La comtesse, à demi couchée sur son canapé, placé à l'angle du salon, et ayant un guéridon devant elle, était occupée à lire cette lettre, lorsque Weber, selon le privilège des gens qui venaient de la part du roi ou de la reine, fut introduit près d'elle sans annonce préalable.

— Monsieur Weber, dit la femme de chambre en ouvrant la porte.

En même temps, Weber parut.

La comtesse plia vivement la lettre qu'elle tenait à la main, et l'appuya contre sa poitrine, comme si le valet de chambre de la reine fût venu pour la lui prendre.

Weber s'acquitta de sa commission en allemand. C'était toujours un grand plaisir pour le brave homme que de parler la langue de son pays, et l'on sait qu'Andrée, qui avait appris cette langue dans sa jeunesse, était arrivée, par la familiarité où, dix ans, l'avait tenue la reine, à parler cette langue comme sa langue maternelle.

Une des causes qui avaient fait regretter à Weber le départ d'Andrée et sa séparation de la reine, c'était cette occasion que perdait le digne Allemand de parler sa langue.

Aussi insista-t-il bien vivement, — espérant sans doute que, de l'entrevue, sortirait un rapprochement, — pour que sous aucun prétexte Andrée ne manquât au rendez-vous qui lui était donné, lui répétant à plusieurs reprises que la reine avait contremandé une entrevue qu'elle devait avoir le soir même avec le docteur Gilbert, afin de se faire maîtresse de sa soirée.

Andrée répondit simplement qu'elle se rendrait aux ordres de Sa Majesté.

Weber sorti, la comtesse se tint un instant immobile et les yeux fermés, comme une personne qui veut chasser de son esprit toute pensée étrangère à celle qui l'occupe, et, seulement lorsqu'elle eut réussi à bien rentrer en elle-même, elle reprit sa lettre, dont elle continua la lecture.

La lettre lue, elle la baisa tendrement et la mit sur son cœur.

Puis, avec un sourire plein de tristesse :

— Dieu vous garde, chère âme de ma vie ! dit-elle. J'ignore où vous êtes ; mais Dieu le sait, et mes prières savent où est Dieu.

Alors, quoiqu'il lui fût impossible de deviner pour quelle cause la reine la demandait, sans impatience comme sans crainte, elle attendit le moment de se rendre aux Tuileries.

Il n'en était pas de même de la reine. Prisonnière en quelque sorte au château, elle errait, pour user son impatience, du pavillon de Flore au pavillon Marsan.

Monsieur l'aida à passer une heure. Monsieur était venu aux Tuileries, afin de savoir comment Favras avait été reçu par le roi.

La reine, qui ignorait la cause du voyage de Charny, et qui voulait se garder cette voie de salut, engagea le roi beaucoup plus qu'il ne s'était engagé lui-même, et dit à Monsieur qu'il eût à poursuivre, et que, le moment venu, elle se chargeait de tout.

Monsieur parti, la reine usa une autre heure chez madame de Lamballe. La pauvre princesse, dévouée à la reine jusqu'à la mort, — on l'a vu dans l'occasion, — n'avait toujours été cependant que le pis-aller de Marie-Antoinette, qui l'avait successivement abandonnée pour porter son inconstante faveur sur Andrée et sur mesdames de Polignac. Mais la reine la connaissait : elle n'avait qu'à faire un pas vers cette véritable amie pour que celle-ci, les bras et le cœur ouverts, fît le reste du chemin.

Aux Tuileries, et depuis le retour de Versailles, la princesse de Lamballe habitait le pavillon de Flore, où elle tenait le véritable salon de Marie-Antoinette, comme faisait à Trianon madame de Polignac. Toutes les fois que la reine avait une grande douleur ou une grande inquiétude, c'était à madame de Lamballe qu'elle allait, preuve que, là, elle se sentait aimée. Alors, sans avoir besoin de rien dire, sans même faire la douce jeune femme confidente de cette inquiétude ou de cette douleur, elle posait sa tête sur l'épaule de cette vivante statue de l'amitié, et les larmes qui coulaient des yeux de la reine ne tardaient pas à se mêler aux pleurs qui coulaient de ceux de la princesse.

Ô pauvre martyre ! qui osera aller chercher dans les ténèbres des alcôves si la source de cette amitié était pure ou criminelle, quand l'histoire, inexorable, terrible, viendra, les pieds dans ton sang, lui dire de quel prix tu l'as payée ?

Puis le dîner fit passer une autre heure. On dînait en famille avec madame Élisabeth, madame de Lamballe et les enfants.

Au dîner, les deux augustes convives étaient préoccupés. Chacun d'eux avait un secret pour l'autre :

La reine, l'affaire Favras ;

Le roi, l'affaire Bouillé.

Bien au contraire du roi, qui préférait devoir son salut à tout, même à la révolution, plutôt qu'à l'étranger, la reine préférait l'étranger à tout.

D'ailleurs, il faut le dire, ce que nous autres Français appelions l'étranger, c'était pour la reine la famille. Comment aurait-elle pu mettre dans la balance ce peuple qui tuait ses soldats, ces femmes qui venaient l'insulter dans les cours de Versailles, ces hommes qui voulaient l'assassiner dans ses appartements, cette foule qui l'appelait l'Autrichienne, avec les rois à qui elle demandait secours, avec Joseph II, son frère, avec Ferdinand Ier, son beau-frère, avec Charles IV, son cousin germain par le roi, dont il était plus proche parent que le roi ne l'était lui-même des d'Orléans et des Condés ?

La reine ne voyait donc pas, dans cette fuite qu'elle préparait, le crime dont elle fut accusée depuis ; elle y voyait le seul moyen, au contraire, de maintenir la dignité royale, et, dans ce retour à main armée qu'elle espérait, la seule expiation à la hauteur des insultes qu'elle avait reçues.

Nous avons montré à nu le cœur du roi ; lui se défiait des rois et des princes. Il n'appartenait pas le moins du monde à la reine comme beaucoup l'ont cru, quoiqu'il fût Allemand par sa mère ; mais les Allemands ne regardent pas les Autrichiens comme des Allemands.

Non, le roi appartenait aux prêtres.

Il ratifia tous les décrets contre les rois, contre les princes et contre les émigrés. Il apposa son veto au décret contre les prêtres.

Pour les prêtres, il risqua le 20 juin, soutint le 10 août, subit le 21 janvier.

Aussi le pape, qui n'en put faire un saint, en fit-il au moins un martyr.

Contre son habitude, la reine, ce jour-là, resta peu avec ses enfants. Elle sentait bien que, son cœur n'étant pas tout entier au père, elle n'avait pas droit, à cette heure, aux caresses des enfants. Le cœur de la femme, ce viscère mystérieux qui couve les passions et fait éclore le repentir, le cœur de la femme connaît seul ces contradictions étranges.

De bonne heure la reine se retira chez elle et s'enferma. Elle dit qu'elle avait à écrire, et mit Weber de garde à sa porte.

D'ailleurs, le roi remarqua peu cette retraite, préoccupé qu'il était lui-même des événements inférieurs, il est vrai, mais non sans gravité, dont Paris était menacé, et dont le lieutenant de police, qui l'attendait chez lui, venait l'entretenir.

Ces événements, les voici en deux mots.

L'Assemblée s'était déclarée inséparable du roi, et, le roi à Paris, elle était venue l'y rejoindre.

En attendant que la salle du Manège, qui lui était destinée, fût prête, elle avait choisi pour lieu de ses séances la salle de l'Archevêché.

Là, elle avait changé par un décret le titre de *roi de France et de Navarre* en celui de *roi des Français.*

Elle avait proscrit les formules royales : « De notre science certaine et de notre pleine puissance... » et leur avait substitué celle-ci : « Louis, par la grâce de Dieu et par la loi constitutionnelle de l'État... »

Ce qui prouvait que l'Assemblée nationale, comme toutes les assemblées parlementaires dont elle est la fille ou l'aïeule, s'occupait souvent de choses futiles, quand elle eût dû s'occuper de choses sérieuses.

Par exemple, elle eût dû s'occuper de nourrir Paris, qui mourait littéralement de faim.

Le retour de Versailles et l'installation *du Boulanger, de la Boulangère et du petit Mitron* aux Tuileries n'avaient pas produit l'effet qu'on en attendait.

La farine et le pain continuaient de manquer.

Tous les jours, il y avait attroupement à la porte des boulangers, et ces attroupements causaient de grands désordres. Mais comment remédier à ces attroupements ?

Le droit de réunion était consacré par *la Déclaration des droits de l'Homme.*

Mais l'Assemblée ignorait tout cela. Ses membres n'étaient pas obligés de faire queue aux portes des boulangers, et, quand, par hasard, quelqu'un de ses membres avait faim pendant la séance, il était toujours sûr de trouver à cent pas de là des petits pains frais, chez un boulanger nommé François, qui demeurait rue du Marché-Palu, district de Notre-Dame, et qui, faisant jusqu'à sept ou huit fournées par jour, avait toujours une réserve pour *messieurs de l'Assemblée*.

Le lieutenant de police était donc occupé à faire part à Louis XVI de ses craintes relativement à ces désordres, qui pouvaient, un beau matin, se changer en émeute, lorsque Weber ouvrit la porte du petit cabinet de la reine et annonça à demi-voix :

— Madame la comtesse de Charny.

FEMME SANS MARI — AMANTE SANS AMANT

Quoique la reine eût fait elle-même demander Andrée, quoiqu'elle s'attendît, par conséquent, à l'annonce qui venait d'être faite, elle tressaillit de tout son corps aux cinq mots que venait de prononcer Weber.

C'est que la reine ne pouvait pas se dissimuler qu'entre elle et Andrée, dans ce pacte fait, pour ainsi dire, dès le premier jour où, jeunes filles, elles s'étaient vues au château de Taverney, il y avait eu un échange d'amitié et de services rendus dans lequel elle, Marie-Antoinette, avait toujours été l'obligée.

Or, rien ne gêne les rois comme ces obligations contractées, surtout lorsqu'elles tiennent aux plus profondes racines du cœur.

Il en résultait que la reine, qui envoyait chercher Andrée, croyant avoir de grands reproches à lui faire, ne se rappelait plus, en se trouvant en face de la jeune femme, que les obligations qu'elle lui avait.

Quant à Andrée, elle était toujours la même : froide, calme, pure comme le diamant, mais tranchante et invulnérable comme lui.

117

La reine hésita un instant pour savoir de quel nom elle saluerait la blanche apparition qui passait de l'ombre de la porte dans la pénombre de l'appartement, et qui entrait peu à peu dans le cercle de lumière projeté par les trois bougies du candélabre placé sur la table où elle s'accoudait.

Enfin, étendant la main vers son ancienne amie :

— Soyez la bienvenue, aujourd'hui comme toujours, Andrée, dit-elle.

Si forte et si préparée qu'elle se présentât aux Tuileries, ce fut à Andrée de tressaillir à son tour. Elle avait reconnu, dans ces paroles que venait de lui adresser la reine, un souvenir de l'accent avec lequel autrefois lui parlait la dauphine.

— Ai-je besoin de dire à Votre Majesté, répondit Andrée abordant la question avec sa franchise et sa netteté ordinaires, que, si elle m'eût toujours parlé comme elle vient de le faire, elle n'eût pas eu besoin, ayant à me parler, de m'envoyer chercher hors du palais qu'elle habite ?

Rien ne pouvait mieux servir la reine que cette façon dont Andrée entrait en matière ; elle l'accueillit comme une ouverture dont elle allait profiter.

— Hélas ! lui dit-elle, vous devriez le savoir, Andrée, vous, si belle, si chaste et si pure ; vous dont aucune haine n'a troublé le cœur ; vous dont aucun amour n'a bouleversé l'âme ; vous que les nuages de la tempête peuvent couvrir et faire disparaître comme une étoile qui, chaque fois que le vent balaie l'orage, reparaît plus brillante au firmament ! toutes les femmes, même les plus haut placées, n'ont pas votre immuable sérénité ; moi surtout, moi qui vous ai demandé secours, et à qui vous l'avez si généreusement accordé...

— La reine, répondit Andrée, parle de temps que j'avais oubliés, et dont je croyais qu'elle ne se souvenait plus.

— La réponse est sévère, Andrée, dit la reine ; et, cependant, je la mérite, et vous avez raison de me la faire ; non, c'est vrai, tant que j'ai été heureuse, je ne me suis pas rappelé votre dévouement, et cela, peut-être, parce qu'aucune puissance humaine, pas même la puissance royale, ne m'offrait un moyen de m'acquitter envers vous ; vous avez dû me croire ingrate, Andrée ; mais, peut-être, ce que vous preniez pour de l'ingratitude n'était que de l'impuissance.

— J'aurais le droit de vous accuser, madame, dit Andrée, si jamais j'eusse désiré ou demandé quelque chose, et que la reine se fût opposée à mon désir, et eût repoussé ma demande ; mais comment Votre Majesté veut-elle que je me plaigne, puisque je n'ai rien désiré ni demandé ?

— Eh bien, voulez-vous que je vous le dise, ma chère Andrée ? c'est justement cette espèce d'indifférence des choses de ce monde qui m'épouvante en vous ; oui, vous me semblez un être surhumain, une créature d'une autre sphère emportée par un tourbillon, et jetée parmi nous, comme ces pierres épurées par le feu, et qui tombent on ne sait de quel soleil... Il en résulte qu'on est d'abord effrayé de sa faiblesse en se trouvant en face de celle qui n'a jamais faibli ; mais, ensuite, on se rassure, on se dit que la suprême indulgence est dans la suprême perfection que c'est à la source la plus pure qu'il faut laver son âme, et, dans un moment de profonde douleur, on fait ce que je viens de faire, Andrée, on envoie chercher cet être surhumain dont on craignait le blâme, pour lui demander la consolation.

— Hélas ! madame, dit Andrée, si telle est réellement la chose que vous demandez de moi, j'ai bien peur que le résultat ne réponde pas à l'attente.

— Andrée ! Andrée ! vous oubliez dans quelle circonstance terrible vous m'avez déjà soutenue et consolée ! dit la reine.

Andrée pâlit visiblement. La reine, la voyant chancelante et les yeux fermés, comme quelqu'un dont la force s'en va, fit un mouvement de la main et du bras pour l'attirer sur le même canapé qu'elle ; mais Andrée résista et demeura debout.

— Madame, dit-elle, si Votre Majesté avait pitié de sa fidèle servante, elle lui épargnerait des souvenirs qu'elle était presque parvenue à éloigner d'elle : c'est une mauvaise consolatrice que celle qui ne demande de consolation à personne, pas même à Dieu, parce qu'elle doute que Dieu lui-même ne soit pas impuissant à consoler certaines douleurs.

La reine fixa sur Andrée son regard clair et profond.

— Certaines douleurs ! dit-elle ; mais vous avez donc encore d'autres douleurs que celles que vous m'avez confiées ?

Andrée ne répondit pas.

— Voyons, dit la reine, l'heure est venue de nous expliquer, et je vous ai fait quérir pour cela. — Vous aimez M. de Charny ?

Andrée devint pâle comme une morte, mais resta muette.

— Vous aimez M. de Charny ? répéta la reine.

— Oui !... dit Andrée.

La reine poussa un cri de lionne blessée.

— Oh ! dit-elle, je m'en doutais !... Et depuis quand l'aimez-vous ?

— Depuis la première heure où je l'ai vu.

La reine recula effrayée devant cette statue de marbre qui s'avouait une âme.

— Oh ! dit-elle, et vous vous êtes tue ?

— Vous le savez mieux que personne, madame.

— Et pourquoi cela ?

— Parce que je me suis aperçue que vous l'aimiez.

— Voulez-vous donc dire que vous l'aimiez plus que je ne l'aimais, puisque je n'ai rien vu ?

— Ah ! fit Andrée avec amertume, vous n'avez rien vu parce qu'il vous aimait, madame.

— Oui... et je vois maintenant, parce qu'il ne

120

m'aime plus. C'est cela que vous voulez dire, n'est-ce pas ?

Andrée resta muette.

— Mais répondez donc ! dit la reine en lui saisissant, non plus la main, mais le bras ; avouez qu'il ne m'aime plus !

Andrée ne répondit ni par un mot, ni par un geste, ni par un signe.

— En vérité, s'écria la reine, c'est à en mourir !... Mais tuez-moi donc tout de suite en me disant qu'il ne m'aime plus !... Voyons, il ne m'aime plus, n'est-ce pas ?...

— L'amour ou l'indifférence de M. le comte de Charny sont ses secrets ; ce n'est point à moi de les dévoiler, répondit Andrée.

— Oh ! ses secrets... non pas à lui seul ; car je présume qu'il vous a prise pour confidente ? dit la reine avec amertume.

— Jamais M. le comte de Charny ne m'a dit un mot de son amour ou de son indifférence pour vous.

— Pas même ce matin ?

— Je n'ai pas vu M. le comte de Charny ce matin.

La reine fixa sur Andrée un regard qui cherchait à pénétrer au plus profond de son cœur.

— Voulez-vous dire que vous ignorez le départ du comte ?

— Je ne veux pas dire cela.

— Mais comment connaissez-vous ce départ, si vous n'avez pas vu M. de Charny ?

— Il m'a écrit pour me l'annoncer.

— Ah ! dit la reine, il vous a écrit ?...

Et, de même que Richard III, dans un moment suprême, avait crié : « Ma couronne pour un cheval ! » Marie-Antoinette fut près de crier : « Ma couronne pour cette lettre ! »

Andrée comprit ce désir ardent de la reine ; mais elle voulut se donner la joie de laisser un instant sa rivale dans l'anxiété.

— Et cette lettre que le comte vous a écrite au moment du départ, j'en suis bien sûre, vous ne l'avez pas sur vous ?

— Vous vous trompez, madame, dit Andrée, la voici.

Et, tirant de sa poitrine la lettre, tiède de sa chaleur et embaumée de son parfum, elle la tendit à la reine.

Celle-ci la prit en frissonnant, la serra un moment entre ses doigts, ne sachant pas si elle devait la conserver ou la rendre, et regardant Andrée avec des sourcils froncés ; puis, enfin, jetant loin d'elle toute hésitation :

— Oh ! dit-elle, la tentation est trop forte !

Elle ouvrit la lettre, et, se penchant vers la lumière du candélabre, elle lut ce qui suit :

« Madame,

» Je quitte paris dans une heure sur un ordre formel du roi.

» Je ne puis vous dire où je vais, pourquoi je pars, ni combien de temps je resterai hors de Paris : toutes choses qui, probablement, vous importent fort peu, mais que j'eusse cependant désiré être autorisé à vous dire.

» J'ai eu un instant l'intention de me présenter chez vous, pour vous annoncer mon départ de vive voix ; mais je n'ai point osé le faire sans votre permission. »

La reine savait ce qu'elle désirait savoir, elle voulut rendre la lettre à Andrée ; mais celle-ci, comme si c'eût été à elle de commander, et non d'obéir :

— Allez jusqu'au bout, madame, lui dit-elle.

La reine reprit la lecture :

« J'avais refusé la dernière mission que l'on m'avait offerte, parce que je croyais alors, pauvre fou ! qu'une sympathie quelconque me retenait à Paris ; mais depuis, hélas ! j'ai acquis la preuve du contraire, et j'ai accepté avec joie cette occasion de m'éloigner des cœurs auxquels je suis indifférent.

» Si, pendant ce voyage, il en arrivait de moi comme du malheureux Georges, toutes mes mesures sont prises, madame, pour que vous soyez instruite, *la première*, du malheur qui m'aurait frappé, et de la liberté qui vous serait rendue. Alors seulement, madame, vous sauriez quelle profonde admiration a fait naître dans mon cœur votre sublime dévouement, si mal récompensé par celle à qui vous avez sacrifié, jeune, belle, et née pour être heureuse, la jeunesse, la beauté et le bonheur.

» Alors, madame, tout ce que je demande à Dieu et à vous, c'est que vous accordiez un souvenir au malheureux qui, si tard, s'est aperçu de la valeur du trésor qu'il possédait.

» Tous les respects du cœur,
                    » Comte OLIVIER DE CHARNY. »

La reine tendit la lettre à Andrée, qui la reprit cette fois, et laissa retomber près d'elle, avec un soupir, sa main inerte presque inanimée.

— Eh bien, madame, murmura Andrée, êtes-vous trahie ? ai-je manqué, je ne dirai pas à la promesse que je vous ai faite, car jamais je ne vous ai fait de promesse, mais à la foi que vous aviez mise en moi ?

— Pardonnez-moi, Andrée, dit la reine. Oh ! j'ai tant souffert !...

— Vous avez souffert !... Vous osez dire devant moi que vous avez souffert, madame ! Et moi, que dirai-je donc ?... Oh ! je ne dirai pas que j'ai souffert, car je ne veux pas employer une parole dont se soit déjà servie une autre femme pour peindre la même

123

idée... Non, il me faudrait un mot nouveau, inconnu, inouï, qui fût le résumé de toutes les douleurs, l'expression de toutes les tortures... Vous avez souffert... et, cependant, vous n'avez pas vu, madame, l'homme que vous aimiez, indifférent à cet amour, se retourner, à genoux et son cœur dans les mains, vers une autre femme, vous n'avez pas entendu l'homme que vous aimiez, blessé d'une blessure crue un instant mortelle, n'appeler, dans son délire, que cette autre femme, dont vous étiez la confidente ; vous n'avez pas vu cette autre femme se glisser comme une ombre dans les corridors où vous erriez vous-même pour entendre ces accents de délire, qui prouvaient que, si un amour insensé ne survivait point à la vie, il l'accompagnait au moins jusqu'au seuil du tombeau ; vous n'avez pas vu cet homme, revenant à la vie par un miracle de la nature et de la science, ne se lever de son lit que pour tomber aux pieds de votre rivale... — de votre rivale, oui, madame, car, en amour, c'est à la grandeur de l'amour que se mesure l'égalité des rangs ; — vous ne vous êtes point, alors, dans votre désespoir, retirée à vingt-cinq ans dans un couvent, cherchant à éteindre sur les pieds glacés d'un crucifix cet amour qui vous dévorait ; puis, un jour, quand après un an de prières, d'insomnies, de jeûnes, de désirs impuissants, de cris de douleur, vous espériez avoir, sinon éteint, du moins endormi la flamme qui vous consumait, vous n'avez pas vu cette rivale, votre ancienne amie, qui n'avait rien compris, qui n'avait rien deviné, venir vous trouver dans votre solitude, pour vous demander... quoi ?... au nom d'une ancienne amitié que les souffrances n'avaient pu altérer, au nom de son salut comme épouse, au nom de la majesté royale compromise, venir vous demander d'être la femme... de qui ?... de cet homme que, depuis trois ans, vous adoriez ! — femme sans mari, bien entendu, un simple voile jeté entre les regards de la foule et le bonheur d'autrui, comme un linceul est étendu entre un cadavre et le monde ; — vous n'avez pas, dominée, non point par la pitié, l'amour jaloux n'a pas de miséricorde, — et vous le savez bien, vous, madame, qui m'avez sacrifiée ; — vous n'avez pas, dominée par le devoir, accepté l'immense dévouement ; vous n'avez pas entendu le prêtre vous demander si vous preniez pour époux un homme qui ne serait jamais votre époux : vous n'avez pas senti cet homme vous passer au doigt un anneau d'or qui, gage d'une éternelle union, n'était, pour vous, qu'un vain et insignifiant symbole ; vous n'avez pas, une heure après la célébration du mariage, quitté votre époux pour ne le revoir... que comme l'amant de votre rivale !... — Ah ! madame ! madame ! les trois années qui viennent de s'écouler sont, je vous le dis, trois cruelles années !...

La reine souleva sa main défaillante cherchant la main d'Andrée.

Andrée écarta la sienne.

— Moi, je n'avais rien promis, dit-elle, et voilà ce que j'ai tenu ; vous, madame, continua la jeune femme se faisant accusatrice, vous m'aviez promis deux choses...

— Andrée, Andrée ! fit la reine.

— Vous m'aviez promis de ne pas revoir M. de Charny ; promesse d'autant plus sacrée que je ne vous la demandais pas.

— Andrée !

— Puis, vous m'aviez promis, — oh ! cette fois, par écrit, — vous m'aviez promis de me traiter comme une sœur ; promesse d'autant plus sacrée que je ne l'avais pas sollicitée.

— Andrée !

— Faut-il que je vous rappelle les termes de cette promesse que vous m'avez faite dans un moment solennel, dans un moment où je venais de vous sacrifier ma vie, plus que ma vie... mon amour ?... c'est-à-dire mon bonheur en ce monde, et mon salut dans l'autre...! Oui, mon salut dans l'autre, car on ne pèche point que par actions, madame, et qui me dit que le Seigneur me pardonnera mes désirs insensés, mes vœux impies ? Eh bien, dans ce moment où je venais de tout vous sacrifier, vous m'avez remis un billet ; ce billet, je le vois encore, chaque lettre flamboie devant mes yeux ; ce billet, il était conçu en ces termes :

« Andrée, vous m'avez sauvée ! Mon honneur me vient de vous, ma vie est à vous ! Au nom de cet honneur qui vous coûte si cher, je vous jure que vous pouvez m'appeler votre sœur : essayez, vous ne me verrez pas rougir.

» Je remets cet écrit entre vos mains ; c'est le gage de ma reconnaissance ; c'est la dot que je vous donne.

» Votre cœur est le plus noble de tous les cœurs : il me saura gré du présent que je vous offre.

» MARIE-ANTOINETTE. »

La reine poussa un soupir d'abattement.

— Oui, je comprends, dit Andrée, parce que j'ai brûlé ce billet, vous croyiez que je l'avais oublié ?... Non, madame, non, vous voyez que j'en avais retenu chaque parole, et, au fur et à mesure que vous paraissiez ne plus vous en souvenir... oh ! moi, je me le rappelais davantage...

— Ah ! pardonne-moi, pardonne-moi, Andrée... Je croyais qu'il t'aimait !

— Vous avez donc cru que c'était une loi du cœur que, parce qu'il vous aimait moins, madame, il devait en aimer une autre ?

Andrée avait tant souffert, qu'elle devenait cruelle à son tour.

— Vous aussi, vous vous êtes donc aperçue qu'il

m'aimait moins ?... dit la reine avec une exclamation de douleur.

Andrée ne répondit pas. Seulement, elle regarda la reine éperdue, et quelque chose comme un sourire se dessina sur ses lèvres.

— Mais que faut-il faire, mon Dieu ! que faut-il faire pour retenir cet amour, c'est-à-dire ma vie qui s'en va ? Oh ! si tu sais cela, Andrée, mon amie, ma sœur, dis-le-moi, je t'en supplie, je t'en conjure...

Et la reine étendit les deux mains vers Andrée.

Andrée recula d'un pas.

— Puis-je savoir cela, madame, dit-elle, moi qu'il n'a jamais aimée ?

— Oui, mais il peut t'aimer... Un jour, il peut venir à tes genoux faire amende honorable du passé, te demander son pardon pour tout ce qu'il t'a fait souffrir ; et les souffrances sont si vite oubliées, mon Dieu ! dans les bras de celui qu'on aime ! le pardon est si vite accordé à celui qui nous a fait souffrir !

— Eh bien, ce malheur arrivant, — oui, ce serait probablement un malheur pour toutes deux, madame ; — oubliez-vous qu'avant d'être la femme de M. de Charny, il me resterait un secret à lui apprendre... une confidence à lui faire... secret terrible, confidence mortelle, qui tuerait à l'instant même cet amour que vous craignez ? oubliez-vous qu'il me resterait à lui raconter ce que je vous ai raconté, à vous ?

— Vous lui diriez que vous avez été violée par Gilbert ?... Vous lui diriez que vous avez un enfant ?...

— Oh ! mais, en vérité, madame, dit Andrée, pour qui me prenez-vous donc, de manifester un pareil doute ?

La reine respira.

— Ainsi, dit-elle, vous ne ferez rien pour essayer de ramener à vous M. de Charny ?

— Rien, madame ; pas plus dans l'avenir que je ne l'ai fait dans le passé.

— Vous ne lui direz pas, vous ne lui laisserez pas soupçonner que vous l'aimez ?

— A moins que lui-même ne vienne me dire qu'il m'aime, non, madame.

— Et, s'il vient vous dire qu'il vous aime ; si vous lui dites que vous l'aimez, vous me jurez...

— Oh ! madame, fit Andrée interrompant la reine.

— Oui, dit la reine, oui, vous avez raison, Andrée, ma sœur, mon amie, et je suis injuste, exigeante, cruelle. Oh ! mais, quand tout m'abandonne, amis, pouvoir, réputation, oh ! je voudrais au moins que cet amour auquel je sacrifierais réputation, pouvoir, amis, je voudrais au moins que cet amour me restât.

— Et, maintenant, madame, dit Andrée avec cette froideur glaciale qui ne l'avait abandonnée qu'un seul instant, quand elle avait parlé des tortures souffertes par elle, avez-vous quelques nouveaux renseignements à me demander... quelques nouveaux ordres à me transmettre ?

— Non, rien ; merci. Je voulais vous rendre mon amitié, et vous la refusez... Adieu, Andrée ; emportez au moins ma reconnaissance.

Andrée fit de la main un geste qui semblait repousser ce second sentiment de même qu'elle avait repoussé le premier, et, faisant une froide et profonde révérence, sortit lente et silencieuse comme une apparition.

— Oh ! tu as bien raison, corps de glace, cœur de diamant, âme de feu, de ne vouloir ni de ma reconnaissance ni de mon amitié ; car, je le sens, et j'en demande pardon au Seigneur, mais je te hais comme je n'ai jamais haï personne... car, s'il ne t'aime déjà... oh ! j'en suis bien sûre, il t'aimera un jour !...

Charny avait fait le voyage de Paris à Metz en deux jours. Il avait trouvé M. de Bouillé à Metz, et lui avait remis la lettre du roi. Cette lettre, on se le rappelle, n'était qu'un moyen de mettre Charny en relations avec M. de Bouillé ; aussi celui-ci, tout en marquant son mécontentement des choses qui se passaient, commença-t-il par se tenir sur une grande réserve.

En effet, l'ouverture faite à M. de Bouillé en ce moment changeait tous les plans de celui-ci. L'impératrice Catherine venait de lui faire des offres, et il était sur le point d'écrire au roi pour lui demander la permission de prendre du service en Russie, lorsque arriva la lettre de Louis XVI.

Le premier mouvement de M. de Bouillé avait donc été l'hésitation ; mais, au nom de Charny, au souvenir de sa parenté avec M. de Suffren, au bruit qui courait que la reine l'honorait de toute sa confiance, il s'était, en fidèle royaliste, senti pénétré du désir d'arracher le roi à cette liberté factice que beaucoup regardaient comme une captivité réelle.

Cependant, avant de rien décider avec Charny, M. de Bouillé, prétendant que les pouvoirs de celui-ci n'étaient pas assez étendus, résolut d'envoyer à Paris, pour s'entretenir directement avec le roi de cet important projet, son fils, le comte Louis de Bouillé.

Charny resterait à Metz pendant ces négociations ; aucun désir personnel ne le rappelait à Paris, et son honneur, peut-être un peu exagéré, lui faisait presque un devoir de demeurer à Metz comme une espèce d'otage.

Le comte Louis arriva à Paris vers le milieu du mois de novembre. A cette époque, le roi était gardé à vue par M. de La Fayette, et le comte Louis de Bouillé était cousin de M. de La Fayette.

Il descendit chez un de ses amis dont les opinions patriotiques étaient fort connues, et qui voyageait, alors, en Angleterre.

Entrer au château à l'insu de M. de La Fayette était donc, pour le jeune homme, une chose sinon impossible, du moins très dangereuse et très difficile.

D'un autre côté, comme M. de La Fayette devait être dans l'ignorance la plus complète des relations nouées par Charny entre le roi et M. de Bouillé, rien n'était plus simple, pour le comte Louis, que de se faire présenter au roi par M. de La Fayette lui-même.

Les circonstances semblèrent aller d'elles-mêmes au devant des désirs du jeune officier.

Il était depuis trois jours à Paris, n'ayant rien décidé encore, réfléchissant au moyen de parvenir jusqu'au roi, et se demandant, comme nous venons de le dire, si le plus sûr n'était pas de s'adresser à M. de La Fayette lui-même lorsqu'on lui remit un mot de ce dernier, le prévenant que son arrivée à Paris était connue et l'invitant à le venir voir à l'état-major de la garde nationale ou à l'hôtel de Noailles.

C'était en quelque sorte la Providence répondant tout haut à la prière que lui adressait tout bas M. de Bouillé ; c'était une bonne fée, comme il y en a dans les charmants contes de Perrault, prenant le chevalier par la main et le conduisant à son but.

Le comte s'empressa de se rendre à l'état-major.

Le général venait de partir pour l'hôtel de ville, où il avait à recevoir une communication de M. Bailly.

Mais, en l'absence du général, il rencontra son aide de camp, M. Romeuf.

Romeuf avait servi dans le même régiment que le jeune comte, et, quoique l'un appartînt à la démocratie et l'autre à l'aristocratie, il y avait eu entre eux quelques relations ; depuis lors, Romeuf, qui avait passé dans un des régiments dissous après le 14 juillet, ne reprit plus de service que dans la garde nationale, où il occupait le poste d'aide de camp favori du général La Fayette.

Les deux jeunes gens, tout en différant d'opinion sur certains points, étaient d'accord sur celui-ci : tous deux aimaient et respectaient le roi.

Seulement, l'un l'aimait à la manière des patriotes, c'est-à-dire à la condition qu'il jurerait la Constitution ; l'autre l'aimait à la manière des aristocrates, c'est-à-dire à la condition qu'il refuserait le serment, et en appellerait, s'il était nécessaire, à l'étranger pour mettre à la raison les rebelles.

Par les rebelles, M. de Bouillé entendait les trois quarts de l'Assemblée, la garde nationale, les électeurs, etc., c'est-à-dire les cinq sixièmes de la France.

Romeuf avait vingt-six ans et le comte Louis vingt-deux, il était donc difficile qu'ils parlassent longtemps politique.

D'ailleurs, le comte Louis ne voulait pas même qu'on le soupçonnât d'être occupé d'une idée sérieuse.

Il confia, en grand secret, à son ami Romeuf qu'il avait quitté Metz avec une simple permission, pour venir voir à Paris une femme qu'il adorait.

Pendant que le comte Louis faisait cette confidence à l'aide de camp, le général La Fayette apparut sur le seuil de la porte restée ouverte ; mais, quoiqu'il eût parfaitement vu le survenant dans une glace placée devant lui, M. de Bouillé n'en continua pas moins son récit ; seulement, malgré les signes de Romeuf auxquels il faisait semblant de ne rien comprendre, il haussa la voix de manière à ce que le général ne perdît pas un mot de ce qu'il disait.

Le général avait tout entendu : c'était ce que voulait le comte Louis.

Il continua de s'avancer derrière le narrateur, et lui posant la main sur l'épaule lorsqu'il eut fini :

— Ah ! monsieur le libertin, lui dit-il, voilà donc

pourquoi vous vous cachez de vos respectables parents ?

Ce n'était point un juge bien sévère, un mentor bien refrogné que ce jeune général de trente-deux ans, fort à la mode lui-même parmi toutes les femmes à la mode de l'époque ; aussi le comte Louis ne parut pas très effrayé de la mercuriale qui l'attendait.

— Je m'en cachais si peu, mon cher cousin, qu'aujourd'hui même j'allais avoir l'honneur de me présenter au plus illustre d'entre eux, s'il ne m'avait pas prévenu par ce message.

Et il montra au général la lettre qu'il venait de recevoir.

— Eh bien, direz-vous que la police de Paris est mal faite, messieurs de la province ? dit le général avec un air de satisfaction prouvant qu'il mettait là un certain amour-propre.

— Nous savons qu'on ne peut rien cacher, général, à celui qui veille sur la liberté du peuple et le salut du roi.

La Fayette regarda son cousin de côté, et avec cet air à la fois bon, spirituel et un peu railleur que nous-même lui avons connu.

Il savait que le salut du roi importait fort à cette branche de la famille, mais qu'elle s'inquiétait peu de la liberté du peuple.

Aussi ne répondit-il qu'à une partie de la phrase.

— Et mon cousin, M. le marquis de Bouillé, dit-il en appuyant sur un titre auquel il avait renoncé depuis la nuit du 4 août, n'a pas chargé son fils de quelque commission pour ce roi sur le salut duquel je veille ?

— Il m'a chargé de mettre à ses pieds l'hommage de ses sentiments les plus respectueux, répondit le jeune homme, si le général La Fayette ne me jugeait pas indigne d'être présenté à mon souverain.

— Vous présentez... et quand cela ?

— Le plus tôt possible, général ; attendu, je crois

avoir eu l'honneur de vous le dire à vous ou à Romeuf, qu'étant ici sans congé...

— Vous l'avez dit à Romeuf, mais cela revient au même, puisque je l'ai entendu. Eh bien, voyons, les bonnes choses ne doivent point être retardées ; il est onze heures du matin ; tous les jours, à midi, j'ai l'honneur de voir le roi et la reine ; mangez un morceau avec moi, si vous n'avez fait qu'un premier déjeuner, et je vous conduirai aux Tuileries.

— Mais, dit le jeune homme en jetant les yeux sur son uniforme et sur ses bottes, suis-je en costume, mon cher cousin ?

— D'abord, répondit La Fayette, je vous dirai, mon pauvre enfant, que cette grande question d'étiquette, qui a été votre mère nourrice, est bien malade, sinon morte, depuis votre départ ; puis, je vous regarde : votre habit est irréprochable, vos bottes sont de tenue ; quel costume convient mieux à un gentilhomme prêt à mourir pour son roi que son uniforme de guerre ? Allons, Romeuf, voyez si nous sommes servis ; j'emmène M. de Bouillé aux Tuileries aussitôt après le déjeuner.

Ce projet correspondait d'une façon trop directe avec les désirs du jeune homme, pour qu'il y fît une objection sérieuse ; aussi s'inclina-t-il à la fois en signe de consentement, de réponse et de remerciement.

Une demi-heure après, les sentinelles des grilles présentaient les armes au général La Fayette et au jeune comte de Bouillé, sans se douter qu'ils rendaient en même temps les honneurs militaires à la révolution et à la contre-révolution.

LA REINE

M. de La Fayette et le comte Louis de Bouillé montèrent le petit escalier du pavillon Marsan, et se présentèrent aux appartements du premier étage, qu'habitaient le roi et la reine.

Toutes les portes s'ouvraient devant M. de La Fayette. Les sentinelles portaient les armes, les valets de pied se courbaient ; on reconnaissait facilement le roi du roi, le maire du palais, comme disait M. Marat.

M. de La Fayette fut introduit d'abord chez la reine ; quant au roi, il était à sa forge, et l'on allait prévenir Sa Majesté.

Il y avait trois ans que M. Louis de Bouillé n'avait vu Marie-Antoinette.

Pendant ces trois ans, les états généraux avaient été réunis, la Bastille avait été prise, et les journées des 5 et 6 octobre avaient eu lieu.

La reine était arrivée à l'âge de trente-quatre ans, « âge touchant, dit Michelet, que tant de fois s'est plu à peindre Van Dyck, âge de la femme, âge de la mère, et, chez Marie-Antoinette, âge de la reine surtout ».

Depuis ces trois ans, la reine avait bien souffert de cœur et d'esprit, d'amour et d'amour-propre. Les trente-quatre ans apparaissaient donc, chez la pauvre femme, inscrits autour des yeux par ces nuances légères, nacrées et violâtres, qui révèlent les yeux pleins de larmes, les nuits vides de sommeil ; qui accusent surtout ce mal profond de l'âme dont la femme — femme ou reine — ne guérit plus dès qu'elle en est atteinte.

C'était l'âge de Marie Stuart prisonnière, l'âge où elle fit ses plus profondes passions, l'âge où Douglas, Mortimer, Norfolk et Babington devinrent amoureux d'elle, se dévouèrent et moururent pour elle.

La vue de cette reine prisonnière, haïe, calomniée, menacée, — la journée du 5 octobre avait prouvé que ces menaces n'étaient pas vaines, — fit une profonde impression sur le cœur chevaleresque du jeune Louis de Bouillé.

Les femmes ne se trompent point à l'effet qu'elles produisent, et, comme les reines et les rois ont, en outre, une mémoire des visages qui fait en quelque sorte partie de leur éducation, à peine Marie-Antoinette eut-elle aperçu M. de Bouillé, qu'elle le reconnut ; à peine eut-elle jeté les yeux sur lui, qu'elle fut certaine d'être en face d'un ami.

Il en résulta qu'avant même que le général eût fait sa présentation, qu'avant qu'il fût au pied du divan sur lequel la reine était à demi couchée, celle-ci s'était levée, et, comme on fait à la fois à une ancienne connaissance qu'on a plaisir à revoir, et à un serviteur sur la fidélité duquel on peut compter, elle s'était écriée :

— Ah ! M. de Bouillé !

Puis, sans s'occuper du général La Fayette, elle avait étendu la main vers le jeune homme.

Le comte Louis avait hésité un instant, il ne pouvait croire à une pareille faveur.

Cependant, la main royale restant étendue, le comte mit un genou en terre, et de ses lèvres tremblantes effleura cette main.

C'était une faute que faisait la pauvre reine, et elle en fit bon nombre de pareilles à celle-là ; sans cette faveur, M. de Bouillé lui était acquis, et, par cette faveur accordée à M. de Bouillé devant M. de La Fayette, qui, lui, n'avait jamais reçu faveur pareille, elle établissait sa ligne de démarcation, et blessait l'homme dont elle avait le plus besoin de se faire un ami.

Aussi, avec la courtoisie dont il était incapable de se départir un instant, mais avec une certaine altération dans la voix :

— Par ma foi, mon cher cousin, dit La Fayette, c'est moi qui vous ai offert de vous présenter à Sa

Majesté ; mais il me semble que c'était bien plutôt à vous de me présenter à elle.

La reine était si joyeuse de se trouver en face d'un de ces serviteurs sur lesquels elle savait pouvoir compter, la femme était si fière de l'effet qu'il lui semblait avoir produit sur le comte, que, sentant dans son cœur un de ces rayons de jeunesse qu'elle y croyait éteints, et tout autour d'elle comme une de ces brises de printemps et d'amour qu'elle croyait mortes, elle se retourna vers le général La Fayette, et, avec un de ses sourires de Trianon et de Versailles :

— Monsieur le général, dit-elle, le comte Louis n'est pas un sévère républicain comme vous ; il arrive de Metz et non pas d'Amérique ; il ne vient pas à Paris pour travailler sur la Constitution ; il y vient pour me présenter ses hommages. Ne vous étonnez donc pas que je lui accorde, moi, pauvre reine à moitié détrônée, une faveur qui, pour lui, pauvre provincial, mérite peut-être encore ce nom, tandis que, pour vous...

Et la reine fit une charmante minauderie, presque une minauderie de jeune fille, qui voulait dire : « Tandis que vous, monsieur le Scipion, tandis que vous, monsieur le Cincinnatus, vous vous moquez bien de pareils marivaudages. »

— Madame, dit La Fayette, j'aurai passé respectueux et dévoué près de la reine, sans que la reine ait jamais compris mon respect, ait jamais apprécié mon dévouement ; ce sera un grand malheur pour moi, un plus grand malheur peut-être encore pour elle.

Et il salua.

La reine le regarda de son œil profond et clair. Plus d'une fois La Fayette lui avait dit de semblables paroles, plus d'une fois elle avait réfléchi aux paroles que lui avait dites La Fayette ; mais, pour son malheur, comme venait de le dire celui-ci, elle avait une répulsion instinctive contre l'homme.

— Allons, général, dit-elle, soyez généreux, pardonnez-moi.

— Moi, madame, vous pardonner ! Et quoi ?

— Mon élan vers cette bonne famille de Bouillé, qui m'aime de tout son cœur, et dont ce jeune homme a bien voulu se faire le fil conducteur, la chaîne électrique. C'est son père, ses oncles, toute sa famille que j'ai vue apparaître lorsqu'il est entré, et qui m'a baisé la main avec ses lèvres.

La Fayette fit un nouveau salut.

— Et, maintenant, dit la reine, après le pardon, la paix ; une bonne poignée de main, général, à l'anglaise ou à l'américaine.

Et elle tendit la main, mais ouverte et la paume en dehors.

La Fayette toucha d'une main lente et froide la main de la reine en disant :

— Je regrette que vous ne vouliez jamais vous souvenir que je suis Français, madame. Il n'y a cependant pas bien loin du 6 octobre au 16 novembre.

— Vous avez raison, général, dit la reine faisant un effort sur elle-même et lui serrant la main ; c'est moi qui suis une ingrate.

Et, se laissant retomber sur son sofa comme brisée par l'émotion :

— D'ailleurs, cela ne doit pas vous étonner, dit-elle, vous savez que c'est le reproche qu'on me fait.

Puis, secouant la tête :

— Eh bien, général, qu'y a-t-il de nouveau dans Paris ? demanda-t-elle.

La Fayette avait une petite vengeance à exercer, il saisit l'occasion.

— Ah ! madame, dit-il, combien je regrette que vous n'ayez pas été hier à l'Assemblée ! Vous eussiez vu une scène touchante et qui eût bien certainement ému votre cœur ; un vieillard venant remercier l'Assemblée du bonheur qu'il lui devait à elle et au roi, car l'Assemblée ne peut rien sans la sanction royale.

— Un vieillard ? répéta la reine distraite.

— Oui, madame, mais quel vieillard ! le doyen
de l'humanité, un paysan mainmortable du Jura,
âgé de cent vingt ans, amené à la barre de l'Assemblée par cinq générations de descendants, et venant
la remercier de ses décrets du 4 août. Comprenez-
vous, madame, un homme qui a été serf un demi-
siècle sous Louis XIV, et quatre-vingts ans depuis !

— Et qu'a fait l'Assemblée en faveur de cet
homme ?

— Elle s'est levée tout entière, et l'a forcé, lui,
de s'asseoir et de se couvrir.

— Ah ! dit la reine de ce ton qui n'appartenait
qu'à elle, ce devait être, en effet, fort touchant ;
mais, à mon regret, je n'étais pas là. Vous savez
mieux que personne, mon cher général, ajoute-
t-elle en souriant, que je ne suis pas toujours où je
veux.

La Fayette leva la main comme un homme qui
était prêt à demander la parole, et qui est enchanté
qu'on la lui accorde.

— Justement, madame, dit-il, c'est la seconde
allusion que vous faites, depuis un instant, à cette
prétendue captivité dans laquelle on voudrait faire
croire à vos fidèles serviteurs que je vous tiens.
Madame, je me hâte de le dire devant mon cousin,
je le répéterai, s'il le faut, devant Paris, devant
l'Europe, devant le monde, je l'ai écrit hier à
M. Mounier, qui se lamente du fond du Dauphiné
sur la captivité royale, — madame, vous êtes libre,
et je n'ai qu'un désir, je ne vous adresse même
qu'une prière, c'est que vous en donniez la preuve,
le roi en reprenant ses chasses et ses voyages, et
vous, madame, en l'accompagnant.

La reine sourit comme une personne mal
convaincue.

— Et, maintenant, continua le général en s'inclinant, j'attends les ordres dont il plaira à Sa Majesté
de m'honorer pour aujourd'hui.

— Pour aujourd'hui, mon cher général, dit la reine, je n'ai pas d'autre prière à vous faire que d'inviter votre cousin, s'il reste encore quelques jours à Paris, à vous accompagner à l'un des cercles de madame de Lamballe. Vous savez qu'elle reçoit pour elle et pour moi ?

— Et, moi, madame, répondit La Fayette, je profiterai de l'invitation pour mon compte et pour le sien, et, si Votre Majesté ne m'y a pas vu plus tôt, je la prie d'être bien persuadée que c'est qu'elle a oublié de me manifester le désir qu'elle avait de m'y voir.

La reine répondit par une inclination de tête et par un sourire.

C'était le congé.

Chacun en prit ce qui lui revenait :

La Fayette, le salut ; le comte Louis, le sourire.

Tous deux sortirent à reculons, emportant de cette entrevue, l'un plus d'amertume, l'autre plus de dévouement.

LE ROI

A la porte de l'appartement de la reine, les deux visiteurs trouvèrent le valet de chambre du roi, François Hue, qui les attendait.

Le roi faisait dire à M. de La Fayette qu'ayant commencé, pour se distraire, un ouvrage de serrurerie très important, il le priait de monter jusqu'à la forge.

Une forge était la première chose dont s'était informé Louis XVI en arrivant aux Tuileries, et, apprenant que cet objet d'indispensable nécessité pour lui avait été oublié dans les plans de Catherine de Médicis et de Philibert de Lorme, il avait choisi au second étage, juste au-dessus de sa chambre à coucher, une grande mansarde ayant escalier extérieur et escalier intérieur, pour en faire son atelier de serrurerie.

Au milieu des graves préoccupations qui étaient venues l'assaillir depuis cinq semaines à peu près qu'il était aux Tuileries, Louis XVI n'avait pas un instant oublié sa forge. Sa forge avait été son idée fixe ; il avait présidé à son aménagement, avait lui-même marqué la place du soufflet, du foyer, de l'enclume, de l'établi et des étaux. Enfin la forge était installée de la veille ; limes rondes, limes bâtardes, limes à retendre, langues-de-carpe et becs-d'âne étaient à leurs places ; marteaux à devant, marteaux à pleine croix, marteaux à bigorner pendaient à leurs clous ; tenailles tricoises, tenailles à chanfrein, mordaches à prisonnier se tenaient à la portée de la main. Louis XVI n'avait pu y résister plus longtemps, et, depuis le matin, il s'était ardemment remis à cette besogne qui était une si grande distraction pour lui, et dans laquelle il fût passé maître si, au grand regret de maître Gamain, un tas de fainéants tels que M. Turgot, M. de Calonne et M. Necker ne l'eussent distrait de cette savante occupation en lui parlant, non seulement des affaires de la France, ce que permettait à la rigueur maître Gamain, mais encore, ce qui lui paraissait bien inutile, des affaires du Brabant, de l'Autriche, de l'Angleterre, de l'Amérique et de l'Espagne.

Cela explique donc comment le roi Louis XVI, dans la première ardeur de son travail, au lieu de descendre auprès de M. de La Fayette, avait prié M. de La Fayette de monter près de lui.

Puis aussi peut-être, après s'être laissé voir au commandant de la garde nationale dans sa faiblesse de roi, n'était-il pas fâché de se montrer à lui dans sa majesté de serrurier ?

Comme, pour conduire les visiteurs à la forge royale, le valet de chambre n'avait pas jugé à propos de traverser les appartements, et de leur faire monter l'escalier particulier, M. de La Fayette et le comte Louis contournaient ces appartements par les corridors, et montaient l'escalier public, ce qui allongeait fort leur chemin.

Il résulta de cette déviation de la ligne droite que le jeune comte Louis eut le temps de réfléchir.

Il réfléchit donc.

Si plein qu'il eût le cœur du bon accueil que lui avait fait la reine, il ne pouvait méconnaître qu'il ne fût point attendu par elle. Aucune parole à double sens, aucun geste mystérieux ne lui avait donné à entendre que l'auguste prisonnière, comme elle prétendait être, eût connaissance de la mission dont il était chargé, et comptât le moins du monde sur lui pour la tirer de sa captivité. Cela, au reste, se rapportait bien à ce qu'avait dit Charny du secret que le roi avait fait à tous, et même à la reine, de la mission dont il l'avait chargé.

Quelque bonheur que le comte Louis eût à revoir la reine, il était donc évident que ce n'était pas près d'elle qu'il devait revenir chercher la solution de son message.

C'était à lui d'étudier si, dans l'accueil du roi, si, dans ses paroles ou dans ses gestes, il n'y avait pas quelque signe compréhensible à lui seul, et qui lui indiquât que Louis XVI était mieux renseigné que M. de La Fayette sur les causes de son voyage à Paris.

A la porte de la forge, le valet de chambre se retourna, et, comme il ignorait le nom de M. de Bouillé :

— Qui annoncerai-je ? demanda-t-il.

— Annoncez le général en chef de la garde nationale. J'aurai l'honneur de présenter moi-même monsieur à Sa Majesté.

— M. le commandant en chef de la garde nationale, dit le valet de chambre.

Le roi se retourna.

— Ah ! ah ! dit-il, c'est vous, monsieur de La Fayette ? Je vous demande pardon de vous faire monter jusqu'ici, mais le serrurier vous assure que vous êtes le bienvenu dans sa forge ; un charbonnier disait à mon aïeul Henri IV : « Charbonnier est maître chez soi. » Je vous dis, moi, général : « Vous êtes maître chez le serrurier comme chez le roi. »

Louis XVI, ainsi qu'on le voit, attaquait la conversation de la même façon à peu près que l'avait attaquée Marie-Antoinette.

— Sire, répondit M. de La Fayette, en quelque circonstance que j'aie l'honneur de me présenter devant le roi, à quelque étage et sous quelque costume qu'il me reçoive, le roi sera toujours le roi, et celui qui lui offre en ce moment ses humbles hommages sera toujours son fidèle sujet et son dévoué serviteur.

— Je n'en doute pas, marquis ; mais vous n'êtes pas seul ? Avez-vous changé d'aide de camp, et ce jeune officier tient-il près de vous la place de M. Gouvion ou de M. Romeuf ?

— Ce jeune officier, sire, — et je demande à Votre Majesté la permission de le lui présenter, — est mon cousin, le comte Louis de Bouillé, capitaine aux dragons de Monsieur.

— Ah ! ah ! fit le roi en laissant échapper un léger tressaillement que remarqua le jeune gentilhomme ; ah ! oui, M. le comte Louis de Bouillé, fils du marquis de Bouillé, commandant à Metz.

— C'est cela même, sire, dit vivement le jeune comte.

— Ah ! monsieur le comte Louis de Bouillé, pardonnez-moi de ne pas vous avoir reconnu, j'ai la vue basse... Et vous avez quitté Metz il y a long-temps ?

— Il y a cinq jours, sire ; et, me trouvant à Paris, sans congé officiel, mais avec une permission spéciale de mon père, je suis venu solliciter de mon parent, M. de La Fayette, l'honneur d'être présenté à Votre Majesté.

— De M. de La Fayette ! vous avez bien fait monsieur le comte ; personne n'était plus à même de vous présenter à toute heure, et de la part de personne la présentation ne pouvait m'être plus agréable.

Le *à toute heure* indiquait que M. de La Fayette avait conservé les grandes et les petites entrées qui lui avaient été accordées à Versailles.

Au reste le peu de paroles qu'avait dites Louis XVI avaient suffi pour indiquer au jeune comte qu'il eût à se tenir sur ses gardes. Cette question surtout : « Y a-t-il longtemps que vous avez quitté Metz ? » signifiait : « Avez-vous quitté Metz depuis l'arrivée du comte de Charny ? »

La réponse du messager avait dû renseigner suffisamment le roi. « J'ai quitté Metz il y a cinq jours, et suis à Paris sans congé, mais avec une permission spéciale de mon père », voulait dire : « Oui, sire, j'ai vu M. de Charny, et mon père m'a envoyé à Paris pour m'entendre avec Votre Majesté, et acquérir la certitude que le comte venait bien de la part du roi. »

M. de La Fayette jeta un regard curieux autour de lui. Beaucoup avaient pénétré dans le cabinet de travail du roi, dans la salle de son conseil, dans sa bibliothèque, dans son oratoire même ; peu avaient eu cette insigne faveur d'être admis dans la forge où le roi devenait apprenti, et où le véritable roi, le véritable maître était M. Gamain.

Le général remarqua l'ordre parfait dans lequel tous les outils étaient rangés, — ce qui n'était pas étonnant au reste, puisque depuis le matin seulement le roi était à la besogne.

Hue lui avait servi d'apprenti, et avait tiré le soufflet.

— Et Votre Majesté, dit La Fayette, assez embarrassé du sujet qu'il pouvait aborder avec un roi qui le recevait les manches retroussées, la lime à la main, et le tablier de cuir devant lui ; et Votre Majesté a entrepris un ouvrage important ?

— Oui, général ; j'ai entrepris le grand œuvre de la serrurerie : une serrure ! Je vous dis ce que je fais, afin que, si M. Marat savait que je me suis remis à l'atelier, et qu'il prétendît que je forge des fers pour la France, vous puissiez lui répondre, si toutefois vous mettez la main dessus, que ce n'est pas vrai. — Vous n'êtes pas compagnon ni maître, monsieur de Bouillé ?

— Non, sire ; mais je suis apprenti, et, si je pouvais être utile en quelque chose à Votre Majesté...

— Eh ! c'est vrai, mon cher cousin, dit La Fayette, le mari de votre nourrice n'était-il pas serrurier ? et votre père ne disait-il pas, quoiqu'il soit assez médiocre admirateur de l'auteur d'*Émile*, que, s'il avait à suivre à votre endroit les conseils de Jean-Jacques, il ferait de vous un serrurier ?

— Justement, monsieur, et c'est pourquoi j'avais l'honneur de dire à Sa Majesté que, si elle avait besoin d'un apprenti...

— Un apprenti ne me serait pas inutile, monsieur, dit le roi ; mais c'est surtout un maître qu'il me faudrait.

— Quelle serrure Sa Majesté fait-elle donc ? demanda le jeune comte avec cette quasi-familiarité qu'autorisaient le costume du roi et le lieu où il se trouvait. Est-ce une serrure à vielle, une serrure tréfilière, une serrure à pêne dormant, une serrure à houssette ou une serrure à clanche ?

— Oh ! oh ! mon cousin, dit La Fayette, je ne sais pas ce que vous pouvez faire comme homme pratique ; mais, comme homme de théorie, vous me paraissez fort au courant, je ne dirai pas du métier puisqu'un roi l'a ennobli, mais de l'art.

Louis XVI avait écouté avec un plaisir visible la nomenclature de serrures que venait de faire le jeune gentilhomme.

— Non, dit-il, c'est tout bonnement une serrure à secret, ce qu'on appelle une serrure bénarde, s'ouvrant·des deux côtés ; mais je crains bien d'avoir trop présumé de mes forces. Ah ! si j'avais encore mon pauvre Gamain, lui qui se disait maître sur maître, maître sur tous !

— Le brave homme est-il donc mort, sire ?

— Non, répondit le roi en jetant au jeune homme un coup d'œil qui semblait dire : « Comprenez à demi-mot » ; non, il est à Versailles, rue des Réservoirs ; le cher homme n'aura pas osé me venir voir aux Tuileries.

— Pourquoi cela, sire ? demanda La Fayette.

— Mais de peur de se compromettre ! Un roi de France est fort compromettant, à l'heure qu'il est, mon cher général, et la preuve est que tous mes amis sont les uns à Londres, les autres à Coblentz ou à Turin. Cependant, mon cher général, continua le roi, si vous ne voyez aucun inconvénient à ce qu'il vienne avec un de ses apprentis me donner un coup de main, je l'enverrai chercher un de ces jours.

— Sire, répondit vivement M. de La Fayette, Votre Majesté sait bien qu'elle est parfaitement libre de prévenir qui elle veut, de voir qui lui plaît.

— Oui, à la condition que vos sentinelles tâteront les visiteurs comme on fait des contrebandiers à la frontière ; c'est pour le coup que mon pauvre Gamain se croirait perdu, si on allait prendre sa trousse pour une giberne et ses limes pour des poignards !

— Sire, je ne sais en vérité comment m'excuser auprès de Votre Majesté, mais je réponds à Paris, à la France, à l'Europe de la vie du roi, et je ne puis prendre trop de précautions pour que cette précieuse vie soit sauve. Quant au brave homme dont nous parlons, le roi peut donner lui-même les ordres qu'il lui conviendra.

— C'est bien ; merci, monsieur de La Fayette ;

mais cela ne presse pas ; dans huit ou dix jours seulement, j'aurai besoin de lui, — ajouta-t-il en jetant un regard de côté à M. de Bouillé, — de lui et de son apprenti ; je le ferai prévenir par mon valet de chambre Durey, qui est de ses amis.

— Et il n'aura qu'à se présenter, sire, pour être admis auprès du roi ; son nom lui servira de laissez-passer. Dieu me garde, sire, de cette réputation qu'on me fait de geôlier, de concierge, de porte-clefs ! Jamais le roi n'a été plus libre qu'il ne l'est en ce moment ; je venais même supplier Sa Majesté de reprendre ses chasses, ses voyages.

— Oh ! mes chasses, non, merci ! D'ailleurs, pour le moment, vous le voyez, j'ai tout autre chose en tête. Quant à mes voyages, c'est différent ; le dernier que j'ai fait de Versailles à Paris m'a guéri du désir de voyager, en si grande compagnie du moins.

Et le roi jeta un nouveau coup d'œil au comte de Bouillé, qui, par un certain clignement de paupières, laissa entendre au roi qu'il avait compris.

— Et, maintenant, monsieur, dit Louis XVI s'adressant au jeune comte, quittez-vous bientôt Paris pour retourner auprès de votre père ?

— Sire, répondit le jeune homme, je quitte Paris dans deux ou trois jours, mais non pour retourner à Metz. J'ai ma grand-mère, qui demeure à Versailles, rue des Réservoirs, et à laquelle je dois rendre mes hommages. Puis je suis chargé par mon père de terminer une affaire de famille assez importante, et, d'ici à huit ou dix jours seulement, je puis voir la personne dont je dois prendre les ordres en cette occasion. Je ne serai donc auprès de mon père que dans les premiers jours de décembre, à moins que le roi ne désire, par quelque motif particulier, que je hâte mon retour à Metz.

— Non, monsieur, dit le roi, non, prenez votre temps, allez à Versailles, faites les affaires dont le marquis vous a parlé, et, quand elles seront faites, allez lui dire que je ne l'oublie pas, que je le sais un de mes plus fidèles, et que je le recommanderai un jour à M. de La Fayette, pour que M. de La Fayette le recommande à M. du Portail.

La Fayette sourit du bout des lèvres en entendant cette nouvelle allusion à son omnipotence.

— Sire, dit-il, j'eusse depuis longtemps recommandé moi-même MM. de Bouillé à Votre Majesté, si je n'avais l'honneur d'être des parents de ces messieurs. La crainte qu'on ne dise que je détourne les faveurs du roi sur ma famille m'a seule empêché jusqu'ici de faire cette justice.

— Eh bien, cela tombe à merveille, monsieur de La Fayette ; nous en reparlerons, n'est-ce pas ?

— Le roi me permettra-t-il de lui dire que mon père regarderait comme une défaveur, comme une disgrâce même, un avancement qui lui enlèverait en tout ou en partie les moyens de servir Sa Majesté ?

— Oh ! c'est bien entendu, comte, dit le roi, et je ne permettrai qu'on touche à la position de M. de Bouillé que pour la faire encore plus selon ses désirs et les miens. Laissez-nous mener cela, M. de La Fayette et moi, et allez à vos plaisirs, sans que cela pourtant vous fasse oublier les affaires. Allez, messieurs, allez !

Et il congédia les deux gentilshommes d'un air de majesté qui faisait un assez singulier contraste avec le costume vulgaire dont il était revêtu.

Puis, lorsque la porte fut refermée :

— Allons, dit-il, je crois que le jeune homme m'a compris, et que, *dans huit ou dix jours*, j'aurai maître Gamain et son apprenti pour m'aider à poser ma serrure.

OU GAMAIN PROUVE
QU'IL EST VÉRITABLEMENT MAITRE
SUR MAITRE, MAITRE SUR TOUS

On ne sera donc point étonné de voir, quelques jours après la conversation que nous avons rapportée, maître Gamain, accompagné d'un apprenti, se présenter, — tous deux vêtus de leurs habits de travail, — à la porte des Tuileries, et, après leur admission, qui ne souffrit aucune difficulté, contourner les appartements royaux par le corridor commun, monter l'escalier des combles, et, arrivés à la porte de la forge, décliner leurs noms et leurs qualités au valet de chambre de service.

Les noms étaient : Nicolas-Claude Gamain,

Et Louis Lecomte.

Les qualités étaient : pour le premier, celle de maître serrurier ;

Pour le second, celle d'apprenti.

Quoiqu'il n'y eût rien dans tout cela de bien aristocratique, à peine Louis XVI eut-il entendu noms et qualités, qu'il accourut lui-même vers la porte en criant :

— Entrez !

— Voilà, voilà, voilà ! dit Gamain se présentant avec la familiarité, non seulement d'un commensal, mais encore d'un maître.

Soit qu'il fût moins habitué aux relations royales, soit que la nature l'eût doué d'un plus grand respect pour les têtes couronnées, sous quelque costume qu'elles se présentassent à lui, ou sous quelque costume qu'il se présentât à elles, l'apprenti, sans répondre à l'invitation, et, après avoir mis un intervalle convenable entre l'apparition de maître Gamain et la sienne, demeura debout, la veste sur le bras et la casquette à la main, près de la porte que le valet de chambre refermait derrière eux.

Au reste, peut-être était-il mieux là que sur une ligne parallèle à celle de Gamain, pour saisir l'éclair de joie qui brilla dans l'œil terne de Louis XVI, et pour répondre par un respectueux signe de tête.

— Ah ! c'est toi, mon cher Gamain ! dit Louis XVI ; je suis bien aise de te voir ; en vérité, je ne comptais plus sur toi ; je croyais que tu m'avais oublié !

— Et voilà pourquoi, dit Gamain, vous avez pris un apprenti ? Vous avez bien fait, c'était votre droit, puisque je n'étais pas là ; mais, par malheur, ajouta-t-il avec un geste narquois, apprenti n'est pas maître, hein ?

L'apprenti fit un signe au roi.

— Que veux-tu, mon pauvre Gamain ! dit Louis XVI, on m'avait assuré que tu ne me voulais plus voir ni de près ni de loin : on disait que tu avais peur de te compromettre...

— Ma foi, sire, vous avez pu vous convaincre, à Versailles, qu'il ne faisait pas bon être de vos amis, au moment où vos Parisiens vous rendaient visite.

Un nuage passa sur le front du roi, et l'apprenti baissa la tête.

— Mais, continua Gamain, on dit que cela va mieux depuis que vous êtes revenu à Paris, et que vous faites maintenant des Parisiens tout ce que vous voulez. Oh ! pardieu, ce n'est pas étonnant, vos Parisiens sont si bêtes, et la reine est si enjôleuse, quand cela lui plaît.

Louis XVI ne répondit rien, mais une légère rougeur monta à ses joues.

Quant au jeune homme, il semblait énormément souffrir des familiarités que se permettait maître Gamain.

Aussi, après avoir essuyé son front couvert de sueur avec un mouchoir un peu fin peut-être pour appartenir à un apprenti serrurier, il s'approcha.

— Sire, dit-il, Votre Majesté veut-elle permettre que je lui dise comment maître Gamain a l'honneur de se trouver en face de Votre Majesté, et comment j'y suis moi-même près de lui ?

— Oui, mon cher Louis, répondit le roi.

— Ah ! c'est cela : *mon cher Louis !* gros comme le bras, dit Gamain murmurant. *Mon cher Louis...* à une connaissance de quinze jours, à un ouvrier, à un apprenti... Qu'est-ce qu'on me dira donc, à moi qui vous connais depuis vingt-cinq ans ? à moi, qui vous ai mis la lime à la main ? à moi, qui suis maître ? Voilà ce que c'est que d'avoir la langue dorée et les mains blanches !

— Je te dirai : « Mon bon Gamain ! » J'appelle ce jeune homme *mon cher Louis*, non pas parce qu'il s'exprime plus élégamment que toi ; non pas parce qu'il se lave les mains plus souvent que tu ne le fais toi-même peut-être, — j'apprécie assez peu, tu le sais, toutes ces mignonneries, — mais parce qu'il a trouvé moyen de te ramener près de moi, toi, mon ami, quand on m'avait dit que tu ne voulais plus me voir !

— Oh ! ce n'était pas moi qui ne voulais plus vous voir ; car, moi, malgré tous vos défauts, au bout du compte, je vous aime bien ; mais c'était mon épouse, madame Gamain, qui me dit à chaque instant : « Tu as de mauvaises connaissances, Gamain, des connaissances trop hautes pour toi ; il ne fait pas bon voir les aristocrates par ce temps-ci ; nous avons un peu de bien, veillons dessus ; nous avons des enfants, élevons-les ; et, si le dauphin veut apprendre la serrurerie à son tour, qu'il s'adresse à d'autres que nous ; on ne manque pas de serruriers en France. »

Louis XVI regarda l'apprenti, et étouffant un soupir moitié railleur, moitié mélancolique :

— Oui, sans doute, il ne manque pas de serruriers en France, mais pas de serruriers comme toi.

— C'est ce que j'ai dit au maître, sire, quand je me suis présenté chez lui de votre part, interrompit l'apprenti ; je lui ai dit : « Ma foi, maître, voilà ! le

roi est en train de fabriquer une serrure à secret ;
il avait besoin d'un aide serrurier : on lui a parlé de
moi, il m'a pris avec lui ; c'était bien de l'honneur...
bon... mais c'est de la fine ouvrage que celle qu'il
fait. Ça a bien été pour la serrure, tant qu'il ne s'est
agi que de la cloison, du palastre et des étoquiaux,
parce que chacun sait que trois étoquiaux à queue
d'aronde dans le rebord suffisent pour assujettir
solidement la cloison au palastre ; mais, quand il
s'est agi du pêne, voilà où l'ouvrier s'embarrasse... »

— Je le crois bien, dit Gamain, le pêne, c'est
l'âme de la serrure.

— Et le chef-d'œuvre de la serrurerie quand il
est bien fait, dit l'apprenti ; mais il y a pêne et pêne.
Il y a pêne dormant, il y a pêne à bascule pour
mouvoir le demi-tour, il y a pêne à pignon pour
mouvoir les verrous. Eh bien, supposons, maintenant, que nous ayons une clef forée dont le panneton soit entaillé par une planche avec un pertuis,
une fronçure simple et une fronçure hastée en
dedans, deux rouets avec un faucillon renversé en
dedans, et hasté en dehors, quel pêne faudra-t-il
pour cette clef-là ? Voilà où nous sommes arrêtés...

— Le fait est que ça n'est pas donné à tout le
monde de se tirer d'une pareille besogne, dit Gamain.

— Précisément... « C'est pourquoi, continuai-je,
je suis venu à vous, maître Gamain. Chaque fois que
le roi était embarrassé, il disait avec un soupir :
« Ah ! si Gamain était là ! » Alors, moi, j'ai dit au
roi : « Eh bien, voyons, faites-lui dire de venir, à
» votre fameux Gamain, et qu'on le voie à la
» besogne ! » Mais le roi répondait : « Inutile, mon
» pauvre Louis, Gamain m'a oublié ! — Oublier
» Votre Majesté ! un homme qui a eu l'honneur de
» travailler avec elle, impossible !... » Alors, j'ai dit
au roi : « Je vais l'aller chercher, ce maître sur
» maître, maître sur tous ! » Le roi m'a dit : « Va,
mais tu ne le ramèneras pas ! » J'ai dit : « Je le
»ramènerai ! » et je suis parti. Ah ! sire, je ne savais

pas de quelle besogne je m'étais chargé, et à quel homme j'avais à faire. D'ailleurs, quand je me suis présenté à lui comme apprenti, il m'a fait subir un examen que c'était pis que pour entrer à l'École des cadets. Enfin, bon... me voilà chez lui. Le lendemain, je me hasarde à lui dire que je viens de votre part. Cette fois-là, j'ai cru qu'il allait me mettre à la porte : il m'appelait espion, mouchard. J'avais beau lui assurer que j'étais réellement envoyé par vous, ça n'y faisait rien. Il n'y a que quand je lui ai avoué que nous avions commencé à nous deux un ouvrage que nous ne pouvions pas finir, qu'il a débouché ses oreilles ; mais tout cela ne le décidait pas. Il disait que c'était un piège que ses ennemis lui tendaient. Enfin, hier seulement, quand je lui eus remis les vingt-cinq louis que Votre Majesté m'a fait passer à son intention, il a dit : « Ah ! ah ! en » effet, cela pourrait bien être véritablement de la » part du roi !... Eh bien, soit ! a-t-il ajouté, nous » irons demain ; qui ne risque rien n'a rien. » Toute la soirée, j'ai entretenu le maître dans ces bonnes dispositions, et, ce matin, j'ai dit : « Voyons, ce n'est » pas cela, il faut partir ! » Il faisait bien encore quelque difficulté, mais, enfin, je l'ai décidé. Je lui ai noué le tablier autour du corps, je lui ai mis la canne à la main, je l'ai poussé dehors ; nous avons pris la route de Paris, et nous voilà !

— Soyez les bienvenus, dit le roi en remerciant d'un coup d'œil le jeune homme, qui paraissait avoir eu autant de peine à composer dans le fond, et surtout dans la forme, le récit que l'on vient de lire qu'en eût eu maître Gamain à faire un discours de Bossuet ou un sermon de Fléchier. Et, maintenant, Gamain, mon ami, continua le roi, comme tu me parais pressé, ne perdons pas de temps.

— C'est justement cela, dit le maître serrurier ; d'ailleurs, j'ai promis à madame Gamain d'être de retour ce soir. Voyons, où est cette fameuse serrure ?

Le roi remit entre les mains du maître une serrure aux trois quarts achevée.

— Eh bien, mais que disais-tu donc que c'était une serrure bénarde ? fit Gamain s'adressant à l'apprenti. Une serrure bénarde se ferme des deux côtés, mazette ! et celle-ci est une serrure de coffre. Voyons, voyons un peu cela... Ça ne marche donc pas, hein ?... Eh bien, avec maître Gamain, il faudra que cela marche.

Et Gamain essaya de faire tourner la clef.

— Ah ! voilà, voilà ! dit-il.

— Tu as trouvé le défaut, mon cher Gamain ?

— Parbleu !

— Voyons, montre-moi cela !

— Ah ! ce sera vite fait, regardez. Le museau de la clef accroche bien la grande barbe ; la grande barbe décrit bien la moitié de son cercle : mais, arrivée là, comme elle n'est pas taillée en biseau, elle ne s'échappe pas toute seule, voilà l'affaire... La course de la barbe étant de six lignes, l'épaulement doit être d'une ligne.

Louis XVI et l'apprenti se regardèrent comme émerveillés de la science de Gamain.

— Eh ! mon Dieu ! c'est pourtant bien simple, dit celui-ci encouragé par cette admiration tacite ; et je ne comprends même pas comment vous avez oublié cela. Il faut que vous ayez pensé, depuis que vous ne m'avez vu, à un tas de bêtises qui vous ont fait perdre la mémoire ! Vous avez trois barbes, n'est-ce pas ? une grande et deux petites, une de cinq lignes, deux de deux lignes ?

— Sans doute, dit le roi suivant avec un certain intérêt la démonstration de Gamain.

— Eh bien, aussitôt que la clef a lâché la grande barbe, il faut qu'elle puisse ouvrir le pêne qu'elle vient de fermer, n'est-ce pas ?

— Oui, dit le roi.

— Alors, il faut donc qu'elle puisse accrocher en

sens inverse, c'est-à-dire en revenant sur ses pas, la seconde barbe au moment où elle lâche la première.

— Ah ! oui, oui, dit le roi.

— Ah ! oui, oui, répéta Gamain d'un ton goguenard. Eh bien, comment voulez-vous qu'elle s'y prenne, cette pauvre clef, si l'intervalle entre la grande et la petite barbe n'est pas égal à l'épaisseur du museau, plus un peu de liberté ?

— Ah !

— Ah !... répéta encore Gamain ! Voilà, vous avez beau être roi de France ; vous avez beau dire : « Je veux ! » la petite barbe dit : « Je ne veux pas ! » elle, et bonsoir ! c'est comme lorsque vous vous chamaillez avec l'Assemblée, c'est l'Assemblée qui est la plus forte !

— Et, cependant, demanda le roi à Gamain, il y a de la ressource, n'est-ce pas, maître ?

— Parbleu ! dit celui-ci, il y a toujours de la ressource. Il n'y a qu'à tailler la première barbe en biseau, creuser l'épaulement d'une ligne, écarter de quatre lignes la première barbe de la seconde, et rétablir à la même distance la troisième barbe, — celle-ci, qui fait partie du talon, et qui s'arrête sur le picolet, et tout sera dit.

— Mais, observa le roi, à tous ces changements, il y a bien une journée de travail, mon pauvre Gamain ?

— Oh ! oui, il y aurait une journée de travail pour un autre, mais, pour Gamain, deux heures suffiront ; seulement, il faut qu'on me laisse seul, et qu'on ne m'embête pas d'observations... Gamain, par-ci... Gamain, par-là... Qu'on me laisse donc seul ; la forge me paraît assez bien outillée, et, dans deux heures... eh bien, dans deux heures, si l'ouvrage est convenablement humectée, continua Gamain en souriant, on peut revenir ; l'ouvrage sera finie.

Ce que demandait Gamain, c'était tout ce que désirait le roi. La solitude de Gamain lui fournissait l'occasion d'un tête à tête avec l'apprenti.

Cependant, il parut faire des difficultés.

— Mais, si tu as besoin de quelque chose, mon pauvre Gamain ?

— Si j'ai besoin de quelque chose, j'appellerai le valet de chambre, et, pourvu qu'il ait ordre de me donner ce que je lui demanderai... c'est tout ce qu'il me faut.

Le roi alla lui-même à la porte :

— François, dit-il en ouvrant cette porte, tenez-vous là, je vous prie. Voici Gamain, mon ancien maître en serrurerie, qui me corrige un travail manqué. Vous lui donnerez tout ce dont il aura besoin, et particulièrement une ou deux bouteilles d'excellent bordeaux.

— Si c'était un effet de votre bonté, sire, de vous rappeler que j'aime mieux le bourgogne ; ce diable de bordeaux, c'est comme si l'on buvait de l'eau tiède !

— Ah ! oui, c'est vrai... j'oubliais, dit Louis XVI en riant ; nous avons pourtant trinqué plus d'une fois ensemble, mon pauvre Gamain... Du bourgogne, François, vous entendez, du volnay !

— Bien ! dit Gamain en passant sa langue sur ses lèvres, je me rappelle ce nom-là !

— Et il te fait venir l'eau à la bouche, hein ?

— Ne parlez pas d'eau, sire ; l'eau, je ne sais pas à quoi ça peut servir, si ce n'est pour tremper le fer ; mais ceux qui l'ont employée à un autre usage que celui-là l'ont détournée de sa véritable destination... l'eau, pouah !...

— Eh bien, sois tranquille, tant que tu seras ici, tu n'entendras point parler d'eau, et, de peur que le mot ne nous échappe à l'un ou à l'autre, nous te laissons seul ; quand tu auras fini, envoie-nous chercher.

— Et qu'est-ce que vous allez faire pendant ce temps-là, vous ?

— L'armoire à laquelle est destinée cette serrure.

— Ah ! bon, c'est de l'ouvrage comme il vous en convient, celle-là. Bien du plaisir !

— Bon courage ! répondit le roi.

Et, tout en faisant de la tête un adieu familier à Gamain, le roi sortit avec l'apprenti Louis Lecomte, ou le comte Louis, comme le préférera sans doute le lecteur, à qui nous supposons assez de perspicacité pour croire qu'il a reconnu, dans le faux compagnon, le fils du marquis de Bouillé.

OU L'ON PARLE DE TOUT AUTRE CHOSE QUE DE SERRURERIE

Cette fois, seulement, Louis XVI ne sortit point de la forge par l'escalier extérieur et commun à tout le service : il descendit par l'escalier secret réservé à lui seul.

Cet escalier conduisait à son cabinet de travail.

Une table de ce cabinet de travail était couverte par une immense carte de France, laquelle prouvait que le roi avait souvent déjà étudié la route la plus courte ou la plus facile pour sortir de son royaume.

Mais ce ne fut qu'au bas de l'escalier, et la porte refermée derrière lui et le compagnon serrurier, que Louis XVI, après avoir jeté un regard investigateur dans le cabinet, parut reconnaître celui qui le suivait, la veste sur l'épaule et la casquette à la main.

— Enfin, dit-il, nous voilà seuls, mon cher comte ; laissez-moi, d'abord, vous féliciter de votre adresse, et vous remercier de votre dévouement.

— Et, moi, sire, répondit le jeune homme, permettez que je fasse toutes mes excuses à Votre Majesté d'avoir, même pour son service, osé me présenter devant elle vêtu comme je le suis, et de m'être permis de lui parler comme je l'ai fait.

— Vous avez parlé comme un brave gentil-homme, mon cher Louis, et, de quelque façon que vous soyez vêtu, c'est un cœur loyal qui bat sous votre habit. Mais, voyons, nous n'avons pas de temps à perdre ; tout le monde, même la reine, ignore votre présence ici, personne ne nous écoute, dites-moi vite ce qui vous amène.

— Votre Majesté n'a-t-elle pas fait à mon père l'honneur de lui envoyer un officier de sa maison ?

— Oui, M. de Charny.

— M. de Charny, c'est cela. Il était chargé d'une lettre...

— Insignifiante, interrompit le roi, et qui n'était qu'une introduction à une mission verbale.

— Cette mission verbale, il l'a remplie, sire, et c'est pour qu'elle ait son exécution certaine que, sur l'ordre de mon père, et dans l'espoir de causer seul à seul avec Votre Majesté, je suis parti pour Paris.

— Alors, vous êtes instruit de tout ?

— Je sais que le roi, à un moment donné, voudrait être certain de pouvoir quitter la France.

— Et qu'il a compté sur le marquis de Bouillé, comme sur l'homme le plus capable de le seconder dans son projet.

— Et mon père est à la fois bien fier et bien reconnaissant de l'honneur que vous lui avez fait, sire.

— Mais arrivons au principal. Que dit-il du projet ?

— Qu'il est hasardeux, qu'il demande de grandes précautions, mais qu'il n'est pas impossible.

— D'abord, fit le roi, pour que le concours de M. de Bouillé eût toute l'efficacité que promettent sa loyauté et son dévouement, ne faudrait-il pas qu'à son commandement de Metz on joignît celui de plusieurs provinces, et particulièrement celui de la Franche-Comté ?

— C'est l'avis de mon père, sire, et je suis heureux que le roi ait le premier exprimé son opinion à cet égard ; le marquis craignait que le roi n'attribuât à une ambition personnelle.

— Allons donc, est-ce que je ne connais pas le désintéressement de votre père ? Voyons, maintenant, s'est-il expliqué avec vous sur la route à suivre ?

— Avant tout, sire, mon père craint une chose.

— Laquelle ?

— C'est que plusieurs projets de fuite ne soient présentés à Votre Majesté, soit de la part de l'Espagne, soit de la part de l'Empire, soit de la part des émigrés de Turin, et que, tous ces projets se contrecarrant, le sien n'avorte par quelques-unes de ces circonstances fortuites que l'on met sur le compte de la fatalité, et qui sont presque toujours le résultat de la jalousie ou de l'imprudence des partis.

— Mon cher Louis, je vous promets de laisser tout le monde intriguer autour de moi ; c'est un besoin des partis, d'abord ; puis, ensuite, c'est une nécessité de ma position. Tandis que l'esprit de La Fayette et les regards de l'Assemblée suivront tous ces fils qui n'auront d'autre but que de les égarer, nous, sans autres confidents que les personnes strictement nécessaires à l'exécution du projet, — toutes personnes sur lesquelles nous sommes sûrs de pouvoir compter, — nous suivrons notre chemin avec d'autant plus de sécurité qu'il sera plus mystérieux.

— Sire, ce point arrêté, voici ce que mon père a l'honneur de proposer à Votre Majesté.

— Parlez, dit le roi en s'inclinant sur la carte de France, afin de suivre des yeux les différents projets qu'allait exposer le jeune comte avec la parole.

— Sire, il y a plusieurs points sur lesquels le roi peut se retirer.

— Sans doute.

— Le roi a-t-il fait son choix ?

— Pas encore. J'attendais l'avis de M. de Bouillé, et je présume que vous me l'apportez.

Le jeune homme fit de la tête un signe respectueux et affirmatif à la fois.

— Parlez, dit Louis XVI.

— Il y a d'abord Besançon, sire, dont la citadelle offre un poste très fort et très avantageux pour rassembler une armée, et donner le signal et la main aux Suisses. Les Suisses, réunis à l'armée, pourront s'avancer à travers la Bourgogne, où les royalistes sont nombreux, et, de là, marcher sur Paris.

Le roi fit un mouvement de tête qui signifiait : « J'aimerais mieux autre chose. »

Le jeune comte continua :

— Il y a, ensuite, Valenciennes, sire, ou telle autre place de la Flandre qui aurait une garnison sûre. M. de Bouillé s'y porterait lui-même avec les troupes de son commandement, soit avant, soit après l'arrivée du roi.

Louis XVI fit un second mouvement de tête qui voulait dire : « Autre chose, monsieur. »

— Le roi, continua le jeune homme, peut encore sortir par les Ardennes et la Flandre autrichienne, et rentrer ensuite par cette même frontière en se portant sur une des places que M. de Bouillé livrerait dans son commandement, et où, d'avance, il serait fait un rassemblement de troupes.

— Je vous dirai, tout à l'heure, ce qui me fait vous demander si vous n'avez rien de mieux que tout cela.

— Enfin, le roi peut se porter directement à Sedan ou à Montmédy ; là, le général, se trouvant au centre de son commandement, aurait pour obéir au désir du roi, soit qu'il lui plût de sortir de

France, soit qu'il lui convînt de marcher sur Paris, toute sa liberté d'action.

— Mon cher comte, dit le roi, je vais vous expliquer en deux mots ce qui me fait refuser les trois premières propositions, et ce qui est cause que je m'arrêterai probablement à la quatrième. D'abord, Besançon est trop loin, et, par conséquent, j'aurais trop de chances d'être arrêté avant d'y arriver ; Valenciennes est à une bonne distance, et me conviendrait assez en raison de l'excellent esprit de cette ville ; mais M. de Rochambeau, qui commande dans le Hainaut, c'est-à-dire à ses portes, est entièrement livré à l'esprit démocratique ; quant à sortir par les Ardennes et par la Flandre pour en appeler à l'Autriche, non ; outre que je n'aime pas l'Autriche, qui ne se mêle de nos affaires que pour les embrouiller, l'Autriche a bien assez, à l'heure qu'il est, de la maladie de mon beau-frère, de la guerre des Turcs et de la révolte du Brabant, sans que je lui donne encore un surcroît d'embarras par sa rupture avec la France : d'ailleurs, je ne veux pas sortir de France ; une fois qu'il a le pied hors de son royaume, un roi ne sait jamais s'il y rentrera. Voyez Charles II, voyez Jacques II : l'un n'y rentre qu'au bout de treize ans, l'autre n'y rentre jamais. Non, je préfère Montmédy ; — Montmédy est à une distance convenable, au centre du commandement de votre père... Dites au marquis que mon choix est fait, et que c'est à Montmédy que je me retirerai.

— Le roi a-t-il bien arrêté cette fuite, ou n'est-ce encore qu'un projet ? se hasarda de demander le jeune comte.

— Mon cher Louis, répondit Louis XVI, rien n'est arrêté encore, et tout dépendra des circonstances. Si je vois que la reine et mes enfants courent de nouveaux dangers, comme ceux qu'ils ont courus dans la nuit du 5 au 6 octobre, je me déciderai, et dites-le bien à votre père, mon cher comte, une fois la décision prise, elle sera irrévocable.

— Maintenant, sire, continua le jeune comte, s'il m'était permis, relativement à la façon dont se fera le voyage, de soumettre à la sagesse du roi l'avis de mon père...

— Oh ! dites, dites !

— Son avis serait, sire, qu'on diminuât les dangers du voyage en les partageant.

— Expliquez-vous.

— Sire, Votre Majesté partirait d'un côté avec madame Royale et madame Élisabeth, tandis que la reine partirait, de l'autre, avec monseigneur le dauphin... de sorte que...

Le roi ne laissa point M. de Bouillé achever sa phrase.

— Inutile de discuter sur ce point, mon cher Louis, dit-il, nous avons, dans un moment solennel, décidé, la reine et moi, que nous ne nous quitterions pas. Si votre père veut nous sauver, qu'il nous sauve tous ensemble ou pas du tout.

Le jeune comte s'inclina.

— Le moment venu, le roi donnera ses ordres, dit-il, et les ordres du roi seront exécutés. Seulement, je me permettrai de faire observer au roi qu'il sera difficile de trouver une voiture assez grande pour que Leurs Majestés, leurs augustes enfants, madame Élisabeth et les deux ou trois personnes de service qui doivent les accompagner puissent y tenir commodément.

— Ne vous inquiétez point de cela, mon cher Louis ; on la fera faire exprès ; le cas est prévu.

— Autre chose encore, sire : deux routes conduisent à Montmédy ; il me reste à vous demander quelle est celle des deux que Votre Majesté préfère suivre, afin qu'on puisse la faire étudier par un ingénieur de confiance.

— Cet ingénieur de confiance, nous l'avons. M. de Charny, qui nous est tout dévoué, a relevé les cartes des environs de Chandernagor avec une fidélité et un talent remarquables ; moins nous mettrons de personnes dans le secret, mieux vaudra ; nous avons, dans le comte, un serviteur à toute épreuve, intelligent et brave, servons-nous-en. Quant à la route, vous voyez que je m'en suis préoccupé. Comme d'avance j'avais choisi Montmédy, les deux routes qui y conduisent sont pointées sur cette carte.

— Il y en a même trois, sire, dit respectueusement M. de Bouillé.

— Oui, je sais, celle qui va de Paris à Metz, que l'on quitte après avoir traversé Verdun pour prendre, le long de la Meuse, la route de Stenay, dont Montmédy n'est distant que de trois lieues.

— Il y a celle de Reims, d'Isle, de Rethel et de Stenay, dit le jeune comte assez vivement pour que le roi vît la préférence que son interlocuteur donnait à celle-là.

— Ah ! ah ! dit le roi, il paraît que c'est la route que vous préférez ?

— Oh ! pas moi, sire, Dieu me garde d'avoir, moi qui suis presque un enfant, la responsabilité d'une opinion émise dans une affaire si grave ! Non, sire, ce n'est point mon opinion, c'est celle de mon père, et il se fondait sur ce que le pays qu'elle parcourt est pauvre, presque désert ; que, par conséquent, il exige moins de précautions ; il ajoute que le Royal-Allemand, le meilleur régiment de l'armée, le seul peut-être qui soit resté complètement fidèle, est en quartier à Stenay, et, depuis Isle ou Rethel, pourrait être chargé de l'escorte du roi ; ainsi l'on éviterait le danger d'un trop grand mouvement de troupes.

— Oui, interrompit le roi, mais on passerait par Reims, où j'ai été sacré, et où le premier venu peut me reconnaître... Non, mon cher comte, sur ce point, ma décision est prise.

Et le roi prononça ces paroles d'une voix si ferme, que, cette décision, le comte Louis ne tenta même point de la combattre.

— Ainsi, demanda-t-il, le roi est décidé ?...

— Pour la route de Châlons par Varennes en

évitant Verdun. Quant aux régiments, ils seront échelonnés dans les petites villes situées entre Montmédy et Châlons ; je ne verrais même pas d'inconvénient, ajouta le roi, à ce que le premier détachement m'attendît dans cette dernière ville.

— Sire, quand nous en serons là, dit le jeune comte, ce sera un point à discuter de savoir jusqu'à quelle ville doivent se hasarder ces régiments ; seulement, le roi n'ignore pas qu'il n'y a point de poste aux chevaux à Varennes.

— J'aime à vous voir si bien renseigné, monsieur le comte, dit le roi en riant ; cela prouve que vous avez travaillé sérieusement notre projet ; mais ne vous inquiétez point de cela, nous trouverons moyen de faire tenir des chevaux prêts, au-dessous ou au-dessus de la ville ; notre ingénieur nous dira où ce sera le mieux.

— Et maintenant, sire, dit le jeune comte, maintenant que tout est à peu près arrêté, Sa Majesté m'autorise-t-elle à lui citer, au nom de mon père, quelques lignes d'un auteur italien qui lui ont paru tellement appropriées à la situation où se trouve le roi, qu'il m'a ordonné de les apprendre par cœur, afin que je puisse les lui dire.

— Dites-les, monsieur.

— Les voici : « Le délai est toujours préjudiciable, et il n'y a jamais de circonstance entièrement favorable dans toutes les affaires que l'on entreprend : de sorte que, qui attend jusqu'à ce qu'il rencontre une occasion parfaite, jamais n'entreprendra une chose, ou, s'il l'entreprend, en sortira souvent fort mal. » C'est l'auteur qui parle, sire.

— Oui, monsieur, et cet auteur est Machiavel. J'aurai donc égard, croyez-le bien, aux conseils de l'ambassadeur de la magnifique république... Mais, chut ! j'entends des pas dans l'escalier... c'est Gamain qui descend ; allons au-devant de lui pour qu'il ne voie pas que nous nous sommes occupés de toute autre chose que de l'armoire.

A ces mots, le roi ouvrit la porte de l'escalier secret.

Il était temps, le maître serrurier était sur la dernière marche, sa serrure à la main.

OU IL EST DÉMONTRÉ
QU'IL Y A VÉRITABLEMENT UN DIEU
POUR LES IVROGNES

Le même jour, vers huit heures du soir, un homme vêtu en ouvrier, et appuyant avec précaution la main sur la poche de sa veste, comme si cette poche contenait, ce soir-là, une somme plus considérable que n'en contient d'habitude la poche d'un ouvrier, un homme, disons-nous, sortait des Tuileries par le pont Tournant, inclinait à gauche, et suivait d'un bout à l'autre la grande allée d'arbres qui prolonge, du côté de la Seine, cette portion des Champs-Élysées qu'on appelait autrefois le port au Marbre ou le port aux Pierres, et qu'on nomme aujourd'hui le Cours-la-Reine.

A l'extrémité de cette allée, il se trouva sur le quai de la Savonnerie.

Le quai de la Savonnerie était, à cette époque, fort égayé le jour, fort éclairé le soir par une foule de petites guinguettes où, le dimanche, les bons bourgeois achetaient les provisions liquides et solides qu'ils embarquaient avec eux sur des bateaux nolisés au prix de deux sous par personne, pour aller passer la journée dans l'île des Cygnes, — île, où, sans cette précaution, ils eussent risqué de mourir de faim, les jours ordinaires de la semaine parce qu'elle était parfaitement déserte, les jours de fête et les dimanches parce qu'elle était trop peuplée.

Au premier cabaret qu'il rencontra sur sa route,

l'homme vêtu en ouvrier parut se livrer à lui-même un violent combat, — combat duquel il sortit vainqueur, — pour savoir s'il entrerait ou n'entrerait pas dans ce cabaret.

Il n'entra point et passa outre.

Au second, la même tentation se renouvela, et, cette fois, un autre homme qui le suivait comme son ombre sans qu'il s'en aperçût, depuis la hauteur de la patache, put croire qu'il allait y céder ; car, déviant de la ligne droite, il inclina tellement devant cette succursale du temple de Bacchus, comme on disait alors, qu'il en effleura le seuil.

Néanmoins, cette fois encore, la tempérance triompha, et il est probable que, si un troisième cabaret ne se fût pas trouvé sur son chemin et qu'il lui eût fallu revenir sur ses pas pour manquer au serment qu'il semblait s'être fait à lui-même, il eût continué sa route, — non pas à jeun, car le voyageur paraissait avoir déjà pris une honnête dose de ce liquide qui réjouit le cœur de l'homme, — mais dans un état de puissance sur lui-même qui eût permis à sa tête de conduire ses jambes dans une ligne suffisamment droite, pendant la route qu'il avait à faire.

Par malheur, il y avait, non seulement un troisième, mais encore un dixième, mais encore un vingtième cabaret sur cette route ; il en résulta que, les tentations étant trop souvent renouvelées, la force de résistance ne se trouva point en harmonie avec la puissance de tentation, et succomba à la troisième épreuve.

Il est vrai de dire que, par une espèce de transaction avec lui-même, l'ouvrier qui avait si bien et si malheureusement combattu le démon du vin, tout en entrant dans le cabaret, demeura debout près du comptoir et ne demanda qu'une chopine.

Au reste, le démon du vin contre lequel il luttait semblait être victorieusement représenté par cet inconnu qui le suivait à distance, ayant soin de demeurer dans l'obscurité, mais qui, en restant hors de sa vue, ne le perdait cependant pas des yeux.

Ce fut sans doute, pour jouir de cette perspective, qui semblait lui être particulièrement agréable, qu'il s'assit sur le parapet, juste en face de la porte du bouchon où l'ouvrier buvait sa chopine, et qu'il se remit en route cinq secondes après que celui-ci, l'ayant achevée, franchissait le seuil de la porte pour reprendre son chemin.

Mais qui peut dire où s'arrêteront les lèvres qui se sont une fois humectées à la fatale coupe de l'ivresse, et qui se sont aperçues, avec cet étonnement mêlé de satisfaction tout particulier aux ivrognes, que rien n'altère comme de boire ? A peine l'ouvrier eut-il fait cent pas, que sa soif était telle qu'il lui fallut s'arrêter de nouveau pour l'étancher ; seulement, cette fois, il comprit que c'était trop peu d'une chopine, et demanda une demi-bouteille.

L'ombre qui semblait s'être attachée à lui ne parut nullement mécontente des retards que ce besoin de se rafraîchir apportait dans l'accomplissement de sa route. Elle s'arrêta à l'angle même du cabaret ; et, quoique le buveur se fût assis pour être plus à son aise, et eût mis un bon quart d'heure à siroter sa demi-bouteille, l'ombre bénévole ne donna aucun signe d'impatience, se contentant, au moment de la sortie, de le suivre du même pas qu'elle avait fait jusqu'à l'entrée.

Au bout de cent autres pas, cette longanimité fut mise à une nouvelle et plus rude épreuve ; l'ouvrier fit une troisième halte, et, cette fois, comme sa soif allait augmentant, il demanda une bouteille entière.

Ce fut encore une demi-heure d'attente pour le patient argus qui s'était attaché à ses pas.

Sans doute, ces cinq minutes, ce quart d'heure, cette demi-heure, successivement perdus, soulevèrent une espèce de remords dans le cœur du buveur ; car, ne voulant plus s'arrêter, à ce qu'il paraît, mais désirant continuer de boire, il passa avec lui-même une espèce de transaction qui consista à se munir, au moment du départ, d'une bouteille de vin toute débouchée dont il résolut de faire la compagne de sa route.

C'était une résolution sage et qui ne retardait celui qui l'avait prise qu'en raison des courbes de plus en plus étendues, et des zigzags de plus en plus réitérés qui furent le résultat de chaque rapprochement qui se fit entre le goulot de la bouteille et les lèvres altérées du buveur.

Dans une de ces courbes adroitement combinées, il franchit la barrière de Passy, sans empêchement aucun, — les liquides, comme on sait, étant affranchis de tout droit d'octroi à la sortie de la capitale.

L'inconnu qui le suivait sortit derrière lui, et avec le même bonheur que lui.

Ce fut à cent pas de la barrière que notre homme dut se féliciter de l'ingénieuse précaution qu'il avait prise ; car, à partir de là, les cabarets devinrent de plus en plus rares, jusqu'à ce qu'enfin ils disparussent tout à fait.

Mais qu'importait à notre philosophe ? Comme le sage antique, il portait avec lui, non seulement sa fortune, mais encore sa joie.

Nous disons sa joie, attendu que, vers la moitié de la bouteille, notre buveur se mit à chanter, et personne ne contestera que le chant ne soit, avec le rire, un des moyens donnés à l'homme de manifester sa joie.

L'ombre du buveur paraissait fort sensible à l'harmonie de ce chant, qu'elle avait l'air de répéter tout bas, et à l'expression de cette joie, dont elle suivait les phases avec un intérêt tout particulier. Mais, par malheur, la joie fut éphémère, et le chant de courte durée. La joie ne dura que juste le temps que dura le vin dans la bouteille, et, la bouteille vide et inutilement pressée à plusieurs reprises entre les deux mains du buveur, le chant se changea en grognements, qui, s'accentuant de plus en plus, finirent par dégénérer en imprécations.

Ces imprécations s'adressaient à des persécuteurs inconnus dont se plaignait en trébuchant notre infortuné voyageur.

— Oh ! le malheureux ! disait-il ; oh ! la malheureuse !... à un ancien ami, à un maître, donner du vin frelaté... pouah ! Aussi, qu'il me renvoie chercher pour lui repasser ses serrures ; qu'il me renvoie chercher par son traître de compagnon qui m'abandonne, et je lui dirai : « Bonsoir, sire ! que Ta Majesté repasse ses serrures elle-même. » Et nous verrons si, une serrure, ça se fait comme un décret... Ah ! je t'en donnerai, des serrures à trois barbes... ah ! je t'en donnerai, des pênes à gâchette... ah ! je t'en donnerai... des clefs forées, avec un panneton... entaillé, entail... Oh ! le malheureux !... Oh ! la malheureuse ! décidément, ils m'ont empoisonné !

Et, en disant ces mots, vaincu par la force du poison, sans doute, la malheureuse victime se laissa aller tout de son long pour la troisième fois sur le pavé de la route, moelleusement recouvert d'une épaisse couche de boue.

Les deux premières fois, notre homme s'était relevé seul ; l'opération avait été difficile, mais, enfin, il l'avait accomplie à son honneur ; la troisième fois, après des efforts désespérés, il fut obligé de s'avouer à lui-même que la tâche était au-dessus de ses forces, et, avec un soupir qui ressemblait à un gémissement, il parut se décider à prendre pour couche, cette nuit-là, le sein de notre mère commune, la terre.

C'était sans doute à ce point de découragement et de faiblesse que l'attendait l'inconnu qui, depuis la place Louis XV, le suivait avec tant de persévérance ; car, après lui avoir laissé tenter, en se tenant à distance, les efforts infructueux que nous avons essayé de peindre, il s'approcha de lui avec précaution, fit le tour de sa grandeur écroulée, et, appelant un fiacre qui passait :

— Tenez, mon ami, dit-il au cocher, voici mon compagnon qui vient de se trouver mal ; prenez cet écu de six livres, mettez le pauvre diable dans l'intérieur de votre voiture, et conduisez-le au cabaret du pont de Sèvres. Je monterai près de vous.

Il n'y avait rien d'étonnant dans cette proposition que celui des deux compagnons resté debout faisait au cocher, de partager son siège, attendu qu'il paraissait lui-même un homme de condition assez vulgaire. Aussi, avec la touchante confiance que les hommes de cette condition ont les uns pour les autres :

— Six francs ! répondit le cocher ; et où sont-ils, tes six francs ?

— Les voilà, mon ami, dit sans paraître formalisé le moins du monde, et en présentant un écu au cocher, celui qui avait offert cette somme.

— Et, arrivé là-bas, notre bourgeois, dit l'automédon adouci par la vue de la royale effigie, il n'y aura pas un petit pourboire ?

— C'est selon comme nous aurons marché. Charge ce pauvre diable dans ta voiture, ferme consciencieusement les portières, tâche de faire tenir jusque-là tes deux rosses sur leurs quatre pieds, et, arrivés au pont de Sèvres, nous verrons... selon que tu te seras conduit, on se conduira.

— A la bonne heure, dit le cocher, voilà ce qui s'appelle répondre. Soyez tranquille, notre bourgeois, on sait ce que parler veut dire. Montez sur le siège, et empêchez les poulets d'Inde de faire des bêtises ; — dame ! à cette heure-ci, ils sentent l'écurie, et sont pressés de rentrer ; — je me charge du reste.

Le généreux inconnu suivit sans observation aucune l'instruction qui lui était donnée ; de son côté, le cocher, avec toute la délicatesse dont il était susceptible, souleva l'ivrogne entre ses bras, le coucha mollement entre les deux banquettes de son fiacre, referma la portière, remonta sur son siège, où il trouva l'inconnu établi, fit tourner sa voiture, et fouetta ses chevaux, qui, avec la mélancolique allure familière à ces infortunés quadrupèdes, traversèrent bientôt le hameau du Point-du-Jour, et, au bout d'une heure de marche, arrivèrent au cabaret du pont de Sèvres.

CE QUE C'EST QUE LE HASARD

L'hôte du cabaret du pont de Sèvres était couché, et pas le moindre filon de lumière ne filtrait par la gerçure de ses contrevents, lorsque les premiers coups de poing du philanthrope qui avait recueilli maître Gamain retentirent sur sa porte. Ces coups de poing étaient appliqués de telle façon qu'ils ne permettaient pas de croire que les hôtes de la maison, si adonnés qu'ils fussent au sommeil, dussent jouir d'un long repos en face d'une pareille attaque.

Aussi, tout endormi, tout trébuchant, tout grommelant, le cabaretier vint-il ouvrir lui-même à ceux qui le réveillaient ainsi, se promettant de leur administrer une récompense digne du dérangement, si, comme il le disait lui-même, le jeu n'en valait pas la chandelle.

Il paraît que le jeu contrebalança au moins la valeur de la chandelle ; car, au premier mot que l'homme qui frappait de si irrévérente manière glissa tout bas à l'hôte du cabaret du pont de Sèvres, celui-ci ôta son bonnet de coton, et, tirant des révérences que son costume rendait singulièrement grotesques, il introduisit maître Gamain et son conducteur dans le petit cabinet où nous l'avons déjà vu, dégustant le bourgogne, sa liqueur favorite.

Mais, cette fois-ci, pour en avoir trop dégusté, maître Gamain était à peu près sans connaissance.

D'abord, comme cocher et chevaux avaient fait chacun ce qu'ils avaient pu, l'un de son fouet, les autres de leurs jambes, l'inconnu commença par s'acquitter envers eux en ajoutant une pièce de vingt-quatre sous, à titre de pourboire, à celle de six livres déjà donnée à titre de paiement.

Puis, voyant maître Gamain carrément assis sur une chaise, la tête appuyée au lambris avec une table devant sa personne, il s'était hâté de faire apporter par l'hôte deux bouteilles de vin et une carafe d'eau, et d'ouvrir lui-même la croisée et les volets pour changer l'air méphitique que l'on respirait à l'intérieur du cabaret.

Cette dernière précaution, dans une autre circonstance, eût été assez compromettante. En effet, tout observateur sait qu'il n'y a que les gens d'un certain monde qui aient besoin de respirer l'air dans les conditions où la nature le fait, c'est-à-dire composé de soixante et dix parties d'oxygène, de vingt et une parties d'azote, et de deux parties d'eau, — tandis que les gens du vulgaire, habitués à leurs habitations infectes, l'absorbent sans difficulté aucune, si chargé qu'il soit de carbone ou d'azote.

Par bonheur, personne n'était là pour faire une semblable observation. L'hôte lui-même, après avoir apporté avec assez d'empressement les deux bouteilles de vin et avec lenteur la carafe d'eau, l'hôte lui-même s'était respectueusement retiré, et avait laissé l'inconnu en tête à tête avec maître Gamain.

Le premier, comme nous l'avons vu, avait, tout d'abord, eu soin de renouveler l'air ; puis, avant même que la fenêtre fût refermée, il avait approché un flacon des narines dilatées et sifflantes du maître serrurier, en proie à ce dégoûtant sommeil de l'ivresse qui guérirait bien certainement les ivrognes de l'amour du vin, si, par un miracle de la puissance du Très-Haut, il était une seule fois donné aux ivrognes de se voir dormir.

En respirant l'odeur pénétrante de la liqueur contenue dans le flacon, maître Gamin avait rouvert les yeux tout grands, et avait immédiatement éternué avec fureur, puis il avait murmuré quelques paroles inintelligibles pour tout autre sans doute que le philologue exercé qui, en les écoutant avec une profonde attention, parvint à distinguer ces trois ou quatre mots :

— Le malheureux... il m'a empoisonné... empoisonné !...

L'inconnu parut reconnaître avec satisfaction que maître Gamain était toujours sous l'empire de la même idée ; il approcha le flacon de ses narines ; ce qui, rendant quelque force au digne fils de Noé, lui permit de compléter le sens de sa phrase, en ajoutant aux paroles déjà prononcées ces deux dernières paroles, accusation d'autant plus terrible qu'elle dénotait à la fois un abus de confiance et un oubli de cœur.

— Empoisonner un ami !... un ammi !...

— Le fait est que c'est horrible, observa l'inconnu.

— Horrible !... balbutia Gamain.

— Infâme ! reprit le n° 1.

— Infamme ! répéta le n° 2.

— Par bonheur, dit l'inconnu, j'étais là, moi, pour vous donner du contre-poison.

— Oui, par bonheur, murmura Gamain.

— Mais, comme une première dose ne suffit pas pour un pareil empoisonnement, continua l'inconnu, tenez, prenez encore cela.

Et, dans un demi-verre d'eau, il versa cinq ou six gouttes de la liqueur contenue dans le flacon, et qui n'était autre chose que de l'ammoniaque dissoute.

Puis il approcha le verre des lèvres de Gamain.

— Ah ! ah ! balbutia celui-ci, c'est à boire par la bouche ; j'aime mieux cela que par le nez.

Et il avala avidement le contenu du verre.

Mais à peine eut-il ingurgité la liqueur diabolique, qu'il ouvrit les yeux outre mesure, et s'écria entre deux éternuements :

— Ah ! brigand ! que m'as-tu donné là ? Pouah ! pouah !

— Mon cher, répondit l'inconnu, je vous ai donné une liqueur qui vous sauve tout bonnement la vie.

— Ah ! dit Gamain, si elle me sauve la vie, vous avez eu raison de me la donner ; mais, si vous appelez cela une liqueur, vous avez tort.

Et il éternua de nouveau, fronçant la bouche et écarquillant les yeux comme le masque de la tragédie antique.

L'inconnu profita de ce moment de pantomime pour aller fermer, non la fenêtre, mais les contrevents.

Ce n'était pas sans profit, au reste, que Gamain venait d'ouvrir les yeux une deuxième ou troisième fois. Pendant ce mouvement, si convulsif qu'il fût, le maître serrurier avait regardé autour de lui, et, avec ce sentiment de profonde reconnaissance qu'ont les ivrognes pour les murs d'un cabaret, il avait reconnu ceux-ci comme lui étant des plus familiers.

En effet, dans les fréquents voyages que son état l'obligeait de faire à Paris, il était rare que Gamain ne fît pas une halte au cabaret du pont de Sèvres. Cette halte, à un certain point de vue, pouvait même être regardée comme nécessaire, le cabaret en question marquant à peu près la moitié du chemin.

Cette reconnaissance produisit son effet ; elle rendit, d'abord, une grande confiance au maître serrurier, en lui prouvant qu'il était en pays ami.

— Eh ! eh ! fit-il, bon ! j'ai déjà fait la moitié de la route, à ce qu'il paraît.

— Oui, grâce à moi, dit l'inconnu.

— Comment, grâce à vous ? balbutia Gamain

portant ses regards des objets inanimés aux objets vivants ; grâce à vous ! Qui est-ce, vous ?

— Mon cher monsieur Gamain, dit l'inconnu, voilà une question qui me prouve que vous avez la mémoire courte.

Gamin regarda son interlocuteur avec plus d'attention encore que la première fois.

— Attendez donc, attendez donc, dit-il ; il me semble, en effet, que je vous ai déjà vu, vous.

— Ah ! vraiment ? C'est bien heureux ! Puisque la mémoire vous revient, je vous demanderai, si toutefois ce n'est pas une indiscrétion, ce que vous faisiez, il y a une heure, étendu tout de votre long en travers de la route, et à vingt pas d'une voiture de roulage qui allait vous couper en deux si je n'étais intervenu. Avez-vous des chagrins et aviez-vous pris la fatale résolution de vous suicider ?

— Me suicider, moi ? Ma foi, non. Ce que je faisais là, au milieu du chemin, couché sur le pavé ?... Êtes-vous bien sûr que j'étais là ?

— Parbleu ! regardez-vous.

Gamain jeta un coup d'œil sur lui-même.

— Oh ! oh ! fit-il, madame Gamain va un peu crier, elle qui me disait hier : « Ne mets donc pas ton habit neuf ; mets donc ta vieille veste ; c'est assez bon pour aller aux Tuileries. »

— Comment ! pour aller aux Tuileries ? dit l'inconnu. Vous veniez des Tuileries, quand je vous ai rencontré ?

Gamain se gratta la tête, cherchant à rappeler ses souvenirs encore tout bouleversés.

— Oui, oui, c'est cela, dit-il ; certainement que je venais des Tuileries. Pourquoi pas ? Ce n'est pas un mystère que j'ai été maître serrurier de M. Véto.

— Comment, M. Véto ? Qui donc appelez-vous M. Véto ?

— Ah ! bon ! Vous ne savez pas que c'est le roi qu'on appelle comme cela ? Eh bien, mais d'où venez-vous donc ? de la Chine ?

— Que voulez-vous ! moi, je fais mon état, et je ne m'occupe pas de politique.

— Vous êtes bien heureux ; moi, je m'en occupe malheureusement, ou plutôt on me force de m'en occuper ; c'est ce qui me perdra.

Et Gamain leva les yeux au ciel et poussa un soupir.

— J'ai peut-être eu tort de vous le dire ; mais, ma foi, tant pis ! vous n'êtes pas tout le monde, vous. Eh bien, oui, puisque je vous l'ai dit, je ne m'en dédis pas, j'ai été aux Tuileries.

— Et, reprit l'inconnu, vous avez travaillé avec le roi, qui vous a donné les vingt-cinq louis que vous avez dans votre poche.

— Hein ! fit Gamain ; en effet, j'avais vingt-cinq louis dans ma poche.

— Et vous les avez toujours, mon ami.

Gamain plongea vivement sa main dans les profondeurs de son gousset, et en tira une poignée d'or mêlée à de la menue monnaie d'argent et à quelques gros sous.

— Attendez donc, attendez donc, dit-il ; cinq, six, sept... bon ! et moi qui avais oublié cela... douze, treize, quatorze... c'est que vingt-cinq louis, c'est une somme... dix-sept, dix-huit, dix-neuf... une somme qui, par le temps qui court, ne se trouve pas sous le pied d'un cheval... vingt-trois, vingt-quatre, vingt-cinq ! Ah ! continua Gamain en respirant avec plus de liberté, Dieu merci, le compte y est.

— Quand je vous le disais, vous pouviez bien vous en rapporter à moi, ce me semble.

— A vous ? Et comment saviez-vous que j'avais vingt-cinq louis sur moi ?

— Mon cher monsieur Gamain, j'ai déjà eu l'honneur de vous dire que je vous avais rencontré couché au beau travers de la grande route, à vingt pas d'une voiture de roulage qui allait vous couper en deux. J'ai crié au voiturier d'arrêter ; j'ai appelé un fiacre qui passait ; j'ai détaché une des lanternes de sa voiture, et, en vous regardant à la lueur de cette lanterne, j'ai aperçu deux ou trois louis d'or qui roulaient sur le pavé. Comme ces louis étaient à portée de votre poche, je présumai qu'ils venaient d'en sortir. J'y introduisis les doigts, et, à une vingtaine d'autres louis que contenait votre poche, je reconnus que je ne me trompais pas ; mais, alors, le cocher secoua la tête et dit : « Non, monsieur, non. — Comment, non ? — Non, je ne prends pas cet homme-là. — Et pourquoi ne le prends-tu pas ? — Parce qu'il est trop riche pour son habit... Vingt-cinq louis en or dans la poche d'un gilet de velours de coton, ça sent la potence d'une lieue, monsieur ! — Comment ! dis-je, vous croyez avoir affaire à un voleur ? Il paraît que le mot vous frappa : « Voleur, dîtes-vous, voleur, moi ? — Sans doute, voleur, vous, reprit le cocher de fiacre ; si vous n'étiez pas un voleur, comment auriez-vous vingt-cinq louis dans votre poche ? — J'ai vingt-cinq louis dans ma poche, parce que mon élève, le roi de France, me les a donnés », répondîtes-vous. En effet, à ces paroles, je crus vous reconnaître ; j'approchai la lanterne de votre visage : « Eh ! m'écriai-je, tout s'explique ! C'est M. Gamain, maître serrurier à Versailles. Il vient de travailler avec le roi, et le roi lui a donné vingt-cinq louis pour sa peine. Allons ! j'en réponds. » Du moment où je répondais de vous, le cocher ne fit plus de difficulté. Je réintégrai dans votre poche les louis qui s'en étaient échappés ; on vous coucha proprement dans la voiture ; je montai sur le siège ; nous vous descendîmes dans ce cabaret, et vous voilà, ne vous plaignant, Dieu merci, de rien, que de l'abandon de votre apprenti.

— Moi, j'ai parlé de mon apprenti ? moi, je me suis plaint de son abandon ? s'écria Gamain de plus en plus étonné.

— Allons, bon ! voilà qu'il ne se rappelle plus ce qu'il vient de dire.

— Moi ?

— Comment ! vous n'avez pas dit là, à l'instant même : « C'est la faute de ce drôle de... » Je ne me rappelle plus le nom que vous avez dit...

— Louis Lecomte.

— C'est cela... Comment ! vous n'avez pas dit à l'instant même : « C'est la faute de ce drôle de Louis Lecomte, qui avait promis de revenir avec moi à Versailles, et qui, au moment de partir, m'a brûlé la politesse ? »

— Le fait est que j'ai bien pu dire tout cela, puisque c'est la vérité.

— Eh bien, alors, puisque c'est la vérité, pourquoi niez-vous ? Savez-vous qu'avec un autre que moi, toutes ces cachotteries-là, dans le temps où nous vivons, ce serait dangereux, mon cher ?

— Oui, mais avec vous..., dit Gamain câlinant l'inconnu.

— Avec moi ! qu'est-ce que ça veut dire ?

— Ça veut dire avec un ami.

— Ah ! oui, vous lui marquez grande confiance à votre ami. Vous lui dites oui et puis vous lui dites non ; vous lui dites : « C'est vrai », et puis : « Ça n'est pas vrai. »

— Eh bien, vous me croirez si vous voulez, il était question d'une porte.

— Chez le roi ?

— Chez le roi.

— Et vous me ferez entendre que le roi, qui se mêle de serrurerie, aura été vous chercher pour lui ferrer une porte ? Allons donc !

— C'est pourtant comme cela. Ah ! le pauvre homme ! Il est vrai qu'il se croyait assez fort pour se passer de moi. Il avait commencé sa serrure dar dar : « A quoi bon Gamain ? Pourquoi faire Gamain ? Est-ce qu'on a besoin de Gamain ? » Oui, mais on s'emberlificote dans les barbes, et il faut en revenir à ce pauvre Gamain !

— Alors, il vous a envoyé chercher par quelque

valet de chambre de confiance : par Hue, par Durey
ou par Weber ?

— Eh bien, justement voilà ce qui vous trompe.
Il avait pris, pour l'aider, un compagnon qui en
savait encore moins que lui ; de sorte qu'un beau
matin, le compagnon est venu à Versailles, et m'a
dit : « Voilà, père Gamain : nous avons voulu faire
une serrure, le roi et moi, et bonsoir ! la sacrée
serrure ne marche pas ! — Que voulez-vous que j'y
fasse ? ai-je répondu. — Que vous veniez la mettre
en état, parbleu ! » Et, comme je lui disais : « Ce
n'est pas vrai, vous ne venez pas de la part du roi ;
vous voulez m'attirer dans quelque piège », il m'a
dit : « Bon ! A preuve que le roi m'a chargé de vous
remettre vingt-cinq louis, afin que vous ne doutiez
pas. — Vingt-cinq louis ! ai-je dit ; où sont-ils ?
— Les voici. » Et il me les a donnés.

— Alors, ce sont les vingt-cinq louis que vous
avez sur vous ? demanda l'inconnu.

— Non ; ceux-là, c'en est d'autres. Les vingt-cinq
premiers, ça n'était qu'un à-compte.

— Peste ! cinquante louis pour retoucher une
serrure ! Il y a du mic-mac là-dessous, maître Gamain.

— C'est aussi ce que je me dis ; d'autant plus,
voyez-vous, que le compagnon...

— Eh bien, le compagnon ?

— Eh bien, ça m'a l'air d'un faux compagnon.
J'aurais dû le questionner, lui demander des détails
sur son tour de France et comment s'appelle la
mère à tous.

— Cependant, vous n'êtes pas homme à vous
tromper, quand vous voyez un apprenti à l'ouvrage.

— Je ne dis pas... Celui-ci maniait assez bien la
lime et le ciseau. Je l'ai vu couper à chaud une
barre de fer d'un seul coup, et percer un œillet
avec une queue-de-rat, comme il eût fait avec une
vrille dans une latte. Mais, voyez-vous, il y avait
dans tout cela plus de théorie que de pratique : il
n'avait pas plutôt fini son ouvrage, qu'il se lavait les

mains, et il ne se lavait pas plutôt les mains, qu'elles devenaient blanches. Est-ce que ça blanchit comme ça, des vraies mains de serrurier ? Ah bien, bon ! j'aurais beau laver les miennes, moi !...

Et Gamain montra avec orgueil ses mains noires et calleuses, qui, en effet, semblaient défier toutes les pâtes d'amande et tous les savons de la terre.

— Mais, enfin, reprit l'inconnu ramenant le serrurier au fait qui lui paraissait le plus intéressant, arrivé chez le roi, qu'avez-vous fait ?

— Il paraît d'abord que nous y étions attendus. On nous a fait entrer dans la forge : là, le roi m'a donné une serrure pas mal commencée, ma foi ! mais il restait embrouillé dans les barbes. Une serrure à trois barbes, voyez-vous, il n'y a pas beaucoup de serruriers capables de faire cela, et des rois à plus forte raison, comme vous comprenez bien. Je l'ai regardée ; j'ai vu le joint : j'ai dit : « C'est bon : laissez-moi seul une heure, et, dans une heure, ça marchera sur des roulettes. » Alors, le roi m'a répondu : « Va, Gamain, mon ami, tu es chez toi ; voilà les limes, voilà les étaux : travaille, mon garçon, travaille ; nous, nous allons préparer l'armoire. » Sur quoi, il est sorti avec ce diable de compagnon.

— Par le grand escalier ? demanda négligemment l'inconnu.

— Non ; par le petit escalier secret qui donne dans son cabinet de travail. Moi, quand j'ai eu fini, je me suis dit : « L'armoire est une frime ; ils sont enfermés ensemble à manigancer quelque complot. Je vais descendre tout doucement ; j'ouvrirai la porte de cabinet, vlan ! et je verrai un peu ce qu'ils font. »

— Et que faisaient-ils ? demanda l'inconnu.

— Ah bien, oui ! ils écoutaient probablement. Moi, je n'ai pas le pas d'un danseur, vous comprenez ? J'avais beau me faire le plus léger possible, l'escalier craquait sous mes pieds : ils m'ont entendu ;

ils ont fait comme s'ils venaient au devant de moi, et, au moment où j'allais mettre la main sur le bouton de la porte, crac ! la porte s'est ouverte. Qui est-ce qui a été enfoncé ? Gamain.

— De sorte que vous ne savez rien ?

— Attendez donc ! Ah ! ah ! a dit le roi, c'est toi ? — Oui, sire, ai-je répondu ; j'ai fini. — Et, nous aussi, nous avons fini, a-t-il dit ; viens, je vais te donner, maintenant, une autre besogne. » Et il m'a fait traverser rapidement le cabinet, mais pas si rapidement, cependant, que je n'aie vu, étendue tout au long sur une table, une grande carte que je crois une carte de France, attendu qu'elle avait trois fleurs de lis à un de ses coins.

— Et vous n'avez rien remarqué de particulier à cette carte de France ?

— Si fait : trois longues files d'épingles qui partaient du centre, et qui, en se côtoyant à quelque distance les unes des autres, s'avançaient vers l'extrémité : on aurait dit des soldats marchant à la frontière par trois routes différentes.

— En vérité, mon cher Gamain, dit l'inconnu jouant l'admiration, vous êtes d'une perspicacité à laquelle rien n'échappe... Et vous croyez qu'au lieu de s'occuper de leur armoire, le roi et votre compagnon venaient de s'occuper de cette carte ?

— J'en suis sûr, dit Gamain.

— Vous ne pouvez pas être sûr de cela.

— Si fait.

— Comment ?

— C'est bien simple : les épingles avaient des têtes en cire, — les unes en cire noire, les autres en cire bleue, les autres en cire rouge ; — eh bien, le roi tenait à la main et se nettoyait les dents, sans y faire attention, avec une épingle à tête rouge.

— Ah ! Gamain, mon ami, dit l'inconnu, si je découvre quelque nouveau système d'armurerie, je ne vous ferai pas entrer dans mon cabinet, ne fût-ce que pour le traverser, je vous en réponds !

— Attendez donc ! dit Gamain enchanté des éloges qu'il recevait, vous n'êtes pas au bout : il y avait réellement une armoire !

— Ah ! ah ! Et où cela ?

— Ah ! oui, où cela ! devinez un peu !... Creusée dans la muraille, mon cher ami !

— Dans quelle muraille ?

— Dans la muraille du corridor intérieur qui communique de l'alcôve du roi à la chambre du dauphin.

— Savez-vous que c'est très curieux, ce que vous me dites là ?... Et cette armoire était comme cela tout ouverte ?

— Je vous en souhaite !... C'est-à-dire que j'avais beau regarder de tous mes yeux, je ne voyais rien et je disais : « Eh bien, cette armoire, où est-elle donc ? » Alors, le roi jeta un coup d'œil autour de lui, et me dit : « Gamain, j'ai toujours eu confiance en toi : aussi je n'ai pas voulu qu'un autre que toi connût mon secret ; tiens ! » Et, en disant ces mots, tandis que l'apprenti nous éclairait, — car le jour ne pénètre pas dans ce corridor, — le roi leva un panneau de la boiserie, et j'aperçus un trou rond, ayant deux pieds de diamètre à peu près à son ouverture. Puis, comme il voyait mon étonnement : « Mon ami, dit-il en clignant de l'œil à notre compagnon, tu vois bien ce trou ? Je l'ai fait pour y cacher de l'argent ; ce jeune homme m'a aidé pendant les quatre ou cinq jours qu'il a passés au château. Maintenant, il faut appliquer la serrure à cette porte de fer, laquelle doit clore de manière à ce que le panneau reprenne sa place, et la dissimule comme il dissimulait le trou... As-tu besoin d'un aide ? ce jeune homme t'aidera ; peux-tu te passer de lui ? alors, je l'emploierai ailleurs, mais toujours pour mon service. — Oh ! répondis-je, vous savez bien que, quand je puis faire une besogne tout seul, je ne demande pas d'aide. Il y a ici quatre heures d'ouvrage pour un bon ouvrier, et moi, je suis maître, ce qui veut dire que, dans trois heures, tout sera fini. Allez donc à vos affaires, jeune homme, et, vous, aux vôtres, sire ; et, si vous avez quelque chose à cacher là, revenez dans trois heures. » Il faut croire, comme le disait le roi, qu'il avait pour notre compagnon de l'emploi ailleurs, car je ne l'ai pas revu ; le roi seul, au bout des trois heures, est venu me demander : « Eh bien, Gamain, où en sommes-nous ? — N, i, ni, c'est fini, sire, lui ai-je répondu. » Et je lui ai fait voir la porte, qui marchait que c'était un plaisir, sans jeter le plus petit cri, et la serrure, qui jouait comme un automate de M. Vaucanson. « Bon ! m'a-t-il dit ; alors, Gamain, tu vas m'aider à compter l'argent que je veux cacher là-dedans. » Et il a fait apporter quatre sacs de doubles louis par le valet de chambre, et il m'a dit : « Comptons. » Alors, j'en ai compté pour un million et lui pour un million ; après quoi, comme il en restait vingt-cinq de mécompte : « Tiens, Gamain, a-t-il dit, ces vingt-cinq louis-là, c'est pour ta peine » ; comme si ce n'était pas une honte de faire compter un million de louis à un pauvre homme qui a cinq enfants, et de lui en donner vingt-cinq en récompense !... Hein, qu'en dites-vous ?

L'inconnu fit un mouvement des lèvres.

— Le fait est que c'est mesquin, dit-il.

— Attendez donc, ce n'est pas le tout. Je prends les vingt-cinq louis, je les mets dans ma poche et je dis : « Merci bien, sire ! mais, avec tout cela, je n'ai ni bu ni mangé depuis le matin et je crève de soif, moi ! » Je n'avais pas achevé, que la reine entre par une porte masquée, de sorte que, tout d'un coup, comme cela, sans dire gare, elle se trouve devant moi : elle tenait à la main une assiette sur laquelle il y avait un verre de vin et une brioche. « Mon cher Gamain, me dit-elle, vous avez soif, buvez ce verre de vin ; vous avez faim, mangez cette brioche.
—Ah ! je lui dis en la saluant, madame la reine, il ne fallait pas vous déranger pour moi, ce n'était pas

la peine. » Dites donc, que pensez-vous de cela ? un verre de vin à un homme qui dit qu'il a soif, et une brioche à un homme qui dit qu'il a faim !... Qu'est-ce qu'elle veut qu'on fasse de ça, la reine ?... On voit bien que ça n'a jamais eu faim et jamais eu soif !... Un verre de vin !... si cela ne fait pas pitié !...

— Alors, vous l'avez refusé ?

— J'aurais mieux fait de le refuser... non, je l'ai bu. Quant à la brioche, je l'ai entortillée dans mon mouchoir, et je me suis dit : « Ce qui n'est pas bon pour le père est bon pour les enfants ! » Puis j'ai remercié Sa Majesté, comme cela en valait la peine, et je me suis mis en route en jurant qu'ils ne m'y reprendraient plus, aux Tuileries !...

— Et pourquoi dites-vous que vous eussiez mieux fait de refuser le vin ?

— Parce qu'il faut qu'ils aient mis du poison dedans ! A peine ai-je eu dépassé le pont Tournant que j'ai été pris d'une soif... mais d'une soif !... c'est au point qu'ayant la rivière à ma gauche et les marchands de vin à ma droite, j'ai hésité un instant si je n'irais pas à la rivière... Ah ! c'est là que j'ai vu la mauvaise qualité du vin qu'ils m'avaient donné : plus je buvais, plus j'avais soif ! Ça a duré comme cela jusqu'à ce que j'aie perdu connaissance. Aussi ils peuvent être tranquilles ; si jamais je suis appelé en témoignage contre eux, je dirai qu'ils m'ont donné vingt-cinq louis pour m'avoir fait travailler quatre heures et compter un million, et que, de peur que je ne dénonce l'endroit où ils cachent leur trésor, ils m'ont empoisonné comme un chien[1] !

— Et moi, mon cher Gamain, dit en se levant l'inconnu qui savait sans doute tout ce qu'il voulait savoir, j'appuierai votre témoignage, en disant que c'est moi qui vous ai donné le contre-poison grâce auquel vous avez été rappelé à la vie.

1. Ce fut, en effet, l'accusation que ce misérable porta devant la Convention contre la reine.

— Aussi, dit Gamain en prenant les mains de l'inconnu, entre nous deux, désormais, c'est à la vie, à la mort !

Et, refusant avec une sobriété toute spartiate le verre de vin que, pour la troisième ou quatrième fois, lui présentait cet ami inconnu auquel il venait de jurer une tendresse éternelle, Gamain, sur lequel l'ammoniaque avait fait son double effet en le dégrisant instantanément et en le dégoûtant pour vingt-quatre heures du vin, Gamain reprit la route de Versailles, où il arriva sain et sauf à deux heures du matin, avec les vingt-cinq louis du roi dans la poche de sa veste, et la brioche de la reine dans la poche de son habit.

Resté derrière lui dans le cabaret, l'inconnu avait tiré de son gousset des tablettes d'écaille incrustées d'or, et y avait crayonné cette double note :

Derrière l'alcôve du roi, dans le corridor noir, conduisant à la chambre du dauphin, — armoire de fer.

S'assurer si ce Louis Lecomte, garçon serrurier, ne serait pas tout simplement le comte Louis, fils du marquis de Bouillé, arrivé de Metz depuis onze jours.

Le surlendemain, grâce aux ramifications étranges que Cagliostro possédait dans toutes les classes de la société, et jusque dans le service du roi, il savait que le comte Louis de Bouillé était arrivé à Paris le 15 ou le 16 novembre ; avait été découvert par M. de La Fayette, son cousin, le 18 ; avait été présenté par lui au roi le même jour ; s'était offert comme compagnon serrurier à Gamain le 22 ; était resté chez lui trois jours ; le quatrième jour était parti avec lui de Versailles pour Paris ; avait été introduit sans difficulté près du roi ; était rentré dans le logement qu'il occupait près de son ami Achille du Chastelet, avait immédiatement changé de costume, et le même soir, était reparti en poste pour Metz.

RETOUR A LA FERME

Ramenons le lecteur, fatigué de tant de politique, vers des personnages plus humbles et des horizons plus frais.

Nous avons vu quelles craintes soufflées par Pitou au cœur de Billot, pendant le second voyage du La Fayette d'Haramont dans la capitale, rappelaient le fermier à la ferme, ou plutôt le père près de sa fille.

Ces inquiétudes n'étaient point exagérées.

Le retour avait lieu le surlendemain de la fameuse nuit où s'était passé le triple événement de la fuite de Sébastien Gilbert, du départ du vicomte Isidore de Charny, et de l'évanouissement de Catherine sur le chemin de Villers-Cotterets à Pisseleu.

Dans un autre chapitre de ce livre, nous avons raconté comment Pitou, après avoir rapporté Catherine à la ferme, après avoir appris d'elle, au milieu des larmes et des sanglots, que l'accident qui venait de la frapper avait été causé par le départ d'Isidore, était revenu à Haramont écrasé sous le poids de cet aveu, et, en rentrant chez lui, avait trouvé la lettre de Sébastien, et était immédiatement parti pour Paris.

A Paris, nous l'avons vu attendant le docteur Gilbert et Sébastien avec une telle inquiétude, qu'il n'avait pas même songé à parler à Billot de l'événement de la ferme.

Ce n'est que lorsqu'il avait été rassuré sur le sort de Sébastien en voyant revenir celui-ci rue Saint-Honoré avec son père, ce n'est que lorsqu'il avait appris de la bouche même de l'enfant les détails de son voyage, et comme quoi, ayant rencontré le vicomte Isidore, il avait été amené en croupe à Paris, qu'il s'était souvenu de Catherine, de la ferme et de la mère Billot, et qu'il avait parlé de la mauvaise récolte, des pluies continuelles, et de l'évanouissement de Catherine.

Nous avons dit que c'était cet évanouissement qui avait tout particulièrement frappé Billot et l'avait déterminé à demander à Gilbert un congé que celui-ci lui avait accordé.

Tout le long du chemin, Billot avait interrogé Pitou sur cet évanouissement, car il aimait bien sa ferme, le digne fermier, il aimait bien sa femme, le bon mari, mais ce qu'il aimait par-dessus toutes choses, c'était sa fille Catherine.

Et, cependant, grâce à ses invariables idées d'honneur, à ses invincibles principes de probité, cet amour, dans l'occasion, l'eût rendu juge aussi inflexible qu'il était tendre père.

Interrogé par lui, Pitou répondait.

Il avait trouvé Catherine en travers du chemin, muette, immobile, inanimée ; il l'avait crue morte ; il l'avait, désespéré, soulevée dans ses bras, posée sur ses genoux ; puis bientôt il s'était aperçu qu'elle respirait encore, et l'avait emportée tout courant à la ferme, où il l'avait, avec l'aide de la mère Billot, couchée sur son lit.

Là, tandis que la mère Billot se lamentait, il lui avait brutalement jeté de l'eau au visage. Cette fraîcheur avait fait rouvrir les yeux à Catherine ; ce que voyant, ajoutait Pitou, il avait jugé que sa présence n'était plus nécessaire à la ferme, et s'était retiré chez lui.

Le reste, c'est-à-dire tout ce qui avait rapport à Sébastien, le père Billot en avait entendu le récit une fois, et ce récit lui avait suffi.

Il en résultait que, revenant sans cesse à Catherine, Billot s'épuisait en conjectures sur l'accident qui lui était arrivé, et sur les causes probables de cet accident.

Ces conjectures se traduisaient en questions adressées à Pitou, questions auxquelles Pitou répondait diplomatiquement « Je ne sais pas. »

Et il y avait du mérite à Pitou à répondre : « Je ne sais pas » ; car Catherine, on se le rappelle, avait eu la cruelle franchise de lui tout avouer, et par conséquent, Pitou *savait*.

Il savait que, le cœur brisé par l'adieu d'Isidore, Catherine s'était évanouie à la place où il l'avait trouvée.

Mais voilà ce que, pour tout l'or du monde, il n'eût jamais dit au fermier.

C'est que, par comparaison, il s'était laissé prendre d'une grande pitié pour Catherine.

Pitou aimait Catherine, il l'admirait surtout ; nous avons vu, en temps et lieu, combien cette admiration et cet amour mal appréciés, et surtout mal récompensés, avaient amené de souffrances dans le cœur, et de transports dans l'esprit de Pitou.

Mais ces transports, si exaltés qu'ils fussent, ces douleurs, si aiguës qu'il les eût ressenties, tout en causant à Pitou des serrements d'estomac qui avaient été parfois jusqu'à reculer d'une heure, et même de deux heures, son déjeuner et son dîner, ces transports et ces douleurs, disons-nous, n'avaient jamais été jusqu'à la défaillance et l'évanouissement.

Donc, Pitou se posait ce dilemme plein de raison, qu'avec son habitude de logique, il divisait en trois parties :

« Si mademoiselle Catherine aime M. Isidore à s'évanouir quand il la quitte, elle aime donc M. Isidore plus que je ne l'aime, elle, mademoiselle Catherine, puisque je ne me suis jamais évanoui en la quittant. »

Puis, de cette première partie, il passait à la seconde, et se disait :

« Si elle l'aime plus que je ne l'aime, elle doit

donc plus souffrir encore que je n'ai souffert ; en ce cas, elle souffre beaucoup. »

D'où il passait à la troisième partie de son dilemme, c'est-à-dire à la conclusion, conclusion d'autant plus logique que, comme toute bonne conclusion, elle se rattachait à l'exorde.

« Et, en effet, elle souffre plus que je ne souffre, puisqu'elle s'évanouit, et que je ne m'évanouis pas. »

De là, cette grande pitié qui rendait Pitou muet, vis-à-vis de Billot, à l'endroit de Catherine, mutisme qui augmentait les inquiétudes de Billot, lesquelles, au fur et à mesure qu'elles augmentaient, se traduisaient plus clairement par les coups de fouet que le digne fermier appliquait sans relâche et à tour de bras sur les reins du cheval qu'il avait pris en location à Dammartin ; si bien qu'à quatre heures de l'après-midi, le cheval, la carriole et les deux voyageurs qu'elle contenait s'arrêtèrent devant la porte de la ferme, où les aboiements des chiens signalèrent bientôt leur présence.

A peine la voiture fut-elle arrêtée, que Billot sauta à terre et entra rapidement dans la ferme.

Mais un obstacle auquel il ne s'attendait pas se dressa sur le seuil de la chambre à coucher de sa fille.

C'était le docteur Raynal, dont nous avons déjà eu, ce nous semble, l'occasion de prononcer le nom dans le cours de cette histoire, lequel déclara que, dans l'état où se trouvait Catherine, toute émotion, non seulement était dangereuse, mais encore pouvait être mortelle. C'était un nouveau coup qui frappait Billot.

Il savait le fait de l'évanouissement ; mais, du moment que Pitou avait vu Catherine rouvrir les yeux et revenir à elle, il n'avait plus été préoccupé, si l'on peut s'exprimer ainsi, que des causes et des suites morales de l'événement.

Et voilà que le malheur voulait que, outre les

causes et les suites morales, il y eût encore un résultat physique.

Ce résultat physique était une fièvre cérébrale qui s'était déclarée la veille au matin, et qui menaçait de s'élever au plus haut degré d'intensité.

Le docteur Raynal était occupé à combattre cette fièvre cérébrale par tous les moyens qu'employaient, en pareil cas, les adeptes de l'ancienne médecine, c'est-à-dire par les saignées et les sinapismes.

Mais ce traitement, si actif qu'il fût, n'avait fait jusque-là que côtoyer pour ainsi dire la maladie ; la lutte venait de s'engager à peine entre le mal et le remède ; depuis le matin, Catherine était en proie à un violent délire.

Et, sans doute, dans ce délire, la jeune fille disait d'étranges choses ; car, sous prétexte de lui épargner des émotions, le docteur Raynal avait déjà éloigné d'elle sa mère, comme il tentait en ce moment d'éloigner son père.

La mère Billot était assise sur un escabeau, dans les profondeurs de l'immense cheminée ; elle avait la tête enfoncée entre ses mains, et semblait étrangère à tout ce qui se passait autour d'elle.

Cependant, insensible au bruit de la voiture, aux aboiements des chiens, à l'entrée de Billot dans la cuisine, elle se réveilla quand la voix de celui-ci, discutant avec le docteur, alla chercher sa raison noyée au fond de sa sombre rêverie.

Elle leva la tête, ouvrit les yeux, fixa son regard hébété sur Billot, et s'écria :

— Eh ! c'est notre homme !

Et, se levant, elle alla, toute trébuchante et les bras étendus, se jeter contre la poitrine de Billot.

Celui-ci la regarda d'un air effaré, comme s'il la reconnaissait à peine.

— Eh ! demanda-t-il la sueur de l'angoisse au front, que se passe-t-il donc ici ?

— Il se passe, dit le docteur Raynal, que votre

fille a ce que nous appelons une méningite aiguë, et que, lorsqu'on a cela, de même qu'il ne faut prendre que certaines choses, il ne faut voir que certaines personnes.

— Mais, demanda le père Billot, est-ce que c'est dangereux, cette maladie-là, monsieur Raynal ? est-ce que l'on en meurt ?

— On meurt de toutes les maladies, quand on est mal soigné, mon cher monsieur Billot ; mais laissez-moi soigner votre fille à ma façon, et elle n'en mourra pas.

— Bien vrai, docteur ?

— Je réponds d'elle ; mais il faut que, d'ici à deux ou trois jours, il n'y ait que moi et les personnes que j'indiquerai qui puissent entrer dans sa chambre.

Billot poussa un soupir ; on le crut vaincu ; mais, tentant un dernier effort :

— Ne puis-je du moins la voir ? demanda-t-il du ton dont un enfant eût demandé une dernière grâce.

— Et, si vous la voyez, si vous l'embrassez, me laisserez-vous trois jours tranquille et sans rien demander de plus ?

— Je vous le jure, docteur.

— Eh bien, venez.

Il ouvrit la porte de la chambre de Catherine, et le père Billot put voir la jeune fille, le front ceint d'un bandeau trempé dans de l'eau glacée, l'œil égaré, le visage ardent de fièvre.

Elle prononçait des paroles entrecoupées, et, quand Billot posa ses lèvres pâles et tremblantes sur son front humide, il lui sembla, au milieu de ces paroles incohérentes, saisir le nom d'Isidore.

Sur le seuil de la porte de la cuisine se groupaient la mère Billot les mains jointes, Pitou se soulevant sur la pointe de ses longs pieds pour regarder par-dessus l'épaule de la fermière, et deux ou trois journaliers qui, se trouvant là, étaient curieux de voir par eux-mêmes comment allait leur jeune maîtresse.

Fidèle à sa promesse, le père Billot se retira lorsqu'il eut embrassé son enfant ; seulement, il se retira le sourcil froncé, le regard sombre, et en murmurant :

— Allons, allons, je vois bien qu'en effet il était temps que je revinsse.

Et il rentra dans la cuisine, où sa femme le suivit machinalement, et où Pitou allait les suivre, quand le docteur le tira par le bas de sa veste, et lui dit :

— Ne quitte pas la ferme, j'ai à te parler.

Pitou se retourna tout étonné, et il allait s'enquérir auprès du docteur à quelle chose il lui pouvait être bon ; mais celui-ci posa mystérieusement, et en signe de silence, le doigt sur sa bouche.

Pitou demeura donc debout dans la cuisine, à l'endroit même où il était, simulant d'une façon plus grotesque que poétique ces dieux antiques qui, les pieds pris dans la pierre, marquaient aux particuliers la limite de leurs champs.

Au bout de cinq minutes, la porte de la chambre de Catherine se rouvrit, et l'on entendit la voix du docteur appelant Pitou.

— Hein ? fit celui-ci, tiré du plus profond du rêve où il paraissait plongé ; que me voulez-vous, monsieur Raynal ?

— Viens aider madame Clément à tenir Catherine, pendant que je vais la saigner une troisième fois.

— Une troisième fois ! murmura la mère Billot, il va saigner mon enfant pour la troisième fois ! Oh ! mon Dieu ! mon Dieu !

— Femme, femme, murmura Billot d'une voix sévère, tout cela ne serait point arrivé si vous aviez mieux veillé sur votre enfant !

Et il rentra dans sa chambre, d'où il était absent depuis trois mois, tandis que Pitou, élevé au rang d'élève en chirurgie par le docteur Raynal, entrait dans celle de Catherine.

PITOU GARDE-MALADE

Pitou était fort étonné d'être bon à quelque chose au docteur Raynal ; mais il eût été bien plus étonné encore si celui-ci lui eût dit que c'était plutôt un secours moral qu'un secours physique qu'il attendait de lui auprès de la malade.

En effet, le docteur avait remarqué que, dans son délire, Catherine accolait presque toujours le nom de Pitou à celui d'Isidore.

C'étaient, on s'en souviendra, les deux dernières figures qui avaient dû rester dans l'esprit de la jeune fille, Isidore quand elle avait fermé les yeux, Pitou quand elle les avait rouverts.

Cependant, comme la malade ne prononçait pas ces deux noms avec le même accent, et que le docteur Raynal — non moins observateur que son illustre homonyme l'auteur de l'*Histoire philosophique des deux Indes*, — s'était promptement dit à lui-même qu'entre ces deux noms, Isidore de Charny et Ange Pitou, prononcés avec un accent différent, mais cependant expressif, par une jeune fille, le nom d'Ange Pitou devait être celui de l'ami et le nom d'Isidore de Charny celui de l'amant, non seulement il n'avait vu aucun inconvénient, mais encore il avait vu un avantage à introduire près de la malade un ami avec qui elle pût parler de son amant.

Car, pour le docteur Raynal, — et quoique nous ne voulions rien lui ôter de sa perspicacité, nous nous hâterons de dire que c'était chose facile ; — car, pour le docteur Raynal, tout était clair comme le jour, et il n'avait eu, comme dans ces causes où les médecins font de la médecine légale, qu'à grouper les faits pour que la vérité tout entière apparût à ses yeux.

Tout le monde savait, à Villers-Cotterets, que, dans la nuit du 5 au 6 octobre, Georges de Charny avait été tué à Versailles ; et que, dans la soirée du lendemain, son frère Isidore, mandé par le comte de Charny, était parti pour Paris.

Or, Pitou avait trouvé Catherine évanouie sur le chemin de Boursonne à Paris. Il l'avait rapportée sans connaissance à la ferme ; à la suite de cet événement, la jeune fille avait été prise de la fièvre cérébrale. Cette fièvre cérébrale avait amené le délire ; dans ce délire, elle s'efforçait de retenir un fugitif, et, ce fugitif, elle l'appelait Isidore.

On voit donc que c'était chose facile au docteur de deviner le secret de la maladie de Catherine, qui n'était autre que le secret de son cœur.

Dans cette conjoncture, le docteur s'était fait ce raisonnement :

Le premier besoin d'un malade pris par le cerveau est le calme.

Qui peut amener le calme dans le cœur de Catherine ? C'est d'apprendre ce qu'est devenu son amant.

A qui peut-elle demander des nouvelles de son amant ? A celui qui peut en savoir.

Et quel est celui qui peut en savoir ? Pitou, qui arrive de Paris.

Le raisonnement était à la fois simple et logique : aussi le docteur l'avait-il fait sans effort.

Cependant, ce fut bien à l'office d'aide-chirurgien qu'il occupa d'abord Pitou ; seulement, pour cet office, il eût parfaitement pu se passer de lui, attendu que c'était, non pas une saignée à faire, mais simplement l'ancienne à rouvrir.

Le docteur tira doucement le bras de Catherine hors du lit, enleva le tampon qui comprimait la cicatrice, écarta avec les deux pouces les chairs mal jointes, et le sang jaillit.

Et voyant ce sang pour lequel il eût avec joie donné le sien, Pitou sentit les forces lui manquer.

Il alla s'asseoir dans le fauteuil de madame Clément, les mains sur ses yeux, sanglotant et, à chaque sanglot, tirant du fond de son cœur ces mots :

— Oh ! mademoiselle Catherine ! pauvre mademoiselle Catherine !

Et, à chacun de ces mots, il se disait mentalement à lui-même, par ce double travail de l'esprit qui opère à la fois sur le présent et sur le passé :

— Oh ! bien certainement qu'elle aime M. Isidore plus que je ne l'aime elle-même ! bien certainement qu'elle souffre plus que je n'ai jamais souffert, puisqu'on est obligé de la saigner parce qu'elle a la fièvre cérébrale et le délire, deux choses fort désagréables à avoir, et que je n'ai jamais eues !

Et, tout en tirant deux nouvelles palettes de sang à Catherine, le docteur Raynal, qui ne perdait pas de vue Pitou, se félicitait d'avoir si bien deviné que la malade avait en lui un ami dévoué.

Comme l'avait pensé le docteur, cette petite émission de sang calma la fièvre : les artères des tempes battirent plus doucement ; la poitrine se dégagea ; la respiration, qui était sifflante, redevint douce et égale ; le pouls tomba de cent dix pulsations à quatre-vingt-cinq, et tout indiqua pour Catherine une nuit assez tranquille.

Le docteur Raynal respira donc à son tour ; il fit à madame Clément les recommandations nécessaires, et, entre autres, cette recommandation étrange de dormir deux ou trois heures, tandis que Pitou veillerait à sa place, et, faisant signe à Pitou de le suivre, il rentra dans la cuisine.

Pitou suivit le docteur, qui trouva la mère Billot ensevelie dans l'ombre du manteau de la cheminée.

La pauvre femme était tellement abasourdie, qu'à

peine put-elle comprendre ce que lui disait le docteur.

C'étaient, cependant, de bonnes paroles pour le cœur d'une mère.

— Allons ! allons ! du courage, mère Billot, dit le docteur, cela va aussi bien que cela peut aller.

La bonne femme sembla revenir de l'autre monde.

— Oh ! cher monsieur Raynal, est-ce bien vrai, ce que vous dites là ?

— Oui, la nuit ne sera pas mauvaise. Ne vous inquiétez pas, pourtant, si vous entendiez encore quelques cris dans la chambre de votre fille, et surtout n'y entrez pas.

— Mon Dieu ! mon Dieu ! dit la mère Billot avec un accent de profonde douleur, c'est bien triste, qu'une mère ne puisse pas entrer dans la chambre de sa fille.

— Que voulez-vous ! dit le docteur, c'est ma prescription absolue ; ni vous, ni M. Billot.

— Mais qui donc va avoir soin de ma pauvre enfant ?

— Soyez tranquille. Vous avez, pour cela, madame Clément et Pitou.

— Comment ! Pitou ?

— Oui, Pitou ; j'ai reconnu en lui, tout à l'heure, d'admirables dispositions à la médecine. Je l'emmène à Villers-Cotterets, où je vais faire préparer une potion par le pharmacien. Pitou rapportera la potion ; madame Clément la fera prendre à la malade cuillerée par cuillerée, et, s'il survenait quelque accident, Pitou, qui veillera Catherine avec madame Clément, prendrait ses longues jambes à son cou et serait chez moi en dix minutes ; — n'est-ce pas, Pitou ?

— En cinq, monsieur Raynal, dit Pitou avec une confiance en lui-même qui ne devait laisser aucun doute dans l'esprit de ses auditeurs.

— Vous voyez, madame Billot ! dit le docteur Raynal.

— Eh bien, soit, dit la mère Billot, cela ira ainsi ; seulement, dites un mot de votre espoir au pauvre père.

— Où est-il ? demanda le docteur.

— Ici, dans la chambre à côté.

— Inutile, dit une voix du seuil de la porte, j'ai tout entendu.

Et, en effet, les trois interlocuteurs, qui se retournèrent en tressaillant à cette réponse inattendue, virent le fermier pâle et debout dans l'encadrement sombre.

Puis, comme si c'eût été tout ce qu'il avait à écouter et à dire, Billot rentra chez lui, ne faisant aucune observation sur les arrangements pris pour la nuit par le docteur Raynal.

Pitou tint parole : au bout d'un quart d'heure, il était de retour avec la potion calmante ornée de son étiquette, et assurée par le cachet de maître Pacquenaud, docteur pharmacien de père en fils, à Villers-Cotterets.

Le messager traversa la cuisine et entra dans la chambre de Catherine, non seulement sans empêchement aucun, mais encore sans autre allocution faite de la part de personne que ces mots qui lui furent adressés par madame Billot :

— Ah ! c'est toi, Pitou ?

Et sans autre réponse de lui que celle-ci :

— Oui, c'est moi.

Catherine dormait, comme l'avait prévu le docteur Raynal, d'un sommeil assez calme ; auprès d'elle, étendue dans un grand fauteuil et les pieds sur les chenets, se tenait la garde-malade, en proie à cet état de somnolence particulier à cette honorable classe de la société, qui, n'ayant pas le droit de dormir tout à fait, ni la force de rester bien éveillée, semble comme ces âmes à qui il est défendu de descendre jusqu'aux Champs Élysées, et qui, ne pouvant remonter jusqu'au jour, errent éternellement sur les limites de la veille et du sommeil.

Elle reçut, dans cet état de somnambulisme qui lui était habituel, le flacon des mains de Pitou, le déboucha, le posa sur la table de nuit, et plaça tout auprès la cuiller d'argent, afin que la malade attendît le moins longtemps possible à l'heure du besoin.

Puis elle alla s'étendre sur son fauteuil.

Quant à Pitou, il s'assit sur le rebord de la fenêtre pour voir Catherine tout à son aise.

Ce sentiment de miséricorde qui l'avait pris en songeant à Catherine n'avait pas, comme on le comprend bien, diminué en la voyant. Maintenant qu'il lui était permis, pour ainsi dire, de toucher le mal du doigt, et de juger quel terrible ravage pouvait faire cette chose abstraite qu'on appelle l'amour, il était plus que jamais disposé à sacrifier son amour, à lui, qui lui paraissait de si facile composition, auprès de cet amour exigeant, fiévreux, terrible, dont lui semblait atteinte la jeune fille.

Ces pensées le mettaient insensiblement dans la disposition d'esprit où il avait besoin d'être pour favoriser le plan du docteur Raynal.

En effet, le brave homme avait pensé que le remède dont avait surtout besoin Catherine était ce topique qu'on appelle un confident.

Ce n'était peut-être pas un grand médecin, mais c'était, à coup sûr, comme nous l'avons dit, un grand observateur que le docteur Raynal.

Une heure environ après la rentrée de Pitou, Catherine s'agita, poussa un soupir et ouvrit les yeux.

Il faut rendre cette justice à madame Clément, qu'au premier mouvement qu'avait fait la malade, elle était debout près d'elle, balbutiant :

— Me voilà, mademoiselle Catherine ; que désirez-vous ?

— J'ai soif, murmura la malade revenant à la vie

par une douleur physique, et au sentiment par un besoin matériel.

Madame Clément versa dans la cuiller quelques gouttes du calmant apporté par Pitou, introduisit la cuiller entre les lèvres sèches et les dents serrées de Catherine, qui machinalement avala la liqueur adoucissante.

Puis Catherine retomba la tête sur son oreiller, et madame Clément, satisfaite de la conviction d'un devoir rempli, alla s'étendre de nouveau sur son fauteuil.

Pitou poussa un soupir ; il croyait que Catherine ne l'avait pas même vu.

Pitou se trompait ; quand il avait aidé madame Clément à la soulever, en buvant les quelques gouttes de breuvage, en se laissant retomber sur son oreiller, Catherine avait entr'ouvert les yeux, et, de ce regard morbide qui avait glissé entre ses paupières, elle avait cru apercevoir Pitou.

Mais, dans le délire de la fièvre qui la tenait depuis trois jours, elle avait vu tant de fantômes qui n'avaient fait qu'apparaître et s'évanouir, qu'elle traita le Pitou réel comme un Pitou fantastique.

Le soupir que venait de pousser Pitou n'était donc pas tout à fait exagéré.

Cependant l'apparition de cet ancien ami, pour lequel Catherine avait été parfois si injuste, avait fait sur la malade une impression plus profonde que les précédentes, et, quoiqu'elle restât les yeux fermés, il lui semblait, avec un esprit, du reste, plus calme et moins fiévreux, voir devant elle le brave voyageur que le fil si souvent brisé de ses idées lui représentait comme étant près de son père à Paris.

Il en résulta que, tourmentée de l'idée que, cette fois, Pitou était une réalité et non une évocation de sa fièvre, elle rouvrit timidement les yeux, et chercha si celui qu'elle avait vu était toujours à la même place.

Il va sans dire qu'il n'avait pas bougé.

En voyant les yeux de Catherine se rouvrir et s'arrêter sur lui, le visage de Pitou s'était illuminé ; en voyant ses yeux se reprendre à la vie et à l'intelligence, Pitou étendit les bras.

— Pitou ! murmura la malade.

— Mademoiselle Catherine ! s'écria Pitou.

— Hein ? fit madame Clément en se retournant.

Catherine jeta un regard inquiet sur la garde-malade, et laissa retomber, avec un soupir, sa tête sur l'oreiller.

Pitou devina que la présence de madame Clément gênait Catherine.

Il alla à elle.

— Madame Clément, lui dit-il tout bas, ne vous privez pas de dormir ; vous savez bien que M. Raynal m'a fait rester pour veiller mademoiselle Catherine, et afin que vous puissiez prendre un instant de repos pendant ce temps-là ?

— Ah ! oui, c'est vrai, dit madame Clément.

Et, en effet, comme si elle n'eût attendu que cette permission, la brave femme s'affaissa dans son fauteuil, poussa un soupir à son tour, et, après un instant de silence, indiqua par un ronflement timide d'abord, mais qui, s'enhardissant de plus en plus, finit, au bout de quelques minutes, par dominer entièrement la situation, qu'elle entrait à pleines voiles dans le pays enchanté du sommeil, qu'elle ne parcourait ordinairement qu'en rêve.

Catherine avait suivi le mouvement de Pitou avec un certain étonnement, et, avec l'acuité particulière aux malades, elle n'avait pas perdu un mot de ce que Pitou avait dit à madame Clément.

Pitou demeura un instant près de la garde-malade, comme pour s'assurer que son sommeil était bien réel ; puis, lorsqu'il n'eut plus de doute à cet égard, il s'approcha de Catherine, en secouant la tête et laissant tomber ses bras.

— Ah ! mademoiselle Catherine, dit-il, je savais

bien que vous l'aimiez, mais je ne savais pas que vous l'aimiez tant que cela !

PITOU CONFIDENT

Pitou prononça ces paroles de telle façon, que Catherine y put voir tout à la fois l'expression d'une grande douleur et la preuve d'une grande bonté.

Ces deux sentiments émanés en même temps du cœur du brave garçon, qui la regardait d'un œil si triste, touchèrent la malade à un degré égal.

Tant qu'Isidore avait habité Boursonne, tant qu'elle avait senti son amant à trois quarts de lieue d'elle, tant qu'elle avait été heureuse enfin, Catherine, sauf quelques petites contrariétés soulevées par la persistance de Pitou à l'accompagner dans ses courses, sauf quelques légères inquiétudes causées par certains paragraphes des lettres de son père, Catherine, disons-nous, avait enfoui son amour en elle-même comme un trésor dont elle se serait bien gardée de laisser tomber la moindre obole dans un autre cœur que le sien. Mais Isidore parti, mais Catherine esseulée, mais le malheur se substituant à la félicité, la pauvre enfant cherchait en vain un courage égal à son égoïsme, et elle comprenait qu'il y aurait pour elle un grand soulagement à rencontrer quelqu'un avec qui elle pût parler du beau gentilhomme qui venait de la quitter, sans avoir rien pu lui dire de positif sur l'époque de son retour.

Or, elle ne pouvait parler d'Isidore ni à madame Clément, ni au docteur Raynal, ni à sa mère, et elle souffrait vivement d'être condamnée à ce silence, quand tout à coup, au moment où elle s'en doutait le moins, la Providence mettait devant ses yeux, qu'elle venait de rouvrir à la vie et à la raison, un ami dont elle avait pu douter un instant lorsqu'il s'était tu, mais dont elle ne pouvait plus douter aux premières paroles qu'il prononçait.

Aussi, à ces mots de compassion si péniblement échappés au cœur du pauvre neveu de la tante Angélique, Catherine répondit-elle sans chercher le moins du monde à cacher ses sentiments :

— Ah ! monsieur Pitou, je suis bien malheureuse, allez !

Dès lors, la digue était rompue d'un côté, et le courant établi de l'autre.

— En tout cas, mademoiselle Catherine, continua Pitou, quoique ça ne me fasse pas grand plaisir de parler de M. Isidore, si ça doit vous être agréable, je puis vous donner de ses nouvelles.

— Toi ? demanda Catherine.

— Oui, moi, dit Pitou.

— Tu l'as donc vu ?

— Non, mademoiselle Catherine, mais je sais qu'il est arrivé en bonne santé à Paris.

— Et comment sais-tu cela ? demanda-t-elle le regard tout brillant d'amour.

Ce regard fit pousser un gros soupir à Pitou ; mais il n'en répondit pas moins avec sa conscience ordinaire :

— Je sais cela, mademoiselle, par mon jeune ami Sébastien Gilbert, que M. Isidore a rencontré de nuit un peu au-dessus de la Fontaine-Eau-Claire, et qu'il a amené en croupe à Paris.

Catherine fit un effort, se souleva sur son coude, et, regardant Pitou :

— Ainsi, demanda vivement Catherine, il est à Paris ?

— C'est-à-dire, objecta Pitou, il ne doit plus y être à présent.

— Et où doit-il être ? fit languissamment la jeune fille.

— Je ne sais pas. Ce que je sais seulement, c'est

qu'il devait partir en mission pour l'Espagne ou pour l'Italie.

Catherine, à ce mot *partir*, laissa retomber sa tête sur son oreiller avec un soupir qui fut bientôt suivi d'abondantes larmes.

— Mademoiselle, dit Pitou, à qui cette douleur de Catherine brisait le cœur, si vous tenez absolument à savoir où il est, je puis m'en informer.

— A qui ? demanda Catherine.

— A M. le docteur Gilbert, qui l'avait quitté aux Tuileries... ou bien encore, si vous aimez mieux, ajouta Pitou en voyant que Catherine secouait la tête en signe de remerciement négatif, je puis retourner à Paris, et prendre des renseignements... Oh ! mon Dieu, ce sera bien vite fait ; c'est l'affaire de vingt-quatre heures.

Catherine étendit sa main fiévreuse et la présenta à Pitou, qui, ne devinant pas la faveur qui lui était accordée, ne se permit pas de la toucher.

— Eh bien, monsieur Pitou, lui demanda Catherine en souriant, est-ce que vous avez peur d'attraper ma fièvre ?

— Oh ! excusez, mademoiselle Catherine, dit Pitou pressant la main moite et humide de la jeune fille entre ses deux grosses mains, c'est que je ne comprenais pas, voyez-vous ! Ainsi vous acceptez ?

— Non, au contraire, Pitou, je te remercie. C'est inutile ; il est impossible que je ne reçoive pas une lettre de lui demain matin.

— Une lettre de lui ! dit vivement Pitou.

Puis il s'arrêta comme regardant avec inquiétude autour de lui.

— Eh bien, oui, une lettre de lui, dit Catherine cherchant elle-même du regard la cause qui pouvait troubler ainsi l'âme placide de son interlocuteur.

— Une lettre de lui ! ah diable ! répéta Pitou en se mordant les ongles comme fait un homme embarrassé.

— Mais, sans doute, une lettre de lui. Que trouvez-vous d'étonnant à ce qu'il m'écrive, reprit Catherine, vous qui savez tout, ou, ajouta-t-elle à voix basse, à peu près tout ?...

— Je ne trouve pas étonnant qu'il vous écrive... S'il m'était permis de vous écrire, Dieu sait que je vous écrirais bien aussi moi, et de longues lettres même ; mais j'ai peur...

— Peur de quoi, mon ami ?

— Que la lettre de M. Isidore ne tombe entre les mains de votre père.

— De mon père ?

Pitou fit de la tête un triple signe qui voulait dire trois fois oui.

— Comment ! de mon père ? demanda Catherine de plus en plus étonnée. Mon père n'est-il pas à Paris ?

— Votre père est à Pisseleu, mademoiselle Catherine, à la ferme, ici, dans la chambre d'à côté. Seulement, M. Raynal lui a défendu d'entrer dans votre chambre, à cause du délire, a-t-il dit, et je crois qu'il a bien fait.

— Et pourquoi a-t-il bien fait ?

— Mais parce que M. Billot ne me paraît pas tendre à l'endroit de M. Isidore, et que, pour une fois que vous avez prononcé son nom et qu'il l'a entendu, il a fait une rude grimace, je vous en réponds.

— Ah ! mon Dieu, mon Dieu ! murmura Catherine toute frissonnante, que me dites-vous là, monsieur Pitou ?

— La vérité... Je l'ai même entendu grommeler entre ses dents : « C'est bien, c'est bien, on ne dira rien tant qu'elle sera malade ; mais après, on verra ! »

— Monsieur Pitou ! dit Catherine en saisissant, cette fois, la main de Pitou avec un geste si véhément, que ce fut au brave garçon de tressaillir à son tour.

— Mademoiselle Catherine ! répondit-il.

— Vous avez raison, il ne faut pas que ses lettres

tombent entre les mains de mon père... Mon père me tuerait !

— Vous voyez bien, vous voyez bien, dit Pitou. C'est qu'il n'entend pas raison sur la bagatelle, le père Billot.

— Mais comment faire ?

— Dame ! indiquez-moi cela, mademoiselle.

— Il y a bien un moyen.

— Alors, dit Pitou, s'il y a un moyen, il faut l'employer.

— Mais je n'ose, dit Catherine.

— Comment ! vous n'osez ?

— Je n'ose vous dire ce qu'il faudrait faire.

— Quoi ! le moyen dépend de moi, et vous n'osez pas me le dire ?

— Dame ! monsieur Pitou...

— Ah ! fit Pitou, ce n'est pas bien, mademoiselle Catherine, et je n'aurais pas cru que vous eussiez manqué de confiance en moi.

— Je ne manque pas de confiance en toi, mon cher Pitou, dit Catherine.

— Ah ! à la bonne heure ! répondit Pitou, doucement caressé par la familiarité croissante de Catherine.

— Mais ce sera bien de la peine pour toi, mon ami.

— Oh ! si ce n'est que de la peine pour moi, dit Pitou, il ne faut pas vous embarrasser de cela, mademoiselle Catherine.

— Tu consens donc d'avance à faire ce que je te demanderai ?

— Bien certainement. Dame ! cependant, à moins que ce ne soit impossible.

— C'est très facile, au contraire.

— Eh bien, si c'est très facile, dites.

— Il faudrait aller chez la mère Colombe.

— La marchande de sucre d'orge ?

— Oui, qui est en même temps factrice de la poste aux lettres.

— Ah! je comprends... et je lui dirai de ne remettre les lettres qu'à vous?

— Tu lui diras de ne remettre mes lettres qu'à toi, Pitou.

— A moi? dit Pitou. Ah! oui, je n'avais pas compris d'abord.

Et il poussa un troisième ou quatrième soupir.

— C'est ce qu'il y a de plus sûr, tu conçois bien, Pitou?... A moins que tu ne veuilles pas me rendre ce service.

— Moi vous refuser, mademoiselle Catherine? Ah! par exemple!

— Merci, alors, merci!

— J'irai... j'irai bien certainement, à partir de demain.

— C'est trop tard, demain, mon cher Pitou; il faudrait y aller à partir d'aujourd'hui.

— Eh bien, mademoiselle, soit; à partir d'aujourd'hui, à partir de ce matin, à partir de tout de suite!

— Que tu es un brave garçon, Pitou! dit Catherine, et que je t'aime!

— Oh! mademoiselle Catherine, dit Pitou, ne me dites pas des choses pareilles, vous me feriez passer dans le feu.

— Regarde l'heure qu'il est, Pitou, dit Catherine.

Pitou s'approcha de la montre de la jeune fille, qui était pendue à la cheminée.

— Cinq heures et demie du matin, mademoiselle, dit-il.

— Eh bien, fit Catherine, mon bon ami Pitou...

— Eh bien, mademoiselle?

— Il serait peut-être temps...

— D'aller chez la mère Colombe?... A vos ordres, mademoiselle. Mais il faudrait prendre un peu de la potion: le docteur avait recommandé une cuillerée toutes les demi-heures.

— Ah! mon cher Pitou, dit Catherine se versant une cuillerée du breuvage pharmaceutique, et regardant Pitou avec des yeux qui lui firent fondre le cœur, ce que tu fais pour moi vaut mieux que tous les breuvages du monde !

— C'est donc cela que le docteur Raynal disait que j'avais de si grandes dispositions à être élève en médecine !

— Mais où diras-tu que tu vas, Pitou, pour qu'on ne se doute de rien à la ferme ?

— Oh ! quant à cela, soyez tranquille.

Et Pitou prit son chapeau.

— Faut-il que je réveille madame Clément ? demanda-t-il.

— Oh ! c'est inutile, laisse-la dormir, la pauvre femme... Je n'ai, maintenant, besoin de rien... que...

— Que... de quoi ? demanda Pitou.

Catherine sourit.

— Ah ! oui, j'y suis, murmura le messager d'amour... que de la lettre de M. Isidore.

Puis, après un instant de silence :

— Eh bien, soyez tranquille, si elle y est, vous l'aurez ; si elle n'y est pas...

— Si elle n'y est pas ? demanda anxieusement Catherine.

— Si elle n'y est pas... pour que vous me regardiez encore comme vous me regardiez tout à l'heure, pour que vous me souriiez encore comme vous venez de me sourire, pour que vous m'appeliez encore votre cher Pitou et votre bon ami... si elle n'y est pas, eh bien, j'irai la chercher à Paris.

— Bon et excellent cœur ! murmura Catherine en suivant des yeux Pitou, qui sortait.

Puis, épuisée de cette longue conversation, elle retomba la tête sur son oreiller.

Au bout de dix minutes, il eût été impossible à la jeune fille de se dire à elle-même si ce qui venait de se passer était une réalité amenée par le retour de sa raison, ou un rêve enfanté par son délire ; mais ce dont elle était sûre, c'est qu'une fraîcheur vivifiante et douce se répandait de son cœur aux

extrémités les plus éloignées de ses membres fiévreux et endoloris.

Au moment où Pitou traversa la cuisine, la mère
Billot leva la tête.

La mère Billot ne s'était pas couchée et n'avait
pas dormi depuis trois jours.

Depuis trois jours, elle n'avait pas quitté cet
escabeau enterré sous le manteau de la cheminée,
d'où ses yeux pouvaient, à défaut de sa fille, près de
laquelle il lui était défendu de pénétrer, voir au
moins la porte de la chambre de sa fille.

— Eh bien ? demanda-t-elle.

— Eh bien, mère Billot, cela va mieux, dit Pitou.

— Où vas-tu alors ?

— Je vais à Villers-Cotterets.

— Et qu'y vas-tu faire ?

Pitou hésita un instant ; Pitou n'était pas l'homme
de l'à-propos.

— Ce que je vais y faire ?... répéta-t-il pour gagner
du temps.

— Oui, dit la voix du père Billot, ma femme te
demande ce que tu vas y faire ?

— Je vais prévenir le docteur Raynal.

— Le docteur Raynal t'avait dit de ne le prévenir
que s'il y avait du nouveau.

— Eh bien, dit Pitou, puisque mademoiselle
Catherine va mieux, il me semble que c'est du
nouveau.

Soit que le père Billot trouvât la réponse de Pitou
péremptoire, soit qu'il ne voulût pas se montrer
trop difficile pour un homme qui, au bout du
compte, lui apportait une bonne nouvelle, il ne fit
pas d'autre objection au départ de Pitou.

Pitou passa donc, tandis que le père Billot rentrait
dans sa chambre, et que la mère Billot laissait
retomber sa tête sur sa poitrine.

Pitou arriva à Villers-Cotterets à six heures moins
un quart du matin.

Il réveilla scrupuleusement le docteur Raynal

pour lui dire que Catherine allait mieux, et lui demander ce qu'il y avait de nouveau à faire.

Le docteur l'interrogea sur sa nuit de garde, et, au grand étonnement de Pitou, qui, cependant, mit dans ses réponses toute la circonspection possible, le brave garçon s'aperçut bientôt que le docteur savait ce qui s'était passé entre lui et Catherine aussi couramment à peu près que s'il eût, dans quelque coin de la chambre, derrière les rideaux de la fenêtre ou du lit, assisté à sa conversation avec la jeune fille.

Le docteur Raynal promit de passer dans la journée à la ferme, recommanda pour toute ordonnance que l'on servît à Catherine *toujours du même tonneau*, et congédia Pitou, lequel réfléchit fort longtemps à ces paroles énigmatiques, et finit par comprendre que le docteur lui recommandait de continuer à parler à la jeune fille du vicomte Isidore de Charny.

Puis, de chez le docteur, il alla chez la mère Colombe. La factrice demeurait au bout de la rue de Lormet, c'est-à-dire à l'autre extrémité de la ville.

Il arriva comme elle ouvrait sa porte.

La mère Colombe était une grande amie de la tante Angélique ; mais cette amitié pour la tante ne l'empêchait point d'apprécier le neveu.

En entrant dans la boutique de la mère Colombe, pleine de pain d'épice et de sucre d'orge, Pitou comprit, pour la première fois, que, s'il voulait réussir dans sa négociation et se faire livrer par la factrice les lettres de mademoiselle Catherine, il fallait employer, sinon la corruption, du moins la séduction.

Il acheta deux bouts de sucre d'orge et un pavé de pain d'épice.

Puis, cette acquisition faite et payée, il hasarda sa demande.

Il y avait des difficultés graves.

Les lettres ne devaient être remises qu'aux personnes à qui elles étaient adressées, ou tout au moins à des fondés de pouvoir et porteurs de procurations écrites.

La mère Colombe ne doutait pas de la parole de Pitou, mais elle exigeait une procuration écrite.

Pitou vit qu'il fallait faire un sacrifice.

Il promit d'apporter le lendemain le reçu de la lettre, s'il y avait une lettre, plus une autorisation de recevoir pour Catherine les autres lettres à venir.

Promesse qu'il accompagna d'un second achat de sucre d'orge et de pain d'épice.

Le moyen de rien refuser à la main qui étrenne, et surtout qui étrenne d'une façon si libérale !

La mère Colombe ne fit que de faibles objections, et finit par autoriser Pitou à la suivre à la poste où elle lui remettrait la lettre de Catherine, si une lettre était arrivée pour elle.

Pitou la suivit en mangeant ses deux pavés de pain d'épice, et en suçant ses quatre bâtons de sucre d'orge.

Jamais, au grand jamais, il ne s'était permis une pareille débauche ; mais, on le sait, grâce aux libéralités du docteur Gilbert, Pitou était riche.

En traversant la grande place, il monta sur les barreaux de la fontaine, appliqua sa bouche à l'un des quatre jets qui s'en échappaient à cette époque, et, pendant cinq minutes, absorba le cours d'eau tout entier sans en laisser tomber une goutte. En descendant de la fontaine, il jeta les yeux autour de lui, et aperçut une espèce de théâtre dressé au milieu de la place.

Alors, il se rappela qu'au moment de son départ, il était fort question de se réunir à Villers-Cotterets, afin d'y poser les bases d'une fédération entre le chef-lieu de canton et les villages environnants.

Les divers événements privés qui s'étaient succédé autour de lui lui avaient fait oublier cet événement politique, qui n'était point, cependant, sans une certaine importance.

Il pensa, alors, aux vingt-cinq louis que lui avait donnés, au moment du départ, le docteur Gilbert pour l'aider à mettre sur le meilleur pied possible la garde nationale d'Haramont.

Et il redressa la tête avec orgueil en songeant à la splendide figure que feraient, grâce à ces vingt-cinq louis, les trente-trois hommes qu'il avait sous ses ordres.

Cela l'aida à digérer les deux pavés de pain d'épice et les quatre morceaux de sucre d'orge, qui, joints à la pinte d'eau qu'il avait avalée, eussent bien pu, malgré la chaleur des sucs gastriques dont la nature l'avait pourvu, lui peser sur l'estomac, s'il eût été privé de cet excellent digestif qu'on appelle l'amour-propre satisfait.

PITOU GÉOGRAPHE

Pendant que Pitou buvait, pendant que Pitou digérait, pendant que Pitou réfléchissait, la mère Colombe avait gagné du chemin sur lui, et était entrée à la poste.

Mais Pitou ne s'était point inquiété de cela. La poste était située en face de ce que l'on appelle la rue Neuve, espèce de ruelle qui donne sur cette portion du Parc où est située l'allée des Soupirs, de langoureuse mémoire : en quinze enjambées, il aurait rejoint la mère Colombe.

Il exécuta ses quinze enjambées et arriva sur le seuil de la poste juste comme la mère Colombe sortait, son paquet de lettres à la main.

Au milieu de toutes ces lettres, il y en avait une pliée, enfermée dans une élégante enveloppe, et coquettement cachetée d'un sceau de cire.

Cette lettre était à l'adresse de Catherine Billot.

Il était évident que c'était la lettre que Catherine attendait.

Selon les conventions arrêtées, cette lettre fut remise par la factrice à l'acheteur de sucre d'orge, lequel partit à l'instant même pour Pisseleu, joyeux et triste à la fois : joyeux du bonheur qu'il allait reporter à Catherine, triste de ce que ce bonheur venait à la jeune fille d'une source dont il trouvait l'eau si amère à ses lèvres.

Mais, malgré cette amertume, le messager était d'une si excellente nature, que, pour porter plus vite cette lettre maudite, il passa insensiblement du pas au trot, et du trot au galop.

A cinquante pas de la ferme, il s'arrêta tout à coup, songeant avec raison que, s'il arrivait ainsi tout haletant et tout couvert de sueur, il pourrait bien inspirer de la défiance au père Billot, lequel paraissait engagé dans la voie étroite et épineuse du soupçon.

Il résolut donc, au risque d'être en retard d'une minute ou deux, d'accomplir d'un pas plus posé le bout de chemin qui lui restait à faire ; et, dans ce but, il marchait avec la gravité d'un de ces confidents de tragédie auquel la confiance de Catherine venait de l'assimiler, lorsque, en passant devant la chambre de la jeune malade, il s'aperçut que la garde, sans doute pour donner un peu d'air frais à cette chambre, avait entrouvert la fenêtre.

Pitou introduisit son nez d'abord et son œil ensuite dans l'entrebâillement ; il ne pouvait pas davantage à cause de l'espagnolette.

Mais cela lui suffit, à lui, pour voir Catherine éveillée, et l'attendant, et cela suffit à Catherine pour voir Pitou mystérieux et faisant des signes.

— Une lettre !... balbutia la jeune fille, une lettre !
— Chut !... dit Pitou.

Et, regardant autour de lui avec l'œil d'un braconnier qui veut dépister tous les gardes d'une capitainerie, il lança, se voyant parfaitement isolé, sa lettre par l'entrebâillement, et, cela, avec tant d'adresse, qu'elle tomba juste dans l'espèce de récipient que celle qui l'attendait lui avait ménagé sous son oreiller.

Puis, sans attendre un remerciement qui ne pouvait pas lui manquer, il se rejeta en arrière et poursuivit son chemin vers la porte de la ferme, sur le seuil de laquelle il trouva Billot.

Sans l'espèce de courbe que faisait le mur, le fermier eût vu ce qui venait de se passer et Dieu sait avec la disposition d'esprit dans laquelle il paraissait être, ce qui serait arrivé de cette certitude substituée au simple soupçon.

L'honnête Pitou ne s'attendait pas à se trouver face à face avec le fermier, et il sentit que, malgré lui, il rougissait jusqu'aux oreilles.

— Oh ! monsieur Billot, dit-il, vrai, vous m'avez fait peur !...

— Peur, à toi, Pitou !... à un capitaine de la garde nationale !... à un vainqueur de la Bastille ! peur !...

— Que voulez-vous ! dit Pitou, il y a des moments comme cela. Dame ! quand on n'est pas prévenu...

— Oui..., dit Billot, et quand on s'attend à rencontrer la fille et qu'on rencontre le père, n'est-ce pas ?...

— Oh ! monsieur Billot, pour ça, non ! dit Pitou ; je ne m'attendais pas à rencontrer mademoiselle Catherine ; oh ! non ; quoiqu'elle aille toujours de mieux en mieux, à ce que j'espère, elle est encore trop malade pour se lever.

— N'as-tu donc rien à lui dire ? demanda Billot.

— A qui ?

— A Catherine...

— Si fait. J'ai à lui rapporter que M. Raynal a dit que c'était bien, et qu'il viendrait dans la journée ; mais un autre peut lui conter cela aussi bien que moi.

— D'ailleurs, toi, tu dois avoir faim, n'est-ce pas ?

— Faim ?... dit Pitou. Peuh !

— Comment ! tu n'as pas faim ?...s'écria le fermier.

Pitou vit qu'il avait lâché une bêtise. Pitou n'ayant pas faim à huit heures du matin, c'était un dérangement dans l'équilibre de la nature.

— Certainement que j'ai faim ! dit-il.

— Eh bien, entre et mange ; les journaliers sont en train de déjeuner, et ils ont dû te garder une place.

Pitou entra, Billot le suivit des yeux, quoique sa bonhomie eût presque détourné ses soupçons ; il le vit s'asseoir au haut bout de la table et attaquer sa miche et son assiette de lard, comme s'il n'avait pas eu deux pavés de pain d'épice, quatre bâtons de sucre d'orge et une pinte d'eau sur l'estomac.

Il est vrai que, selon toute probabilité, l'estomac de Pitou était déjà redevenu libre.

Pitou ne savait pas faire beaucoup de choses à la fois, mais il faisait bien ce qu'il faisait. Chargé par Catherine d'une commission, il l'avait bien faite ; invité par Billot à déjeuner, il déjeunait bien.

Billot continuait à l'observer ; mais, voyant qu'il ne détournait pas les yeux de son assiette, voyant que sa préoccupation s'arrêtait à la bouteille de cidre qu'il avait devant lui, remarquant que pas une seule fois son regard n'avait cherché la porte de Catherine, il finit par croire que le petit voyage de Pitou à Villers-Cotterets n'avait pas d'autre but que celui qu'il avait accusé.

Vers la fin du déjeuner de Pitou, la porte de Catherine s'ouvrit, et madame Clément sortit et s'avança dans la cuisine avec l'humble sourire de la garde-malade sur les lèvres : elle venait à son tour chercher sa tasse de café.

Il va sans dire qu'à six heures du matin, c'est-à-dire un quart d'heure après le départ de Pitou, elle avait fait sa première apparition, pour réclamer son petit verre d'eau-de-vie, la seule chose qui la soutînt, disait-elle, quand elle avait veillé toute une nuit.

A sa vue, madame Billot alla à elle, et M. Billot rentra.

Tous deux s'informèrent de la santé de Catherine.

— Cela va toujours bien, répondit madame Clément ; cependant, je crois que, dans ce moment-ci, mademoiselle Catherine a un peu de délire.

— Comment cela, du délire ?... répondit le père Billot : ça lui a donc repris ?

— Oh ! mon Dieu ! ma pauvre enfant ! murmura la fermière.

Pitou leva la tête et écouta.

— Oui, reprit madame Clément, elle parle d'une ville nommée Turin, d'un pays nommé la Sardaigne, et elle appelle M. Pitou, pour qu'il lui dise ce que c'est que ce pays et cette ville.

— Me voilà ! dit Pitou en avalant le reste de sa canette de cidre, et en s'essuyant la bouche avec sa manche.

Le regard du père Billot l'arrêta.

— Toutefois, dit-il, si M. Billot juge à propos que je donne à mademoiselle Catherine les explications qu'elle désire...

— Pourquoi pas ? dit la mère Billot. Puisqu'elle te demande, la pauvre enfant, vas-y, mon garçon ; d'autant plus que M. Raynal a dit que tu étais un bon élève en médecine.

— Dame ! fit naïvement Pitou, demandez à madame Clément comme nous avons soigné mademoiselle Catherine cette nuit... Madame Clément n'a pas dormi un instant, la digne femme ! ni moi non plus.

C'était une grande adresse de la part de Pitou d'attaquer ce point délicat à l'endroit de la garde-malade. Comme elle avait fait un excellent somme de minuit à six heures du matin, déclarer qu'elle n'avait pas dormi un seul instant, c'était s'en faire une amie, plus qu'une amie : une complice.

— C'est bien ! dit le père Billot ; puisque Catherine te demande, va auprès d'elle. Peut-être un moment viendra-t-il où elle nous demandera aussi, sa mère et moi.

Pitou sentait instinctivement qu'il y avait un orage dans l'air, et, comme le berger dans les champs, quoique prêt à affronter cet orage s'il le fallait, il n'en cherchait pas moins d'avance un abri pour cacher sa tête.

Cet abri était Haramont.

A Haramont, il était roi. Que dis-je, roi ? il était plus que roi : il était commandant de la garde nationale ! il était La Fayette !

D'ailleurs, il avait des devoirs qui l'appelaient à Haramont.

Aussi se promettait-il bien, ses mesures prises avec Catherine, de retourner promptement à Haramont.

Ce fut en arrêtant ce projet dans son esprit, qu'avec la permission verbale de M. Billot, et la permission mentale de madame Billot, il entra dans la chambre de la malade.

Catherine l'attendait impatiemment ; à l'ardeur de ses yeux, au coloris de ses joues, on pouvait croire, comme l'avait dit madame Clément, qu'elle était sous l'empire de la fièvre.

A peine Pitou eut-il refermé la porte de la chambre de Catherine, que celle-ci, le reconnaissant à son pas, et l'attendant, d'ailleurs, depuis une heure et demie à peu près, se retourna vivement de son côté, et lui tendit les deux mains.

— Ah ! c'est toi, Pitou ! dit la jeune fille ; comme tu as tardé !

— Ce n'est pas ma faute, mademoiselle, dit Pitou ; c'est votre père qui m'a retenu.

— Mon père ?

— Lui-même... Oh ! il faut qu'il se doute de quelque chose. Et puis, moi, d'ailleurs, ajouta Pitou avec un soupir, je ne me suis pas pressé : je savais que vous aviez ce que vous désiriez avoir.

— Oui, Pitou... oui, dit la jeune fille en baissant les yeux ; ouì... et je te remercie.

Puis elle ajouta à voix basse :

— Tu es bien bon, Pitou, et je t'aime bien !

— Vous êtes bien bonne vous-même, mademoiselle Catherine, répondit Pitou près de pleurer ; car il sentait que toute cette amitié pour lui n'était qu'un reflet de son amour pour un autre, et, au fond du cœur, si modeste que fût le brave garçon, il était humilié de n'être que la lune de Charny.

Aussi ajouta-t-il vivement :

— Je suis venu vous déranger, mademoiselle Catherine, parce qu'on m'a dit que vous désiriez savoir quelque chose...

Catherine porta la main à son cœur : elle y cherchait la lettre d'Isidore pour y puiser sans doute le courage de questionner Pitou.

Enfin, faisant un effort :

— Pitou, demanda-t-elle, toi qui es si savant, peux-tu me dire ce que c'est que la Sardaigne ?

Pitou évoqua tous ses souvenirs en géographie.

— Attendez donc... attendez donc, mademoiselle, dit-il, je dois savoir cela. Au nombre des choses que M. l'abbé Fortier avait la prétention de nous enseigner était la géographie. Attendez donc... la Sardaigne... je vais y être... Ah ! si je retrouvais le premier mot, je vous dirais tout !

— Oh ! cherche, Pitou... cherche, dit Catherine en joignant les mains.

— Parbleu ! dit Pitou, c'est bien ce que je fais aussi. La Sardaigne... la Sardaigne... Ah ! m'y voilà !

Catherine respira.

— La Sardaigne, reprit Pitou, la *Sardinia* des Romains, l'une des trois grandes îles de la Méditerranée, au sud de la Corse, dont la sépare le détroit de Bonifacio, fait partie des États Sardes, qui en tirent leur nom, et, qu'on appelle royaume de Sardaigne ; elle a soixante lieues du nord au sud, seize de l'est à l'ouest ; elle est peuplée de

54 000 habitants ; capitale Cagliari... Voilà ce que c'est que la Sardaigne, mademoiselle Catherine.

— Oh ! mon Dieu ! dit la jeune fille, que vous êtes heureux de savoir tant de choses, monsieur Pitou !

— Le fait est, dit Pitou, assez satisfait dans son amour-propre s'il était blessé dans son amour, le fait est que j'ai une bonne mémoire.

— Et, maintenant, hasarda Catherine, mais avec moins de timidité, maintenant que vous m'avez dit ce que c'était que la Sardaigne, voulez-vous me dire ce que c'est que Turin ?...

— Turin ?... répéta Pitou, certainement, mademoiselle Catherine, que je ne demande pas mieux que de vous le dire... si je me le rappelle toutefois.

— Oh ! tâchez de vous le rappeler ; c'est le plus important, M. Pitou.

— Dame ! si c'est le plus important, dit Pitou, il faudra bien... D'ailleurs, si je ne me le rappelle pas, je ferai des recherches...

— C'est... c'est... insista Catherine, c'est que j'aimerais mieux le savoir tout de suite... Cherchez, mon cher Pitou... cherchez.

Et Catherine prononça ces paroles d'une voix si caressante, qu'elles firent courir un frisson par tout le corps de Pitou.

— Ah ! je cherche... mademoiselle, dit-il, je cherche...

Catherine le couvait des yeux.

Pitou renversa sa tête en arrière, comme pour interroger le plafond.

— Turin... dit-il, Turin... Dame ! mademoiselle, c'est plus difficile que la Sardaigne... La Sardaigne est une grande île de la Méditerranée, et il n'y a que trois grandes îles dans la Méditerranée : la Sardaigne, qui appartient au roi de Piémont ; la Corse, qui appartient au roi de France ; et la Sicile, qui appartient au roi de Naples ; tandis que Turin, c'est une simple capitale...

— Comment avez-vous dit pour la Sardaigne, mon cher Pitou ?...

— J'ai dit la Sardaigne, qui appartient au roi de Piémont, et je ne crois pas me tromper, mademoiselle.

— C'est cela... justement, mon cher Pitou. Isidore dit, dans sa lettre, qu'il va à Turin, en Piémont...

— Ah ! fit Pitou, je comprends maintenant... Bon ! bon ! bon !... C'est à Turin que M. Isidore a été envoyé par le roi, et c'est pour savoir où va M. Isidore que vous m'interrogez...

— Pour quoi serait-ce donc, répondit la jeune fille, si ce n'était pour lui ? Que m'importent, à moi, la Sardaigne, le Piémont, Turin ?... Tant qu'il n'y a pas été, j'ai ignoré ce que c'était que cette île et cette capitale, et je m'en inquiétais peu. Mais il est parti pour Turin... comprends-tu, mon cher Pitou ? et je veux savoir ce que c'est que Turin...

Pitou poussa un gros soupir, secoua la tête, mais il n'en fit pas moins tous ses efforts pour satisfaire Catherine.

— Turin... dit-il, attendez... capitale du Piémont... Turin... Turin... J'y suis ! — Turin, *Bodincemagus, Taurasia, Colonia Julia, Augusta Taurinorum* chez les anciens ; aujourd'hui capitale du Piémont et des États Sardes ; située sur le Pô et la Doire ; une des plus belles villes de l'Europe. Population, 125 000 habitants ; roi régnant, Charles-Emmanuel... Voilà ce que c'est que Turin, mademoiselle Catherine.

— Et à quelle distance Turin est-il de Pisseleu, monsieur Pitou ? Vous qui savez tout, vous devez encore savoir cela...

— Ah ! dame ! fit Pitou, je vous dirai bien à quelle distance Turin est de Paris ; mais de Pisseleu, c'est plus difficile.

— Eh bien, dites d'abord de Paris, Pitou... et nous ajouterons les dix-huit lieues qu'il y a de Pisseleu à Paris.

— Tiens ! c'est, ma foi ! vrai, dit Pitou.

Et, continuant sa nomenclature :

— Distance de Paris, dit-il, deux cent six lieues ; de Rome cent quarante ; de Constantinople...

— Je n'ai besoin que de Paris, mon cher Pitou. Deux cent six lieues... et dix-huit... deux cent vingt-quatre. Ainsi, il est à deux cent vingt-quatre lieues de moi... Il y a trois jours, il était là... à trois quarts de lieue... à mes côtés... et aujourd'hui... aujourd'hui..., ajouta Catherine en fondant en larmes et en se tordant les bras, aujourd'hui, il est à deux cent vingt-quatre lieues de moi !...

— Oh ! pas encore, hasarda timidement Pitou : il n'est parti que d'avant-hier... il n'est encore qu'à moitié chemin... et à peine...

— Où est-il, alors ?

— Ah ! quant à cela, je n'en sais rien, répondit Pitou. L'abbé Fortier nous apprenait ce que c'étaient que les royaumes et les capitales, mais il ne nous disait rien des chemins qui y conduisent.

— Ainsi voilà tout ce que tu sais, mon cher Pitou ?

— Oh ! mon Dieu, oui ! dit le géographe, humilié de toucher si vite aux limites de sa science ; si ce n'est que Turin est un repaire d'aristocrates !

— Que veut dire cela ?

— Cela veut dire, mademoiselle, que c'est à Turin que sont réunis, tous les princes, toutes les princesses, tous les émigrés : M. le comte d'Artois, M. le prince de Condé, madame de Polignac, un tas de brigands, enfin, qui conspirent contre la nation, et à qui on coupera la tête un jour, il faut l'espérer, avec une machine très ingénieuse qu'est en train d'inventer M. Guillotin.

— Oh ! monsieur Pitou !...

— Quoi donc, mademoiselle ?...

— Voilà que vous redevenez féroce, comme à votre premier retour de Paris.

— Féroce !... moi ? dit Pitou. Ah ! c'est vrai... Oui,

oui, oui !... M. Isidore est un de ces aristocrates-là ! et vous avez peur pour lui...

Puis, avec un de ces gros soupirs que nous avons déjà signalés plus d'une fois :

— N'en parlons plus..., ajouta Pitou. Parlons de vous, mademoiselle Catherine, et de la façon dont je puis vous être agréable.

— Mon cher Pitou, dit Catherine, la lettre que j'ai reçue ce matin n'est probablement pas la seule que je recevrai...

— Et vous désirez que j'aille chercher les autres comme celle-ci ?...

— Pitou... puisque tu as commencé d'être si bon...

— Autant vaut que je continue, n'est-ce pas ?

— Oui...

— Je ne demande pas mieux, moi.

— Tu comprends bien que, surveillée par mon père comme je le serai, je ne pourrai aller à la ville...

— Ah ! mais c'est qu'il faut vous dire qu'il me surveille un peu aussi, moi, le père Billot ; j'ai vu cela à son œil.

— Oui ; mais vous, Pitou, il ne peut pas vous suivre à Haramont, et nous pouvons convenir d'un endroit où vous déposerez les lettres.

— Oh ! très bien ! répondit Pitou, comme, par exemple, le gros saule creux qui est près de l'endroit où je vous ai trouvée évanouie ?

— Justement, dit Catherine ; c'est à portée de la ferme, et en même temps hors de vue des fenêtres. C'est donc convenu qu'on les mettra là ?...

— Oui, mademoiselle Catherine.

— Seulement, vous aurez soin qu'on ne vous voie pas !

— Demandez aux gardes de la garderie de Longpré, de Taille-Fontaine et de Montaigu s'ils m'ont vu, et, cependant, je leur en ai soufflé des douzaines de lapins !... Mais, vous, mademoiselle Catherine, comment ferez-vous pour les aller chercher, ces fameuses lettres ?

— Moi ?... Oh ! moi, dit Catherine avec un sourire plein d'espérance et de volonté, moi, je vais tâcher de guérir bien vite !

Pitou poussa le plus gros des soupirs qu'il eût encore poussés.

En ce moment, la porte s'ouvrit, et le docteur Raynal parut.

PITOU CAPITAINE D'HABILLEMENT

Cette visite de M. Raynal venait à propos pour faciliter la sortie de Pitou.

Le docteur s'approcha de la malade, non sans s'apercevoir du notable changement qui s'était opéré en elle depuis la veille.

Catherine sourit au docteur, et lui tendit le bras.

— Oh ! dit le docteur, si ce n'était pour le plaisir de toucher votre jolie main, ma chère Catherine, je ne consulterais même pas votre pouls. Je parie que nous ne dépassons pas soixante et quinze battements à la minute.

— C'est vrai que je vais beaucoup mieux, docteur, et que vos ordonnances ont fait merveille.

— Mes ordonnances... Hum ! hum ! fit le docteur ; je ne demande pas mieux, vous comprenez, mon enfant, que d'avoir tous les honneurs de la convalescence ; mais il faut bien, si vaniteux que je sois, que je laisse une part de cet honneur à mon élève Pitou.

Puis, levant les yeux au ciel :

— Ô nature, nature ! dit-il, puissante Cérès, mystérieuse Isis, que de secrets tu gardes encore à ceux qui sauront t'interroger !

Et, se tournant vers la porte :

— Allons, allons, dit-il, entrez, père au visage sombre mère à l'œil inquiet, et venez voir la chère malade ; elle n'a, pour guérir tout à fait, plus besoin que de votre amour et de vos caresses.

A la voix du docteur, le père et la mère Billot accoururent ; le père Billot avec un reste de soupçon dans la physionomie ; la mère Billot avec une figure radieuse.

Pendant qu'ils faisaient leur entrée, Pitou, — après avoir répondu au dernier coup d'œil que lui lançait Catherine, — Pitou faisait sa sortie.

Laissons Catherine, — que la lettre d'Isidore, appuyée sur son cœur, dispense désormais d'applications de glace sur la tête et de moutarde aux pieds ; — laissons Catherine, disons-nous, revenir, sous les caresses de ses dignes parents, à l'espérance et à la vie, et suivons Pitou, qui venait simplement et naïvement d'accomplir une des actions les plus difficiles imposées par le christianisme aux âmes chrétiennes, — l'abnégation de soi-même et le dévouement à son prochain.

Dire que le brave garçon quittait Catherine avec un cœur joyeux, ce serait trop dire ; nous nous contenterons donc d'affirmer qu'il la quittait avec un cœur satisfait. Quoiqu'il ne se fût pas rendu compte à lui-même de la grandeur de l'action qu'il venait d'accomplir, il sentait bien, aux félicitations de cette voix intérieure que chacun porte en soi, qu'il avait fait une bonne et sainte chose, non pas peut-être au point de vue de la morale, qui bien certainement réprouvait cette liaison de Catherine avec le vicomte de Charny, c'est-à-dire d'une paysanne avec un grand seigneur, mais au point de vue de l'humanité.

Or, à l'époque dont nous parlons, l'humanité était un des mots à la mode, et Pitou, — qui, plus d'une fois, avait prononcé le mot sans savoir ce qu'il voulait dire, — Pitou venait de le mettre en pratique sans trop savoir ce qu'il avait fait.

Ce qu'il avait fait, c'était une chose qu'il eût dû faire par habileté, s'il ne l'eût pas faite par bonté d'âme.

De rival de M. de Charny, — situation impossible à maintenir pour lui, Pitou, — de rival de M. de Charny, il était devenu le confident de Catherine.

Aussi, Catherine, au lieu de le rudoyer, au lieu de le brutaliser, au lieu de le mettre à la porte, comme elle avait fait au retour de son premier voyage de Paris, Catherine l'avait-elle choyé, tutoyé, caressé.

Confident, il avait obtenu ce que, rival, il n'avait jamais rêvé.

Sans compter ce qu'il obtiendrait encore, au fur et à mesure que les événements rendraient sa participation de plus en plus nécessaire à la vie intime et aux sentiments secrets de la belle paysanne.

Afin de se ménager cet avenir d'amicales tendresses, Pitou commença par porter à madame Colombe une autorisation presque illisible donnée à lui, Pitou, par Catherine, de recevoir, pour elle et en son nom, toutes les lettres qui arriveraient pour elle et à son nom.

A cette autorisation écrite, Pitou joignait une promesse verbale de Catherine, qui s'engageait, à la Saint-Martin prochaine, de donner aux journaliers de Pisseleu une collation tout en pain d'épice et en sucre d'orge.

Moyennant cette autorisation et cette promesse, qui mettaient à la fois à couvert la conscience et les intérêts de la mère Colombe, celle-ci s'engagea à prendre tous les matins à la poste et à tenir à la disposition de Pitou les lettres qui pourraient arriver pour Catherine.

Ce point réglé, Pitou, — n'ayant plus rien à faire à *la ville*, comme on appelait pompeusement Villers-Cotterets, — Pitou s'achemina vers le village.

La rentrée de Pitou à Haramont fut un événement. Son départ précipité pour la capitale n'avait point été sans soulever un grand nombre de commentaires. Les uns disaient qu'il avait été appelé à Paris par le docteur Gilbert ; les autres, par le général La Fayette ; les autres, enfin, — il est vrai de dire que c'était le plus petit nombre, — les autres, enfin, par le roi !

Quoique Pitou ignorât les bruits qui s'étaient répandus en son absence, bruits tout en faveur de son importance personnelle, il n'en rentrait pas moins dans son pays natal avec un air si digne, que chacun fut émerveillé de cette dignité.

C'est que, pour être vus à leur véritable distance, les hommes doivent être vus sur le terrain qui leur est propre. Écolier dans la cour de l'abbé Fortier, journalier à la ferme de M. Billot, Pitou était homme, citoyen, capitaine à Haramont.

Sans compter qu'en cette qualité de capitaine, outre cinq ou six louis lui appartenant en propre, il rapportait, on se le rappelle, vingt-cinq louis offerts généreusement par le docteur Gilbert, en vue de l'équipement et de l'habillement de la garde nationale d'Haramont.

Aussi, à peine rentré chez lui, et comme le tambour venait lui faire sa visite, Pitou ordonna-t-il à celui-ci d'annoncer pour le lendemain dimanche, à midi, une revue officielle, avec armes et bagages, sur la grande place d'Haramont.

Dès lors, on ne douta plus que Pitou n'eût une communication à faire à la garde nationale d'Haramont de la part du gouvernement.

Beaucoup vinrent causer avec Pitou pour tâcher d'apprendre, avant les autres, quelque chose de ce grand secret ; mais Pitou garda, à l'endroit des affaires publiques, un majestueux silence.

Le soir, — Pitou, que les affaires publiques ne distrayaient pas plus de ses affaires privées que les affaires privées ne le distrayaient des affaires publiques, — le soir, Pitou alla tendre ses collets et présenter ses compliments au père Clouïs, ce qui ne l'empêcha point d'être à sept heures du matin chez maître Dulauroy, tailleur, après avoir déposé dans son domicile d'Haramont trois lapins et un lièvre, et s'être informé à la mère Colombe s'il y avait des lettres pour Catherine.

Il n'y en avait pas, et Pitou en fut presque affligé en songeant au chagrin que ressentirait la pauvre convalescente.

La visite de Pitou à M. Dulauroy avait pour but de savoir si celui-ci consentirait l'habillement à forfait de la garde nationale d'Haramont, et quel prix il demanderait pour cela.

Maître Dulauroy fit sur la taille des individus les questions usitées en pareille occurrence, questions auxquelles Pitou répondit en lui mettant sous les yeux l'état nominatif des trente-trois hommes, officiers, sous-officiers et soldats, composant l'effectif de la garde civique haramontoise.

Comme tous les hommes étaient connus de maître Dulauroy, on supputa grosseur et taille, et, plume et crayon à la main, le tailleur déclara qu'il ne pouvait pas fournir trente-trois habits et trente-trois culottes convenablement conditionnés à moins de trente-trois louis.

Et encore Pitou ne devait-il pas exiger pour ce prix du drap entièrement neuf.

Pitou se récria, et prétendit qu'il tenait de la bouche même de M. de La Fayette qu'il avait fait habiller les trois millions d'hommes qui composaient la garde civique de France, à raison de vingt-cinq livres l'homme, ce qui faisait soixante et quinze millions pour le tout.

Maître Dulauroy répondit que, sur un chiffre pareil, perdît-on dans le détail, il y avait moyen de se retirer pour le tout ; mais que, lui, ce qu'il pouvait faire, — et son dernier mot était dit, — c'était d'habiller la garde civique d'Haramont à vingt-deux francs l'homme, et encore, vu les avances nécessaires, ne pouvait-il entreprendre l'affaire qu'au comptant.

Pitou tira une poignée d'or de sa poche et déclara que là ne serait point l'empêchement, mais qu'il était limité dans son prix, et que, si maître Dulauroy refusait de confectionner les trente-trois habits et les trente-trois culottes pour vingt-cinq louis, il allait en faire l'offre à maître Bligny, confrère et rival de maître Dulauroy, auquel il avait donné la préférence en sa qualité d'ami de la tante Angélique.

Pitou, en effet, n'était point fâché que la tante Angélique apprît par voie détournée que lui, Pitou, remuait l'or à la pelle, et il ne doutait pas que, le même soir, le tailleur ne lui rapportât ce qu'il avait vu, c'est-à-dire que Pitou était riche comme feu Crésus.

La menace de porter ailleurs une commande de cette importance fit son effet, et maître Dulauroy en passa par où voulut Pitou, lequel exigea, en outre, que son costume, en drap neuf, — peu lui importait que ce fût en drap fin : il l'aimait même mieux gros que fin, — lui fût fourni, épaulettes comprises, par-dessus le marché.

Ce fut l'objet d'un nouveau débat non moins long et non moins ardent que le premier, mais sur lequel Pitou triompha encore grâce à cette terrible menace d'obtenir de maître Bligny ce qu'il ne pouvait obtenir de maître Dulauroy.

Le résultat de toute la discussion fut l'engagement pris par maître Dulauroy de fournir, pour le samedi suivant, trente et un habits et trente et une culottes de soldats, deux habits et deux culottes de sergent et de lieutenant, et un habit et une culotte de capitaine, l'habit orné de ses épaulettes.

Faute d'exactitude dans la livraison, la commande restait pour le compte du tailleur retardataire, la cérémonie de la fédération de Villers-Cotterets et des villages qui relevaient de ce chef-lieu de canton devant avoir lieu le dimanche lendemain de ce samedi.

Cette condition fut acceptée comme les autres.

A neuf heures du matin, cette grande affaire était terminée.

A neuf heures et demie, Pitou était rentré à Haramont, tout orgueilleux d'avance de la surprise qu'il ménageait à ses concitoyens.

A onze heures, le tambour battait le rappel.

A midi, la garde nationale sous les armes manœuvrait avec sa précision ordinaire, sur la place publique du village.

Après une heure de manœuvres qui valurent à cette brave garde nationale les éloges de son chef, et les bravos des femmes, des enfants et des vieillards qui regardaient ce touchant spectacle avec le plus grand intérêt, Pitou appela près de lui le sergent Claude Tellier et le lieutenant Désiré Maniquet, et leur ordonna de réunir leurs hommes et de les inviter, de sa part, à lui, Pitou, de la part du docteur Gilbert, de la part du général La Fayette, et, enfin, de la part du roi, à passer chez maître Dulauroy, tailleur à Villers-Cotterets, qui avait une communication importante à leur faire.

Le tambour battit à l'ordre ; le sergent et le lieutenant, aussi ignorants que ceux auxquels ils s'adressaient, transmirent à leurs hommes les paroles textuelles de leur capitaine ; puis, le cri « Rompez les rangs ! » se fit entendre prononcé par la voix sonore de Pitou.

Cinq minutes après, les trente et un soldats de la garde civique d'Haramont, plus le sergent Claude Tellier et le lieutenant Désiré Maniquet, couraient comme des dératés sur la route de Villers-Cotterets.

Le soir, les deux ménétriers d'Haramont donnaient une sérénade au capitaine, l'air était sillonné de pétards, de fusées et de chandelles romaines, et quelques voix légèrement avinées, il est vrai, criaient par intervalles :

— Vive Ange Pitou ! le père du peuple !

OU L'ABBÉ FORTIER
DONNE UNE NOUVELLE PREUVE
DE SON ESPRIT CONTRE-RÉVOLUTIONNAIRE

Le dimanche suivant, les habitants de Villers-Cotterets furent réveillés par le tambour, battant avec acharnement le rappel dès cinq heures du matin.

Rien n'est plus impertinent, à mon avis, que cette façon de réveiller une population dont la majorité, presque toujours, il faut le dire, préférerait achever tranquillement sa nuit, et compléter les sept heures de sommeil dont, suivant l'hygiène populaire, tout homme a besoin pour se conserver dispos et bien-portant.

Mais, à toutes les époques de révolution, il en est ainsi, et, quand on entre dans une de ces périodes d'agitation et de progrès, il faut mettre philosophiquement le sommeil au nombre des sacrifices à faire à la patrie.

Satisfaits ou non satisfaits, patriotes ou aristocrates, les habitants de Villers-Cotterets furent donc réveillés, le dimanche 18 octobre 1789, à cinq heures du matin.

La cérémonie ne commençait, cependant, qu'à dix heures, mais ce n'était pas trop de cinq heures pour achever tout ce qui restait à faire.

Un grand théâtre dressé depuis plus de dix jours s'élevait sur le milieu de la place ; mais ce théâtre, dont la construction rapide attestait le zèle des ouvriers menuisiers, n'était, pour ainsi dire, que le squelette du monument.

Le monument était un autel à la patrie sur lequel

228

l'abbé Fortier avait été invité, depuis plus de quinze jours, à venir dire la messe, le dimanche 18 octobre, au lieu de la dire dans son église.

Or, pour rendre le monument digne de sa double destination religieuse et sociale, il fallait mettre à contribution toutes les richesses de la commune.

Et, nous devons le dire, chacun avait généreusement offert ses richesses pour cette grande solennité : celui-ci un tapis, celui-là une nappe d'autel ; l'un des rideaux de soie ; l'autre un tableau de sainteté.

Mais, comme la stabilité n'est point, au mois d'octobre, une des qualités du temps, et que le baromètre marquant le beau fixe est un cas rare sous le signe du Scorpion, personne ne s'était exposé à faire son offrande d'avance, et chacun avait attendu le jour de la fête pour y apporter son tribut.

Le soleil se leva à six heures et demie, selon son habitude à cette époque de l'année, annonçant, par la limpidité et la chaleur de ses rayons, une de ces belles journées d'automne qui peuvent entrer en comparaison avec les plus belles journées du printemps.

Aussi, dès neuf heures du matin, l'autel de la patrie fut-il revêtu d'un magnifique tapis d'Aubusson, couvert d'une nappe toute garnie de dentelles, surmonté d'un tableau représentant le prêche de saint Jean dans le désert, et abrité par un dais de velours à crépines d'or d'où pendaient de magnifiques rideaux de brocart.

Les objets nécessaires à la célébration de la messe devaient naturellement être fournis par l'église ; on ne s'en inquiéta donc point.

En outre, chaque citoyen, comme au jour de la Fête-Dieu, avait tendu le devant de sa porte ou la façade de sa maison avec des draps ornés de rameaux de lierre, ou des tapisseries représentant, soit des fleurs, soit des personnages.

Toutes les jeunes filles de Villers-Cotterets et des environs, vêtues de blanc, la taille serrée par une ceinture tricolore, et tenant à la main une branche de feuillage, devaient entourer l'autel de la patrie.

Enfin, la messe dite, les hommes devaient faire serment à la Constitution.

La garde nationale de Villers-Cotterets, sous les armes à partir de huit heures du matin, attendant les gardes civiques des différents villages, fraternisait avec elles au fur et à mesure de leur arrivée.

Il va sans dire que, parmi toutes ces milices patriotiques, celle qui était attendue avec le plus d'impatience était la garde civique d'Haramont.

Le bruit s'était répandu que, grâce à l'influence de Pitou, et par une largesse toute royale, les trente-trois hommes qui la composaient, plus leur capitaine Ange Pitou, seraient revêtus d'habits d'uniforme.

Les magasins de maître Dulauroy n'avaient pas désempli de la semaine. Il y avait eu affluence de curieux dedans et dehors, pour voir les dix ouvriers travaillant à cette gigantesque commande, qui, de mémoire d'homme, n'avait pas eu sa pareille à Villers-Cotterets.

Le dernier uniforme, celui du capitaine, — car Pitou avait exigé qu'on ne songeât à lui qu'après avoir servi les autres, — le dernier uniforme avait été, selon les conventions, livré le samedi soir à onze heures cinquante-neuf minutes.

Selon les conventions aussi, Pitou avait, alors, compté rubis sur l'ongle les vingt-cinq louis à M. Dulauroy.

Tout cela avait donc fait grand bruit au chef-lieu du canton, et il n'était pas étonnant qu'au jour dit la garde nationale d'Haramont fût impatiemment attendue.

A neuf heures précises, le bruit d'un tambour et d'un fifre retentit à l'extrémité de la rue de Largny. On entendit de grands cris de joie et d'admiration, et l'on aperçut de loin Pitou, monté sur son cheval blanc, ou plutôt sur le cheval blanc de son lieutenant Désiré Maniquet.

La garde nationale d'Haramont, — ce qui n'arrive pas d'ordinaire pour les choses dont on s'est longtemps entretenu, — la garde nationale d'Haramont ne parut pas au-dessous de sa réputation.

Que l'on s'imagine quelle tournure martiale devaient avoir les trente-trois hommes de Pitou, revêtus d'habits et de culottes d'uniforme, et quel air coquet devait affecter leur chef, avec son petit chapeau sur l'oreille, son hausse-col sur la poitrine, ses *pattes de chat* sur les épaules, et son épée à la main.

Il n'y eut qu'un cri d'admiration de l'extrémité de la rue de Largny à la place de la Fontaine.

La tante Angélique ne voulait pas à toute force reconnaître son neveu. Elle faillit se faire écraser par le cheval blanc de Maniquet, en allant regarder Pitou sous le nez.

Pitou fit avec son épée un majestueux salut, et, de manière à être entendu à vingt pas à la ronde, il prononça pour toute vengeance ces paroles :

— Bonjour, madame Angélique !

La vieille fille, écrasée sous cette respectueuse appellation, fit trois pas en arrière en levant les bras au ciel, et en disant :

— Oh ! le malheureux ! les honneurs lui ont tourné la tête : il ne reconnaît plus sa tante !

Pitou passa majestueusement sans répondre à l'apostrophe, et alla prendre, au pied de l'autel de la patrie, la place d'honneur qui avait été assignée à la garde nationale d'Haramont, comme à la seule troupe qui eût un uniforme complet.

Arrivé là, Pitou mit pied à terre et donna son cheval à garder à un gamin, qui reçut pour cette tâche six blancs du magnifique capitaine.

Le fait fut rapporté cinq minutes après à la tante Angélique, qui s'écria :

— Mais, le malheureux ! il est donc millionnaire ?

Puis elle ajouta tout bas :

— J'ai été bien mal inspirée de me brouiller avec lui : les tantes héritent des neveux...

Pitou n'entendit ni l'exclamation ni la réflexion, Pitou était tout simplement en extase.

Au milieu des jeunes filles ceintes d'un ruban tricolore, et tenant à la main un rameau de verdure, il avait reconnu Catherine ;

Catherine, pâle encore de la maladie à peine vaincue, mais plus belle de sa pâleur qu'une autre ne l'eût été du plus frais coloris de la santé ;

Catherine, pâle mais heureuse ; — le matin même, grâce aux soins de Pitou, elle avait trouvé une lettre dans le saule creux !

Nous l'avons dit, pauvre Pitou, il trouvait du temps pour tout faire.

Le matin, à sept heures, il avait trouvé le temps d'être chez la mère Colombe ; à sept heures un quart, il avait trouvé celui de déposer la lettre dans le saule creux, et, à huit heures, celui de se trouver revêtu de son uniforme à la tête de ses trente-trois hommes.

Il n'avait pas revu Catherine depuis le jour où il l'avait quittée sur son lit à la ferme, et, nous le répétons, il la voyait si belle et si heureuse, qu'il était en extase devant elle.

Elle lui fit signe de venir à elle.

Pitou regarda autour de lui pour voir si c'était bien à lui que le signe s'adressait.

Catherine sourit et renouvela son invitation.

Il n'y avait pas à s'y tromper.

Pitou mit son épée au fourreau, prit galamment son chapeau par la corne, et s'avança la tête découverte vers la jeune fille.

Pour M. de La Fayette, Pitou eût simplement porté la main à son chapeau.

— Ah ! monsieur Pitou, lui dit Catherine, je ne

vous reconnaissais pas... Mon Dieu ! comme vous avez bonne mine sous votre uniforme !

Puis, tout bas :

— Merci, merci, mon cher Pitou, ajouta-t-elle ; oh ! que vous êtes donc bon, et que je vous aime !

Et elle prit la main du capitaine de la garde nationale, qu'elle serra entre les siennes.

Un éblouissement passa sur les yeux de Pitou ; son chapeau s'échappa de la main qui était restée libre et tomba à terre, et peut-être le pauvre amoureux allait-il tomber lui-même près de son chapeau, quand un grand bruit accompagné de rumeurs menaçantes retentit du côté de la rue de Soissons.

Quelle que fût la cause de ce bruit, Pitou profita de l'incident pour sortir d'embarras.

Il dégagea sa main des mains de Catherine, ramassa son chapeau, et courut se mettre en criant : « Aux armes ! » à la tête de ses trente-trois hommes.

Disons ce qui causait ce grand bruit et ces rumeurs menaçantes.

On sait que l'abbé Fortier avait été désigné pour célébrer la messe de la fédération sur l'autel de la patrie, et que les vases sacrés et les autres ornements du culte, comme croix, bannières, chandeliers, devaient être transportés de l'église sur le nouvel autel dressé au milieu de la place.

C'était le maire, M. de Longpré, qui avait donné les ordres relatifs à cette partie de la cérémonie.

Or, M. de Longpré connaissait, comme tout le monde, le caractère de l'abbé Fortier ; il le savait volontaire jusqu'à l'entêtement, irritable jusqu'à la violence.

Aussi s'était-il contenté, au lieu de faire une visite à l'abbé Fortier, et de traiter la chose d'autorité civile à autorité religieuse ; aussi s'était-il contenté, disons-nous, d'envoyer au digne serviteur de Dieu le programme de la fête, dans lequel il était dit :

« La messe sera dite sur l'autel de la patrie par M. l'abbé Fortier ; elle commencera à dix heures du matin.

« Les vases sacrés et autres ornements du culte seront, par les soins de M. l'abbé Fortier, transportés de l'église de Villers-Cotterets sur l'autel de la patrie. »

Le secrétaire de la mairie en personne avait remis le programme chez l'abbé Fortier, lequel l'avait parcouru d'un air goguenard, et, d'un ton en tout point pareil à son air, avait répondu :

— C'est bien.

A neuf heures, nous l'avons dit, l'autel de la patrie était entièrement paré de son tapis, de ses rideaux, de sa nappe et de son tableau représentant saint Jean prêchant dans le désert.

Il ne manquait plus que les chandeliers, le tabernacle, la croix et les autres objets nécessaires au service divin.

A neuf heures et demie, ces différents objets n'étaient point encore apportés.

Le maire s'inquiéta.

Il envoya son secrétaire à l'église, afin de s'enquérir si l'on s'occupait du transport des vases sacrés.

Le secrétaire revint en disant qu'il avait trouvé l'église fermée à double tour.

Alors, il reçut l'ordre de courir jusque chez le bedeau ; — le bedeau devait naturellement être l'homme chargé de ce transport. Il trouva le bedeau la jambe étendue sur un tatouret, et faisant des grimaces de possédé.

Le malheureux porte-baleine s'était donné une entorse.

Le secrétaire reçut, alors, l'ordre de courir chez les chantres.

Tous deux avaient le corps dérangé. Pour se remettre, l'un avait pris un vomitif ; l'autre, un purgatif. Les deux médicaments opéraient de façon miraculeuse, et les deux malades espéraient être parfaitement remis le lendemain.

Le maire commença à soupçonner une conspiration. Il envoya son secrétaire chez l'abbé Fortier.

L'abbé Fortier avait été pris le matin même d'une attaque de goutte, et sa sœur tremblait que la goutte ne lui remontât dans l'estomac.

Dès lors, pour M. de Longpré, il n'y eut plus de doute. Non seulement l'abbé Fortier ne voulait pas dire la messe sur l'autel de la patrie, mais, en mettant hors de service le bedeau et les chantres, mais, en fermant toutes les portes de l'église, il empêchait qu'un autre prêtre, s'il s'en trouvait un là, par hasard, ne dît la messe à sa place.

La situation était grave.

A cette époque, on ne croyait pas encore que l'autorité civile, dans de grandes circonstances, pût se séparer de l'autorité religieuse, et qu'une fête quelconque pût aller sans messe.

Quelques années plus tard, on tomba dans l'excès contraire.

D'ailleurs, tous ces voyages du secrétaire ne s'étaient pas exécutés, aller et retour, sans que celui-ci commît quelques indiscrétions à l'endroit de l'entorse du bedeau, du vomitif du premier chantre, du purgatif du second, et de la goutte de l'abbé.

Une sourde rumeur commençait à courir dans la population.

On ne parlait pas moins que d'enfoncer les portes de l'église, pour y prendre les vases sacrés et les ornements du culte, et de traîner de force l'abbé Fortier à l'autel de la patrie.

M. de Longpré, homme essentiellement conciliateur, calma ces premiers mouvements d'effervescence, et offrit d'aller en ambassadeur trouver l'abbé Fortier.

En conséquence, il s'achemina vers la rue de Soissons, et frappa à la porte du digne abbé, aussi soigneusement verrouillée que celle de l'église.

Mais il eut beau frapper, la porte resta close.

M. de Longpré crut, alors, qu'il était nécessaire de requérir l'intervention de la force armée.

Il donna l'ordre de prévenir le maréchal des logis et le brigadier de la gendarmerie.

Tous deux étaient sur la grande place. Ils accoururent à l'appel du maire.

Un immense concours de population les suivait.

Comme on n'avait ni baliste ni catapulte pour enfoncer la porte, on envoya tout simplement chercher un serrurier.

Mais, au moment où le serrurier mettait le crochet dans la serrure, la porte s'ouvrit, et l'abbé Fortier parut sur le seuil.

Non point tel que Coligny, demandant à ses assassins : « Mes frères, que me voulez-vous ? »

Mais tel que Calchas, l'œil en feu et le *poil hérissé*, ainsi que le dit Racine dans *Iphigénie*.

— Arrière ! cria-t-il en levant la main avec un geste menaçant ; arrière, hérétiques, impies, huguenots, relaps ! arrière, Amalécites, Sodomites, Gomorrhéens ! débarrassez le seuil de l'homme du Seigneur !

Il y eut un grand murmure dans la foule, murmure qui n'était pas, il faut le dire, en faveur de l'abbé Fortier.

— Pardon, dit M. de Longpré avec sa voix douce à laquelle il avait donné l'accent le plus persuasif possible, pardon, monsieur l'abbé, nous désirons savoir seulement si vous voulez ou si vous ne voulez pas dire la messe sur l'autel de la patrie ?

— Si je veux dire la messe sur l'autel de la patrie ? s'écria l'abbé entrant dans une de ces saintes colères auxquelles il était si enclin ; si je veux sanctionner la révolte, la rébellion, l'ingratitude ? si je veux demander à Dieu de maudire la vertu et de bénir le péché ? Vous ne l'avez pas espéré, monsieur le maire ! Vous voulez savoir, oui ou non, si je dirai votre messe sacrilège ; eh bien, non ! non ! non ! je ne la dirai pas !

— C'est bien, monsieur l'abbé, répondit le maire ; vous êtes libre, et l'on ne peut pas vous forcer.

— Ah ! c'est bien heureux, que je sois libre, dit l'abbé ; c'est bien heureux qu'on ne puisse pas me forcer... En vérité, vous êtes trop bon, monsieur le maire.

Et, avec un ricanement des plus insolents, il commença à repousser la porte au nez des autorités.

La porte allait présenter, comme on dit en langage vulgaire, son visage de bois à l'assemblée tout abasourdie, quand un homme s'élança hors de la foule, et, d'un puissant effort, rouvrit le battant aux trois quarts fermé, et manqua de jeter l'abbé à la renverse, si vigoureux qu'il fût.

Cet homme, c'était Billot, — Billot, pâle de colère, le front plissé, les dents grinçantes.

Billot était philosophe ; en cette qualité, il détestait les prêtres, qu'il appelait des calotins et des fainéants.

Il se fit un silence profond. On comprit qu'il allait se passer quelque chose de terrible entre ces deux hommes.

Et, cependant, Billot, qui venait, pour repousser la porte, de déployer une si grande violence, Billot débuta d'une voix calme, presque douce :

— Pardon, monsieur le maire, demanda-t-il, comment avez-vous dit cela ? Vous avez dit... répétez donc, je vous prie... vous avez dit que, si M. l'abbé ne voulait pas célébrer l'office, on ne pouvait pas le forcer à le faire ?

— Oui, en effet, balbutia le pauvre M. de Longpré ; oui, je crois bien lui avoir dit cela.

— Ah ! c'est qu'alors vous avez avancé une grande erreur, monsieur le maire ; et, dans le temps où nous sommes, il est important que les erreurs ne se propagent pas.

— Arrière, sacrilège ! arrière, impie ! arrière, relaps ! arrière, hérétique ! cria l'abbé s'adressant à Billot.

— Oh ! dit Billot, monsieur l'abbé, taisons-nous, ou cela finira mal, c'est moi qui vous en avertis. Je ne vous insulte pas, je discute. M. le maire croit qu'on ne peut pas vous forcer à dire la messe ; moi, je prétends qu'on peut vous y forcer.

— Ah ! manichéen ! s'écria l'abbé, ah ! parpaillot !...

— Silence ! dit Billot. Je le dis et je le prouve.

— Silence ! cria tout le monde, silence !

— Vous entendez, monsieur l'abbé, dit Billot avec le même calme, tout le monde est de mon avis. Je ne prêche pas aussi bien que vous ; mais il paraît que je dis des choses plus intéressantes, puisqu'on m'écoute.

L'abbé avait bien envie de répliquer par quelque nouvel anathème, mais cette voix puissante de la multitude lui imposait malgré lui.

— Parle ! parle ! fit-il d'un air railleur, nous allons voir ce que tu vas dire.

— Vous allez voir, en effet, monsieur l'abbé, dit Billot.

— Va donc, je t'écoute.

— Et vous faites bien.

Puis, jetant un regard de côté sur l'abbé, comme pour s'assurer que celui-ci allait se taire tandis qu'il parlerait :

— Je dis donc, continua Billot, une chose bien simple, c'est que quiconque reçoit un salaire est obligé, en échange de ce salaire, de faire le métier pour lequel il est payé.

— Ah ! dit l'abbé, je te vois venir.

— Mes amis, dit Billot avec la même douceur de

238

voix, et en s'adressant aux deux ou trois cents spectateurs de cette scène ; que préférez-vous, entendre les injures de M. l'abbé, ou écouter mes raisonnements ?

— Parlez ! monsieur Billot, parlez ! nous écoutons. Silence ! l'abbé, silence !

Billot, cette fois, se contenta de regarder l'abbé, et continua.

— Je disais donc que quiconque touche un salaire est obligé de faire le métier pour lequel il est payé. Par exemple, voici M. le secrétaire de la mairie, il est payé pour faire les écritures de M. le maire, pour porter ses messages, pour rendre les réponses de ceux auxquels ces messages sont adressés. M. le maire l'a envoyé chez vous, monsieur l'abbé, pour vous porter le programme de la fête, eh bien ; il ne lui serait pas venu dans l'idée de dire : « Monsieur le maire, je ne veux pas porter le programme de la fête à M. Fortier. » N'est-ce pas, monsieur le secrétaire, que cela ne vous serait pas venu dans l'idée.

— Non, monsieur Billot, répondit naïvement le secrétaire, ma foi, non !

— Vous entendez, monsieur l'abbé ? dit Billot.

— Blasphémateur ! s'écria l'abbé.

— Silence ! dirent les assistants.

Billot poursuivit.

— Voici M. le maréchal des logis de la gendarmerie, qui est payé pour mettre le bon ordre là où le bon ordre est ou peut être troublé. Quand M. le maire a pensé tout à l'heure que le bon ordre pouvait être troublé par vous, monsieur l'abbé, et qu'il lui a fait dire de venir à son aide, M. le maréchal des logis n'a pas eu l'idée de lui répondre : « Monsieur le maire, rétablissez l'ordre comme vous l'entendrez, mais rétablissez-le sans moi. » Vous n'avez pas eu l'idée de lui répondre cela, n'est-ce pas, monsieur le maréchal des logis ?

— Ma foi, non ! c'était mon devoir de venir, dit simplement le maréchal des logis, et je suis venu.

— Vous entendez, monsieur l'abbé ? dit Billot.

L'abbé grinça des dents.

— Attendez, fit Billot. Voici un brave homme de serrurier. Son état, comme l'indique son nom, est de fabriquer et d'ouvrir ou de fermer les serrures. Tout à l'heure, M. le maire l'a envoyé chercher pour qu'il vînt ouvrir votre porte. Il ne lui a pas pris un instant l'idée de répondre à M. le maire : « Je ne veux pas ouvrir la porte de M. Fortier. » N'est-ce pas, Picard, que cette idée ne t'est pas venue ?

— Ma foi, non ! dit le serrurier ; j'ai pris mes crochets et je suis venu. Que chacun fasse son métier, et les vaches seront bien gardées.

— Vous entendez, monsieur l'abbé ? dit Billot.

L'abbé voulut l'interrompre, mais Billot l'arrêta d'un geste.

— Eh bien donc, continua-t-il, d'où vient, dites-moi cela, que vous qui êtes élu pour donner l'exemple, quand tout le monde fait son devoir ici, vous seul, entendez-vous bien, vous seul ne le faites pas ?

— Bravo, Billot ! bravo ! crièrent d'une seule voix les assistants.

— Non seulement vous seul ne le faites pas, répéta Billot, mais encore vous seul donnez l'exemple du désordre et du mal.

— Oh ! dit l'abbé Fortier comprenant qu'il fallait se défendre, l'Église est indépendante, l'Église n'obéit à personne, l'Église ne relève que d'elle-même !

— Eh ! voilà justement le mal, dit Billot, c'est que vous faites un pouvoir dans le pays, un corps dans l'État. Vous êtes Français ou étranger, vous êtes citoyen ou vous ne l'êtes pas ; si vous n'êtes pas citoyen, si vous n'êtes pas Français ; si vous êtes Prussien, Anglais ou Autrichien, si c'est M. Pitt, M. Cobourg ou M. de Kaunitz qui vous paie, obéissez à M. Pitt, à M. Cobourg ou à M. de Kaunitz ; mais, si vous êtes Français, si vous êtes citoyen, si c'est la nation qui vous paie, obéissez à la nation.

— Oui ! oui ! crièrent trois cents voix.

— Et, alors, dit Billot le sourcil froncé, l'œil plein d'éclairs, et allongeant sa main puissante jusque sur l'épaule de l'abbé, — et, alors, au nom de la nation, prêtre, je te somme de remplir ta mission de paix, et d'appeler les faveurs du ciel, les largesses de la Providence, la miséricorde du Seigneur sur tes concitoyens et sur ta patrie. Viens ! viens !

— Bravo ! Billot, vive Billot ! crièrent toutes les voix. A l'autel ! à l'autel, le prêtre !

Et, encouragé par ces acclamations, de son bras vigoureux, le fermier tira hors de la voûte protectrice de sa grande porte le premier prêtre peut-être qui, en France, eût donné aussi ouvertement le signal de la contre-révolution.

L'abbé Fortier comprit qu'il n'y avait pas de résistance possible.

— Eh bien oui, dit-il, le martyre... j'appelle le martyre, j'invoque le martyre, je demande le martyre !

Et il entonna à pleine voix le *Libera nos, Domine !*

C'était ce cortège étrange, qui s'avançait vers la grande place à travers les cris et les clameurs, dont le bruit était venu frapper Pitou au moment où celui-ci était tout prêt de s'évanouir sous les remerciements, les tendres paroles et la pression de main de Catherine.

LA DÉCLARATION DES DROITS DE L'HOMME

Pitou, à qui ce bruit avait rappelé celui des émeutes parisiennes, qu'il avait entendu plus d'une fois, croyant voir s'approcher quelque bande d'assassins, croyant qu'il allait avoir à défendre quelque nouveau Flesselles, quelque nouveau Foulon, quelque nouveau Berthier, Pitou avait crié : « Aux armes ! » et avait été se mettre à la tête de ses trente-trois hommes.

Alors, la foule s'était ouverte, et il avait vu s'avancer l'abbé Fortier, traîné par Billot, et auquel il ne manquait qu'une palme pour ressembler aux anciens chrétiens que l'on menait au cirque.

Un mouvement naturel le poussa à la défense de son ancien professeur, dont il ignorait encore le crime.

— Oh ! monsieur Billot, s'écria-t-il en s'élançant au-devant du fermier.

— Oh ! mon père, s'écria Catherine avec un mouvement si identiquement pareil, qu'on l'eût cru réglé par un habile metteur en scène.

Mais il ne fallut qu'un regard à Billot pour arrêter Pitou d'un côté, et Catherine de l'autre. Il y avait de l'aigle et du lion à la fois dans cet homme qui représentait l'incarnation du peuple.

Arrivé au pied de l'estrade, il lâcha de lui-même l'abbé Fortier, et, la lui montrant du doigt :

— Tiens, dit-il, le voilà, cet autel de la patrie sur lequel tu dédaignes d'officier, et dont, à mon tour, moi, Billot, je te déclare indigne d'être le desservant. Pour gravir ces marches sacrées, il faut se sentir le cœur plein de trois sentiments : le désir de la liberté, le dévouement à la patrie, l'amour de l'humanité ! Prêtre, désires-tu l'affranchissement du monde ? Prêtre, es-tu dévoué à ton pays ? Prêtre, aimes-tu ton prochain plus que toi-même ? Alors, monte hardiment à cet autel, et invoque Dieu ; mais, si tu ne te sens pas le premier entre nous tous, comme citoyen, cède la place au plus digne, et retire-toi... disparais... va-t'en !...

— Oh ! malheureux ! dit l'abbé en se retirant et en menaçant Billot du doigt ; tu ne sais pas à qui tu déclares la guerre !

— Si fait, je le sais, dit Billot ; je déclare la guerre aux loups, aux renards et aux serpents ; à tout ce qui pique, à tout ce qui mord, à tout ce qui déchire dans les ténèbres. Eh bien, soit, ajouta-t-il en frappant avec un geste plein de puissance sa large poitrine de ses deux mains, déchirez... mordez... piquez... il y a de quoi !

Il se fit un moment de silence pendant lequel toute cette foule s'ouvrit pour laisser s'échapper le prêtre, et, s'étant refermée, demeura immobile et en admiration devant cette vigoureuse nature qui s'offrait comme une cible aux coups du pouvoir terrible dont, à cette époque, la moitié du monde était encore l'esclave, et que l'on appelait le clergé.

La voix de Billot prit pour continuer un accent de haine et de menace.

« Il n'y a plus, poursuivit-il ni noblesse, ni pairie, ni distinctions héréditaires, ni distinctions d'ordres, ni régime féodal, ni justices patrimoniales, ni aucun des titres, dénominations et prérogatives qui en dérivent, ni aucun ordre de chevalerie, ni aucune des corporations ou décorations pour lesquelles on exigeait des preuves de noblesse, ou qui supposaient des distinctions de naissance, ni aucune autre supériorité que celle des fonctionnaires publics dans l'exercice de leurs fonctions.

» Il n'y a plus ni vénalité, ni hérédité d'aucun office public ; il n'y a plus, pour aucune partie de la nation ni pour aucun individu, aucun privilège ni exception au droit commun de tous les Français.

» Il n'y a plus ni jurandes, ni corporations de professions, arts et métiers.

» Enfin, la loi ne reconnaît ni vœux religieux, ni aucun autre engagement qui serait contraire aux droits naturels ou à la Constitution... »

Billot se tut.

On avait écouté dans un religieux silence.

Pour la première fois, le peuple entendait avec étonnement la reconnaissance de ses droits, proclamée au grand jour, à la lumière du soleil, à la face du Seigneur, auquel, depuis si longtemps, il demandait dans ses prières cette charte naturelle, qu'il n'obtenait qu'après des siècles d'esclavage, de misère et de souffrances !...

Pour la première fois, l'homme, l'homme réel, celui sur lequel l'édifice de la monarchie, avec sa noblesse à droite et son clergé à gauche, pesait depuis six cents ans ; pour la première fois, l'ouvrier, l'artisan, le laboureur, venait de reconnaître sa force, d'apprécier sa valeur, de calculer la place qu'il tenait sur la terre, de mesurer l'ombre qu'il faisait au soleil, et tout cela, non point en vertu du bon plaisir d'un maître, mais à la voix d'un de ses égaux !

Aussi, quand, après ces dernières paroles : « La loi ne reconnaît plus ni vœux religieux, ni aucun autre engagement qui serait contraire aux droits naturels et à la Constitution » ; quand, après ces mots, disons-nous, Billot poussa le cri encore si nouveau, qu'il semblait criminel, de « Vive la nation ! » quand, étendant les deux bras, il réunit sur sa poitrine, dans un embrassement fraternel, l'écharpe du maire et les épaulettes du capitaine ; quoique ce maire fût celui d'une petite ville ; quoique ce capitaine fût le chef d'une poignée de paysans, comme, malgré l'infimité de ceux qui le représentaient, le principe n'en était pas moins grand, toutes les bouches répétèrent le cri de « Vive la nation ! » et tous les bras, s'ouvrant, se refermèrent pour une étreinte générale, dans la sublime fusion de tous les cœurs en un seul cœur, dans la gravitation de tous les intérêts particuliers vers le dévouement commun.

Billot descendit de l'autel de la patrie au milieu des cris de joie et des acclamations de la population tout entière.

La musique de Villers-Cotterets, réunie aux musiques des villages voisins, commença aussitôt l'air des réunions fraternelles, l'air des noces et des baptêmes : *Où peut-on être mieux qu'au sein de sa famille ?*

Et, en effet, à partir de cette heure, la France devenait une grande famille ; à partir de cette heure, les haines de religion étaient éteintes, les préjugés de province anéantis ; à partir de cette heure, ce qui se fera un jour pour le monde se faisait pour la France ; la géographie était tuée ; plus de montagnes, plus de fleuves, plus d'obstacles entre les hommes ; une langue, une patrie, un cœur !

Et, sur cet air naïf avec lequel la famille avait autrefois accueilli Henri IV, et avec lequel aujourd'hui un peuple saluait la liberté, une immense farandole commença qui, se déployant à l'instant même comme une chaîne sans fin, roula ses anneaux vivants du centre de la place jusqu'à l'extrémité des rues qui y aboutissaient.

Puis on dressa des tables devant les portes. Pauvre ou riche, chacun apporta son plat, son pot de cidre, sa chope de bière, sa bouteille de vin ou sa cruche d'eau, et toute une population prit sa part de cette grande agape en bénissant Dieu ; six mille citoyens communièrent à la même table, sainte table de la fraternité !

Billot fut le héros de la journée.

Il en partagea généreusement les honneurs avec le maire et Pitou.

Inutile de dire que, dans la farandole, Pitou trouva le moyen de donner la main à Catherine.

Inutile de dire qu'à table, Pitou trouva le moyen d'être placé près de Catherine.

Mais elle était triste, la pauvre enfant ; sa joie du matin avait disparu comme disparaît un frais et riant rayon de l'aurore, sous les vapeurs orageuses du midi.

Dans sa lutte avec l'abbé Fortier, son père avait jeté le défi au clergé et à la noblesse ; défi d'autant plus terrible qu'il venait de plus bas.

Elle avait pensé à Isidore, qui n'était plus rien... rien que ce qu'était tout autre homme.

Ce n'était pas le titre, ce n'était pas le rang, ce

n'était pas la richesse qu'elle regrettait en lui ; elle eût aimé Isidore simple paysan ; mais il lui semblait qu'on était violent, injuste, brutal envers ce jeune homme ; il lui semblait enfin que son père, en lui arrachant ses titres et ses privilèges, au lieu de le rapprocher d'elle un jour, devait l'en éloigner à tout jamais.

Quant à la messe, personne n'en parla plus ; on pardonna presque à l'abbé Fortier sa sortie contre-révolutionnaire ; seulement, il s'aperçut le lendemain, à sa classe presque vide, du coup que le refus d'officier sur l'autel de la liberté avait porté à sa popularité près des parents patriotes de Villers-Cotterets.

SOUS LA FENÊTRE

La cérémonie que nous venons de raconter, et qui, par des fédérations partielles, avait pour but de relier entre elles toutes les communes de France, n'était que le prélude de la grande fédération qui devait avoir lieu à Paris le 14 juillet 1790.

Dans ces fédérations partielles, les communes jetaient d'avance les yeux sur les députés qu'elles enverraient à la fédération générale.

Le rôle qu'avaient joué, dans cette journée du dimanche 18 octobre, Billot et Pitou, les désignait naturellement aux suffrages de leurs concitoyens, quand le grand jour de la fédération générale serait arrivé.

Mais, en attendant ce grand jour, tout était rentré dans les conditions de la vie ordinaire, dont chacun venait de sortir momentanément par la secousse qu'avait donnée aux calmes habitudes provinciales ce mémorable événement.

Quand nous parlons des calmes habitudes provinciales, nous ne voulons pas dire qu'en province, moins qu'ailleurs, la vie ait son cours égayé par les joies ou assombri par les douleurs. Il n'y a pas de ruisseau, si petit qu'il soit, depuis celui qui murmure sur l'herbe du verger d'un pauvre paysan, jusqu'au fleuve majestueux qui descend des Alpes comme d'un trône pour aller se jeter dans la mer comme un conquérant, qui n'ait sur sa rive humble ou orgueilleuse, semée de pâquerettes ou brodée de villes, ses intervalles d'ombre et de soleil.

Et, si nous en doutions, après le palais des Tuileries où nous avons introduit nos lecteurs, la ferme du père Billot, où nous venons de les ramener, pourrait nous en donner un exemple.

Non point qu'à la surface tout ne parût calme et presque souriant. En effet, le matin vers cinq heures, la grande porte donnant du côté de la plaine où s'étend la forêt, l'été comme un vert rideau, l'hiver comme un crêpe sombre, la grande porte s'ouvrait ; le semeur en sortait à pied, son sac de froment mêlé de cendres sur le dos ; le laboureur à cheval, allant chercher dans les champs la charrue dételée au bout du sillon de la veille ; la vachère, conduisant son troupeau mugissant, guidé par le taureau, majestueux dominateur, suivi de ses vaches et de ses génisses parmi lesquelles marche la vache favorite, que l'on reconnaît à sa clochette sonore ; enfin, derrière eux tous, monté sur son vigoureux hongre normand, trottant l'amble, venait Billot, le maître, l'âme, la vie de tout ce monde en miniature, de tout ce peuple en abrégé.

Un observateur désintéressé n'eût point remarqué sa sortie, et, dans cet œil recouvert d'un sourcil sombre et interrogeant les environs, dans cette oreille attentive à tous les bruits, dans ce cercle décrit autour de la ferme et pendant la durée duquel son regard, comme celui d'un chasseur qui relève une piste et qui trace une enceinte, ne quittait pas un instant la terre, un spectateur indifférent n'eût vu que l'acte d'un propriétaire s'assurant que la journée sera belle, et que, pendant la nuit, loups pour ses bergeries, sangliers pour ses pommes de terre, lapins pour ses trèfles, ne sont point sortis de la forêt, asile dans lequel peut seul les atteindre encore le plomb princier du duc d'Orléans et de ses gardes.

Mais, pour quelqu'un qui eût su ce qui se passait au fond de l'âme du brave fermier, chacun de ses gestes ou de ses pas eût pris un caractère plus grave.

Ce qu'il regardait à travers l'obscurité, c'est si quelque rôdeur ne se rapprochait pas ou ne s'éloignait pas furtivement de la ferme.

Ce qu'il écoutait dans le silence, c'est si quelque appel mystérieux ne correspondait point de la chambre de Catherine aux bouquets de saules bordant la route, ou aux fossés séparant la forêt de la plaine.

Ce qu'il demandait à la terre, interrogée si vivement par son regard, c'est si elle n'avait point gardé l'empreinte d'un pas dont la légèreté ou la petitesse eût dénoncé l'aristocratie.

Quant à Catherine, nous l'avons dit, quoique le visage de Billot se fût un peu adouci pour elle, elle ne continuait pas moins à sentir, comme une gardienne effarée, passer autour d'elle à chaque instant la défiance paternelle. Il en résultait que, pendant ses longues nuits d'hiver solitaires et anxieuses, elle en était à se demander si elle préférait qu'Isidore revînt à Boursonnes ou demeurât éloigné d'elle.

Pour la mère Billot, elle avait repris sa vie végétative ; son mari était de retour, sa fille avait recouvré la santé ; elle ne regardait point au-delà de cet horizon borné, et il eût fallu un œil autrement exercé que le sien pour aller chercher, au fond de l'esprit de son mari, le soupçon ; au fond du cœur de sa fille, l'angoisse.

Pitou, après avoir savouré avec un orgueil mélangé de tristesse son triomphe de capitaine, était retombé dans son état habituel, c'est-à-dire dans une douce et bienveillante mélancolie. Suivant sa régularité ordinaire, il faisait le matin sa visite à la mère Colombe. S'il n'y avait point de lettres pour Catherine, il revenait tristement à Haramont ; car il songeait que de la journée Catherine, ne recevant point de lettres d'Isidore, n'aurait pas occasion de penser à celui qui les apportait. S'il y avait une lettre, au contraire, il la déposait religieusement dans le creux du saule, et revenait souvent plus triste encore que les jours où il n'y en avait pas, en songeant, cette fois, que Catherine ne pensait à lui que par ricochet, et parce que le beau gentilhomme que la Déclaration des droits de l'homme avait bien su priver de son titre, mais n'avait pu priver de sa grâce et de son élégance, était le fil conducteur par lequel il percevait la sensation presque douloureuse du souvenir.

Cependant, comme il est facile de le comprendre, Pitou n'était point un messager purement passif, et, s'il était muet, il n'était pas aveugle. A la suite de son interrogatoire sur Turin et sur la Sardaigne, qui lui avait révélé le but du voyage d'Isidore, il avait reconnu, au timbre des lettres, que le jeune gentilhomme était dans la capitale du Piémont. Puis, enfin, un beau jour, le timbre avait porté le mot *Lyon* au lieu du mot *Turin*, et, deux jours après, c'est-à-dire le 25 décembre, une lettre était arrivée, portant le mot *Paris* au lieu du mot *Lyon*.

Alors, sans avoir besoin d'un grand effort de perspicacité, Pitou avait compris que le vicomte Isidore de Charny avait quitté l'Italie, et était rentré en France.

Maintenant, une fois à Paris, il était évident qu'il ne tarderait pas à quitter Paris pour Boursonnes.

Le cœur de Pitou se serra ; sa résolution de dévouement était prise, mais son cœur n'était point pour cela insensible aux différentes émotions qui venaient l'assaillir.

Ainsi, le jour où arriva cette lettre datée de Paris, Pitou, pour se faire un prétexte, résolut-il d'aller placer ses collets sur la garderie de la Bruyère-aux-Loups.

Or, la ferme de Pisseleu était juste située sur la route d'Haramont à cette partie de la forêt qu'on appelait la Bruyère-aux-Loups.

Il n'y avait donc rien d'étonnant à ce que Pitou s'y arrêtât en passant.

Il choisit pour s'y arrêter l'heure où Billot faisait aux champs sa course de l'après-dînée.

Selon son habitude, Pitou, coupant à travers plaine, allait d'Haramont à la grande route de Paris à Villers-Cotterets, de la grande route à la ferme de Noue, et de la ferme de Noue par les ravins à celle de Pisseleu.

Puis il contournait les murs de la ferme, longeait les bergeries et les étables, et finissait par se trouver en face de la grande porte d'entrée, de l'autre côté de laquelle s'élevaient les bâtiments d'habitation.

Cette fois encore, il suivit sa route accoutumée.

Arrivé à la porte de la ferme, il regarda autour de lui comme eût pu faire Billot, et il aperçut Catherine à sa fenêtre.

Catherine semblait attendre. Son œil vague, sans se fixer sur aucun point précis, parcourait toute l'étendue de forêt comprise entre le chemin de Villers-Cotterets à la Ferté-Milon et celui de Villers-Cotterets à Boursonnes.

Pitou ne cherchait point à surprendre Catherine : il s'arrangea de manière à se trouver dans le rayon parcouru par son œil, et, en le rencontrant, l'œil de la jeune fille s'arrêta sur lui.

Elle lui sourit. Pitou, pour Catherine, n'était plus qu'un ami, ou plutôt Pitou était pour elle devenu plus qu'un ami.

Pitou était son confident.

— C'est vous, mon cher Pitou, dit la jeune fille ; quel bon vent vous amène de notre côté ?

Pitou montra ses collets roulés autour de son poing.

— J'ai eu l'idée de vous faire manger une couple de lapins bien tendres et bien parfumés, mademoiselle Catherine, et, comme les meilleurs sont ceux de la Bruyère-aux-Loups, à cause du serpolet qui y pousse à foison, je suis parti longtemps à l'avance, afin de vous voir en passant, et de vous demander en même temps des nouvelles de votre santé.

Catherine commença par sourire à cette attention de Pitou. Puis, après avoir répondu à la première partie de son discours par un sourire, répondant à la seconde par la parole :

— Des nouvelles de ma santé ? Vous êtes bien bon, cher monsieur Pitou. Grâce aux soins que vous avez eus de moi quand j'étais malade, et que vous avez continué de me rendre depuis ma convalescence, je suis à peu près guérie.

— A peu près guérie ! reprit Pitou avec un soupir. Je voudrais bien que vous le fussiez tout à fait.

Catherine rougit, poussa un soupir à son tour, prit la main de Pitou comme si elle allait lui dire quelque chose d'important ; mais, se ravisant sans doute, elle lâcha la main qu'elle tenait, fit quelques pas à travers sa chambre comme si elle cherchait son mouchoir, et, l'ayant trouvé, elle le passa sur son front couvert de sueur, quoiqu'on fût aux jours les plus froids de l'année.

Aucun de ces mouvements n'échappa au regard investigateur de Pitou.

— Vous avez quelque chose à me dire, mademoiselle Catherine ? demanda-t-il.

— Moi ?... Non... rien... vous vous trompez, mon cher Pitou, répondit la jeune fille d'une voix altérée.

Pitou fit un effort.

— C'est que, voyez-vous, dit-il, mademoiselle

Catherine, si vous aviez besoin de moi, il ne faudrait pas vous gêner.

Catherine réfléchit ou plutôt hésita un instant.

— Mon cher Pitou, dit-elle, vous m'avez prouvé que dans l'occasion je pouvais compter sur vous, et je vous en suis bien reconnaissante ; mais, une seconde fois, je vous remercie.

Puis elle ajouta à voix basse :

— Il est même inutile que vous passiez cette semaine à la poste ; de quelques jours, je ne recevrai pas de lettres.

Pitou fut près de répondre qu'il s'en doutait ; mais il voulut voir jusqu'où irait la confiance de la jeune fille envers lui.

Elle se borna à la recommandation que nous venons de dire, et qui avait tout simplement pour but de ne point faire faire tous les matins à Pitou une course inutile.

Cependant, aux yeux de Pitou, la recommandation avait une plus haute portée.

Ce n'était pas une raison pour Isidore de ne pas écrire, que d'être revenu à Paris. Si Isidore n'écrivait plus à Catherine, c'est qu'il comptait la voir.

Qui disait à Pitou que cette lettre datée de Paris, et qu'il avait déposée le matin même dans le saule creux, n'annonçait pas à Catherine l'arrivée prochaine de son amant ? Qui lui disait que ce regard perdu dans l'espace lorsqu'il était apparu, et que sa présence avait ramené sur lui-même, ne cherchait pas, à la lisière de la forêt, quelque signe qui indiquât à la jeune fille que son amant était arrivé ?

Pitou attendit, afin de donner tout le temps à Catherine de débattre avec elle-même si elle avait quelque confidence à lui faire. Puis, voyant qu'elle gardait obstinément le silence :

— Mademoiselle Catherine, dit-il, avez-vous remarqué le changement qui se fait chez M. Billot ?

La jeune fille tressaillit.

— Ah ! dit-elle répondant à une interrogation par

une autre interrogation, avez-vous donc remarqué quelque chose, vous ?

— Mademoiselle Catherine, dit Pitou en branlant la tête, il y aura, bien sûr, un moment — quand cela ? je n'en sais rien, — où celui qui est cause de ce changement passera un mauvais quart d'heure ; c'est moi qui vous dis cela, entendez-vous ?

Catherine pâlit.

Mais, n'en regardant pas moins fixement Pitou :

— Pourquoi dites-vous *celui*, et non pas *celle* ? demanda la jeune fille. C'est peut-être une femme, et non un homme, qui aura à souffrir de cette colère cachée...

— Ah ! mademoiselle Catherine, dit Pitou, vous m'effrayez. Avez-vous donc quelque chose à craindre ?

— Mon ami, dit tristement Catherine, j'ai à craindre ce qu'une pauvre fille qui a oublié sa condition, et qui aime au-dessus d'elle, peut craindre d'un père irrité.

— Mademoiselle, dit Pitou hasardant un conseil, il me semble qu'à votre place...

Il s'arrêta.

— Il vous semble qu'à ma place ?... répéta Catherine.

— Eh bien, il me semble qu'à votre place... Ah ! mais, non, dit-il, vous avez failli mourir pour une simple absence qu'il a faite. S'il vous fallait renoncer à lui, ce serait pour en mourir tout à fait, et je ne veux pas que vous mouriez ; dussé-je vous voir malade et triste, j'aime encore mieux vous voir ainsi que là-bas, au bout du Pleux... Ah ! mademoiselle Catherine, c'est bien malheureux, tout cela !

— Chut ! dit Catherine, parlons d'autre chose, ou ne parlons pas du tout, voici mon père.

Pitou se retourna dans la direction du regard lancé par Catherine, et vit, en effet, le fermier qui s'avançait au grand trot de son cheval.

En apercevant un homme près de la fenêtre de Catherine, Billot s'arrêta ; puis, sans doute reconnaissant celui à qui il avait affaire, il continua son chemin.

Pitou fit quelques pas au-devant de lui, souriant à sa venue, et tenant son chapeau à la main.

— Ah ! ah ! c'est toi, Pitou, dit Billot ; viens-tu nous demander à dîner, mon garçon ?

— Non, monsieur Billot, dit Pitou, je ne me permettrais pas cela ; mais...

En ce moment, il lui sembla qu'un regard de Catherine l'encourageait.

— Mais quoi ? reprit Billot.

— Mais... si vous m'invitiez, j'accepterais.

— Eh bien, dit le fermier, je t'invite.

— Alors, répondit Pitou, j'accepte.

Le fermier donna un coup d'éperon à son cheval, et rentra sous la voûte de la porte cochère.

Pitou se retourna vers Catherine.

— Était-ce là ce que vous vouliez me dire ? demanda-t-il.

— Oui... Il est plus sombre encore aujourd'hui que les autres jours...

Puis elle ajouta tout bas :

— Oh ! mon Dieu ! est-ce qu'il saurait... ?

— Quoi, mademoiselle ? demanda Pitou qui, si bas qu'eût parlé Catherine, avait entendu.

— Rien, dit Catherine en se retirant dans sa chambre et en fermant sa fenêtre.

LE PÈRE CLOUIS REPARAIT SUR LA SCÈNE

Catherine ne s'était pas trompée. Malgré l'accueil affable qu'il avait fait à Pitou, son père paraissait plus sombre que jamais. Il donna une poignée de main à Pitou, et Pitou sentit cette main froide et humide. Sa fille, comme d'habitude, lui présenta ses joues pâlies et frissonnantes, mais il se contenta d'effleurer son front avec ses lèvres ; quant à la mère Billot, elle se leva, par un mouvement qui lui était naturel lorsqu'elle voyait entrer son mari, et qui tenait, à la fois, au sentiment de son infériorité et au respect qu'elle lui portait ; mais le fermier ne fit pas même attention à elle.

— Le dîner est-il prêt ? demanda-t-il.

— Oui, notre homme, répondit la mère Billot.

— Alors, à table, dit-il ; j'ai encore beaucoup de choses à faire avant ce soir.

On passa dans la petite salle à manger de la famille. Cette salle à manger donnait sur la cour, et personne ne pouvait, venant du dehors, entrer dans la cuisine, sans passer devant la fenêtre par laquelle cette petite pièce recevait le jour.

Un couvert fut ajouté pour Pitou, que l'on plaça entre les deux femmes le dos tourné à la fenêtre.

Si préoccupé que fût Pitou, il y avait chez lui un organe sur lequel la préoccupation n'influait jamais, c'était l'estomac ; il en résulta donc que Billot, malgré toute la perspicacité de son regard, au premier service ne put voir autre chose, dans son convive, que la satisfaction qu'il éprouvait à l'aspect d'une excellente soupe aux choux, et du plat de bœuf et de lard qui la suivit.

Il était évident, néanmoins, que Billot désirait savoir si c'était le hasard ou un dessein prémédité qui avait amené Pitou à la ferme.

Aussi, au moment où l'on enlevait le bœuf et le lard, pour apporter un quartier d'agneau rôti, plat auquel Pitou regardait faire son entrée avec une joie visible, le fermier démasqua-t-il tout à coup ses batteries, et, s'adressant directement à Pitou :

— Maintenant, mon cher Pitou, lui demanda-t-il, maintenant que tu vois que tu es toujours le bienvenu à la ferme, peut-on savoir ce qui t'attire aujourd'hui dans nos parages ?

Pitou sourit, jeta un coup d'œil autour de lui pour

s'assurer qu'il n'y avait là ni regards indiscrets, ni oreilles dangereuses, et, relevant de la main gauche la manche droite de sa veste :

— Voilà, père Billot, lui dit-il en montrant une vingtaine de collets en fil d'archal roulés comme un bracelet autour de son poignet.

— Ah ! ah ! dit le père Billot, tu as donc dépeuplé les garderies de Longpré et de Taille-Fontaine, que tu te rabats par ici ?

— Ce n'est pas cela, monsieur Billot, dit naïvement Pitou ; mais, depuis le temps que j'ai affaire à ces gueux de lapins-là, je crois qu'ils reconnaissent mes collets, et qu'ils se détournent. J'ai donc décidé que je viendrais dire deux mots, cette nuit, à ceux du père Lajeunesse, qui sont moins malins et plus délicats, mangeant de la bruyère et du serpolet.

— Peste ! dit le fermier, je ne te savais pas si friand, maître Pitou.

— Oh ! ce n'est pas pour moi que je suis friand, dit Pitou, c'est pour mademoiselle Catherine ; comme elle vient d'être malade, elle a besoin de viande fine...

— Oui, reprit Billot interrompant Pitou, tu as raison, car tu vois qu'elle n'a pas encore d'appétit.

Et il montra du doigt l'assiette blanche de Catherine, qui, après avoir mangé quelques cuillerées de soupe, n'avait touché ni au bœuf ni au lard.

— Je n'ai pas d'appétit, mon père, dit Catherine rougissant d'être interpellée ainsi, parce que j'ai mangé une grande tasse de lait avec du pain un instant avant que M. Pitou passât près de ma fenêtre, et que je l'appelasse.

— Je ne cherche point la cause pour laquelle tu as ou n'as pas d'appétit, dit Billot ; je constate un fait, voilà tout.

Puis, à travers la fenêtre, jetant les yeux sur la cour :

— Ah ! dit-il en se levant, voilà quelqu'un pour moi.

Pitou sentit le pied de Catherine s'appuyer vivement sur le sien ; il se retourna de son côté, la vit pâle comme la mort, et lui indiquant des yeux la fenêtre donnant sur la cour.

Son regard suivit la direction du regard de Catherine, et il reconnut son vieil ami le père Clouïs, lequel passait devant la fenêtre le fusil à deux coups de Billot sur l'épaule.

Le fusil du fermier se distinguait des autres en ce que sa sous-garde et ses capucines étaient d'argent.

— Ah ! dit Pitou, qui ne voyait dans tout cela rien de bien effrayant, tiens, c'est le père Clouïs. Il rapporte votre fusil, monsieur Billot.

— Oui, dit Billot en se rasseyant, et il dînera avec nous, s'il n'a pas dîné. Femme, ajouta-t-il, ouvre la porte au père Clouïs.

La mère Billot se leva et alla ouvrir la porte ; tandis que Pitou, les yeux fixés sur Catherine, se demandait quoi de terrible, dans ce qui se passait, pouvait occasionner sa pâleur.

Le père Clouïs entra : il tenait de la même main, sur son épaule, le fusil du fermier et un lièvre qu'il avait évidemment tué avec ce fusil.

Le père Clouïs avait reçu, de M. le duc d'Orléans, la permission de tuer un jour un lapin et un autre jour un lièvre.

C'était, à ce qu'il paraissait, le jour au lièvre.

Il porta la seconde main, celle qui n'était pas occupée, à une espèce de bonnet de fourrure qu'il portait habituellement, et auquel il ne restait plus guère que la peau, tout éraflé qu'il était journellement par les fourrés dans lesquels passait le père Clouïs, à peu près aussi insensible aux épines qu'un sanglier l'est à son tiéran.

— Monsieur Billot et la compagnie, dit-il, j'ai bien l'honneur de vous saluer.

— Bonjour, papa Clouïs, répondit Billot. Allons, vous êtes homme de parole, merci.

— Oh ! ce qui est convenu est convenu, monsieur

Billot ; vous m'avez rencontré ce matin, et vous m'avez dit comme cela : « Père Clouïs, vous qui êtes un fin tireur, assortissez-moi donc une douzaine de balles au calibre de mon fusil, vous me rendrez service. » Ce à quoi je vous ai répondu : « Pour quand vous faut-il ça, monsieur Billot ? » Vous m'avez dit : « Pour ce soir, sans faute. » Alors, j'ai dit : « C'est bon, vous l'aurez », et le voilà !

— Merci, père Clouïs, dit Billot. Vous allez dîner avec nous, n'est-ce pas ?

— Oh ! vous êtes bien honnête, monsieur Billot, je n'ai besoin de rien.

Le père Clouïs croyait que la civilité exigeait, quand on lui offrait un siège, qu'il dît qu'il n'était pas fatigué, et, quand on l'invitait à dîner, qu'il répondît qu'il n'avait pas faim.

Billot connaissait cela.

— N'importe, dit-il, mettez-vous toujours à table ; il y a à boire et à manger, et, si vous ne mangez pas, vous boirez.

Pendant ce temps, la mère Billot, avec la régularité et presque le silence d'un automate, avait posé sur la table une assiette, un couvert et une serviette.

Puis elle approcha une chaise.

— Dame ! puisque vous le voulez absolument, dit le père Clouïs.

Et il alla porter le fusil dans un coin, posa son lièvre sur le rebord du buffet, et vint s'asseoir à table.

Il se trouvait placé juste en face de Catherine, qui le regardait avec terreur.

Le visage doux et placide du vieux garde semblait si peu fait pour inspirer ce sentiment, que Pitou ne pouvait se rendre compte des émotions que trahissait, non seulement le visage de Catherine, mais encore le tremblement nerveux qui agitait tout son corps.

Cependant Billot avait rempli le verre et l'assiette

de son convive, lequel, quoiqu'il eût déclaré n'avoir besoin de rien, attaqua bravement l'un et l'autre.

— Ah ! voilà un joli vin, monsieur Billot, fit-il comme pour rendre hommage à la vérité, et un aimable agneau ! Il paraît que vous êtes de l'avis du proverbe qui dit : « Il faut manger les agneaux trop jeunes, et boire le vin trop vieux. »

Personne ne répondit à la plaisanterie du père Clouïs, lequel, voyant que la conversation tombait, et se croyant, en sa qualité de convive, obligé de la soutenir, continua :

— Je me suis donc dit comme cela : « Ma foi, c'est aujourd'hui le tour des lièvres ; autant que je tue mon lièvre d'un côté de la forêt que de l'autre. Je vais donc aller tuer mon lièvre sur la garderie du père Lajeunesse. Je verrai, en même temps, comment un fusil monté en argent porte la balle. » J'ai donc fondu treize balles au lieu de douze. Ma foi ! il la porte bien la balle, votre fusil.

— Oui, je sais cela, répondit Billot, c'est une bonne arme.

— Tiens ! douze balles, observa Pitou, il y a donc un prix au fusil quelque part, monsieur Billot ?

— Non, répondit Billot.

— Ah ! c'est que je le connais, *le monté en argent*, comme on l'appelle dans les environs, continua Pitou ; je lui en ai vu faire, des siennes, à la fête de Boursonnes, il y a deux ans. Tenez ! c'est là qu'il a gagné le couvert d'argent avec lequel vous mangez, madame Billot, et la timbale dans laquelle vous buvez, mademoiselle Catherine... Oh ! mais, s'écria Pitou effrayé, qu'avez-vous donc, mademoiselle ?

— Moi ?... Rien, dit Catherine en rouvrant ses yeux à moitié fermés, et en se redressant sur sa chaise, contre le dos de laquelle elle s'était laissée aller à moitié évanouie.

— Catherine ! qu'est-ce que tu veux qu'elle ait ? dit Billot en haussant les épaules.

— Justement, continua le père Clouïs, il faut

vous dire que, dans la vieille ferraille, chez Monta-gnon l'armurier, j'ai retrouvé un moule... ah ! c'est que c'est rare, un moule comme il vous en faut un. Ces diables de petits canons de Leclerc, ils sont presque tous du calibre vingt-quatre, ce qui ne les empêche pas de porter Dieu sait où. J'ai donc retrouvé un moule juste du calibre de votre fusil, un peu plus petit même ; mais cela ne fait rien, au contraire, vous enveloppez la balle dans une peau graissée... Est-ce pour tirer à la course ou à coup posé ?

— Je n'en sais rien encore, répondit Billot ; tout ce que je puis dire, c'est que c'est pour aller à l'affût.

— Ah ! oui, je comprends, dit le père Clouïs, les sangliers de M. le duc d'Orléans, ils sont friands de vos parmentières, et vous vous êtes dit : « Autant dans le saloir, autant qui n'en mangent plus. »

Il se fit un silence qui n'était troublé que par la respiration haletante de Catherine.

Les yeux de Pitou allaient du garde à Billot, et de Billot à sa fille.

Il cherchait à comprendre, et n'y arrivait pas.

Quant à la mère Billot, il était inutile de demander aucun éclaircissement à son visage ; elle ne compre-nait rien de ce qu'on disait, à bien plus forte raison de ce qu'on voulait dire.

— Ah ! c'est que, continua le père Clouïs pour-suivant sa pensée, c'est que, si les balles sont pour les sangliers, elles sont, peut-être, un peu bien petites, voyez-vous ; ça a la peau dure, ces mes-sieurs-là, sans compter que ça revient sur le chas-seur. J'en ai vu, des sangliers, qui avaient cinq, six, huit balles entre cuir et chair, et des balles de munition encore, de seize à la livre, et qui ne s'en portaient que mieux.

— Ce n'est pas pour les sangliers, dit Billot.

Pitou ne put résister à sa curiosité.

— Pardon, monsieur Billot, dit-il, mais, si ce n'est

pas pour tirer au prix, si ce n'est pas pour tirer sur les sangliers, pour tirer sur quoi est-ce donc, alors ?

— Pour tirer sur un loup, dit Billot.

— Eh bien, si c'est pour tirer sur un loup, voilà votre affaire, dit le père Clouïs prenant les douze balles dans sa poche, et les transvasant dans une assiette où elles tombèrent en cliquetant. Quant à la treizième, elle est dans le ventre du lièvre... Ah ! je ne sais pas comment il porte le plomb, mais il porte joliment la balle, votre fusil.

Si Pitou eût regardé Catherine, il eût vu qu'elle était près de s'évanouir.

Mais, tout à ce que disait le père Clouïs, il ne regardait pas la jeune fille.

Aussi, lorsqu'il entendit le vieux garde dire que la treizième balle était dans le ventre du lièvre, il ne put pas y résister, et se leva pour aller vérifier le fait.

— C'est, ma foi, vrai ! dit-il en fourrant son petit doigt dans le trou de la balle ; c'est affaire à vous, père Clouïs. Monsieur Billot, vous tirez bien, vous, mais vous ne tuez pas encore les lièvres comme cela, à balle franche.

— Ah ! dit Billot, peu importe, du moment où l'animal sur lequel je tirerai est vingt fois gros comme un lièvre, j'espère que je ne le manquerai pas.

— Le fait est, dit Pitou, qu'un loup... Mais vous parlez de loups, il y en a donc dans le canton ? C'est étonnant avant la neige...

— Oui, c'est étonnant ; mais c'est comme cela, cependant.

— Vous êtes sûr, monsieur Billot ?

— Très sûr, répondit le fermier en regardant à la fois Pitou et Catherine, ce qui était facile puisqu'ils étaient placés l'un près de l'autre ; le berger en a vu un ce matin.

— Où cela ? demanda naïvement Pitou.

— Sur la route de Paris à Boursonnes, près du taillis d'Ivors.

— Ah ! fit Pitou regardant à son tour Billot et Catherine.

— Oui, continua Billot avec la même tranquillité, on l'avait déjà remarqué l'année dernière, et l'on m'avait prévenu ; quelque temps, on l'a cru parti pour ne plus revenir ; mais...

— Mais ?... demanda Pitou.

— Mais il paraît qu'il est revenu, dit Billot, et qu'il s'apprête à tourner encore autour de la ferme. Voilà pourquoi j'ai dit au père Clouïs de me nettoyer mon fusil, et de me couler des balles.

C'était tout ce que pouvait supporter Catherine ; elle poussa une espèce de cri étouffé, se leva, et, toute trébuchante, se dirigea vers la porte.

Pitou, moitié naïf, moitié inquiet, se leva aussi, et, voyant Catherine chanceler, s'élança pour la soutenir.

Billot jeta un regard terrible du côté de la porte ; mais l'honnête visage de Pitou manifestait une trop grande expression d'étonnement pour qu'il pût soupçonner son propriétaire de complicité avec Catherine.

Sans s'inquiéter davantage ni de Pitou ni de sa fille, il poursuivit donc :

— Ainsi, vous dites, père Clouïs, que, pour assurer le coup, il sera bon d'envelopper les balles dans un morceau de peau graissée ?

Pitou entendit encore cette question, mais il n'entendit pas la réponse ; car, arrivé en ce moment dans la cuisine où il venait de rejoindre Catherine, il sentit la jeune fille s'affaisser entre ses bras.

— Mais qu'avez-vous donc ? mon Dieu ! qu'avez-vous donc ? demanda Pitou effrayé.

— Oh ! dit Catherine, vous ne comprenez donc pas ? Il sait qu'Isidore est arrivé ce matin à Boursonnes, et il veut l'assassiner s'il approche de la ferme.

En ce moment, la porte de la salle à manger s'ouvrit, et Billot parut sur le seuil.

— Mon cher Pitou, dit-il d'une voix si dure, qu'elle n'admettait pas de réplique, si tu es venu en réalité pour les lapins du père Lajeunesse, je crois qu'il est temps que tu ailles tendre tes collets ; tu comprends, plus tard tu n'y verrais plus.

— Oui, monsieur Billot, dit humblement Pitou en jetant un double regard sur Catherine et sur Billot, j'étais venu pour cela, pas pour autre chose, je vous le jure.

— Eh bien, alors ?

— Eh bien, alors, j'y vais, monsieur Billot.

Et il sortit par la porte de la cour, tandis que Catherine éplorée rentrait dans sa chambre, dont elle poussait le verrou derrière elle.

— Oui, murmura Billot, oui, enferme-toi, malheureuse ! peu m'importe, car ce n'est pas de ce côté-ci que je me mettrai à l'affût.

LE JEU DE BARRES

Pitou sortit de la ferme tout abasourdi ; seulement, aux paroles de Catherine, il avait vu jour dans tout ce qui avait été obscurité pour lui jusque-là, et ce jour l'avait aveuglé.

Pitou savait ce qu'il avait voulu savoir, et même davantage.

Il savait que le vicomte Isidore de Charny était arrivé le matin à Boursonnes, et que, s'il se hasardait à voir Catherine à la ferme, il courait risque de recevoir un coup de fusil.

Car il n'y avait plus de doute à garder : les paroles de Billot, paraboliques d'abord, s'étaient éclaircies aux seuls mots prononcés par Catherine ; le loup qu'on avait vu, l'année dernière, rôder autour de la bergerie, que l'on croyait parti pour toujours, et que l'on avait revu le matin même, près du taillis d'Ivors, sur la route de Paris à Boursonnes, c'était le vicomte Isidore de Charny.

C'était à son intention que le fusil avait été nettoyé ; c'était pour lui que les balles avaient été fondues.

Comme on le voit, cela devenait grave.

Pitou, qui avait quelquefois, lorsque l'occasion l'exigeait, la force du lion, avait presque toujours la prudence du serpent. En contravention depuis le jour où il avait atteint l'âge de raison, à l'endroit des gardes champêtres, sous le nez desquels il allait dévaster les vergers fermés de haies, ou les arbres fruitiers en plein champ ; en contravention à l'endroit des gardes forestiers, sur les talons desquels il allait tendre ses gluaux et ses collets, il avait pris une habitude de réflexion profonde et de décision rapide, qui, dans tous les cas dangereux où il s'était trouvé, lui avait permis de se tirer d'affaire aux meilleures conditions possibles. Cette fois donc, comme les autres, appelant à son secours d'abord la décision rapide, il se décida immédiatement à gagner le bois situé à quatre-vingts pas de la ferme environ.

le bois est couvert, et, sous ce couvert où il est facile de demeurer inaperçu, l'on peut réfléchir à son aise.

Dans cette occasion, Pitou, comme on le voit, avait interverti l'ordre ordinaire des choses en mettant la décision rapide avant la réflexion profonde.

Mais Pitou, avec son intelligence instinctive, avait été au plus pressé ; et le plus pressé pour lui, c'était d'avoir un couvert.

Il s'avança donc vers la forêt d'un air aussi dégagé que si sa tête n'eût point porté un monde de pensées, et il atteignit le bois ayant eu la force de ne pas jeter un regard derrière lui.

Il est vrai que, dès qu'il eut calculé qu'il était hors de vue de la ferme, il se baissa comme pour boucler le sous-pied de sa guêtre, et, la tête entre les deux jambes, il interrogea l'horizon.

L'horizon était libre, et ne paraissait pour le moment offrir aucun danger.

Ce que voyant Pitou, il reprit la ligne verticale, et, d'un bond, se trouva dans la forêt.

La forêt, c'était le domaine de Pitou.

Là, il était chez lui ; là, il était libre ; là, il était roi.

Roi comme l'écureuil, dont il avait l'agilité ; comme le renard, dont il avait les ruses ; comme le loup, dont il avait les yeux qui voient pendant la nuit.

Mais, à cette heure, il n'avait besoin ni de l'agilité de l'écureuil, ni des ruses du renard, ni des yeux nyctalopes du loup.

Il s'agissait tout simplement, pour Pitou, de couper en diagonale la portion de bois dans laquelle il s'était enfoncé, et de revenir à cet endroit de la lisière de la forêt qui s'étendait dans toute la longueur de la ferme.

A soixante ou soixante et dix pas de distance, Pitou verrait tout ce qui se passerait ; avec soixante ou soixante et dix pas de distance, Pitou défiait tout être, quel qu'il fût, obligé de se servir, pour se mouvoir et attaquer, de ses pieds et de ses mains.

Il va sans dire qu'il défiait bien autrement un cavalier ; car il n'en est pas un seul qui eût pu faire cent pas dans la forêt par les chemins où l'eût conduit Pitou.

Aussi, en forêt, Pitou n'avait pas de comparaison assez dédaigneuse pour dire combien il méprisait un cavalier.

Pitou se coucha tout de son long dans une cépée, appuya son cou sur deux arbres jumeaux se séparant à leur tige, et réfléchit profondément.

Il réfléchit qu'il était de son devoir d'empêcher,

autant qu'il serait en lui, le père Billot de mettre à exécution la terrible vengeance qu'il méditait.

Le premier moyen qui se présenta à l'esprit de Pitou fut de courir à Boursonnes et de prévenir M. Isidore du danger qui l'attendait, s'il se hasardait du côté de la ferme.

Mais presque aussitôt il réfléchit à deux choses.

La première, c'est qu'il n'avait pas reçu de Catherine mission de faire cela.

La seconde, c'est que le danger pourrait bien ne pas arrêter M. Isidore.

Puis quelle certitude avait Pitou que le vicomte, dont l'intention était sans doute de se cacher, viendrait par la route frayée aux voitures, et non par quelques-uns de ces petits sentiers que suivent, pour raccourcir leur chemin, les bûcherons et les ouvriers de bois ?

D'ailleurs, en allant à la recherche d'Isidore, Pitou abandonnait Catherine, et Pitou, qui, à tout prendre, eût été fâché qu'il arrivât malheur au vicomte, eût été désespéré qu'il arrivât malheur à Catherine.

Ce qui lui parut le plus sage, ce fut donc d'attendre où il était, et de prendre, selon ce qui surviendrait, conseil des circonstances.

En attendant, ses yeux se braquèrent sur la ferme, fixes et brillants comme ceux d'un chat-tigre qui guette sa proie.

Le premier mouvement qui s'y opéra, fut la sortie du père Clouïs.

Pitou le vit prendre congé de Billot sous la porte cochère puis longer le mur en clopinant, et disparaître dans la direction de Villers-Cotterets, qu'il devait traverser ou contourner pour se rendre à sa hutte, distante d'une lieue et demie à peu près de Pisseleu.

Au moment où il sortit, le crépuscule commençait à tomber.

Comme le père Clouïs n'était qu'un personnage fort secondaire, une espèce de comparse dans le drame qui se jouait, Pitou n'attacha à lui qu'une attention médiocre, et l'ayant, pour l'acquit de sa conscience, suivi du regard jusqu'au moment où il disparut à l'angle du mur, il ramena ses yeux sur le centre du bâtiment, c'est-à-dire là où s'ouvraient la porte cochère et les fenêtres.

Au bout d'un instant, une des fenêtres s'éclaira : c'était celle de la chambre de Billot.

De l'endroit où était Pitou, le regard plongeait parfaitement dans la chambre ; Pitou put donc voir Billot, rentré chez lui, charger son fusil avec toutes les précautions recommandées par le père Clouïs.

Pendant ce temps, la nuit achevait de tomber.

Billot, son fusil une fois chargé, éteignit sa lumière, et tira les deux volets de sa fenêtre, mais de façon à les garder entrebâillés, pour que, sans doute, son regard pût observer les alentours par cet entrebâillement.

De la fenêtre de Billot, située au premier, nous croyons l'avoir déjà dit, on ne voyait pas, à cause d'un coude formé par les murs de la ferme, la fenêtre de la chambre de Catherine, située au rez-de-chaussée ; mais on découvrait entièrement le chemin de Boursonnes, et tout le cercle de la forêt qui s'arrondit de la montagne de la Ferté-Milon à ce que l'on appelle le taillis d'Ivors.

Tout en ne voyant pas la fenêtre de Catherine, en supposant que Catherine sortît par cette fenêtre, et essayât de gagner le bois, Billot pouvait donc l'apercevoir du moment où elle entrerait dans le rayon embrassé par son regard ; seulement, comme la nuit allait de plus en plus s'épaississant, Billot verrait une femme, pourrait se douter que cette femme est Catherine, mais ne pourrait pas la reconnaître d'une manière certaine pour être Catherine.

Nous faisons d'avance toutes ces remarques, parce que c'étaient celles que se faisait Pitou.

Pitou ne doutait point que, la nuit tout à fait

venue, Catherine ne tentât une sortie afin de prévenir Isidore.

Sans perdre entièrement de vue la fenêtre de Billot, ce fut donc sur celle de Catherine que ses yeux se fixèrent plus particulièrement.

Pitou ne se trompait pas. Lorsque la nuit eut atteint un degré d'obscurité qui parut suffisant à la jeune fille, Pitou, pour lequel, nous l'avons dit, il n'y avait pas d'obscurité, vit s'ouvrir lentement le volet de Catherine ; puis celle-ci enjamber l'appui de la fenêtre, repousser le volet, et se glisser tout le long de la muraille.

Il n'y avait pas de danger pour la jeune fille d'être vue tant qu'elle suivrait cette ligne ; et, en supposant qu'elle eût eu affaire à Villers-Cotterets, elle eût pu y arriver inaperçue ; mais si, au contraire, elle avait affaire du côté de Boursonnes, il lui fallait absolument entrer dans le rayon que le regard embrassait de la fenêtre de son père.

Arrivée au bout du mur, elle hésita pendant quelques secondes, de sorte que Pitou eut un instant l'espérance que c'était à Villers-Cotterets, et non à Boursonnes, qu'elle allait ; mais, tout à coup, cette hésitation cessa, et, se courbant pour se dérober autant qu'elle pouvait aux yeux, elle traversa le chemin, et se jeta dans une petite sente, rejoignant la forêt par une courbe qui se continuait sous bois, et allait tomber, à un quart de lieue à peu près, dans le chemin de Boursonnes.

Cette sente aboutissait à un petit carrefour appelé le carrefour de Bourg-Fontaine.

Une fois Catherine dans la sente, le chemin qu'elle allait suivre et l'intention qui la conduisait étaient si clairs pour Pitou, qu'il ne s'occupa plus d'elle, mais seulement de ces volets entrouverts par lesquels, comme à travers la meurtrière d'une citadelle le regard plongeait d'une extrémité à l'autre du bois.

Tout ce rayon embrassé par le regard de Billot

était, à part un berger dressant son parc, parfaitement solitaire.

Il en résulta que, dès que Catherine entra dans ce rayon, quoique son mantelet noir la rendît à peu près invisible, elle ne put, cependant, échapper au regard perçant du fermier.

Pitou vit les volets s'entrebâiller, la tête de Billot passer par l'entrebâillement, et demeurer un instant fixe et immobile, comme s'il eût douté dans ces ténèbres du témoignage de ses yeux ; mais les chiens du berger ayant couru dans la direction de cette ombre, et, après avoir donné quelques coups de gueule, étant revenus vers leur maître, Billot ne douta plus que cette ombre ne fût Catherine.

Les chiens, en s'approchant d'elle, l'avaient reconnue et avaient cessé d'aboyer en la reconnaissant.

Il va sans dire que tout cela se traduisait pour Pitou aussi clairement que s'il eût été d'avance au courant des divers incidents de ce drame.

Il s'attendait donc à voir refermer les volets de la chambre de Billot, et à voir s'ouvrir la porte cochère.

En effet, au bout de quelques secondes, la porte s'ouvrit, et, comme Catherine atteignait la lisière du bois, Billot, son fusil sur l'épaule, franchissait le seuil de la porte, et s'avançait à grands pas vers la forêt, suivant ce chemin de Boursonnes où devait aboutir, après un demi-quart de lieue, la sente suivie par Catherine.

Il n'y avait pas un instant à perdre pour que, dans dix minutes, la jeune fille ne se trouvât point en face de son père !

Ce fut ce que comprit Pitou.

Il se releva, bondit à travers les taillis comme un chevreuil effarouché, et, coupant diagonalement la forêt dans le sens inverse de sa première course, il se trouva au bord du sentier au moment où l'on entendait déjà les pas pressés et la respiration haletante de la jeune fille.

Pitou s'arrêta caché derrière le tronc d'un chêne.

Au bout de dix secondes, Catherine passait à deux pas de ce chêne.

Pitou se démasqua, barra le chemin à la jeune fille, et se nomma du même coup.

Il avait jugé nécessaire cette unité d'une triple action pour ne pas trop épouvanter Catherine.

En effet, elle ne jeta qu'un faible cri, et, s'arrêtant toute tremblante, moins de l'émotion présente que de l'émotion passée :

— Vous, monsieur Pitou, ici !... Que me voulez-vous ? dit-elle.

— Pas un pas de plus, au nom du ciel, mademoiselle ! dit Pitou en joignant les mains.

— Et pourquoi cela ?

— Parce que votre père sait que vous êtes sortie ; parce qu'il suit la route de Boursonnes avec son fusil ; parce qu'il vous attend au carrefour de Bourg-Fontaine !

— Mais lui, lui !... dit Catherine presque égarée ; il ne sera donc pas prévenu ?...

Et elle fit un mouvement pour continuer son chemin.

— Le sera-t-il davantage, dit Pitou, lorsque votre père vous aura barré la route ?

— Que faire ?

— Revenez, mademoiselle Catherine, rentrez dans votre chambre ; je me mettrai en embuscade aux environs de votre fenêtre, et, lorsque je verrai M. Isidore, je le préviendrai.

— Vous ferez cela, cher monsieur Pitou ?

— Pour vous, je ferai tout, mademoiselle Catherine ! Ah ! c'est que je vous aime bien, moi, allez !

Catherine lui serra les mains.

Puis, au bout d'une seconde de réflexion :

— Oui, vous avez raison, dit-elle, ramenez-moi.

Et, comme les jambes commençaient à lui manquer, elle passa son bras sous celui de Pitou, qui lui fit reprendre — lui marchant, elle courant, — le chemin de la ferme.

Dix minutes après, Catherine rentrait chez elle sans avoir été vue, et refermait sa fenêtre derrière elle, tandis que Pitou lui montrait le groupe de saules dans lequel il allait veiller et attendre.

L'AFFUT AU LOUP

Le groupe de saules, placé sur une petite hauteur, à vingt ou vingt-cinq pas de la fenêtre de Catherine, dominait une espèce de fossé où passait, encaissé à la profondeur de sept ou huit pieds, un filet d'eau courante.

Ce ruisseau, qui tournait comme le chemin, était ombragé de place en place de saules pareils à ceux qui formaient le groupe dont nous avons parlé, c'est-à-dire d'arbres semblables, la nuit surtout, à ces nains qui portent sur un petit corps une grosse tête ébouriffée.

C'était dans le dernier de ces arbres creusés par le temps que Pitou apportait, tous les matins, les lettres de Catherine, et que Catherine allait les prendre, quand elle avait vu son père s'éloigner et disparaître dans une direction opposée.

Au reste, Pitou de son côté, et Catherine du sien, avaient toujours usé de tant de précaution, que ce n'était point par là que la mèche avait été éventée ; c'était par un pur hasard qui avait le matin même placé le berger de la ferme sur le chemin d'Isidore ; le berger avait annoncé comme une nouvelle sans importance le retour du vicomte ; ce retour caché, qui avait eu lieu à cinq heures du matin, avait paru plus que suspect à Billot. Depuis son retour de Paris, depuis la maladie de Catherine, depuis la recommandation que lui avait faite le docteur Raynal de ne pas entrer dans la chambre de la malade, tant qu'elle aurait le délire, il avait été convaincu que le vicomte de Charny était l'amant de sa fille, et, comme il ne voyait au bout de cette liaison que le déshonneur, puisque M. le vicomte de Charny n'épouserait point Catherine, il avait résolu d'ôter à ce déshonneur ce qu'il avait de honteux en le faisant sanglant.

De là tous ces détails que nous avons racontés, et qui, insignifiants aux regards non prévenus, avaient pris une si terrible importance aux yeux de Catherine, et, après l'explication donnée par Catherine, aux yeux de Pitou.

On a vu que Catherine, tout en devinant le projet de son père, n'avait tenté de s'y opposer qu'en prévenant Isidore, démarche dans laquelle heureusement Pitou l'avait arrêtée, puisque, au lieu d'Isidore, c'eût été son père qu'elle eût rencontré sur le chemin.

Elle connaissait trop le caractère terrible du fermier, pour rien essayer à l'aide de prières et de supplications ; c'eût été hâter l'orage, voilà tout ; provoquer la foudre au lieu de la détourner.

Empêcher un choc entre son amant et son père, c'était tout ce qu'elle ambitionnait.

Oh ! comme elle eût ardemment désiré en ce moment que cette absence dont elle avait cru mourir se fût prolongée ! Comme elle eût béni la voix qui fût venue lui dire : « Il est parti ! » cette voix eût-elle ajouté : « Pour jamais ! »

Pitou avait compris tout cela aussi bien que Catherine, voilà pourquoi il s'était offert à la jeune fille comme intermédiaire ; soit que le vicomte vînt à pied, soit qu'il vînt à cheval, il espérait l'entendre ou le voir à temps, s'élancer au devant de lui, en deux mots le mettre au courant de la situation, et le déterminer à fuir en lui promettant des nouvelles de Catherine pour le lendemain.

Pitou se tenait donc collé à son saule comme s'il eût fait partie de la famille végétale au milieu de laquelle il se trouvait, appliquant tout ce que ses sens avaient d'habitude de la nuit, des plaines et des bois, pour distinguer une ombre ou percevoir un son.

Tout à coup, il lui sembla entendre derrière lui, venant de la forêt, le bruit du pas heurté d'un homme qui marche dans les sillons ; comme ce pas lui parut trop lourd pour être celui du jeune et élégant vicomte, il tourna lentement et d'une façon presque insensible autour de son saule, et, à trente pas de lui, il aperçut le fermier, son fusil sur l'épaule.

Il avait attendu, comme le prévoyait Pitou, au carrefour de Bourg-Fontaine ; mais, ne voyant déboucher personne par la sente, il avait cru s'être trompé, et il revenait se mettre à l'affût, ainsi qu'il l'avait dit lui-même, en face de la fenêtre de Catherine, convaincu que c'était par cette fenêtre que le vicomte de Charny tenterait de s'introduire chez elle.

Malheureusement, le hasard voulait qu'il eût choisi pour son embuscade le même groupe de saules où venait de se blottir Pitou.

Pitou devina l'intention du fermier ; il n'y avait pas à lui disputer la place ; il se laissa couler le long du talus, et disparut dans le fossé, la tête cachée sous les racines saillantes du saule contre lequel Billot vint s'appuyer.

Par bonheur, le vent soufflait avec une certaine violence ; sans quoi, Billot eût certainement pu entendre les battements du cœur de Pitou.

Mais, il faut le dire à l'honneur de l'admirable nature de notre héros, c'était moins son danger personnel qui le préoccupait que le désespoir de manquer malgré lui de parole à Catherine.

Si M. de Charny venait, et qu'il arrivât malheur à M. de Charny, que penserait-elle de Pitou ?

Qu'il l'avait trahie, peut-être.

Pitou eût préféré la mort à cette idée, que Catherine pouvait penser qu'il l'avait trahie.

Mais il n'y avait rien à faire qu'à rester où il était, et surtout à y rester immobile : le moindre mouvement l'eût dénoncé.

Un quart d'heure s'écoula, sans que rien vînt troubler le silence de la nuit ; Pitou conservait un dernier espoir : c'est que si, par bonheur, le vicomte venait tard, Billot s'impatienterait d'attendre, douterait de sa venue, et rentrerait chez lui.

Mais, tout à coup, Pitou, qui par sa position avait l'oreille appuyée contre la terre, crut entendre le galop d'un cheval ; ce cheval, si c'en était un, devait venir par la petite sente qui aboutissait au bois.

Bientôt il n'y eut plus de doute que ce ne fût un cheval ; il traversa le chemin à soixante pas à peu près du groupe de saules ; on entendit les pieds de l'animal retentir sur le cailloutis, et l'un de ses fers, ayant heurté un pavé, en tira quelques étincelles.

Pitou vit le fermier s'incliner au-dessus de sa tête, pour tâcher de distinguer dans l'obscurité.

Mais la nuit était si noire, que l'œil de Pitou lui-même, tout habile qu'il était à percer les ténèbres, ne vit qu'une espèce d'ombre bondissant par-dessus le chemin, et disparaissant à l'angle de la muraille de la ferme.

Pitou ne douta pas un instant que ce ne fût Isidore, mais il espéra que le vicomte avait, pour pénétrer dans la ferme, une autre entrée que celle de la fenêtre.

Billot le craignit, car il murmura quelque chose comme un blasphème.

Puis il se fit dix minutes d'un silence effrayant.

Au bout de ces dix minutes, Pitou, grâce à l'acuité de sa vue, distingua une forme humaine à l'extrémité de la muraille.

Le cavalier avait attaché son cheval à quelque arbre, et revenait à pied.

La nuit était si obscure, que Pitou espéra que Billot ne verrait pas cette espèce d'ombre, ou la verrait trop tard.

Il se trompait, Billot la vit, car Pitou entendit par deux fois, au-dessus de sa tête, le bruit sec que fait en s'armant le chien d'un fusil.

L'homme qui se glissait contre la muraille entendit sans doute de son côté ce bruit auquel ne se trompe pas l'oreille d'un chasseur ; car il s'arrêta, essayant de percer l'obscurité du regard ; mais c'était chose impossible.

Pendant cette halte d'une seconde, Pitou vit au-dessus du fossé se lever le canon du fusil ; mais, sans doute, à cette distance le fermier n'était-il pas sûr de son coup, ou peut-être craignit-il de commettre quelque erreur, car le canon qui s'était levé avec rapidité s'abaissa lentement.

L'ombre reprit son mouvement, et continua de se glisser contre la muraille.

Elle s'approchait visiblement de la fenêtre de Catherine.

Cette fois, c'était Pitou qui entendait battre le cœur de Billot.

Pitou se demandait ce qu'il pouvait faire, par quel cri il pouvait avertir le malheureux jeune homme, par quel moyen il pouvait le sauver.

Mais rien ne se présentait à son esprit, et de désespoir, il s'enfonçait les mains dans les cheveux !

Il vit se lever le canon du fusil une seconde fois ; mais, une seconde fois, le canon s'abaissa.

La victime était encore trop éloignée.

Il s'écoula une demi-minute, à peu près, pendant laquelle le jeune homme fit les vingt pas qui le séparaient encore de la fenêtre.

Arrivé à la fenêtre, il frappa doucement trois coups à intervalles égaux.

Cette fois, il n'y avait plus de doute, c'était bien un amant, et cet amant venait bien pour Catherine.

Aussi, une troisième fois, le canon du fusil se

leva, tandis que, de son côté, Catherine, reconnaissant le signal habituel, entrouvrait sa fenêtre.

Pitou, haletant, sentit en quelque sorte se détendre le ressort du fusil ; le bruit de la pierre contre la batterie se fit entendre, une lueur pareille à celle d'un éclair illumina le chemin, mais aucune explosion ne suivit cette lueur.

L'amorce seule avait brûlé.

Le jeune gentilhomme vit le danger qu'il venait de courir ; il fit un mouvement pour marcher droit sur le feu ; mais Catherine étendit le bras, et, l'attirant à elle :

— Malheureux ! dit-elle à voix basse, c'est mon père !... Il sait tout !... Viens !...

Et, avec une force surhumaine, elle l'aida à franchir la fenêtre, dont elle tira le volet derrière lui.

Il restait au fermier un second coup à tirer ; mais les deux jeunes gens étaient tellement enlacés l'un à l'autre, que sans doute, en tirant sur Isidore, il craignit de tuer sa fille.

— Oh ! murmura-t-il, il faudra bien qu'il sorte, et, en sortant, je ne le manquerai pas.

En même temps, avec l'épinglette de sa poudrière, il débouchait la lumière du fusil, et amorçait de nouveau, pour que ne se renouvelât point l'espèce de miracle auquel Isidore devait la vie.

Pendant cinq minutes, tout bruit resta suspendu, même celui de la respiration de Pitou et du fermier, même celui du battement de leurs cœurs.

Tout à coup, au milieu du silence, les aboiements des chiens à l'attache retentirent dans la cour de la ferme.

Billot frappa du pied, écouta un instant encore, et, frappant du pied de nouveau :

— Ah ! dit-il, elle le fait fuir par le verger, c'est contre lui que les chiens aboient.

Et, bondissant par-dessus la tête de Pitou, il retomba de l'autre côté du fossé, et, malgré la nuit, grâce à la connaissance qu'il avait des localités, il disparut avec la rapidité de l'éclair à l'angle de la muraille.

Il espérait arriver de l'autre côté de la ferme en même temps qu'Isidore.

Pitou comprit la manœuvre ; avec l'intelligence de l'homme de la nature, il s'élança à son tour hors du fossé, traversa le chemin en ligne directe, alla droit à la fenêtre de Catherine, tira à lui le contre-vent qui s'ouvrit, entra dans la chambre vide, gagna la cuisine éclairée par une lampe, se jeta dans la cour, s'engagea dans le passage qui conduisait au verger, et, arrivé là, grâce à cette faculté qu'il avait de distinguer dans les ténèbres, il vit deux ombres, l'une qui enjambait la muraille, et l'autre qui, au pied de cette muraille, se tenait debout et les bras tendus.

Mais, avant de s'élancer de l'autre côté du mur, le jeune homme se retourna une dernière fois.

— Au revoir, Catherine, dit-il ; n'oublie pas que tu es à moi.

— Oh ! oui, oui, répondit la jeune fille ; mais pars, pars !

— Oui, partez, partez, monsieur Isidore ! cria Pitou, partez !

On entendit le bruit que fit le jeune homme en tombant à terre, puis le hennissement de son cheval, qui le reconnut ; puis les élans rapides de l'animal, poussé sans doute par l'éperon ; puis un premier coup de feu, puis un second.

Au premier, Catherine jeta un cri, et fit un mouvement comme pour s'élancer au secours d'Isidore ; au second, elle poussa un soupir, et, la force lui manquant, elle tomba dans les bras de Pitou.

Celui-ci, le cou tendu, prêta l'oreille pour savoir si le cheval continuait sa course avec la même rapidité qu'avant les coups de feu, et, ayant entendu le galop de l'animal qui s'éloignait sans se ralentir :

— Bon ! dit-il sentencieusement, il y a de l'espoir ; on ne vise pas aussi bien la nuit que le jour, et la main n'est pas aussi sûre quand on tire sur un homme que quand on tire sur un loup ou sur un sanglier.

Et, soulevant Catherine, il voulut l'emporter dans ses bras.

Mais celle-ci par un puissant effort de volonté, rappelant toutes ses forces, se laissa glisser à terre, et, arrêtant Pitou par le bras :

— Où me mènes-tu ? demanda-t-elle.

— Mais, mademoiselle, dit Pitou tout étonné, je vous reconduis à votre chambre.

— Pitou, fit Catherine, as-tu un endroit où me cacher ?

— Oh ! quant à cela, oui, mademoiselle, dit Pitou, et, si je n'en ai pas, j'en trouverai.

— Alors, dit Catherine, emmène-moi.

— Mais la ferme ?...

— Dans cinq minutes, je l'espère, j'en serai sortie pour n'y plus rentrer.

— Mais votre père ?...

— Tout est rompu entre moi et l'homme qui a voulu tuer mon amant.

— Mais, cependant, mademoiselle, hasarda Pitou.

— Ah ! tu refuses de m'accompagner, Pitou ? demanda Catherine en abandonnant le bras du jeune homme.

— Non, mademoiselle Catherine, Dieu m'en garde !

— Eh bien, alors, suis-moi.

Et Catherine, marchant la première, passa du verger dans le potager.

A l'extrémité du potager était une petite porte donnant sur la plaine de Noue.

Catherine l'ouvrit sans hésitation, prit la clef, referma la porte à double tour derrière elle et Pitou, et jeta la clef dans un puits adossé à la muraille.

Puis, d'un pas ferme, à travers terres, elle s'éloigna appuyée au bras de Pitou, et tous deux disparurent bientôt dans la vallée qui s'étend du village de Pisseleu à la ferme de Noue.

Nul ne les vit partir, et Dieu seul sut où Catherine trouva le refuge que lui avait promis Pitou.

OU L'ORAGE A PASSÉ

Il en est des orages humains comme des ouragans célestes ; le ciel se couvre, l'éclair luit, le tonnerre gronde, la terre semble vacillante sur son axe ; il y a un moment de paroxysme terrible où l'on croit à l'anéantissement des hommes et des choses, où chacun tremble, frémit, lève les mains au Seigneur comme vers la seule bonté, comme vers l'unique miséricorde. Puis, peu à peu le calme se fait, la nuit se dissipe, le jour revient, le soleil renaît, les fleurs se rouvrent, les arbres se redressent, les hommes vont à leurs affaires, à leurs plaisirs, à leurs amours ; la vie rit et chante sur le bord des chemins et au seuil des portes, et on ne s'inquiète pas du désert partiel qui s'est fait là où le tonnerre est tombé.

Il en fut de même pour la ferme : toute la nuit, il y eut sans doute un orage terrible dans le cœur de cet homme qui avait résolu et mis à exécution son projet de vengeance. Quand il s'aperçut de la fuite de sa fille, quand il chercha en vain dans l'ombre la trace de ses pas, lorsqu'il l'appela d'abord avec la voix de la colère, puis avec celle de la supplication, puis avec celle du désespoir, et qu'à aucune de ces voix elle ne répondit, il se brisa certainement quelque chose de vital dans cette puissante organisation : mais, enfin, quand à cet orage de cris et de menaces, qui avait eu son éclair et sa foudre comme un orage céleste, eut succédé le silence de l'épuisement ; quand les chiens, n'ayant plus de cause de trouble, eurent cessé de hurler ; quand une pluie mêlée de grêle eut effacé une trace de sang qui, pareille à une ceinture à moitié dénouée, entourait tout un côté de la ferme ; quand le temps, cet insensible et muet témoin de tout ce qui s'accomplit ici-bas, eut secoué dans l'air sur les ailes frissonnantes du bronze les dernières heures de la nuit, les choses reprirent leur cours habituel : la porte cochère cria sur ses gonds rouillés ; les journaliers en sortirent, les uns pour aller à la semence, les autres pour aller à la herse, les autres pour aller à la charrue ; puis Billot parut à son tour, croisant la plaine dans tous les sens ; puis, enfin, le jour vint, le reste du village s'éveilla, et quelques-uns qui avaient moins bien dormi que les autres dirent d'un air moitié curieux et moitié insouciant :

— Les chiens du père Billot ont rudement hurlé cette nuit, et l'on a entendu deux coups de fusil derrière la ferme...

Ce fut tout.

Ah ! si, nous nous trompons.

Lorsque le père Billot rentra, comme d'habitude, à neuf heures pour déjeuner, sa femme lui demanda :

— Dis donc, notre homme, où est Catherine ? Sais-tu ?...

— Catherine ?... répondit le fermier avec un effort. L'air de la ferme lui était mauvais, et elle est partie pour aller en Sologne chez sa tante...

— Ah !... fit la mère Billot. Et y restera-t-elle longtemps, chez sa tante ?

— Tant qu'elle n'ira pas mieux, répondit le fermier.

La mère Billot poussa un soupir, et éloigna d'elle sa tasse de café au lait.

Le fermier, de son côté, voulut faire un effort pour manger ; mais, à la troisième bouchée, comme si la nourriture l'étouffait, il prit la bouteille de bourgogne par le goulot, la vida d'un trait ; puis, d'une voix rauque :

— On n'a pas dessellé mon cheval, j'espère ?...
demanda-t-il.

— Non, monsieur Billot, répondit la voix timide
d'un enfant qui venait, la main tendue, chercher
son déjeuner tous les matins à la ferme.

— Bien !

Et le fermier, écartant brusquement le pauvre
petit, monta sur son cheval et le poussa dans les
champs, tandis que sa femme, en essuyant deux
larmes, allait sous le manteau de la cheminée
reprendre sa place habituelle.

Il y avait encore une autre personne de notre
connaissance qui avait assez mal dormi cette nuit-
là.

C'était le docteur Raynal.

A une heure du matin, il avait été réveillé par le
laquais du vicomte de Charny, qui tirait sa sonnette
à toute volée.

Il avait été ouvrir lui-même, comme c'était l'habitude quand retentissait la sonnette de nuit.

Le laquais du vicomte le venait chercher pour un
accident grave arrivé à son maître.

Il tenait en main un second cheval tout sellé, afin
que le docteur Raynal ne fût point retardé un seul
instant.

Le docteur s'habilla en un tour de main, enfour-
cha le cheval et partit au galop, précédé du laquais
marchant devant lui comme un courrier.

Quel était l'accident ? Il le saurait en arrivant au
château. Seulement, il était invité à prendre ses
instruments de chirurgie.

L'accident était une blessure au flanc gauche et
une égratignure à l'épaule droite, faites par deux
balles qui paraissaient du même calibre, c'est-à-dire
du calibre vingt-quatre.

Mais de détails sur l'événement, le vicomte n'en
voulut donner aucun.

L'une des deux blessures, celle du flanc, était
sérieuse, mais cependant ne présentait nul danger :

la balle avait traversé les chairs sans attaquer d'organe important.

Quant à l'autre blessure, ce n'était point la peine de s'en occuper.

Le pansement fait, le jeune homme donna vingt-cinq louis au docteur pour qu'il gardât le silence.

— Si vous voulez que je garde le silence, il faut me payer ma visite au prix ordinaire, répondit le brave docteur, c'est-à-dire une pistole.

Et, prenant un louis, il rendit sur ce louis quatorze livres au vicomte, lequel insista inutilement pour lui faire accepter davantage.

Il n'y eut pas moyen.

Seulement, le docteur Raynal annonça qu'il croyait trois visites nécessaires, et qu'en conséquence il reviendrait le surlendemain et le surlendemain de ce surlendemain.

A sa seconde visite, le docteur trouva son malade debout : à l'aide d'une ceinture qui maintenait l'appareil contre la blessure, il avait pu, dès le lendemain, monter à cheval, comme si rien ne lui fût arrivé ; de sorte que tout le monde, excepté son laquais de confiance, ignorait l'accident.

A la troisième visite, le docteur Raynal trouva son malade parti. Ce qui fait que, pour cette visite sans résultat, il ne voulut accepter qu'une demi-pistole.

Le docteur Raynal était un de ces rares médecins qui sont dignes d'avoir dans leur salon la fameuse gravure représentant *Hippocrate refusant les présents d'Artaxerce*.

[Plusieurs mois passent et deux événements heureux, quoique bien différents, se préparent :

La fête de la Fédération du 14 juillet 1790, au cours de laquelle des gardes nationaux, délégués de la France entière, commémoreront la prise de la Bastille.

La naissance d'un enfant... L'évanouissement de Catherine, dans la soirée du 7 octobre, n'était pas dû seulement au chagrin de voir partir Isidore. Elle était enceinte...]

LE CHAMP DE MARS

Quand cette proposition d'une fédération générale fut apportée à l'Assemblée par le maire et par la Commune de Paris, qui ne pouvaient plus résister aux demandes des autres villes, il se fit un grand mouvement parmi les auditeurs. Cette réunion innombrable d'hommes conduite à Paris, ce centre éternel d'agitation, était désapprouvée à la fois par les deux partis qui séparaient la Chambre, par les royalistes et les jacobins.

C'était, disaient les royalistes, risquer un gigantesque 14 juillet, non plus contre la Bastille, mais contre la royauté.

Que deviendrait le roi au milieu de cette effroyable mêlée de passions diverses, de cet épouvantable conflit d'opinions différentes ?

D'un autre côté, les jacobins, qui n'ignoraient pas quelle influence Louis XVI conservait sur les masses, ne redoutaient pas moins cette réunion que leurs ennemis.

Aux yeux des jacobins, une telle réunion allait amortir l'esprit public, endormir les défiances, réveiller les vieilles idolâtries, enfin, royaliser la France.

Mais il n'y avait pas moyen de s'opposer à ce mouvement, qui n'avait pas eu son pareil depuis que l'Europe tout entière s'était soulevée, au XIᵉ siècle, pour délivrer le tombeau du Christ.

Et qu'on ne s'étonne pas ; ces deux mouvements ne sont pas aussi étrangers l'un à l'autre qu'on le pourrait croire : le premier arbre de la liberté avait été planté sur le Calvaire.

Seulement, l'Assemblée fit ce qu'elle put pour rendre la réunion moins considérable qu'on ne la sentait venir. On traîna la discussion en longueur.

En outre, les dépenses furent mises à la charge des localités. Or, il y avait des provinces si pauvres, et l'on savait cela, qu'on ne supposait point qu'en faisant les plus grands efforts, elles pussent subvenir aux frais de la moitié du chemin de leurs députés, ou plutôt du quart de la route qu'ils avaient à faire, puisqu'il leur fallait, non seulement aller à Paris, mais encore en revenir.

Mais on avait compté sans l'enthousiasme public. On avait compté sans la cotisation dans laquelle les riches donnèrent deux fois, une fois pour eux, une fois pour les pauvres. On avait compté sans l'hospitalité, criant le long des chemins : « Français, ouvrez vos portes, voilà des frères qui vous arrivent du bout de la France ! »

Et ce dernier cri surtout n'avait pas trouvé une oreille sourde, pas une porte rebelle.

Plus d'étrangers, plus d'inconnus ; partout des Français, des parents, des frères. A nous les pèlerins de la grande fête ! Venez, gardes nationaux ! venez, soldats ! venez, marins ! entrez chez nous ; vous trouverez des pères et des mères, des épouses dont les fils et les époux trouvent ailleurs l'hospitalité que nous vous offrons !

Pour celui qui eût pu, comme le Christ, être transporté, non pas sur la plus haute montagne de la terre, mais seulement sur la plus haute montagne de la France, c'eût été un splendide spectacle que de voir ces trois cent mille citoyens marchant vers Paris, tous ces rayons de l'étoile refluant vers le centre.

Et par qui étaient guidés tous ces pèlerins de la liberté ? Par des vieillards, par de pauvres soldats de la guerre de sept ans, par des sous-officiers de

Fontenoy, par des officiers de fortune à qui il avait fallu toute une vie de labeur, de courage et de dévouement pour arriver à l'épaulette de lieutenant ou aux deux épaulettes de capitaine ; pauvres mineurs qui avaient été obligés d'user avec leur front la voûte de granit de l'ancien régime militaire ; par des mariniers, qui avaient conquis l'Inde avec Bussy et Dupleix, et qui l'avaient perdue avec Lally-Tolendal ; ruines vivantes, brisées par les canons des champs de bataille, usées au flux et au reflux de la mer. Pendant les derniers jours, des hommes de quatre-vingts ans firent des étapes de dix et douze lieues pour arriver à temps, et ils arrivèrent.

Au moment de se coucher pour toujours et de s'endormir du sommeil de l'éternité, ils avaient retrouvé les forces de la jeunesse.

C'est que la patrie leur avait fait signe, les appelant à elle d'une main, et, de l'autre, leur montrant l'avenir de leurs enfants.

L'Espérance marchait devant eux.

Puis ils chantaient un seul et unique chant, que les pèlerins vinssent du nord ou du midi, de l'orient ou de l'occident, de l'Alsace ou de la Bretagne, de la Provence ou de la Normandie. Qui leur avait appris ce chant, rimé lourdement, pesamment, comme ces anciens cantiques qui guidaient les croisés à travers les mers de l'Archipel et les plaines de l'Asie Mineure ? Nul ne le sait : — l'ange de la rénovation, qui secouait en passant ses ailes au-dessus de la France.

Ce chant, c'était le fameux *Ça ira*, non pas celui de 93 ; — 93 a tout interverti, tout changé : le rire en larmes, la sueur en sang.

Non, cette France tout entière, s'arrachant à elle-même pour venir apporter à Paris le serment universel, elle ne chantait point des paroles de menaces, elle ne disait point :

> Ah ! ça ira, ça ira, ça ira,
> Les aristocrat's à la lanterne ;
> Ah ! ça ira, ça ira, ça ira,
> Les aristocrat's, on les pendra !

Non, son chant, à elle, ce n'était point un chant de mort, c'était un chant de vie ; ce n'était point l'hymne du désespoir, c'était le cantique de l'espérance.

Elle chantait sur un autre air les paroles suivantes :

> Le peuple en ce jour sans cesse répète :
> Ah ! ça ira, ça ira, ça ira,
> Suivant les maximes de l'Évangile.
> Ah ! ça ira, ça ira, ça ira,
> Du législateur tout s'accomplira :
> Celui qui s'élève, on l'abaissera ;
> Celui qui s'abaisse, on l'élèvera !

Il fallait un cirque gigantesque pour recevoir, province et Paris, cinq cent mille âmes ; il fallait un amphithéâtre colossal pour étager un million, de spectateurs.

Pour le premier, on choisit le Champ de Mars.

Pour le second, les hauteurs de Passy et de Chaillot.

Seulement, le Champ de Mars présentait une surface plane. Il fallait en faire un vaste bassin ; il fallait le creuser et en amonceler les terres tout autour pour former des élévations.

Quinze mille ouvriers, — de ces hommes qui se plaignent éternellement tout haut de chercher en vain de l'ouvrage, et qui, tout bas, prient Dieu de n'en point trouver, — quinze mille ouvriers furent lancés, avec bêches, pioches et hoyaux, par la ville de Paris pour transformer cette plaine en un vallon bordé d'un large amphithéâtre. Mais, à ces quinze mille ouvriers, trois semaines seulement restaient pour accomplir cette œuvre de Titans ; et, au bout de deux jours de travail, on s'aperçut qu'il leur faudrait trois mois.

Peut-être, d'ailleurs, étaient-ils plus chèrement payés pour ne rien faire qu'ils ne l'étaient pour travailler.

Alors se produisit une espèce de miracle auquel on put juger de l'enthousiasme parisien. Le labeur immense que ne pouvaient pas ou ne voulaient pas exécuter quelques milliers d'ouvriers fainéants, la population tout entière l'entreprit. Le jour même où le bruit se répandit que le Champ de Mars ne serait pas prêt pour le 14 juillet, cent mille hommes se levèrent et dirent, avec cette certitude qui accompagne la volonté d'un peuple ou la volonté d'un Dieu : « Il le sera. »

Des députés allèrent trouver le maire de Paris au nom de ces cent mille travailleurs, et il fut convenu avec eux que, pour ne pas nuire aux travaux de la journée, on leur donnerait la nuit.

Le même soir, à sept heures, un coup de canon fut tiré, qui annonçait que, la besogne du jour étant finie, l'œuvre nocturne allait commencer.

Et, au coup de canon, par ses quatre faces, du côté de Grenelle, du côté de la rivière, du côté du Gros-Caillou et du côté de Paris, le Champ de Mars fut envahi.

Chacun portait son instrument : hoyau, bêche, pelle ou brouette.

D'autres roulaient des tonneaux pleins de vin, accompagnés de violons, de guitares, de tambours et de fifres.

Tous les âges, tous les sexes, tous les états étaient confondus ; citoyens, soldats, abbés, moines, belles dames, dames de la halle, sœurs de charité, actrices, tout cela maniait la pioche, roulait la brouette ou menait le tombereau ; les enfants marchaient devant portant des torches ; les orchestres suivaient jouant de toutes sortes d'instruments, et, planant sur tout ce bruit, sur tout ce vacarme, sur tous ces instruments, s'élevait le *Ça ira*, chœur immense chanté par cent mille bouches, et auquel répondaient trois cent mille voix venant de tous les points de la France.

Au nombre des travailleurs les plus acharnés, on en remarquait deux arrivés des premiers et en uniforme ; l'un était un homme de quarante ans, aux membres robustes et trapus, mais à la figure sombre.

Lui ne chantait pas et parlait à peine.

L'autre était un jeune homme de vingt ans, à la figure ouverte et souriante, aux grands yeux bleus, aux dents blanches, aux cheveux blonds, d'aplomb sur ses grands pieds et sur ses gros genoux ; il soulevait de ses larges mains des fardeaux énormes ; roulait charrette et tombereau sans jamais s'arrêter, sans jamais se reposer, chantant toujours, veillant du coin de l'œil sur son compagnon, lui disant une bonne parole à laquelle celui-ci ne répondait pas, lui portant un verre de vin qu'il repoussait, revenant à sa place en levant tristement les épaules, et se remettant à travailler comme dix, et à chanter comme vingt.

Ces deux hommes, c'étaient deux des députés du nouveau département de l'Aisne qui, éloignés de dix lieues seulement de Paris, et ayant entendu dire que l'on manquait de bras, étaient accourus en toute hâte pour offrir, l'un son silencieux travail, l'autre sa bruyante et joyeuse coopération.

Ces deux hommes, c'étaient Billot et Pitou.

Disons ce qui se passait à Villers-Cotterets pendant la troisième nuit de leur arrivée à Paris, c'est-à-dire pendant la nuit du 5 au 6 juillet, au moment juste où nous venons de les reconnaître, s'escrimant de leur mieux au milieu des travailleurs.

OU L'ON VOIT
CE QU'ÉTAIT DEVENUE CATHERINE, MAIS
OU L'ON IGNORE CE QU'ELLE DEVIENDRA

Pendant cette nuit du 5 au 6 juillet, vers onze heures du soir, le docteur Raynal, qui venait de se coucher dans l'espérance — si souvent déçue chez les chirurgiens et les médecins — de dormir sa grasse nuit, le docteur Raynal, disons-nous, fut réveillé par trois coups vigoureusement frappés à sa porte.

C'était, on le sait, l'habitude du bon docteur, quand on frappait ou quand on sonnait la nuit, d'aller ouvrir lui-même, afin d'être plus vite en contact avec les gens qui pouvaient avoir besoin de lui.

Cette fois comme les autres, il sauta à bas de son lit, passa sa robe de chambre, chaussa ses pantoufles, et descendit aussi rapidement que possible son étroit escalier.

Quelque diligence qu'il eût faite, sans doute, il paraissait trop lent encore au visiteur nocturne, car celui-ci s'était remis à frapper, mais, cette fois, sans nombre et sans mesure, lorsque tout à coup la porte s'ouvrit.

Le docteur Raynal reconnut ce même laquais qui l'était venu chercher une certaine nuit pour le conduire près du vicomte Isidore de Charny.

— Oh ! oh ! dit le docteur à cette vue, encore vous, mon ami ? Ce n'est point un mot de reproche, entendez-vous bien ? mais, si votre maître était encore blessé de nouveau, il faudrait qu'il y prît garde : il ne fait pas bon aller ainsi aux endroits où il pleut des balles.

— Non, monsieur, répondit le laquais, ce n'est pas pour mon maître, ce n'est pas pour une blessure, c'est pour quelque chose qui n'est pas moins pressé. Achevez votre toilette ; voici un cheval, et l'on vous attend.

Le docteur ne demandait jamais plus de cinq minutes pour sa toilette. Cette fois-ci, jugeant, au son de voix du laquais, et surtout à la façon dont il avait frappé, que sa présence était urgente, il n'en mit que quatre.

— Me voilà, dit-il reparaissant presque aussitôt qu'il avait disparu.

Le laquais, sans mettre pied à terre, tint la bride du cheval au docteur Raynal, qui se trouva immédiatement en selle, et qui, au lieu de tourner à gauche en sortant de chez lui, comme il avait fait la première fois, tourna à droite, suivant le laquais, qui lui indiquait le chemin.

C'était donc du côté opposé à Boursonnes qu'on le conduisait, cette fois.

Il traversa le parc, s'enfonça dans la forêt, laissant Haramont à sa gauche, et se trouva bientôt dans une partie du bois si accidentée, qu'il était difficile d'aller plus loin à cheval.

Tout à coup, un homme caché derrière un arbre se démasqua en faisant un mouvement.

— Est-ce vous, docteur ? demanda-t-il.

Le docteur, qui avait arrêté son cheval, ignorant les intentions du nouveau venu, reconnut à ces mots le vicomte Isidore de Charny.

— Oui, dit-il, c'est moi. Où diable me faites-vous donc mener, monsieur le vicomte ?

— Vous allez voir, dit Isidore. Mais descendez de cheval, je vous prie, et suivez-moi.

Le docteur descendit ; il commençait à tout comprendre.

— Ah ! ah ! dit-il, il s'agit d'un accouchement, je parie ?

Isidore lui saisit la main.

— Oui, docteur, et, par conséquent, vous me promettez de garder le silence, n'est-ce pas ?

Le docteur haussa les épaules en homme qui

voulait dire : « Eh ! mon Dieu, soyez donc tranquille, j'en ai vu bien d'autres ! »

— Alors, venez par ici, dit Isidore répondant à sa pensée.

Et, au milieu des houx, sur les feuilles sèches et criantes, perdus sous l'obscurité des hêtres gigantesques, à travers le feuillage frémissant desquels on apercevait de temps en temps le scintillement d'une étoile, tous deux descendirent dans les profondeurs où nous avons dit que le pas des chevaux ne pouvait pénétrer.

Au bout de quelques instants, le docteur aperçut le haut de la pierre Clouïse.

— Oh ! oh ! dit-il, serait-ce dans la hutte du bonhomme Clouïs que nous allons ?

— Pas tout à fait, dit Isidore, mais bien près.

Et, faisant le tour de l'immense rocher, il conduisit le docteur devant la porte d'une petite bâtisse en briques adossée à la hutte du vieux garde, si bien qu'on aurait pu croire, et que l'on croyait effectivement dans les environs, que le bonhomme, pour plus grande commodité, avait ajouté cette annexe à son logement.

Il est vrai que, à part même Catherine gisante sur un lit, on eût été détrompé par le premier coup d'œil jeté dans l'intérieur de cette petite chambre.

Un joli papier tendu sur la muraille, des rideaux d'étoffe pareille à ce papier pendante aux deux fenêtres ; entre ces deux fenêtres, une glace élégante ; au-dessous de cette glace, une toilette garnie de tous ses ustensiles en porcelaine ; deux chaises, deux fauteuils, un petit canapé et une petite bibliothèque : tel était l'intérieur, presque confortable, comme on dirait aujourd'hui, qui s'offrait à la vue en entrant dans cette petite chambre.

Mais le regard du bon docteur ne s'arrêta sur rien de tout cela. Il avait vu la femme étendue sur le lit ; il allait droit à la souffrance.

En apercevant le docteur, Catherine avait caché

son visage entre ses deux mains, qui ne pouvaient contenir ses sanglots, ni cacher ses larmes.

Isidore s'approcha d'elle et prononça son nom ; elle se jeta dans ses bras.

— Docteur, dit le jeune homme, je vous confie la vie et l'honneur de celle qui n'est aujourd'hui que ma maîtresse, mais qui, je l'espère, sera un jour ma femme.

— Oh ! que tu es bon, mon cher Isidore, de me dire de pareilles choses ! car tu sais bien qu'il est impossible qu'une pauvre fille comme moi soit jamais vicomtesse de Charny. Mais je ne t'en remercie pas moins ; tu sais que je vais avoir besoin de force, et tu veux m'en donner ; sois tranquille, j'aurai du courage, et le premier, le plus grand que je puisse avoir, c'est de me montrer à vous, à visage découvert, cher docteur, et de vous offrir la main.

Et elle tendit la main au docteur Raynal.

Une douleur plus violente qu'aucune de celles qu'avait encore éprouvées Catherine crispa sa main au moment même où celle du docteur Raynal la toucha.

Celui-ci fit du regard un signe à Isidore, qui comprit que le moment était venu.

Le jeune homme s'agenouilla devant le lit de la patiente.

— Catherine, mon enfant chérie, lui dit-il, sans doute je devrais rester là près de toi, à te soutenir et à t'encourager ; mais, j'en ai peur, la force me manquerait ; si, cependant, tu le désires...

Catherine passa son bras autour du cou d'Isidore.

— Va, dit-elle, va ; je te remercie de tant m'aimer, que tu ne puisses pas me voir souffrir.

Isidore appuya ses lèvres contre celles de la pauvre enfant, serra encore une fois la main du docteur Raynal, et s'élança hors de la chambre.

Pendant deux heures, il erra comme ces ombres dont parle Dante, qui ne peuvent s'arrêter pour prendre un instant de repos, et qui, si elles s'arrêtent, sont relancées par un démon qui les pique de son trident de fer. A chaque instant, après un cercle plus ou moins grand, il revenait à cette porte derrière laquelle s'accomplissait le douloureux mystère de l'enfantement. Mais presque aussitôt un cri poussé par Catherine, en pénétrant jusqu'à lui, le frappait comme le trident de fer du damné, et le forçait de reprendre sa course errante, s'éloignant sans cesse du but où elle revenait sans cesse.

Enfin, il s'entendit appeler au milieu de la nuit par la voix du docteur et par une voix plus douce et plus faible. En deux bonds, il fut à la porte, ouverte cette fois, et sur le seuil de laquelle le docteur l'attendait, élevant un enfant dans ses bras.

— Hélas ! hélas ! Isidore, dit Catherine, maintenant, je suis doublement à toi... à toi comme maîtresse, à toi comme mère !

Huit jours après, à la même heure, dans la nuit du 13 au 14 juillet, la porte se rouvrait ; deux hommes portaient dans une litière une femme et un enfant qu'un jeune homme escortait à cheval en recommandant aux porteurs les plus grandes précautions. Arrivé à la grande route d'Haramont à Villers-Cotterets, le cortège trouva une bonne berline attelée de trois chevaux, dans laquelle montèrent la mère et l'enfant.

Le jeune homme donna alors quelques ordres à son domestique, mit pied à terre, lui jeta aux mains la bride de son cheval, et monta à son tour dans la voiture, qui, sans s'arrêter à Villers-Cotterets et sans le traverser, longea seulement le parc depuis la Faisanderie jusqu'au bout de la rue de Largny, et, arrivée là, prit au grand trot la route de Paris.

Avant de partir, le jeune homme avait laissé une bourse d'or à l'intention du père Clouïs, et la jeune femme une lettre à l'adresse de Pitou.

Le docteur Raynal avait répondu que, vu la prompte convalescence de la malade et la bonne constitution de l'enfant, qui était un garçon, le voyage de Villers-Cotterets à Paris pouvait, dans une bonne voiture, se faire sans aucun accident.

C'était en vertu de cette assurance qu'Isidore s'était décidé à ce voyage, rendu nécessaire, d'ailleurs, par le prochain retour de Billot et de Pitou.

Dieu, qui, jusqu'à un certain moment, veille parfois sur ceux que plus tard il semble abandonner, avait permis que l'accouchement eût lieu en l'absence de Billot, qui, d'ailleurs, ignorait la retraite de sa fille, et de Pitou, qui dans son innocence, n'avait pas même soupçonné la grossesse de Catherine.

Vers cinq heures du matin, la voiture arrivait à la porte Saint-Denis ; mais elle ne pouvait traverser les boulevards à cause de l'encombrement occasionné par la fête du jour.

Catherine hasarda sa tête hors de la portière, mais elle la rentra à l'instant même en poussant un cri, et en se cachant dans la poitrine d'Isidore.

Les deux premières personnes qu'elle venait de reconnaître parmi les fédérés étaient Billot et Pitou.

LE 14 JUILLET 1790

Ce travail qui, d'une plaine immense, devait faire une immense vallée entre deux collines avait, en effet, grâce à la coopération de Paris tout entier, été achevé dans la soirée du 13 juillet.

Beaucoup de travailleurs, afin d'être sûrs d'y avoir leur place le lendemain, y avaient couché, comme des vainqueurs couchent sur le champ de bataille.

Billot et Pitou étaient allés rejoindre les fédérés, et avaient pris place au milieu d'eux sur le boulevard. Le hasard fit, comme nous l'avons vu, que la place assignée aux députés du département de l'Aisne était justement celle où alla se heurter la voiture qui amenait à Paris Catherine et son enfant.

Et, en effet, cette ligne, composée de fédérés seulement, s'étendait de la Bastille au boulevard Bonne-Nouvelle.

Chacun avait fait de son mieux pour recevoir ces hôtes bien-aimés. Quand on sut que les Bretons, ces aînés de la liberté, arrivaient, les vainqueurs de la Bastille allèrent au-devant d'eux jusqu'à Saint-Cyr, et les gardèrent comme leurs hôtes.

Il y eut, alors, des élans étranges de désintéressement et de patriotisme.

Les aubergistes se réunirent, et, d'un commun accord, au lieu d'augmenter leurs prix, les abaissèrent. Voilà pour le désintéressement.

Les journalistes, ces âpres jouteurs de tous les jours, qui se font une guerre incessante avec ces passions qui aigrissent en général les haines au lieu de les rapprocher, les journalistes — deux du moins, Loustalot et Camille Desmoulins, — proposèrent un pacte fédératif entre les écrivains. Ils renonceraient à toute concurrence, à toute jalousie ; ils promettraient de ne ressentir désormais d'autre émulation que celle du bien public. Voilà pour le patriotisme.

Malheureusement, la proposition de ce pacte n'eut pas d'écho dans la presse, et y resta pour le présent, comme pour l'avenir, à titre de sublime utopie.

L'Assemblée avait reçu, de son côté, une portion de la secousse électrique qui remuait la France comme un tremblement de terre. Quelques jours auparavant, elle avait, sur la proposition de MM. de Montmorency et de La Fayette, aboli la noblesse héréditaire, défendue par l'abbé Maury, fils d'un savetier de village.

Dès le mois de février, l'Assemblée avait commencé par abolir l'hérédité du mal. Elle avait décidé, à propos de la pendaison des frères Agasse, condamnés pour faux billets de commerce, que l'échafaud ne flétrirait plus ni les enfants ni les parents du coupable.

En outre, le jour même où l'Assemblée abolissait la transmission du privilège, comme elle avait aboli la transmission du mal, un Allemand, un homme des bords du Rhin qui avait échangé ses prénoms de Jean-Baptiste contre celui d'Anacharsis, — Anacharsis Clootz, — baron prussien, né à Clèves, s'était présenté à la barre comme député du genre humain. Il conduisait derrière lui une vingtaine d'hommes de toutes les nations dans leurs costumes nationaux, tous proscrits, et venant demander, au nom des peuples, les seuls souverains légitimes, leur place à la fédération.

Une place avait été assignée à l'*Orateur du genre humain*.

D'un autre côté, l'influence de Mirabeau se faisait sentir tous les jours : grâce à ce puissant champion, la cour conquérait des partisans, non pas seulement dans les rangs de la droite, mais encore dans ceux de la gauche. L'Assemblée avait voté, nous dirons presque d'enthousiasme, vingt-quatre millions de liste civile pour le roi, et un douaire de quatre millions pour la reine.

C'était largement rendre à tous deux les deux cent huit mille francs de dettes qu'ils avaient payés pour l'éloquent tribun, et les six mille livres de rente qu'ils lui faisaient par mois.

Du reste, Mirabeau ne paraissait pas s'être trompé non plus sur l'esprit des provinces ; ceux des fédérés qui furent reçus par Louis XVI apportaient à Paris l'enthousiasme pour l'Assemblée nationale, mais, en même temps, la religion pour la royauté. Ils levaient leur chapeau devant M. Bailly en criant : « Vive la nation » mais ils s'agenouillaient devant Louis XVI, et déposaient leurs épées à ses pieds en criant : « Vive le roi ! »

Malheureusement, le roi, peu poétique, peu chevaleresque, répondait mal à tous ces élans du cœur.

Malheureusement, la reine, trop fière, trop Lorraine, si l'on peut dire, n'estimait point comme ils le méritaient ces témoignages venant du cœur.

Puis, la pauvre femme ! elle avait quelque chose de sombre au fond de la pensée ; quelque chose de pareil à un de ces points obscurs qui tachent la face du soleil.

Ce quelque chose de sombre, cette tache qui rongeait son cœur, c'était l'absence de Charny ;

De Charny, qui certes, eût pu revenir, et qui restait près de M. de Bouillé.

Un instant, quand elle avait vu Mirabeau, elle avait eu l'idée, à titre de distraction, de faire de la coquetterie avec cet homme. Le puissant génie avait flatté son amour-propre royal et féminin en se courbant à ses pieds ; mais, au bout du compte, qu'est-ce pour le cœur que le génie ? qu'importent aux passions ces triomphes de l'amour-propre, ces victoires de l'orgueil ? Avant tout, dans Mirabeau, la reine, de ses yeux de femme, avait vu l'homme matériel, l'homme avec son obésité maladive, ses joues sillonnées, creuses, déchirées, bouleversées par la petite vérole, son œil rouge, son cou engorgé ; elle lui avait immédiatement comparé Charny ; Charny, l'élégant gentilhomme à la fleur de l'âge, dans la maturité de la beauté ; Charny, sous son brillant uniforme, qui lui donnait l'air d'un prince des batailles, tandis que Mirabeau, sous son costume, ressemblait, quand le génie n'animait pas sa puissante figure, à un chanoine déguisé. Elle avait haussé les épaules ; elle avait poussé un profond soupir avec des yeux rougis par les veilles et par les larmes ; elle avait essayé de percer la distance, et d'une voix douloureuse et pleine de sanglots, elle avait murmuré : « Charny ! ô Charny ! »

Qu'importaient à cette femme en de pareils moments les populations accumulées à ses pieds ? que lui importaient ces flots d'hommes poussés comme une marée par les quatre vents du ciel, et venant battre les degrés du trône en criant : « Vive le roi ! vive la reine ! » Une voix connue qui eût murmuré à son oreille : « Marie, rien n'est changé en moi ! Antoinette, je vous aime ! » cette voix lui eût fait croire que rien non plus n'était changé autour d'elle, et eût plus fait, pour la satisfaction de ce cœur, pour la sérénité de ce front, que tous ces cris, que toutes ces promesses, que tous ces serments.

Enfin, le 14 juillet était venu impassiblement et à son heure, amenant avec lui ces grands et ces petits événements qui font à la fois l'histoire des humbles et des puissants, du peuple et de la royauté.

Comme si ce dédaigneux 14 juillet n'eût pas su qu'il venait pour éclairer un spectacle inouï, inconnu, splendide, il vint le front voilé de nuages, soufflant le vent et la pluie.

Mais une des qualités du peuple français est de rire de tout, même de la pluie les jours de fêtes.

Les gardes nationaux parisiens et les fédérés provinciaux, entassés sur les boulevards depuis cinq heures du matin, trempés de pluie, mourant de faim, riaient et chantaient.

Il est vrai que la population parisienne, qui ne pouvait pas les garantir de la pluie, eut au moins l'idée de les guérir de la faim.

De toutes les fenêtres, on commença à leur descendre avec des cordes, des pains, des jambons et des bouteilles de vin.

Il en fut de même dans toutes les rues par où ils passèrent. Pendant leur marche, cent cinquante mille personnes prenaient place sur les terres du Champ de Mars, et cent cinquante mille autres se tenaient debout derrière elles.

Quant aux amphithéâtres de Chaillot et de Passy, ils étaient chargés de spectateurs dont il était impossible de savoir le nombre.

Magnifique cirque, gigantesque amphithéâtre, splendide arène où eut lieu la fédération de la

France, et où aura lieu un jour la fédération du monde !

Que nous voyions cette fête ou que nous ne la voyions pas, qu'importe ? nos fils la verront, le monde la verra !

Une des grandes erreurs de l'homme est de croire que le monde tout entier est fait pour sa courte vie, tandis que ce sont ces enchaînements d'existences infiniment courtes, éphémères, presque invisibles, excepté à l'œil de Dieu, qui font *le temps*, c'est-à-dire la période plus ou moins longue pendant laquelle la Providence, cette Isis aux quadruples mamelles qui veille sur les nations, travaille à son œuvre mystérieuse, et poursuit son incessante genèse.

Eh ! certes, tous ceux qui étaient là croyaient bien la tenir de près, par ses deux ailes, la fugitive déesse qu'on appelle la Liberté, qui n'échappe et ne disparaît que pour reparaître, à chaque fois, plus fière et plus brillante.

Ils se trompaient, comme se trompèrent leurs fils, lorsqu'ils crurent l'avoir perdue.

Aussi, quelle joie, quelle confiance dans cette foule, dans celle qui attendait assise ou debout comme dans celle qui, passant la rivière sur le pont de bois bâti devant Chaillot, envahissait le Champ de Mars par l'arc de triomphe.

A mesure qu'entraient les bataillons de fédérés, de grands cris d'enthousiasme, — et peut-être un peu d'étonnement au tableau qui frappait leurs yeux, — de grands cris poussés par le cœur s'échappaient de toutes les bouches.

Et, en effet, jamais pareil spectacle n'avait frappé l'œil de l'homme.

Le Champ de Mars, transformé comme par enchantement ! une plaine changée, en moins d'un mois, en une vallée d'une lieue de tour !

Sur les talus quadrangulaires de cette vallée, trois cent mille personnes assises ou debout !

Au milieu, l'autel de la Patrie, auquel on monte

par quatre escaliers correspondant aux quatre faces de l'obélisque qui le surmonte !

A chaque angle du monument, d'immenses cassolettes brûlant cet encens que l'Assemblée nationale a décidé qu'on ne brûlerait plus que pour Dieu !

Sur chacune de ses quatre faces, des inscriptions annonçant au monde que le peuple français est libre, et conviant les autres nations à la liberté !

Ô grande joie de nos pères ! à cette vue, tu fus si vive, si profonde, si réelle, que les tressaillements en sont venus jusqu'à nous !

Et, cependant, le ciel était parlant comme un augure antique !

A chaque instant, de lourdes averses, des rafales de vent, des nuages sombres : 1793, 1814, 1815 !

Puis, de temps en temps, au milieu de tout cela, un soleil brillant : 1830 ! 1848 !

Ô prophète qui fusses venu dire l'avenir à ce million d'hommes, comment eusses-tu été reçu ?

Comme les Grecs recevaient Calchas, comme les Troyens recevaient Cassandre !

Mais, ce jour-là, on n'entendit que deux voix : la voix de la foi, à laquelle répondait celle de l'espérance.

Devant les bâtiments de l'École militaire, des galeries étaient dressées.

Ces galeries, couvertes de draperies et surmontées de drapeaux aux trois couleurs, étaient réservées pour la reine, pour la cour et pour l'Assemblée nationale.

Deux trônes pareils, et s'élevant à trois pieds de distance l'un de l'autre, étaient destinés au roi et au président de l'Assemblée.

Le roi nommé, *pour ce jour seulement*, chef suprême et absolu des gardes nationales de France, avait transmis son commandement à M. de La Fayette !

La Fayette était donc, ce jour-là, généralissime-connétable de six millions d'hommes armés !

Sa fortune était pressée d'arriver au faîte ! plus grande que lui, elle ne pouvait tarder à décliner et à s'éteindre.

Ce jour, elle fut à son apogée ; mais, comme ces apparitions nocturnes et fantastiques qui dépassent peu à peu toutes les proportions humaines, elle n'avait grandi démesurément que pour se dissoudre en vapeur, s'évanouir, et disparaître.

Mais, pendant la fédération, tout était réel, et tout avait la puissance de la réalité.

Peuple qui devait donner sa démission ; roi dont la tête devait tomber ; généralissime que les quatre pieds de son cheval blanc devaient mener à l'exil.

Et, cependant, sous cette pluie hivernale, sous ces rafales tempétueuses, à la lueur de ces rares rayons, non pas même de soleil, mais de jour, filtrant à travers la voûte sombre des nuages, les fédérés entraient dans l'immense cirque par les trois ouvertures de l'arc de triomphe ; puis, derrière leur avant-garde, pour ainsi dire, vingt-cinq mille hommes environ, se développant sur deux lignes circulaires pour embrasser les contours du cirque, venaient les électeurs de Paris, ensuite les représentants de la commune, enfin l'Assemblée nationale.

Tous ces corps, qui avaient leurs places retenues dans les galeries adossées à l'École militaire, suivaient une ligne droite, s'ouvrant seulement comme le flot devant un rocher pour côtoyer l'autel de la Patrie, se réunissant au-delà comme ils avaient été réunis en deçà, et touchant déjà de la tête les galeries tandis que la queue, immense serpent, étendait son dernier repli jusqu'à l'arc de triomphe.

Derrière les électeurs, les représentants de la commune et l'Assemblée nationale, venait le reste du cortège : fédérés, députations militaires, gardes nationaux.

Chaque département portant sa bannière distinctive, mais reliée, enveloppée, nationalisée, par cette grande ceinture de bannières tricolores qui disait aux yeux et aux cœurs ces deux mots, les seuls avec lesquels les peuples, ces ouvriers de Dieu, font les grandes choses : *Patrie, unité.*

En même temps que le président de l'Assemblée nationale montait à son fauteuil, le roi montait au sien, et la reine prenait place dans sa tribune.

Hélas ! pauvre reine ! sa cour était mesquine. Ses meilleures amies avaient eu peur et l'avaient quittée ; peut-être, si l'on eût su que, grâce à Mirabeau, le roi avait obtenu vingt-cinq millions de douaire, peut-être quelques-unes seraient-elles revenues ; mais on l'ignorait.

Quant à celui qu'elle cherchait inutilement des yeux, Marie-Antoinette savait que, celui-là, ce n'était ni l'or ni la puissance qui l'attiraient près d'elle.

A son défaut, ses yeux au moins voulurent s'arrêter sur un visage ami et dévoué.

Elle demanda où était M. Isidore de Charny, et pourquoi, la royauté, ayant si peu de partisans au milieu d'une si grande foule, ses défenseurs n'étaient pas à leur poste autour du roi ou aux pieds de la reine.

Nul ne savait où était Isidore de Charny, et celui qui lui eût répondu qu'à cette heure il conduisait une petite paysanne, sa maîtresse, dans une modeste maison bâtie sur le versant de la montagne de Bellevue, lui eût fait, certainement, hausser les épaules de pitié, s'il ne lui eût pas serré le cœur de jalousie.

Qui sait, en effet, si l'héritière des Césars n'eût pas donné trône et couronne, n'eût pas consenti à être une paysanne obscure, fille d'un obscur fermier, pour être aimée encore d'Olivier, comme Catherine était aimée d'Isidore ?

Sans doute, c'étaient toutes ces pensées qu'elle roulait dans son esprit, lorsque Mirabeau, saisissant un de ses regards douteux, moitié rayon du ciel, moitié éclair d'orage, ne put s'empêcher de dire tout haut :

— Mais à quoi pense-t-elle donc, la magicienne ?

Elle pensait à Charny absent et à l'amour éteint.

Et cela, au bruit de cinq cents tambours et de deux mille instruments de musique que l'on entendait à peine parmi les cris de « Vive le roi ! Vive la loi ! Vive la nation ! »

Tout à coup, un grand silence se fit.

Le roi était assis comme le président de l'Assemblée nationale.

Deux cents prêtres vêtus d'aubes blanches s'avançaient vers l'autel, précédés de l'évêque d'Autun, M. de Talleyrand, le patron de tous les prêteurs de serments, passés, présents et futurs.

Il monta les marches de l'autel de son pied boiteux, le Méphistophélès attendant le Faust qui devait apparaître au 13 vendémiaire.

Une messe dite par l'évêque d'Autun ! Nous avions oublié cela au nombre des mauvais présages.

Ce fut à ce moment que l'orage redoubla ; on eût dit que le ciel protestait contre ce faux prêtre qui allait profaner le saint sacrifice de la messe, donner pour tabernacle au Seigneur une poitrine que devaient souiller tant de parjures à venir.

Les bannières des départements et les drapeaux tricolores, rapprochés de l'autel, lui faisaient une ceinture flottante dont le vent du sud-ouest déroulait et agitait violemment les mille couleurs.

La messe achevée, M. de Talleyrand descendit quelques marches, et bénit le drapeau national et les bannières des quatre-vingt-trois départements.

Puis commença la cérémonie sainte du serment.

La Fayette jurait le premier au nom des gardes nationales du royaume.

Le président de l'Assemblée nationale jurait le second au nom de la France.

Le roi jurait le troisième en son propre nom.

La Fayette descendit de cheval, traversa l'espace

qui le séparait de l'autel, en monta les degrés, tira son épée, en appuya la pointe sur le livre des Évangiles, et, d'une voix ferme et assurée :

— Nous jurons, dit-il, d'être à jamais fidèles à la nation, à la loi, au roi ; de maintenir de tout notre pouvoir la constitution décrétée par l'Assemblée nationale et acceptée par le roi ; de protéger, conformément aux lois, la sûreté des personnes et des propriétés, la circulation des grains et subsistances dans l'intérieur du royaume, la perception des contributions publiques sous quelque forme qu'elles existent ; de demeurer unis à tous les Français par les liens indissolubles de la fraternité.

Il s'était fait un grand silence pendant ce serment.

A peine fut-il achevé, que cent pièces de canon s'enflamment à la fois et donnent le signal aux départements voisins.

Alors, de toute ville fortifiée partit un immense éclair suivi de ce tonnerre menaçant inventé par les hommes, et qui, si la supériorité se mesure aux désastres, a depuis longtemps vaincu celui de Dieu.

Comme les cercles produits par une pierre jetée au milieu d'un lac, et qui vont s'élargissant jusqu'à ce qu'ils atteignent le bord, chaque cercle de flamme, chaque grondement de tonnerre s'élargit ainsi, marchant du centre à la circonférence, de Paris à la frontière, du cœur de la France à l'étranger.

Puis le président de l'Assemblée nationale se leva à son tour, et, tous les députés debout autour de lui, il dit :

— Je jure d'être fidèle à la nation, à la loi, au roi, et de maintenir, de tout mon pouvoir, la constitution décrétée par l'Assemblée nationale et acceptée par le roi.

Et à peine avait-il achevé, que la même flamme brilla, que la même foudre retentit, et roula d'échos en échos vers toutes les extrémités de la France.

C'était le tour du roi.

Il se leva.

Silence ! Écoutez tous de quelle voix il va faire le serment national, celui qu'il trahissait au fond du cœur en le faisant.

Prenez garde, sire ! le nuage se déchire, le ciel s'ouvre, le soleil paraît.

Le soleil, c'est l'œil de Dieu ! Dieu vous regarde.

— Moi, roi des Français, dit Louis XVI, je jure d'employer tout le pouvoir qui m'est délégué par la loi constitutionnelle de l'État à maintenir la constitution décrétée par l'Assemblée nationale et acceptée par moi, et à faire exécuter les lois.

Oh ! sire, sire, pourquoi, cette fois encore, n'avez-vous pas voulu jurer à l'autel ?

Le 21 juin répondra au 14 juillet, Varennes dira le mot de l'énigme du Champ de Mars.

Mais, faux ou réel, le serment n'en fit pas moins sa flamme et son bruit.

Les cent pièces de canon éclatèrent comme elles avaient fait pour La Fayette et pour le président de l'Assemblée ; et l'artillerie des départements alla porter une troisième fois ce menaçant avis aux rois de l'Europe : « Prenez garde, la France est debout ! prenez garde, la France veut être libre, et, comme cet ambassadeur romain qui portait dans un pli de son manteau la paix et la guerre, elle est prête à secouer son manteau sur le monde !

[Hélas, Louis XVI ne tient pas sa parole. Loin d'obéir à la Constitution, comme il l'a juré, il ne songe qu'à reconquérir la France, avec l'aide de l'Autriche. Deux hommes tentent de le mettre en garde : Gilbert et Mirabeau. Le roi promet à Mirabeau de le prendre comme Premier ministre, puis il renonce à ce projet. Épuisé, malade, Mirabeau ne supporte pas cette trahison.

Devant la menace d'une nouvelle révolte, Louis XVI n'a plus qu'une solution : la fuite. Il en prévient Gilbert, et demande à Olivier de Charny, qui est resté à Metz auprès du Marquis de Bouillé, d'en régler les détails.]

LE MESSAGER

Le matin même du 2 avril, un officier supérieur de la marine, revêtu de son grand uniforme de capitaine de vaisseau, et venant de la rue Saint-Honoré, s'acheminait vers les Tuileries par la rue Saint-Louis et la rue de l'Échelle.

A la hauteur de la cour des Écuries, il laissa cette cour à droite, enjamba les chaînes qui le séparaient de la cour intérieure, rendit son salut au factionnaire qui lui portait les armes, et se trouva dans la cour des Suisses.

Arrivé là, il prit, comme un homme à qui le chemin est familier, un petit escalier de service qui, par un long corridor tournant, communiquait au cabinet du roi.

En l'apercevant, le valet de chambre jeta un cri de surprise, presque de joie ; mais lui, mettant un doigt sur sa bouche :

— Monsieur Hue, dit-il, le roi peut-il me recevoir en ce moment ?

— Le roi est avec M. le général La Fayette, auquel il donne ses ordres pour la journée, répondit le valet de chambre ; mais, dès que le général sera sorti...

— Vous m'annoncerez ? dit l'officier.

— Oh ! c'est inutile sans doute ; Sa Majesté vous attend, car, dès hier au soir, elle a donné l'ordre que vous fussiez introduit aussitôt votre arrivée.

En ce moment, on entendit retentir la sonnette dans le cabinet du roi.

— Et, tenez, dit le valet de chambre, voilà le roi qui sonne probablement pour s'informer de vous.

— Alors, entrez, monsieur Hue, et ne perdons pas de temps si, en effet, le roi est libre de me recevoir.

Le valet de chambre ouvrit la porte, et presque aussitôt, — preuve que le roi était seul, — il annonça :

— M. le comte de Charny.

— Oh ! qu'il entre ! qu'il entre ! dit le roi ; depuis hier, je l'attends.

Charny s'avança vivement, et, avec un respectueux empressement, s'approchant du roi :

— Sire, dit-il, je suis en retard de quelques heures, à ce qu'il paraît ; mais j'espère que, quand j'aurai dit à Sa Majesté les causes de ce retard, elle me le pardonnera.

— Venez, venez, monsieur de Charny. Je vous attendais avec impatience, c'est vrai ; mais, d'avance, je suis de votre avis, une cause importante a pu seule faire votre voyage moins rapide qu'il n'aurait dû être. Vous voici, soyez le bienvenu.

Et il tendit au comte une main que celui-ci baisa avec respect.

— Sire, continua Charny, qui voyait l'impatience du roi, j'ai reçu votre ordre avant-hier dans la nuit, et je suis parti hier matin à trois heures de Montmédy.

— Comment êtes-vous venu ?

— En voiture de poste.

— Cela m'explique ces quelques heures de retard, dit le roi en souriant.

— Sire, dit Charny, j'eusse pu venir à franc étrier, c'est vrai, et, de cette façon, j'eusse été ici de dix à onze heures du soir, et même plus tôt, en prenant la route directe ; mais j'ai voulu me rendre compte des chances bonnes ou mauvaises de la route que Votre Majesté a choisie ; j'ai voulu connaître les postes bien montées et les postes mal servies ; j'ai voulu surtout savoir précisément combien de temps, à la minute, à la seconde, on mettait pour aller de Montmédy à Paris, et, par conséquent, de Paris à Montmédy. J'ai tout noté, et suis en mesure, maintenant, de répondre sur tout.

— Bravo ! monsieur de Charny, dit le roi, vous êtes un admirable serviteur ; seulement, laissez-moi commencer par vous dire où nous en sommes ici ; vous me direz ensuite où vous en êtes là-bas.

— Oh ! sire, dit Charny, si j'en juge par ce qui m'en est revenu, les choses vont fort mal.

— A tel point que je suis prisonnier aux Tuileries, mon cher comte ! Je le disais tout à l'heure à ce cher M. de La Fayette, mon geôlier, j'aimerais mieux être roi de Metz que roi de France ; mais, heureusement, vous voici !

— Sa Majesté me faisait l'honneur de me dire qu'elle allait me mettre au courant de la situation.

— Oui, c'est vrai, en deux mots... Vous avez appris la fuite de mes tantes ?

— Comme tout le monde, sire, mais sans aucun détail.

— Ah ! mon Dieu, c'est bien simple. Vous savez que l'Assemblée ne nous permet plus que des prêtres assermentés. Eh bien ! les pauvres femmes se sont effrayées à l'approche des Pâques ; elles ont cru qu'il y avait risque de leur âme à se confesser à un prêtre constitutionnel, et, sur mon avis, je dois le dire, elles sont parties pour Rome. Nulle loi ne mettait obstacle à ce voyage, et l'on ne devait pas craindre que deux pauvres vieilles femmes fortifiassent beaucoup le parti des émigrés. C'est Narbonne qu'elles avaient chargé de ce départ ; mais je ne sais comment il s'y est pris : toute la mèche a été éventée, et une visite, dans le genre de celle qui nous est arrivée à Versailles les 5 et 6 octobre, leur est arrivée, à elles, à Bellevue, le soir même de leur départ. Heureusement, elles sortaient par une porte, tandis que toute cette canaille leur arrivait par l'autre. Comprenez-vous ? pas une voiture prête ! trois devaient attendre tout attelées sous les remises. Il leur a fallu aller jusqu'à Meudon à pied. Là, enfin, on a trouvé les voitures, et l'on est parti. Trois heures après, rumeur immense dans tout Paris ; ceux qui étaient venus pour empêcher cette fuite avaient trouvé le nid tout chaud, mais vide. Le lendemain, hurlement de toute la presse. Marat crie qu'elles emportent des millions ; Desmoulins, qu'elles enlèvent le dauphin. Rien de tout cela n'était vrai ; les pauvres femmes avaient trois ou quatre cent mille francs dans leur bourse, et étaient bien assez embarrassées d'elles-mêmes, sans se charger d'un enfant qui ne pouvait que les faire reconnaître ; et la preuve, c'est qu'elles furent reconnues sans lui, d'abord à Moret, qui les laissa passer, puis à Arnay-le-Duc, qui les arrêta. Il m'a fallu écrire à l'Assemblée pour qu'elles continuassent leur chemin, et, malgré ma lettre, l'Assemblée a discuté toute la journée. Quand on a vu le tapage que faisait le départ des pauvres filles, quelques amis dévoués, — il m'en restait encore plus que je ne croyais, mon cher comte, — quelques amis dévoués, une centaine de gentilshommes, s'étaient précipités vers les Tuileries, et étaient venus m'offrir leur vie. Aussitôt le bruit se répand qu'une conspiration se dénoue, et qu'on veut m'enlever. La Fayette, qu'on avait fait courir au faubourg Saint-Antoine, sous le prétexte qu'on relevait la Bastille, furieux d'avoir été pris pour dupe, revient vers les Tuileries, y entre l'épée au poing, la baïonnette en avant, arrête nos pauvres amis, les désarme. On trouve sur les uns des pistolets, sur les autres des couteaux. Chacun avait pris ce qu'il avait trouvé à la portée de sa main. Bon ! la journée sera inscrite dans l'histoire sous un nouveau nom ; elle s'appellera la journée des Chevaliers du Poignard.

— Oh ! sire, sire ! quels temps terribles que ceux où nous vivons ! dit Charny en secouant la tête.

— Attendez donc. Tous les ans, nous allons à Saint-Cloud ; c'est chose convenue, arrêtée. Avant-hier, nous commandons les voitures ; nous descendons ; nous trouvons quinze cents personnes autour de ces voitures. Nous montons ; impossible d'avancer ; le peuple saute à la bride des chevaux, déclare que je veux fuir, mais que je ne fuirai pas. Après une heure de tentatives inutiles, il fallut rentrer : la reine pleurait de colère.

— Mais le général La Fayette n'était-il donc pas là pour faire respecter Votre Majesté ?

— La Fayette ! savez-vous ce qu'il faisait ? Il faisait sonner le tocsin à Saint-Roch ; il courait à l'hôtel de ville demander le drapeau rouge pour déclarer la patrie en danger. La patrie en danger, parce que le roi et la reine vont à Saint-Cloud ! Savez-vous qui lui a refusé le drapeau rouge, qui le lui a arraché des mains ? — car il le tenait déjà, — Danton ; aussi prétend-il que Danton m'est vendu, que Danton a reçu cent mille francs de moi. Voilà où nous en sommes, mon cher comte, sans compter Mirabeau qui se meurt, qui est peut-être mort même, à cette heure.

— Eh bien, alors, raison de plus pour se hâter, sire.

— C'est ce que nous allons faire. Voyons, qu'avez-vous décidé là-bas avec Bouillé ?

— Sire, Votre Majesté est toujours bien décidée à suivre la route de Châlons, de Sainte-Menehould, de Clermont et de Stenay, quoique cette route ait vingt lieues au moins de plus que les autres, et qu'il n'y ait pas de poste à Varennes ?

— J'ai déjà dit à M. de Bouillé les motifs qui me faisaient préférer ce chemin.

— Oui, sire, et il nous a transmis, à ce sujet, les ordres de Votre Majesté. C'est même d'après ces ordres que toute la route a été relevée par moi, buisson à buisson, pierre à pierre ; le travail doit être entre les mains de Votre Majesté.

— Et c'est un modèle de clarté, mon cher comte. Je connais maintenant la route comme si je l'avais faite moi-même.

— Eh bien, sire, voici les renseignements que mon dernier voyage a ajoutés aux autres.

— Parlez, monsieur de Charny, je vous écoute, et, pour plus de clarté, voici la carte dressée par vous-même.

Et, en disant ces mots, le roi tira d'un carton une carte qu'il déploya sur la table. Cette carte était, non tracée, mais dessinée à la main, et, comme l'avait dit Charny, pas un arbre, pas une pierre n'y manquait ; c'était l'œuvre de plus de huit mois de travail.

Charny et le roi se penchèrent sur cette carte.

— Sire, dit Charny, le véritable danger commencera pour Votre Majesté à Sainte-Menehould, et cessera à Stenay. C'est sur ces dix-huit lieues qu'il faut répartir nos détachements.

— Ne pourrait-on les rapprocher davantage de Paris, monsieur de Charny ? les faire venir jusqu'à Châlons, par exemple ?

— Sire, dit Charny, c'est difficile. Châlons est une ville trop forte pour que quarante, cinquante, cent hommes même apportent quelque chose d'efficace au salut de Votre Majesté, si ce salut était menacé. M. de Bouillé, d'ailleurs, ne répond de rien qu'à partir de Sainte-Menehould. Tout ce qu'il peut faire, — et, cela, m'a-t-il dit encore de le discuter avec Votre Majesté, — c'est de placer son premier détachement à Pont-de-Sommevelle. Vous voyez, sire, ici, c'est-à-dire à la première poste après Châlons.

Et Charny montrait du doigt sur la carte l'endroit dont il était question.

— Soit, dit le roi, en dix ou douze heures, on peut être à Châlons. En combien d'heures avez-vous fait vos quatre-vingt-dix lieues, vous ?

— Sire, en trente-six heures.

— Mais avec une voiture légère, où vous étiez seul avec un domestique.

— Sire, j'ai perdu trois heures en route à examiner à quel endroit de Varennes on devait placer le relais, et si c'était en deçà de la ville, du côté de Sainte-Menehould, ou au-delà, du côté de Dun. Cela revient donc à peu près au même. Ces trois heures perdues compenseront le poids de la voiture. Mon avis est donc que le roi peut aller de Paris à Montmédy en trente-cinq ou trente-six heures.

— Et qu'avez-vous décidé pour le relais de Varennes ? C'est le point important ; il faut que nous soyons certains de n'y pas manquer de chevaux.

— Oui, sire, et mon avis est que le relais doit être placé au-delà de la ville, du côté de Dun.

— Sur quoi appuyez-vous cet avis ?

— Sur la situation même de la ville, sire.

— Expliquez-moi cette situation, comte.

— Sire, la chose est facile. Je suis passé cinq ou six fois à Varennes, depuis mon départ de Paris, et, hier, j'y suis resté de midi à trois heures. Varennes est une petite ville de seize cents habitants, à peu près, formée de deux quartiers bien distincts qu'on appelle la ville haute et la ville basse, séparés par la rivière d'Aire, et communiquant par un pont jeté sur cette rivière. Si Sa Majesté veut bien me suivre sur la carte... là, sire, près de la forêt d'Argonne, sur la lisière, elle verra...

— Oh ! j'y suis, dit le roi ; la route fait un coude énorme dans la forêt pour aller à Clermont.

— C'est celà, sire.

— Mais tout cela ne me dit point pourquoi vous placez le relais au-delà de la ville, au lieu de le placer en deçà.

— Attendez, sire. Le pont qui conduit d'un quartier à l'autre est dominé par une haute tour. Cette tour, ancienne tour de péage, pose sur une voûte sombre, obscure, étroite. Là, le moindre obstacle peut empêcher le passage ; mieux vaut donc, puisqu'il y a là un risque à courir, le courir avec des chevaux et des postillons lancés à fond de train, et venant de Clermont, que de relayer à cinq cents pas en deçà du pont, qui, si le roi était par hasard reconnu au relais, pourrait être gardé et défendu sur un simple signal, et par trois ou quatre hommes.

— C'est juste, dit le roi ; d'ailleurs, en cas d'hésitation, vous serez là, comte.

— Ce sera à la fois un devoir et un honneur pour moi, si toutefois le roi m'en juge digne.

Le roi tendit de nouveau la main à Charny.

— Allons, dit le roi avec une satisfaction visible, tout est prévu.

Charny s'inclina.

En ce moment, la porte s'ouvrit. Le roi se retourna vivement, car cette porte s'ouvrant ainsi était une telle infraction aux règles de l'étiquette, qu'elle constituait une grande insulte, si elle n'était excusée par une grande nécessité.

C'était la reine ; la reine, pâle et tenant un papier à la main.

Mais, à la vue du comte à genoux, elle laissa échapper le papier en poussant un cri d'étonnement.

Charny se releva et salua respectueusement la reine, qui balbutiait entre ses dents :

— M. de Charny !... M. de Charny !... ici... chez le roi... aux Tuileries ?...

Et qui, tout bas, ajoutait :

— Et je ne le savais pas !

Il y avait une telle douleur dans les yeux de la pauvre femme, que Charny, qui n'avait point entendu la fin de la phrase, mais qui l'avait devinée, fit deux pas vers elle.

— J'arrive à l'instant même, dit-il, et j'allais demander au roi la permission de vous présenter mes hommages.

Le sang reparut sur les joues de la reine. Il y avait

longtemps qu'elle n'avait entendu la voix de Charny, et, dans cette voix, la douce intonation qu'il venait de donner à ses paroles.

Elle tendit, alors, les deux mains comme pour aller à lui ; mais presque aussitôt elle en ramena une sur son cœur, qui sans doute battait trop violemment.

Charny vit tout, devina tout, quoique ces sensations, qu'il nous faut dix lignes pour transcrire et pour expliquer, se fussent produites pendant le temps qu'avait mis le roi à aller ramasser le papier qui était échappé des mains de la reine, et que le courant d'air causé par l'ouverture simultanée des fenêtres et de la porte avait fait voler jusqu'au fond du cabinet.

Le roi lut ce qui était écrit sur le papier, mais sans y rien comprendre.

— Que veulent dire ces trois mots : « Fuir !... fuir !... fuir !... » et cette moitié de signature ? demanda le roi.

— Sire, répondit la reine, ils veulent dire que M. de Mirabeau est mort il y a dix minutes, et que voilà le conseil qu'il nous donne en mourant.

— Madame, reprit le roi, le conseil sera suivi, car il est bon, et le moment est venu, cette fois, de le mettre à exécution.

Puis, se tournant vers Charny :

— Comte, poursuivit-il, vous pouvez suivre la reine chez elle, et lui tout dire.

La reine se leva, regarda tour à tour le roi et Charny ; puis, s'adressant à ce dernier :

— Venez, monsieur le comte, dit-elle.

Et elle sortit précipitamment, car il lui eût été impossible, si elle fût restée une minute de plus, de contenir tous les sentiments opposés que renfermait son cœur.

Charny s'inclina une dernière fois devant le roi, et suivit Marie-Antoinette.

La reine rentra chez elle et se laissa tomber sur un canapé, en faisant signe à Charny de pousser la porte derrière lui.

A peine assise, son cœur trop plein déborda, et elle éclata en sanglots.

Ces sanglots étaient si énergiques et si vrais, qu'ils allèrent chercher jusqu'au fond du cœur de Charny les restes de son amour.

Nous disons les restes de son amour, car, lorsqu'une passion semblable à celle que nous avons vue naître et grandir a brûlé dans le cœur d'un homme, à moins d'un de ces chocs terribles qui font succéder la haine à l'amour, elle ne s'y éteint jamais complètement.

Charny était dans cette position étrange que ceux-là qui se sont trouvés en position pareille peuvent seuls apprécier : il avait à la fois en lui un ancien et un nouvel amour.

Il aimait déjà Andrée de toute la flamme de son cœur.

Il aimait encore la reine de toute la pitié de son âme.

A chaque déchirement de ce pauvre amour, déchirement causé par l'égoïsme, c'est-à-dire par l'excès de cet amour, il l'avait, pour ainsi dire, senti saigner dans le cœur de la femme, et, à chaque fois, tout en comprenant cet égoïsme, comme tous ceux pour lesquels un amour passé devient un fardeau, il n'avait pas eu la force de l'excuser.

Et, cependant, toutes les fois que cette douleur si vraie éclatait devant lui sans récriminations et sans reproches, il mesurait la profondeur de cet amour, il se rappelait combien de préjugés humains, combien de devoirs sociaux cette femme avait méprisés pour lui, et, penché sur cet abîme, il ne pouvait s'empêcher d'y laisser tomber à son tour une larme de regret et une parole de consolation.

Mais, à travers les sanglots, le reproche perçait-il ; mais, à travers les pleurs, les récriminations se faisaient-elles jour, à l'instant même il se rappelait les exigences de cet amour, cette volonté absolue, ce despotisme royal qui était sans cesse mêlé aux expressions de la tendresse, aux preuves de la passion ; il se raidissait contre les exigences, s'armait contre le despotisme, entrait en lutte contre cette volonté, leur comparait cette douce et inaltérable figure d'Andrée, et se prenait à préférer cette statue, toute de glace qu'il la croyait, à cette image de la passion, toujours prête à lancer par les yeux les éclairs de son amour, de sa jalousie ou de son orgueil.

Cette fois, la reine pleurait sans rien dire.

Il y avait plus de huit mois qu'elle n'avait vu Charny. Fidèle à la promesse qu'il avait faite au roi, le comte, pendant ce temps, ne s'était révélé à personne. La reine était donc restée ignorante de cette existence si intimement liée à la sienne, que, pendant deux ou trois ans, elle avait cru qu'on ne pourrait séparer l'une de l'autre qu'en les brisant toutes deux.

Et, cependant, on l'a vu, Charny s'était séparé d'elle sans lui dire où il allait. Seulement, et c'était sa seule consolation, elle le savait employé au service du roi ; de sorte qu'elle se disait : « En travaillant pour le roi, il travaille pour moi aussi ; donc, il est forcé de penser à moi, voulût-il m'oublier. »

Mais c'était une faible consolation que cette pensée qui revenait ainsi à elle par contrecoup, quand cette pensée lui avait si longtemps appartenu, à elle seule. Aussi, en revoyant tout à coup Charny au moment où elle s'attendait le moins à le revoir ; en le retrouvant là, chez le roi, à son retour, à peu près au même endroit où elle l'avait rencontré le jour de son départ, toutes les douleurs qui avaient bourrelé son âme, toutes les pensées qui avaient tourmenté son cœur, toutes les larmes qui avaient brûlé ses yeux pendant la longue absence du comte, venaient à la fois, ensemble, tumultueusement, inonder ses joues et emplir sa poitrine de toutes ces angoisses qu'elle croyait évanouies, de toutes ces douleurs qu'elle croyait passées.

Elle pleurait pour pleurer : ses larmes l'eussent étouffée, si elles n'eussent pas jailli au-dehors.

Elle pleurait sans prononcer une parole. Était-ce de joie ? était-ce de douleur ?... De l'une et de l'autre peut-être : toute puissante émotion se résume par des larmes.

Aussi, sans rien dire, mais, cependant, avec plus d'amour que de respect, Charny s'approcha de la reine, détacha une des mains dont elle se couvrait le visage, et, appuyant ses lèvres sur cette main :

— Madame, dit-il, je suis heureux et fier de vous affirmer que, depuis le jour où j'ai pris congé de vous, je n'ai pas été une heure sans m'occuper de vous.

— Ô Charny, Charny ! répondit la reine, il y eut un temps où vous vous fussiez peut-être moins occupé de moi, mais où vous y eussiez pensé davantage.

— Madame, dit Charny, j'étais chargé par le roi d'une grave responsabilité ; cette responsabilité m'imposait le silence le plus absolu jusqu'au jour où ma mission serait remplie. Elle l'est aujourd'hui seulement. Aujourd'hui, je puis vous revoir, je puis vous parler ; tandis que, jusqu'aujourd'hui, je ne pouvais pas même vous écrire.

— C'est un bel exemple de loyauté que vous avez donné là, Olivier, dit mélancoliquement la reine ; et je ne regrette qu'une chose, c'est que vous n'ayez pu le donner qu'aux dépens d'un autre sentiment.

— Madame, dit Charny, permettez, puisque j'en

ai reçu la permission du roi, que je vous instruise de ce que j'ai fait pour votre salut.

— Oh ! Charny ! Charny ! reprit la reine, n'avez-vous donc rien de plus pressé à me dire ?

Et elle serra tendrement la main du comte, en le regardant de ce regard pour lequel autrefois il eût offert sa vie, qu'il était toujours prêt, sinon à offrir, du moins à sacrifier.

Et, tout en le regardant ainsi, elle le vit, non point en voyageur poudreux qui descend d'une chaise de poste, mais en courtisan plein d'élégance qui a soumis son dévouement à toutes les règles de l'étiquette.

Cette toilette si complète, dont la reine la plus exigeante aurait pu se contenter, inquiéta visiblement la femme.

— Quand donc êtes-vous arrivé ? demanda-t-elle.

— J'arrive, madame, répondit Charny.

— Et vous venez ?...

— De Montmédy.

— Ainsi, vous avez traversé la moitié de la France ?

— J'ai fait quatre-vingt-dix lieues depuis hier matin.

— A cheval ? en voiture ?...

— En chaise de poste.

— Comment, après ce long et fatigant voyage, — excusez mes questions, Charny, — êtes-vous aussi bien brossé, verni, peigné qu'un aide de camp du général La Fayette qui sortirait de l'état-major ? Les nouvelles que vous apportez étaient donc peu importantes ?

— Très importantes, au contraire, madame ; mais j'ai pensé que, si je débarquais dans la cour des Tuileries avec une chaise de poste couverte de boue ou de poussière, j'éveillerais la curiosité. Le roi tout à l'heure encore me disait combien vous êtes étroitement gardés, et, en l'écoutant, je me félicitais de cette précaution que j'avais prise de venir à pied et avec mon uniforme, comme un simple officier qui revient faire sa cour, après une semaine ou deux d'absence.

La reine serra convulsivement la main à Charny ; on voyait qu'une dernière question lui restait à faire, et qu'elle avait d'autant plus de difficulté à la formuler que cette question lui paraissait plus importante.

Aussi prit-elle une autre forme d'interrogation.

— Ah ! oui, dit-elle d'une voix étouffée, j'oubliais que vous avez un pied-à-terre à Paris.

Charny tressaillit : seulement alors, il voyait le but de toutes ses questions.

— Moi, un pied-à-terre à Paris ? dit-il. Et où donc cela, madame ?

La reine fit un effort.

— Mais rue Coq-Héron, dit-elle. N'est-ce point là que demeure la comtesse ?

Charny fut près de s'emporter comme cheval qu'on presse de l'éperon dans une plaie encore vive ; mais il y avait dans la voix de la reine une telle hésitation, une telle expression de douleur, qu'il eut pitié de ce qu'elle devait souffrir, elle si hautaine, elle si puissante sur elle-même, pour laisser voir son émotion à ce point.

— Madame, dit-il avec un accent de profonde tristesse qui peut-être n'était pas causée tout entière par la souffrance de la reine, je croyais avoir eu l'honneur de vous dire, avant mon départ, que la maison de madame de Charny n'était pas la mienne. Je suis descendu chez mon frère, le vicomte Isidore de Charny, et c'est chez lui que j'ai changé de costume.

La reine jeta un cri de joie, et se laissa glisser sur ses genoux, en portant à ses lèvres la main de Charny.

Mais, aussi rapide qu'elle, il la prit sous les deux bras, et, la relevant :

— Oh ! madame ! s'écria-t-il, que faites-vous ?

— Je vous remercie, Olivier, dit la reine avec

une voix si douce, que Charny sentit les larmes lui venir aux yeux.

— Vous me remerciez !... dit-il. Mon Dieu ! et de quoi ?

— De quoi ?... vous me demandez de quoi ? s'écria la reine. Mais de m'avoir donné le seul instant de joie complète que j'aie eu depuis votre départ. Mon Dieu ! je le sais, c'est une chose folle et insensée, mais bien digne de pitié, que la jalousie. Vous aussi, à une époque, vous avez été jaloux, Charny ; aujourd'hui, vous l'oubliez. Oh ! les hommes ! quand ils sont jaloux, ils sont bien heureux : ils peuvent se battre avec leurs rivaux, tuer ou être tués ; mais les femmes, elles, ne peuvent que pleurer, quoiqu'elles s'aperçoivent que leurs larmes sont inutiles, dangereuses ; car nous le savons bien, que nos larmes, au lieu de rapprocher de nous celui pour lequel nous les versons, l'en écartent souvent davantage ; mais c'est le vertige de l'amour : on voit l'abîme, et, au lieu de s'en éloigner, on s'y jette. Merci encore une fois, Olivier ; vous le voyez, me voilà joyeuse, et je ne pleure plus.

Et, en effet, la reine essaya de rire ; mais, comme si, à force de douleurs, elle eût désappris la joie, son rire eut un accent si triste et si douloureux, que le comte en tressaillit.

— Oh ! mon Dieu ! murmura-t-il, se peut-il donc que vous ayez tant souffert ?

Marie-Antoinette joignit les mains.

— Soyez béni, Seigneur ! dit-elle, car, le jour où il comprendra ma douleur, il n'aura pas la force de ne plus m'aimer !

Charny se sentait entraîner sur une pente où, à un moment donné, il lui serait impossible de se retenir. Il fit un effort comme ces patineurs qui, pour s'arrêter, se cambrent en arrière, au risque de briser la glace sur laquelle ils glissent.

— Madame, dit-il, ne me permettrez-vous donc pas de recueillir le fruit de cette longue absence, en vous expliquant ce que j'ai été assez heureux de faire pour vous ?

— Ah ! Charny, répondit la reine, j'aimais bien mieux ce que je vous disais tout à l'heure ; mais vous avez raison : il ne faut pas laisser trop long-temps oublier à la femme qu'elle est reine. Parlez, monsieur l'ambassadeur : la femme a obtenu tout ce qu'elle avait droit d'attendre, la reine vous écoute.

Alors, Charny lui raconta tout : comment il avait été envoyé à M. de Bouillé ; comment le comte Louis était venu à Paris ; comment lui, Charny, avait, buisson à buisson, relevé la route par laquelle la reine devait fuir ; comment, enfin, il était venu annoncer au roi qu'il n'y avait plus en quelque sorte que la partie matérielle du projet à mettre à exécution.

La reine écouta Charny avec une grande atten-tion, et, en même temps, avec une profonde recon-naissance. Il lui semblait impossible que le simple dévouement allât jusque-là. L'amour, et un amour ardent et inquiet, pouvait seul prévoir ces obstacles, et inventer les moyens qui devaient les combattre et les surmonter.

Elle le laissa donc dire d'un bout à l'autre. Puis, quand il eut fini, le regardant avec une suprême expression de tendresse :

— Vous serez donc bien heureux de m'avoir sauvée, Charny ? demanda-t-elle.

— Oh ! s'écria le comte, vous me demandez cela, madame ? Mais c'est le rêve de mon ambition, et, si j'y parviens, ce sera la gloire de ma vie !

— J'aimerais mieux que ce fût tout simplement la récompense de votre amour, dit la reine avec mélancolie. Mais n'importe... Vous désirez ardem-ment, n'est-ce pas, que cette grande œuvre du salut du roi, de la reine et du dauphin de France s'accom-plisse par vous ?

— Je n'attends que votre assentiment pour y dévouer mon existence.

— Oui, et je le comprends, mon ami, dit la reine : ce dévouement doit être pur de tout sentiment étranger, de toute affection matérielle. Il est impossible que mon mari, mes enfants soient sauvés par une main qui n'oserait s'étendre vers eux pour les soutenir, s'ils glissaient dans cette route que nous allons parcourir ensemble. Je vous remets leur vie et la mienne, mon frère ; mais, à votre tour, vous aurez pitié de moi, n'est-ce pas ?

— Pitié de vous, madame ?... dit Charny.

— Oui. Vous ne voudrez pas qu'en ces moments où j'aurai besoin de toute ma force, de tout mon courage, de toute ma présence d'esprit, une idée folle peut-être, — mais, que voulez-vous ! il y a des gens qui n'osent se hasarder dans la nuit de peur des spectres que, le jour venu, ils reconnaissent ne pas exister, — vous ne voudrez pas que tout soit perdu peut-être, faute d'une promesse, faute d'une parole donnée ? vous ne le voudrez pas ?...

Charny interrompit la reine.

— Madame, dit-il, je veux le salut de Votre Majesté ; je veux le bonheur de la France ; je veux la gloire d'achever l'œuvre que j'ai commencée, et, je vous l'avoue, je suis désespéré de n'avoir qu'un si faible sacrifice à vous faire : je vous jure de ne voir madame de Charny qu'avec la permission de Votre Majesté.

Et, saluant respectueusement et froidement la reine, il se retira, sans que celle-ci, glacée par l'accent avec lequel il avait prononcé ces paroles, essayât de le retenir.

Mais à peine Charny eut-il refermé la porte derrière lui, que, se tordant les bras, elle s'écria douloureusement :

— Oh ! que j'aimerais mieux que ce fût moi qu'il eût fait le serment de ne pas voir, et qu'il m'aimât comme il l'aime !...

DOUBLE VUE

Le 19 juin suivant, vers huit heures du matin, Gilbert se promenait à grands pas dans son logement de la rue Saint-Honoré, allant de temps en temps à la fenêtre, et se penchant en dehors comme un homme qui attend avec impatience quelqu'un qu'il ne voit point arriver.

Il tenait à la main un papier plié en quatre, avec des lettres et des cachets transparaissant de l'autre côté de la page où ils étaient imprimés. C'était, sans doute, un papier de grande importance, car deux ou trois fois, pendant ces anxieuses minutes de l'attente, Gilbert le déplia, le lut, le déplia de nouveau, le relut et le replia, pour le rouvrir et le replier encore.

Enfin, le bruit d'une voiture s'arrêtant à la porte le fit courir de plus belle à la fenêtre ; mais il était trop tard : celui qu'avait amené la voiture était déjà dans l'allée.

Cependant, Gilbert ne doutait apparemment pas de l'identité du personnage, car, poussant la porte de l'antichambre :

— Bastien ! dit-il, ouvrez à M. le comte de Charny, que j'attends.

Et, une dernière fois, il déplia le papier, qu'il était en train de lire, lorsque Bastien, au lieu d'annoncer le comte de Charny, annonça :

— M. le comte de Cagliostro.

Ce nom était, à cette heure, si loin de la pensée de Gilbert qu'il tressaillit, comme si un éclair, lui annonçant la foudre, venait de passer devant ses yeux.

Il replia vivement le papier, qu'il cacha dans la poche de son habit.

— M. le comte de Cagliostro ? répéta-t-il, encore tout étonné de l'annonce.

— Eh ! mon Dieu, oui, moi-même, mon cher

Gilbert, dit le comte : ce n'était pas moi que vous attendiez, je le sais bien ; c'était M. de Charny ; mais M. de Charny est occupé, — je vous dirai à quoi tout à l'heure, — de sorte qu'il ne pourra guère être ici que dans une demi-heure ; ce que voyant, ma foi, je me suis dit : « Puisque je me trouve dans le quartier, je vais monter un instant chez le docteur Gilbert. » J'espère que, pour n'être pas attendu de vous, je n'en serai pas moins bien reçu.

— Cher maître, dit Gilbert, vous savez qu'à toute heure du jour et de la nuit, deux portes vous sont ouvertes ici : la porte de la maison, la porte du cœur.

— Merci, Gilbert. Un jour, il me sera donné, à moi aussi, peut-être, de vous prouver à quel point je vous aime ; ce jour venu, la preuve ne se fera pas attendre. Maintenant, causons.

— Et de quoi ? demanda Gilbert en souriant, car la présence de Cagliostro lui annonçait toujours quelque nouvel étonnement.

— De quoi ? répéta Cagliostro. Eh bien, mais de la conversation à la mode, du prochain départ du roi.

Gilbert se sentit frissonner de la tête aux pieds, mais le sourire ne disparut pas un instant de ses lèvres ; et, grâce à la force de sa volonté, s'il ne put empêcher la sueur de perler à la racine de ses cheveux, il empêcha du moins la pâleur d'apparaître sur ses joues.

— Et, comme nous en aurons pour quelque temps, attendu que la matière prête, continua Cagliostro, je m'assieds.

Et Cagliostro s'assit en effet.

Au reste, le premier mouvement de terreur passé, Gilbert réfléchit que, si c'était un hasard qui avait amené Cagliostro chez lui, c'était du moins un hasard providentiel. Cagliostro, n'ayant pas l'habitude d'avoir de secrets pour lui, allait, sans doute, lui raconter tout ce qu'il savait de ce départ du roi et de la reine dont il venait de lui dire un mot.

— Eh bien, ajouta Cagliostro voyant que Gilbert attendait, c'est donc décidé pour demain ?

— S'il en est ainsi, dit Gilbert, vous n'attendez pas de moi que je vous l'avoue ; n'est-ce pas ?

— Et qu'ai-je besoin de votre aveu ? Vous savez bien, non seulement que *je suis celui qui est*, mais encore que *je suis celui qui sait*.

— Mais, si vous êtes celui qui sait, dit Gilbert, vous savez que la reine a dit hier à M. de Montmorin, à propos du refus que madame Élisabeth a fait d'assister dimanche à la Fête-Dieu : « Elle ne veut pas venir avec nous à Saint-Germain-l'Auxerrois, elle m'afflige ; elle pourrait bien, cependant, faire au roi le sacrifice de ses opinions. » Or, si la reine va dimanche avec le roi à l'église Saint-Germain-l'Auxerrois, ils ne partent pas cette nuit, ou ne partent pas pour un long voyage.

— Oui ; mais je sais aussi, répondit Cagliostro, qu'un grand philosophe a dit : « La parole a été donnée à l'homme pour dissimuler sa pensée. » Or, Dieu n'est pas assez exclusif pour avoir fait à l'homme seul un don si précieux.

— Mon cher maître, dit Gilbert essayant toujours de demeurer sur le terrain de la plaisanterie, vous connaissez l'histoire de l'incrédule apôtre ?

— Qui commença de croire lorsque le Christ lui eut montré ses pieds, ses mains et son côté. Eh bien, mon cher Gilbert, la reine, qui est habituée à toutes ses aises, et qui ne veut pas être privée de ses habitudes pendant son voyage, quoiqu'il ne doive durer, si le calcul de M. de Charny est juste, que trente-cinq ou trente-six heures, la reine a commandé chez Desbrosses, rue Notre-Dame-des-Victoires, un charmant nécessaire tout en vermeil qui est censé destiné à sa sœur l'archiduchesse Christine, gouvernante des Pays-Bas. Le nécessaire, achevé hier au matin seulement, a été porté hier au soir aux Tuileries ; — voilà pour les mains. — On part dans une grande berline de voyage, spacieuse, commode, où l'on tient facilement six personnes. Elle a été commandée à Louis, le premier carrossier des Champs-Élysées, par M. de Charny, qui est chez lui dans ce moment-ci, et qui lui compte cent vingt-cinq louis, c'est-à-dire la moitié de la somme convenue ; on l'a essayée hier, en lui faisant courir la poste à quatre chevaux, et elle a parfaitement résisté ; aussi le rapport qu'en a fait M. Isidore de Charny a-t-il été excellent ; — voilà pour les pieds. — Enfin, M. de Montmorin, sans savoir ce qu'il signait, a signé ce matin un passeport pour madame la baronne de Korff, ses deux enfants, ses deux femmes de chambre, son intendant et ses trois domestiques. Madame de Korff, c'est madame de Tourzel, gouvernante des enfants de France ; ses deux enfants, c'est madame Royale et monseigneur le dauphin ; ses deux femmes de chambre, c'est la reine et madame Élisabeth ; son intendant, c'est le roi ; enfin ses trois domestiques, qui doivent, habillés en courriers, précéder et accompagner la voiture, c'est M. Isidore de Charny, M. de Malden et M. de Valory ; ce passeport, c'est le papier que vous teniez quand je suis arrivé, que vous avez plié et caché dans votre poche en m'apercevant, et qui est conçu en ces termes :

« De par le roi.
» Mandons de laisser passer madame la baronne de Korff avec ses deux enfants, *une femme*, un valet de chambre et trois domestiques.

» Le ministre des Affaires étrangères,
» MONTMORIN. »

— Voilà pour le côté. Suis-je bien informé, mon cher Gilbert ?

— Comte, dit Gilbert, je ne ruserai pas avec vous ; tout ce que vous venez de dire est vrai, et je ruserai d'autant moins que mon avis, à moi, n'était pas que le roi partît ou plutôt que le roi quittât la France. Maintenant, avouez-le franchement, au point de vue du danger personnel, au point de vue du danger de la reine et de ses enfants, si le roi doit rester comme roi, l'homme, l'époux, le père, n'est-il pas autorisé à fuir ?

— Eh bien, voulez-vous que je vous dise une chose, mon cher Gilbert ? C'est que ce n'est pas comme père, c'est que ce n'est pas comme époux, c'est que ce n'est pas comme homme que Louis XVI fuit ; c'est que ce n'est pas à cause des 5 et 6 octobre qu'il quitte la France ; non, par son père, à tout prendre il est Bourbon, et les Bourbons savent ce que c'est que de regarder le danger en face ; non, il quitte la France à cause de cette Constitution que vient de lui fabriquer, à l'instar des États-Unis, l'Assemblée nationale, sans réfléchir que le modèle qu'elle a suivi est taillé pour une république, et, appliqué à une monarchie, ne laisse pas au roi une suffisante quantité d'air respirable ; non, il quitte la France à cause de cette fameuse affaire des Chevaliers du Poignard, dans laquelle votre ami La Fayette a agi irrévérencieusement avec la royauté et ses fidèles ; non, il quitte la France à cause de cette fameuse affaire de Saint-Cloud, dans laquelle il a voulu constater sa liberté, et dans laquelle le peuple lui a prouvé qu'il était prisonnier ; non, voyez-vous, mon cher Gilbert, vous qui êtes honnêtement, franchement, loyalement royaliste constitutionnel, vous qui croyez à cette douce et consolante utopie d'une monarchie tempérée par la liberté, il faut que vous sachiez une chose : c'est que les rois, à l'imitation de Dieu, dont ils se prétendent les représentants sur la terre, ont une religion, la religion de la royauté ; non seulement leur personne frottée d'huile à Reims est sacro-sainte, mais encore leur palais est saint, leurs serviteurs sont sacrés ; leur palais est un temple où il ne faut entrer qu'en priant ; leurs serviteurs sont des prêtres auxquels on ne doit parler qu'à genoux ; il ne faut pas toucher aux rois sous peine de mort ! il ne faut pas toucher à leurs serviteurs sous peine d'excommunication ! Or, le jour où l'on a empêché le roi de faire son voyage à Saint-Cloud, on a touché au roi ; le jour où l'on a expulsé des Tuileries les Chevaliers du Poignard, on a touché à ses serviteurs ; c'est là ce que le roi n'a pu supporter : voilà la véritable abomination de la désolation ; voilà pourquoi on a fait revenir M. de Charny de Montmédy ; voilà pourquoi le roi, qui avait refusé de se laisser enlever par M. de Favras et de se sauver avec ses tantes, consent à fuir demain avec un passeport de M. de Montmorin, — qui ne sait pas pour qui il a signé le passeport, — sous le nom de Durand, et sous l'habit d'un domestique, tout en recommandant pourtant, — les rois sont toujours rois par un bout, — tout en recommandant de ne pas oublier de mettre dans les malles l'habit rouge brodé d'or qu'il portait à Cherbourg.

Pendant que Cagliostro parlait, Gilbert l'avait regardé fixement, en ayant l'air de deviner ce qu'il y avait au fond de la pensée de cet homme.

Mais c'était chose inutile : aucun regard humain n'avait la puissance de voir au-delà de ce masque railleur dont le disciple d'Althotas avait coutume de couvrir son visage.

Gilbert prit donc le parti d'aborder franchement la question.

— Comte, observa-t-il, tout ce que vous venez de dire est vrai, je le répète. Maintenant, dans quel but venez-vous me le dire ? Sous quel titre vous présentez-vous à moi ? Venez-vous comme un ennemi loyal qui prévient qu'il va combattre ? Venez-vous comme un ami qui s'offre à aider ?

— Je viens d'abord, mon cher Gilbert, répondit affectueusement Cagliostro, comme vient le maître à l'élève pour lui dire : « Ami, tu fais fausse route en t'attachant à cette ruine qui tombe, à cet édifice qui s'écroule, à ce principe qui meurt et qu'on appelle la monarchie. Les hommes comme toi ne sont pas les hommes du passé, ne sont pas même les hommes du présent, ce sont les hommes de l'avenir. Abandonne la chose à laquelle tu ne crois pas pour la chose à laquelle nous croyons ; ne t'éloigne pas de la réalité pour suivre l'ombre, et, si tu ne te fais pas soldat actif de la Révolution, regarde-la passer, et ne tente pas de l'arrêter dans sa route ; Mirabeau était un géant, et Mirabeau vient de succomber à l'œuvre. »

— Comte, dit Gilbert, je répondrai à cela le jour où le roi, qui s'est fié à moi, sera en sûreté. Louis XVI m'a pris pour confident, pour auxiliaire, pour complice, si vous voulez, dans l'œuvre qu'il entreprend. J'ai accepté cette mission, je l'accomplirai jusqu'au bout, le cœur ouvert, les yeux fermés. Je suis médecin, mon cher comte, le salut matériel de mon malade avant tout ! Maintenant, vous, répondez-moi à votre tour. Dans vos mystérieux projets, dans vos sombres combinaisons, avez-vous besoin que cette fuite réussisse ou avorte ? Si vous voulez qu'elle avorte, il est inutile de lutter, dites : « Ne partez pas ! » et nous resterons et nous courberons la tête, et nous attendrons le coup.

— Frère ! dit Cagliostro, si, poussé par le Dieu qui m'a tracé ma route, il me fallait frapper ou ceux que ton cœur aime, ou ceux que ton génie protège, je resterais dans l'ombre, et je ne demanderais qu'une chose à cette puissance surhumaine à laquelle j'obéis, c'est qu'elle te laissât ignorer de quelle main est parti le coup. Non, si je ne viens pas en ami, — je ne puis être l'ami des rois, moi qui ai été leur victime, — je ne viens pas non plus en ennemi ; je viens, une balance à la main, te disant : « J'ai pesé les destins de ce dernier Bourbon, et je ne crois pas que sa mort importe au salut de la cause. Or, Dieu me garde, moi qui, comme Pythagore, me reconnais à peine le droit de disposer de la vie du dernier insecte créé, de toucher imprudemment à celle de l'homme, ce roi de la création ! » Il y a plus, non seulement je viens te dire : « Je resterai neutre », mais encore j'ajoute : « As-tu besoin de mon aide ? Je te l'offre. »

Gilbert réfléchit un instant.

Puis, tendant la main à Cagliostro :

— Comte, dit-il, s'il ne s'agissait que de moi, s'il ne s'agissait que de ma vie, s'il ne s'agissait que de mon honneur, de ma réputation, de ma mémoire, j'accepterais à l'instant même ; mais il s'agit d'un royaume, d'un roi, d'une reine, d'une race, d'une monarchie, et je ne puis prendre sur moi de traiter pour eux. Restez neutre, mon cher comte, voilà tout ce que je vous demande.

Cagliostro sourit.

— Silence ! dit Gilbert, on sonne.

— Qu'importe ! vous savez bien que celui qui sonne, c'est M. le comte de Charny. Or, le conseil que j'ai à vous donner, lui aussi peut l'entendre et le mettre à profit. Entrez, monsieur le comte, entrez.

Charny, en effet, venait de paraître sur la porte. Voyant un étranger où il comptait ne rencontrer que Gilbert, il s'était arrêté inquiet et hésitant.

— Ce conseil, continua Cagliostro, le voici : Défiez-vous des nécessaires trop riches, des voitures trop lourdes, et des portraits trop ressemblants. Adieu, Gilbert ! adieu, monsieur le comte ! et, pour employer la formule de ceux à qui, comme à vous, je souhaite un bon voyage, Dieu vous ait en sa sainte et digne garde !

Et le prophète, saluant amicalement Gilbert et courtoisement Charny, se retira suivi par le regard inquiet de l'un et l'œil interrogateur de l'autre.

— Qu'est-ce que cet homme, docteur ? demanda Charny lorsque le bruit des pas se fut éteint dans l'escalier.

— Un de mes amis, dit Gilbert, un homme qui

sait tout, mais qui vient de me donner sa parole de
ne pas nous trahir.

— Et vous le nommez ?

Gilbert hésita un instant :

— Le baron Zannone, dit-il.

— C'est singulier, reprit Charny, je ne connais
pas ce nom, et, cependant, il me semble que je
connais ce visage. — Avez-vous le passeport, docteur ?

— Le voici, comte.

Charny prit le passeport, le déplia vivement, et,
complètement absorbé par l'attention qu'il donnait
à cette pièce importante, il parut avoir oublié,
momentanément du moins, jusqu'au baron Zannone.

LA SOIRÉE DU 20 JUIN

Rue Coq-Héron, n° 9, dans un salon que nous
connaissons, assise sur une causeuse où elle nous
est déjà apparue, une jeune femme, belle, calme en
apparence, mais profondément émue au fond du
cœur, causait avec un jeune homme de vingt-trois
à vingt-quatre ans, debout devant elle, vêtu d'une
veste de courrier de couleur chamois, d'un pantalon
de peau collant, chaussé d'une paire de bottes à
retroussis, et armé d'un couteau de chasse.

Il tenait à la main un chapeau rond galonné.

La jeune femme paraissait insister, le jeune homme
paraissait se défendre.

— Mais encore une fois, vicomte, disait-elle,
pourquoi, depuis deux mois et demi qu'il est de
retour à Paris, pourquoi ne pas être venu lui-même ?

— Mon frère, madame, depuis son retour, m'a
chargé plusieurs fois d'avoir l'honneur de vous
donner de ses nouvelles.

— Je le sais, et je lui en suis bien reconnaissante, ainsi qu'à vous, vicomte ; mais il me semble qu'au moment de partir, il eût pu lui-même me venir dire adieu.

— Sans doute, madame, la chose lui aura été impossible, car c'est moi qu'il a chargé de ce soin.

— Et le voyage que vous entreprenez sera-t-il long ?

— Je l'ignore, madame.

— Je dis *vous*, vicomte, parce qu'à votre costume, je dois penser que, vous aussi, vous êtes sur votre départ.

— Selon toute probabilité, madame, j'aurai quitté Paris ce soir à minuit.

— Accompagnez-vous votre frère, ou suivez-vous une direction opposée à la sienne ?

— Je crois, madame, que nous suivons le même chemin.

— Lui direz-vous que vous m'avez vue ?

— Oui, madame ; car, à la sollicitude qu'il a mise à m'envoyer près de vous, aux recommandations réitérées qu'il m'a faites de ne pas le rejoindre sans vous avoir vue, il ne me pardonnerait pas d'avoir oublié une pareille mission.

La jeune femme passa la main sur ses yeux, poussa un soupir, et, après avoir réfléchi un instant :

— Vicomte, dit-elle, vous êtes gentilhomme, vous allez comprendre toute la portée de la demande que je vous fais ; répondez-moi comme vous me répondriez si j'étais véritablement votre sœur, répondez-moi comme vous répondriez à Dieu. Dans ce voyage qu'il entreprend, M. de Charny court-il quelque danger sérieux ?

— Qui peut dire, madame, répliqua Isidore essayant d'éluder la question, où est et où n'est pas le danger dans l'époque où nous vivons ?... Le 5 octobre, au matin, notre pauvre frère Georges, interrogé s'il croyait courir quelque danger, eût bien certainement répondu que non ; le lendemain, il était couché pâle, inanimé, en travers de la porte de la reine. Le danger, madame, à l'époque où nous sommes, sort de terre, et l'on se trouve parfois face à face avec la mort sans savoir d'où elle vient ni qui l'a appelée.

Andrée pâlit.

— Ainsi, dit-elle, il y a danger de mort, n'est-ce pas, vicomte ?

— Je n'ai pas dit cela, madame.

— Non ; mais vous le pensez.

— Je pense, madame, que, si vous avez quelque chose d'important à faire dire à mon frère, l'entreprise dans laquelle il se hasarde, ainsi que moi, est assez grave pour que, de vive voix ou par écrit, vous me chargiez de lui transmettre votre pensée, votre désir ou votre recommandation.

— C'est bien, vicomte, dit Andrée en se levant, je vous demande cinq minutes.

Et, de ce pas lent et froid qui lui était habituel, la comtesse entra dans sa chambre, dont elle referma la porte derrière elle.

La comtesse sortie, le jeune homme regarda sa montre avec une certaine inquiétude :

— Neuf heures un quart, murmura-t-il ; le roi nous attend à neuf heures et demie... Heureusement qu'il n'y a qu'un pas d'ici aux Tuileries.

Mais la comtesse n'usa pas même de la somme de temps qu'elle avait demandée.

Au bout de quelques secondes, elle rentra tenant à la main une lettre cachetée.

— Vicomte, dit-elle avec solennité, à votre honneur je confie ceci.

Isidore allongea la main pour prendre la lettre.

— Attendez, dit Andrée, et comprenez bien ce que je vais vous dire : si votre frère, si M. le comte de Charny, accomplit sans accident l'entreprise qu'il poursuit, il n'y a rien à lui dire autre chose que ce que je vous ai dit, sympathie pour sa loyauté, respect pour son dévouement, admiration pour son caractère... S'il est blessé... — La voix d'Andrée s'altéra légèrement. — S'il est blessé grièvement, vous lui demanderez de m'accorder la grâce de le rejoindre, et, s'il m'accorde cette grâce, vous m'enverrez un messager qui me dise sûrement où le trouver, car je partirai à l'instant même ; s'il est blessé à mort... — L'émotion fut près de couper la voix d'Andrée. — Vous lui remettrez cette lettre ; s'il ne peut plus la lire lui-même, vous la lui lirez, car, avant qu'il meure, je veux qu'il sache ce que contient cette lettre. Votre foi de gentilhomme que vous ferez comme je le désire, vicomte ?

Isidore, aussi ému que la comtesse, tendit la main.

— Sur l'honneur, madame ! dit-il.

— Alors, prenez cette lettre, et allez, vicomte.

Isidore prit la lettre, baisa la main de la comtesse, et sortit.

— Oh ! s'écria Andrée en retombant sur son canapé, s'il meurt, je veux au moins qu'en mourant, il sache que je l'aime !

[On le sait, la voiture du roi est arrêtée trois jours plus tard à Varennes. En défendant la famille royale contre la foule, Isidore de Charny est poignardé. En succombant, il murmure : « Pauvre Catherine... »

A Paris, tandis que le roi regagne les Tuileries, Olivier de Charny manque d'être écharpé par le peuple. Deux députés révolutionnaires, Barnave et Pétion, sont sensibles à sa bravoure et l'escortent jusqu'aux Tuileries.]

LE COUP DE LANCE

Quelques secondes après, le valet de chambre annonça M. le comte de Charny, et celui-ci parut dans l'encadrement de la porte, éclairé par le reflet d'or d'un rayon du soleil couchant.

Lui aussi, comme la reine, venait d'employer le temps qui s'était écoulé depuis sa rentrée au château à faire disparaître les traces de ce long voyage, et de la lutte terrible qu'il avait soutenue en arrivant.

Il avait revêtu son ancien uniforme, c'est-à-dire le costume de capitaine de frégate, avec les revers rouges et le jabot de dentelles.

C'était ce même costume qu'il portait le jour où il avait rencontré la reine et Andrée de Taverney sur la place du Palais-Royal, et où, les ayant conduites à un fiacre, il les avait ramenées jusqu'à Versailles.

Jamais il n'avait été si élégant, si calme, si beau, et la reine eut peine à croire, en l'apercevant, que ce fût le même homme qui, une heure auparavant, avait failli être mis en morceaux par le peuple.

— Oh ! monsieur, s'écria la reine, on a dû vous dire combien j'étais inquiète de vous, et comme j'ai envoyé de tous les côtés demander de vos nouvelles.

— Oui, madame, dit Charny en s'inclinant ; mais croyez bien que je ne suis rentré chez moi qu'après m'être assuré, auprès de vos femmes, que vous aussi étiez saine et sauve. Cependant, je crois que rassuré comme je le suis maintenant sur la vie du roi, sur la vôtre, madame, et sur celle de vos augustes enfants, il est convenable que je donne en personne de mes nouvelles à madame la comtesse de Charny.

La reine appuya sa main gauche contre son cœur, comme si elle eût voulu s'assurer que ce cœur n'était pas mort du coup qu'il venait de recevoir, et, d'une voix presque étranglée par la sécheresse de sa gorge :

— Mais c'est trop juste, en effet, monsieur, dit-elle ; seulement, je me demande comment vous avez attendu si longtemps pour remplir ce devoir !

— La reine oublie que je lui avais engagé ma parole de ne pas revoir la comtesse sans sa permission.

— Et cette permission, vous venez me la demander ?

— Oui, madame, dit Charny, et je supplie Votre Majesté de me l'accorder.

— Sans quoi, dans l'ardeur où vous êtes de revoir madame de Charny, vous vous en passeriez, n'est-ce pas ?

— Je crois que la reine est injuste à mon égard, dit Charny. Au moment où j'ai quitté Paris, j'ai cru le quitter pour longtemps, sinon pour toujours. Pendant tout ce voyage, j'ai humainement fait tout ce qu'il était en mon pouvoir de faire pour que le voyage réussît. Ce n'est point ma faute, que Votre Majesté s'en souvienne, si je n'ai pas, comme mon frère, laissé ma vie à Varennes ou dans le jardin des Tuileries... Si j'avais eu la joie de conduire Votre Majesté au-delà de la frontière, ou l'honneur de mourir pour elle, je m'exilais ou je mourais sans revoir la comtesse... Mais, je le répète à Votre Majesté, de retour à Paris je ne puis donner à la femme qui porte mon nom — et vous savez comment elle le porte, madame ! — cette marque d'indifférence, de ne pas lui donner de mes nouvelles, surtout mon frère Isidore n'étant plus là pour me remplacer...

La reine laissa glisser son bras sur le dossier de sa chaise longue, et, suivant avec tout le haut de son corps ce mouvement qui la rapprochait de Charny :

— Vous aimez donc bien cette femme, monsieur, dit-elle, que vous me fassiez froidement une pareille douleur ?

— Madame, dit Charny, il y a six ans bientôt que

vous-même, — au moment où je n'y songeais pas, parce qu'il n'existait pour moi qu'une femme sur la terre, et que, cette femme, Dieu l'avait placée tellement au-dessus de moi, que je ne pouvais l'atteindre, — il y a six ans que vous m'avez donné pour mari à mademoiselle Andrée de Taverney, et que vous me l'avez imposée pour femme. Depuis ces six ans, ma main n'a pas deux fois touché la sienne ; je ne lui ai pas sans nécessité adressé dix fois la parole, et dix fois nos regards ne se sont pas rencontrés. Ma vie, à moi, a été occupée, remplie, remplie d'un autre amour, occupée de ces mille soins, de ces mille travaux, de ces mille combats qui agitent l'existence de l'homme. J'ai vécu à la cour, arpenté les grands chemins, noué, pour ma part, et avec le fil que le roi avait bien voulu me confier, l'intrigue gigantesque que vient de dénouer la fatalité ; or, je n'ai pas compté les jours, je n'ai pas compté les mois, je n'ai pas compté les années ; le temps a passé d'autant plus rapide, que j'ai été plus occupé de toutes ces affections, de tous ces soins, de toutes ces intrigues que je viens de dire. Mais il n'en a pas été ainsi de la comtesse de Charny, madame. Depuis qu'elle a eu la douleur de vous quitter, après avoir eu, sans doute, le malheur de vous déplaire, elle vit seule, isolée, perdue, dans ce pavillon de la rue Coq-Héron ; cette solitude, cet isolement, cet abandon, elle les a acceptés sans se plaindre ; car — cœur exempt d'amour — elle n'a pas besoin des mêmes affections que les autres femmes ; mais, ce qu'elle n'accepterait peut-être pas sans se plaindre, ce serait mon oubli à son égard des devoirs les plus simples, des convenances les plus vulgaires.

— Eh ! mon Dieu ! monsieur, vous voilà bien préoccupé de ce que madame de Charny pensera ou ne pensera pas de vous, selon qu'elle vous verra ou ne vous verra pas ! Avant de prendre tout ce souci, il serait bon de savoir si elle a songé à vous au moment de votre départ, ou si elle y songe à l'heure de votre retour.

— A l'heure de mon retour, j'ignore si la comtesse songe à moi, madame ; mais, au moment de mon départ, elle y a songé, j'en suis sûr !

— Vous l'avez donc vue au moment de votre départ ?

— J'ai eu l'honneur de dire à Votre Majesté que je n'avais pas vu madame de Charny depuis que j'ai donné à la reine ma parole de ne pas la voir.

— Alors, elle vous a écrit ?

Charny garda le silence.

— Voyons, s'écria Marie-Antoinette, elle vous a écrit, avouez-le !

— Elle a remis à mon frère Isidore une lettre pour moi.

— Et vous avez lu cette lettre ?... Que vous disait-elle ? que pouvait-elle vous écrire ?... Ah ! elle m'avait pourtant juré... Voyons, répondez vite... Eh bien, dans cette lettre, elle vous disait ?... Parlez donc !

— Je ne puis répéter à Votre Majesté ce que la comtesse me disait dans cette lettre ; je ne l'ai pas lue.

— Vous l'avez déchirée ? s'écria la reine joyeuse ; vous l'avez jetée au feu sans la lire ? Charny ! Charny ! si vous avez fait cela, vous êtes le plus loyal des hommes et j'avais tort de me plaindre, et je n'ai rien perdu !

Et la reine tendit ses deux bras à Charny comme pour l'appeler à elle.

Mais Charny demeura à sa place.

— Je ne l'ai point déchirée, je ne l'ai point jetée au feu, dit-il.

— Mais, alors, dit la reine en retombant sur sa chaise, comment ne l'avez-vous pas lue ?

— La lettre ne devait m'être remise, par mon frère, que dans le cas où je serais blessé à mort. Hélas ! ce n'était pas moi qui devais mourir, c'était lui... Lui mort, on m'a apporté ses papiers ; dans ses papiers était la lettre de la comtesse... et cette note que voici... Tenez, madame.

Et Charny présenta à la reine le billet écrit de la main d'Isidore, et qui était annexé à la lettre.

Marie-Antoinette prit ce billet d'une main tremblante, et sonna.

Pendant cette scène que nous venons de raconter, la nuit était venue.

— De la lumière ! dit-elle, à l'instant !

Le valet de chambre sortit ; il se fit une minute de silence où l'on n'entendit d'autre bruit que la respiration haletante de la reine et le battement précipité de son cœur.

Le valet de chambre rentra avec deux candélabres qu'il déposa sur la cheminée.

La reine ne lui donna pas même le temps de se retirer, et tandis qu'il s'éloignait et refermait la porte, elle s'approcha de la cheminée le billet à la main.

Mais deux fois elle jeta les yeux sur le papier sans rien voir.

— Oh ! murmura-t-elle, ce n'est point du papier, c'est de la flamme.

Et, passant sa main sur ses yeux, comme pour leur rendre cette faculté de voir qu'ils semblaient avoir perdue :

— Mon Dieu ! mon Dieu ! dit-elle en frappant du pied avec impatience.

Enfin, à force de volonté, sa main cessa de trembler, et ses yeux commencèrent à voir.

Elle lut d'une voix rauque, et qui n'avait rien de commun avec sa voix habituelle :

« Cette lettre est adressée, non point à moi, mais à mon frère le comte Olivier de Charny ; elle est écrite par sa femme, la comtesse de Charny. »

La reine s'arrêta quelques secondes, puis reprit :

« S'il m'arrivait malheur, celui qui trouverait ce papier est prié de le faire passer au comte Olivier de Charny, ou de le renvoyer à la comtesse. »

La reine s'arrêta une seconde fois, secoua la tête, et continua :

« Je le tiens de celle-ci, avec la recommandation suivante. »

— Ah ! voyons la recommandation, murmura la reine.

Et elle passa de nouveau la main sur ses yeux.

« Si dans l'entreprise qu'il poursuit, le comte réussissait sans accident, rendre la lettre à la comtesse. »

La voix de la reine devenait de plus en plus haletante au fur et à mesure qu'elle lisait.

Elle poursuivit :

« S'il était blessé grièvement, mais sans danger de mort, le prier d'accorder à sa femme la grâce de le rejoindre. »

— Oh ! c'est clair, cela ! balbutia la reine.

Puis, d'une voix presque inintelligible :

« Enfin, s'il était blessé à mort, lui donner cette lettre, et, s'il ne peut la lire lui-même, la lui lire, afin que, avant d'expirer, il connaisse le secret qu'elle contient. »

— Eh bien, le nierez-vous maintenant ? s'écria Marie-Antoinette en couvrant le comte d'un regard enflammé.

— Quoi ?

— Eh ! mon Dieu... qu'elle vous aime !...

— Qui ! moi ? la comtesse m'aime ?... Que dites-vous là, madame ? s'écria, à son tour, Charny.

— Oh ! malheureuse que je suis, je dis la vérité !

— La comtesse m'aime ! moi ? Impossible !

— Et pourquoi ? Je vous aime bien, moi !

— Mais, depuis six ans, si la comtesse m'aimait, la comtesse me l'eût dit, la comtesse me l'eût laissé apercevoir.

Le moment était venu, pour la pauvre Marie-Antoinette, où elle souffrait tant, qu'elle sentait le besoin de s'enfoncer, comme un poignard, la souffrance au plus profond du cœur.

— Non, s'écria-t-elle, non, elle ne vous a rien laissé apercevoir ; non, elle ne vous a rien dit ; mais, si elle ne vous a rien dit, si elle ne vous a rien laissé apercevoir, c'est qu'elle sait bien qu'elle ne peut être votre femme.

— La comtesse de Charny ne peut être ma femme ? répéta Olivier.

— C'est, continua la reine s'enivrant de plus en plus de sa propre douleur, c'est qu'elle sait bien qu'il y a entre vous un secret qui tuerait votre amour.

— Un secret qui tuerait notre amour ?

— C'est qu'elle sait bien que, du moment où elle parlerait, vous la mépriseriez !

— Moi ! mépriser la comtesse ?...

— A moins qu'on ne méprise pas la jeune fille femme sans époux, mère sans mari.

Ce fut au tour de Charny de devenir pâle comme la mort, et de chercher un appui sur le fauteuil le plus proche de sa main.

— Oh ! madame, madame, s'écria-t-il, vous en avez dit trop ou trop peu, et j'ai le droit de vous demander une explication.

— Une explication, monsieur ! à moi, à la reine, une explication ?

— Oui, madame, dit Charny, et je vous la demande.

En ce moment, la porte s'ouvrit.

— Que me veut-on ? s'écria la reine impatiente.

— Votre Majesté, répondit le valet de chambre, avait dit autrefois qu'elle y était toujours pour le docteur Gilbert.

— Eh bien ?

— Le docteur Gilbert réclame l'honneur de présenter ses humbles respects à Votre Majesté.

— Le docteur Gilbert ! dit la reine ; êtes-vous bien sûr que ce soit le docteur Gilbert ?

— Oui, madame.

— Oh ! qu'il entre, qu'il entre alors ! dit la reine.

Puis, se retournant vers Charny :

— Vous vouliez une explication au sujet de madame de Charny, dit-elle en élevant la voix : tenez, cette explication, demandez-la à M. le docteur Gilbert ; mieux que personne, il est à même de vous la donner.

Gilbert était entré pendant ce temps. Il avait entendu les paroles que venait de prononcer Marie-Antoinette, et il était resté debout et immobile sur le seuil de la porte.

Quant à la reine, rejetant à Charny le billet de son frère, elle fit quelques pas pour gagner son cabinet de toilette ; mais, plus rapide qu'elle, le comte lui barra le passage, et, la saisissant par le poignet :

— Pardon, madame, dit-il, mais, cette explication, c'est devant vous qu'elle doit avoir lieu.

— Monsieur, dit Marie-Antoinette l'œil fiévreux et les dents serrées, vous oubliez, je crois, que je suis la reine !

— Vous êtes une amie ingrate qui calomnie son amie, vous êtes une femme jalouse qui insulte une autre femme, la femme d'un homme qui, depuis trois jours, a risqué vingt fois sa vie pour vous ; la femme du comte de Charny ! Ce sera devant vous qui l'avez calomniée, qui l'avez insultée, que justice lui sera rendue... Asseyez-vous donc là, et attendez.

— Eh bien, soit, dit la reine. Monsieur Gilbert, continua-t-elle en essayant un rire mal réussi, vous voyez ce que désire monsieur.

— Monsieur Gilbert, dit Charny d'un ton plein de courtoisie et de dignité, vous entendez ce qu'ordonne la reine.

Gilbert s'avança et regarda tristement Marie-Antoinette :

— Oh ! madame ! madame !... murmura-t-il.

Puis, se tournant vers Charny :

— Monsieur le comte, ce que j'ai à vous dire est la honte d'un homme et la gloire d'une femme. Un malheureux, un paysan, un ver de terre, aimait mademoiselle de Taverney. Un jour, il la trouva évanouie, et, sans respect pour sa jeunesse, pour sa beauté, pour son innocence, le misérable la viola, et c'est ainsi que la jeune fille fut femme sans époux, et mère sans mari... Mademoiselle de Taverney est un ange ! madame de Charny est une martyre !

Charny essuya la sueur qui coulait sur son front.

— Merci, monsieur Gilbert, dit-il.

Puis, s'adressant à la reine :

— Madame, dit-il, j'ignorais que mademoiselle de Taverney eût été si malheureuse ; j'ignorais que madame de Charny fût si respectable ; sans quoi, je vous prie de le croire, je n'eusse pas été six ans sans tomber à ses genoux, et sans l'adorer comme elle mérite d'être adorée !

Et, s'inclinant devant la reine stupéfaite, il sortit sans que la malheureuse femme osât faire un mouvement pour le retenir.

Seulement, il entendit le cri de douleur qu'elle jeta en voyant la porte se refermer entre elle et lui.

C'est qu'elle comprenait que, sur cette porte comme sur celle de l'enfer, la main du démon de la jalousie venait d'écrire cette terrible sentence :

Lasciate ogni speranza !

DATE LILIA

Disons un peu ce que devenait la comtesse de Charny tandis qu'avait lieu, entre le comte et la reine, la scène que nous venons de raconter, et qui brisait si douloureusement une longue série de douleurs.

D'abord, pour nous qui connaissons l'état de son

cœur, il est facile d'imaginer ce qu'elle souffrit à compter du départ d'Isidore.

Elle tremblait, à la fois, que ce grand projet, qu'elle avait deviné être celui d'une fuite, réussît ou échouât.

En effet, s'il réussissait, elle connaissait assez le dévouement du comte à ses maîtres pour être sûre que, dès que ceux-ci seraient en exil, il ne les quitterait plus ; s'il échouait, elle connaissait assez le courage d'Olivier pour être sûre qu'il lutterait jusqu'au dernier moment, tant qu'il resterait quelque espoir, et même lorsqu'il n'en resterait plus, contre les obstacles quels qu'ils fussent.

Du moment où Isidore avait pris congé d'elle, la comtesse avait donc eu l'œil constamment ouvert pour saisir toute lueur, l'oreille constamment attentive pour percevoir tout bruit.

Le lendemain, elle apprit, avec le reste de la population parisienne, que le roi et la famille royale avaient quitté Paris dans la nuit.

Aucun accident n'avait signalé ce départ.

Puisqu'il y avait eu départ, comme elle s'en était doutée, Charny en était donc ; Charny s'éloignait d'elle !

Elle poussa un profond soupir, et s'agenouilla, priant pour la route heureuse.

Puis, pendant deux jours, Paris resta muet et sans écho.

Enfin, dans la matinée du troisième jour, une grande rumeur éclata sur la ville : le roi était arrêté à Varennes.

Il n'y avait aucun détail. A part ce coup de foudre, aucun bruit ; à part cet éclair, la nuit.

Le roi était arrêté à Varennes, voilà tout.

Andrée ignorait ce que c'était que Varennes. Cette petite ville, si fatalement célèbre depuis, ce bourg, qui devait plus tard devenir une menace pour toute royauté, partageait, à cette époque, l'obscurité qui pesait et qui pèse encore sur dix mille communes de France aussi peu importantes et aussi inconnues que lui.

Andrée ouvrit un dictionnaire de géographie et lut :

« Varennes en Argonne, chef-lieu de canton, habitants 1 607. »

Puis elle chercha sur une carte, et découvrit Varennes place comme centre de triangle entre Stenay, Verdun et Châlons, à la lisière de sa forêt, sur le bord de sa petite rivière.

Ce fut donc sur ce point obscur de la France que se concentra désormais toute son attention. Ce fut là qu'elle vécut en pensées, en espérances et en craintes.

Puis, peu à peu, à la suite de la grande nouvelle, vinrent les nouvelles secondaires, comme, au lever du soleil, après le grand ensemble qu'il tire du chaos, viennent peu à peu les petits détails.

Ces petits détails étaient immenses pour elle.

M. de Bouillé, disait-on, avait poursuivi le roi, avait attaqué l'escorte, et, après un combat acharné, s'était retiré laissant la famille royale aux mains des patriotes vainqueurs.

Sans doute, Charny avait pris part à ce combat ; sans doute, Charny ne s'était retiré que le dernier, si toutefois Charny n'était pas resté sur le champ de bataille.

Puis, bientôt, on annonça que l'un des trois gardes du corps qui accompagnaient le roi avait été tué.

Puis le nom se fit jour. Seulement, on ne savait pas si c'était le vicomte ou le comte, si c'était Isidore ou Olivier de Charny.

C'était un Charny, on ne pouvait rien dire de plus.

Pendant les deux jours où cette question demeura indécise, le cœur d'Andrée roula dans d'inexprimables angoisses !

Enfin, on annonça le retour du roi et de la famille royale pour le samedi 26.

Les augustes prisonniers avaient couché à Meaux.

En calculant le temps et l'espace sur la mesure ordinaire, le roi devait être à Paris avant midi ; en supposant qu'il revînt aux Tuileries par la route la plus directe, le roi devait rentrer dans Paris par le faubourg Saint-Martin.

A onze heures, madame de Charny, en costume de la plus grande simplicité, le visage couvert d'un voile, était à la barrière.

Elle attendit jusqu'à trois heures.

A trois heures, les premiers flots de la foule, poussant tout devant eux, annoncèrent que le roi contournerait Paris et rentrerait par la barrière des Champs-Élysées.

C'était tout Paris à traverser, et à traverser à pied. Nul n'eût osé circuler en voiture au milieu de la foule compacte qui emplissait les rues.

Jamais, depuis la prise de la Bastille, il n'y avait eu pareil encombrement sur le boulevard.

Andrée n'hésita point, elle prit le chemin des Champs-Élysées, et arriva une des premières.

Là, elle attendit encore trois heures ; trois mortelles heures !

Enfin, le cortège parut.

Andrée vit passer la voiture ; elle jeta un grand cri de joie : elle venait de reconnaître Charny sur le siège.

Un cri qui eût semblé l'écho du sien, s'il n'eût été un cri de douleur, lui répondit.

Andrée se tourna du côté où venait ce cri ; une jeune fille se débattait entre les bras de trois ou quatre personnes charitables qui s'empressaient de lui porter des secours.

Elle paraissait en proie au plus violent désespoir.

Peut-être Andrée eût-elle accordé une plus efficace attention à cette jeune fille, si elle n'eût entendu murmurer autour d'elle toutes sortes d'imprécations contre ces trois hommes placés sur le siège de la voiture du roi.

Ce serait sur eux que tomberait la colère du

peuple ; ce seraient eux les boucs émissaires de cette grande trahison royale ; ils seraient indubitablement mis en pièces au moment où la voiture s'arrêterait.

Et Charny était un de ces trois hommes !

Andrée résolut de faire tout ce qu'elle pourrait afin de pénétrer dans le jardin des Tuileries.

Mais, pour cela, il fallait contourner la foule, revenir par le bord de l'eau, c'est-à-dire par le quai de la Conférence, et rentrer dans le jardin, si la chose était possible, par le quai des Tuileries.

Andrée prit la rue de Chaillot, et gagna le quai.

A force de tentatives, au risque d'être écrasée vingt fois, elle parvint à franchir la grille ; mais une telle foule se pressait à l'endroit où devait s'arrêter la voiture, qu'il ne fallait pas songer à arriver aux premiers rangs.

Andrée pensa que, de la terrasse du bord de l'eau, elle dominerait toute cette foule. Il est vrai que la distance serait trop grande pour qu'elle pût rien distinguer en détail, rien entendre sûrement.

N'importe, elle verrait mal et entendrait mal ; cela valait mieux que de ne pas voir et de ne pas entendre du tout.

Elle monta donc sur la terrasse du bord de l'eau.

De là, en effet, elle voyait le siège de la voiture : Charny et les deux gardes ; — Charny, qui ne se doutait pas qu'à cent pas de lui, un cœur battait si violemment pour lui ; Charny, qui, en ce moment, n'avait probablement pas un souvenir pour Andrée ; Charny, qui ne pensait qu'à la reine, qui oubliait sa propre sûreté pour veiller à la sûreté de la reine.

Oh ! si elle eût su qu'à cet instant même Charny pressait sa lettre sur son cœur, et lui offrait en pensée ce dernier soupir qu'il se croyait tout près d'exhaler !

Enfin, la voiture s'arrêta au milieu des cris, des hurlements, des clameurs.

Presque aussitôt il se fit autour de cette voiture

un grand bruit, un grand mouvement, un immense tumulte.

Les baïonnettes, les piques, les sabres se levèrent ; on eût dit une moisson de fer poussant sous un orage.

Les trois hommes, précipités du siège, disparurent comme s'ils fussent tombés dans un gouffre. Puis il y eut un tel remous dans toute cette multitude, que ses derniers rangs, refluant en arrière, vinrent se briser contre le mur de soutènement de la terrasse.

Andrée était enveloppée d'un voile d'angoisse ; elle ne voyait, elle n'entendait plus rien ; elle jeta, haletante, les bras tendus, des sons inarticulés au milieu de ce concert terrible qui se composait de malédictions, de blasphèmes, de cris de mort !

Puis elle ne sut plus se rendre compte de ce qui se passait : la terre tourna, le ciel devint rouge, un bruissement pareil à celui de la mer qui monte gronda à ses oreilles.

C'était le sang qui montait du cœur à la tête, et qui envahissait le cerveau.

Elle tomba à demi évanouie, comprenant qu'elle vivait parce qu'elle souffrait.

Une impression de fraîcheur la fit revenir à elle : une femme lui appliquait au front un mouchoir trempé dans l'eau de la Seine, tandis qu'une autre lui faisait respirer un flacon de sels.

Elle se rappela cette femme qu'elle avait vue mourante comme elle à la barrière, sans savoir quelle instinctive analogie rattachait, par un lien inconnu, la douleur de cette femme à sa douleur.

En revenant à elle, son premier mot fut :

— Sont-ils morts ?...

La compassion est intelligente. Ceux qui entouraient Andrée comprirent qu'il s'agissait de ces trois hommes dont la vie avait été si cruellement menacée.

— Non, lui répondit-on ; ils sont sauvés.

— Tous trois ? demanda-t-elle.

— Tous trois, oui.

— Oh ! le Seigneur soit loué... Où sont-ils ?

— On croit qu'ils sont au château.

— Au château ? Merci !

Et, se relevant, secouant la tête, s'orientant d'un œil égaré, la jeune femme sortit par la grille du bord de l'eau, afin de rentrer par le guichet du Louvre.

Elle pensait avec raison que, de ce côté, la foule serait moins compacte.

En effet, la rue des Orties était presque vide.

Elle traversa un coin de la place du Carrousel, entra dans la cour des Princes et s'élança chez le concierge.

Cet homme connaissait la comtesse : il l'avait vue entrer au château et en sortir pendant les deux ou trois premières journées du retour de Versailles.

Puis il l'avait vue sortir pour ne plus rentrer, le jour où, poursuivie par Sébastien, Andrée avait enlevé l'enfant dans sa voiture.

Le concierge consentit à aller aux renseignements. Par les corridors intérieurs, il parvint bientôt au cœur du château.

Les trois officiers étaient sauvés. M. de Charny, sain et sauf, s'était retiré dans sa chambre.

Un quart d'heure après, il en était sorti en uniforme d'officier de marine, et s'était rendu chez la reine, où il devait être en ce moment.

Andrée respira, tendit sa bourse à celui qui lui donnait ces bonnes nouvelles, et, tout étourdie, toute haletante, demanda un verre d'eau.

Ah ! Charny était donc sauvé !

Elle remercia le brave homme, et reprit le chemin de l'hôtel de la rue Coq-Héron.

Arrivée là, elle alla tomber, non pas sur une chaise, non pas sur un fauteuil, mais devant son prie-Dieu.

Ce n'était pas pour prier de bouche ; il y a des moments où la reconnaissance envers le Seigneur est si grande, que les paroles manquent ; alors, ce sont les bras, ce sont les yeux, c'est tout le corps, tout le cœur, toute l'âme qui s'élancent à Dieu.

Elle était plongée dans cette bienheureuse extase quand elle entendit la porte s'ouvrir ; elle se retourna lentement, ne comprenant rien à ce bruit de la terre qui venait la chercher au plus profond de sa rêverie.

Sa femme de chambre était debout, la cherchant des yeux, perdue qu'elle était dans l'obscurité.

Derrière la femme de chambre se dressait une ombre, une forme indécise, mais à laquelle son instinct donna aussitôt des contours et un nom.

— M. le comte de Charny, dit la femme de chambre.

Andrée voulut se relever, mais les forces lui manquèrent ; elle retomba les genoux sur le coussin, et, se retournant à moitié, elle appuya son bras sur la déclivité du prie-Dieu.

— Le comte ! murmura-t-elle, le comte !

Et, quoiqu'il fût là devant ses yeux, elle ne pouvait croire à sa présence.

Andrée fit un signe de la tête, elle ne pouvait parler. La femme de chambre s'effaça pour laisser passer Charny, et referma la porte.

Charny et la comtesse se trouvèrent seuls.

— On m'a dit que vous veniez de rentrer, madame, dit Charny ; ne suis-je pas indiscret de vous avoir de si près suivie ?

— Non, dit-elle d'une voix tremblante, non, vous êtes le bienvenu, monsieur. J'étais tellement inquiète, que j'étais sortie pour savoir ce qui se passait.

— Vous étiez sortie... depuis longtemps ?...

— Depuis le matin, monsieur ; j'ai d'abord été à la barrière Saint-Martin, puis à celle des Champs-Élysées ; là, j'ai... j'ai vu... — Elle hésita. — J'ai vu le roi, la famille royale... je vous ai vu, et j'ai été rassurée, momentanément du moins... on craignait pour vous à la descente de voiture. Alors, je suis revenue dans le jardin des Tuileries. Ah ! là, j'ai pensé mourir !

— Oui, dit Charny, la foule était grande, vous avez été pressée, étouffée presque, je comprends...

— Non, non, dit Andrée en secouant la tête, oh ! non, ce n'est pas cela. Enfin, je me suis informée, j'ai appris que vous étiez sauvé ; je suis revenue ici, et voyez... j'étais à genoux... je priais, je remerciais Dieu.

— Puisque vous étiez à genoux, madame, puisque vous parliez au Seigneur, ne vous relevez pas sans lui dire quelques paroles pour mon frère !

— M. Isidore ? Ah ! s'écria Andrée, c'était donc lui !... Malheureux jeune homme !

Et elle laissa retomber sa tête sur ses deux mains.

Charny fit quelques pas en avant, et regarda avec une profonde expression de tendresse et de mélancolie cette chaste créature qui priait.

Il y avait, en outre, dans ce regard, un immense sentiment de commisération, de mansuétude et de miséricorde.

Puis quelque chose encore comme un désir retenu.

La reine ne lui avait-elle pas dit, ou plutôt n'avait-elle pas laissé échapper cette étrange révélation, qu'Andrée l'aimait ?

Sa prière finie, la comtesse se retourna.

— Et il est mort ? dit-elle.

— Mort, madame, comme est mort le pauvre Georges, pour la même cause, et en remplissant le même devoir.

— Et, au milieu de cette grande douleur qu'a dû vous faire éprouver la mort d'un frère, vous avez eu le temps de songer à moi, monsieur ? dit Andrée d'une voix si faible, qu'à peine ses paroles étaient-elles compréhensibles.

Heureusement, Charny écoutait avec le cœur et avec les oreilles à la fois.

— Madame, dit-il, n'aviez-vous pas chargé mon frère d'une mission pour moi ?

— Monsieur !... balbutia Andrée en se relevant sur un genou, et en regardant le comte avec anxiété.

— Ne lui aviez-vous pas remis une lettre à mon adresse ?

— Monsieur ! répéta Andrée d'une voix frémissante.

— Après la mort du pauvre Isidore, ses papiers m'ont été rendus, madame, et votre lettre était parmi ses papiers.

— Vous l'avez lue ? s'écria Andrée en cachant sa tête entre ses deux mains. Ah !...

— Madame, je ne devais connaître le contenu de cette lettre que si j'étais mortellement blessé, et, vous le voyez, je suis sain et sauf.

— Alors, la lettre ?...

— La voici intacte, madame, et telle que vous l'avez remise à Isidore.

— Oh ! murmura Andrée en prenant la lettre, c'est bien beau... ou bien cruel ce que vous faites là !

Charny étendit le bras, et prit la main d'Andrée, qu'il mit entre les deux siennes.

Andrée fit un mouvement pour retirer sa main.

Puis, comme Charny insistait en murmurant : « Par grâce, madame ! » elle poussa un soupir presque d'effroi ; mais, sans force contre elle-même, elle laissa sa main frissonnante et humide entre les deux mains de Charny.

Alors, embarrassée, ne sachant où arrêter ses yeux, ne sachant comment fuir le regard de Charny, qu'elle sentait fixé sur elle, ne pouvant reculer, adossée qu'elle était au prie-Dieu :

— Oui, je comprends, monsieur, dit-elle, et vous êtes venu pour me rendre cette lettre ?

— Pour cela, oui, madame, et aussi pour autre chose... J'ai à vous demander bien des pardons, comtesse.

Andrée tressaillit jusqu'au fond du cœur ; c'était

la première fois que Charny lui donnait ce titre sans le faire précéder du mot *madame*.

Puis sa voix avait prononcé la phrase tout entière avec une inflexion d'une douceur infinie.

— Des pardons ! à moi, monsieur le comte ? Et à quelle occasion, je vous prie ?

— Pour la manière dont je me suis conduit envers vous pendant six ans...

Andrée le regarda avec un profond étonnement.

— Me suis-je jamais plainte, monsieur ? demanda-t-elle.

— Non, madame, parce que vous êtes un ange !

Malgré elle, les yeux d'Andrée se voilèrent, et elle sentit des larmes rouler sous ses paupières

— Vous pleurez, Andrée ? dit Charny.

— Oh ! s'écria Andrée en fondant en larmes, excusez-moi, monsieur, mais je n'ai pas l'habitude que vous me parliez ainsi... Ah ! mon Dieu ! mon Dieu !

Et elle alla s'abattre sur une chaise longue, laissant tomber sa tête entre ses mains.

Puis, au bout d'un instant, écartant ses mains, et secouant la tête :

— Mais, en vérité, je suis folle ! dit-elle.

Tout à coup, elle s'arrêta. Pendant qu'elle avait les yeux perdus dans ses mains, Charny était venu s'agenouiller devant elle.

— Oh ! vous à mes genoux, vous à mes pieds ! dit-elle.

— Ne vous ai-je pas dit, Andrée, que je venais vous demander pardon ?

— A mes genoux, à mes pieds ! répéta-t-elle, comme une femme qui ne peut croire à ce qu'elle voit.

— Andrée, vous m'avez retiré votre main, dit Charny.

Et il tendit de nouveau sa main à la jeune femme.

Mais, elle, se reculant avec un sentiment qui ressemblait à de la terreur :

— Que veut dire cela ? murmura-t-elle.

— Andrée ! répondit Charny de sa plus douce voix, cela veut dire que je vous aime !

Andrée appuya sa main sur son cœur, et jeta un cri.

Puis, se levant tout debout, comme si un ressort l'eût mise sur ses pieds, et serrant ses tempes entre ses deux mains :

— Il m'aime ! il m'aime ! répéta-t-elle, mais c'est impossible !

— Dites que c'est impossible que vous m'aimiez, Andrée, mais ne dites pas qu'il est impossible que je vous aime.

Elle abaissa son regard sur Charny, comme pour s'assurer qu'il disait vrai ; les grands yeux noirs du comte disaient bien au-delà de ce qu'avaient dit ses paroles.

Andrée, qui aurait pu douter des paroles, ne douta point du regard.

— Oh ! murmura-t-elle, mon Dieu ! mon Dieu ! y a-t-il au monde une créature plus malheureuse que moi ?

— Andrée, continua Charny, dites-moi que vous m'aimez, ou, si vous ne me dites pas que vous m'aimez, dites-moi au moins que vous ne me haïssez pas !

— Moi, vous haïr ! s'écria Andrée.

Et, à leur tour, ses yeux si calmes, si limpides, si sereins, laissèrent échapper un double éclair.

— Oh ! monsieur ! vous seriez bien injuste si vous preniez pour de la haine le sentiment que vous m'inspirez.

— Mais, enfin, si ce n'est pas de la haine, si ce n'est pas de l'amour, qu'est-ce donc, Andrée ?

— Ce n'est pas de l'amour, parce qu'il ne m'est pas permis de vous aimer ; ne m'avez-vous pas entendue tout à l'heure crier à Dieu que j'étais la plus malheureuse créature de la terre ?

— Et pourquoi ne vous est-il pas permis de

m'aimer, quand je vous aime, moi, Andrée, de toutes les forces de mon cœur ?

— Oh ! voilà que je ne veux pas, voilà que je ne peux pas, voilà ce que je n'ose pas vous dire, répondit Andrée en se tordant les bras.

— Mais, reprit Charny en adoucissant encore le timbre de sa voix, si ce que vous ne voulez pas, ce que vous ne pouvez pas, ce que vous n'osez pas dire, si une autre personne me l'avait dit, à moi ?

Andrée appuya ses deux mains sur les épaules de Charny.

— Hein ? fit-elle épouvantée.

— Si je le savais ? continua Charny.

— Mon Dieu !

— Et si c'était, vous trouvant plus digne et plus respectable de ce malheur même, si c'était en apprenant ce secret terrible que je me suis décidé à venir vous dire que je vous aimais !

— Si vous aviez fait cela, monsieur, vous seriez le plus noble et le plus généreux des hommes.

— Je vous aime, Andrée ! répéta Charny, je vous aime ! je vous aime !

— Ah ! fit Andrée en levant ses deux bras au ciel, je ne savais pas, mon Dieu ! qu'il pût y avoir une pareille joie en ce monde.

— Mais, à votre tour, Andrée, dites-moi donc que vous m'aimez ! s'écria Charny.

— Oh ! non ! je n'oserai jamais, dit Andrée ; mais lisez cette lettre qui devait vous être remise à votre lit de mort !

Et elle tendit au comte la lettre qu'il lui avait rapportée.

Tandis qu'Andrée couvrait son visage de ses deux mains, Charny brisa vivement le cachet de cette lettre, en lut les premières lignes, jeta un cri ; puis, écartant les mains d'Andrée, et du même mouvement la ramenant sur son cœur :

— Depuis le jour où tu m'as vu, depuis six ans !

ô sainte créature ! dit-il, comment t'aimerai-je jamais assez pour te faire oublier ce que tu as souffert ?

— Mon Dieu ! murmura Andrée en pliant comme un roseau sous le poids de tant de bonheur, si c'est un rêve, faites que je ne me réveille jamais, ou que je meure en me réveillant !...

Et, maintenant, oublions ceux qui sont heureux, pour revenir à ceux qui souffrent, qui luttent ou qui haïssent, et peut-être que leur mauvais destin les oubliera comme nous.

[Le 17 juillet 1791, quelques semaines après le retour de Varennes, des milliers de citoyens se rassemblent au Champ de Mars pour signer une pétition en faveur de la déchéance du roi. Parmi eux se trouve Billot, qui est venu à Paris en laissant sa ferme aux soins de Pitou.

La Fayette et Bailly, maire de Paris, ordonnent à la foule de se disperser. Comme le peuple ne bouge pas, la garde nationale ouvre le feu sur lui.

Cependant, la reine est aux Tuileries. Elle a envoyé Weber, son valet de chambre, dans Paris, pour qu'il lui rapporte les événements qui s'y déroulent...]

APRÈS LE MASSACRE

Marie-Antoinette craignait les scènes de violence : jusqu'alors, ces scènes avaient constamment tourné contre elle ; témoin le 14 juillet, les 5 et 6 octobre, l'arrestation à Varennes.

Elle avait entendu des Tuileries le bruit de la fatale décharge du Champ de Mars ; son cœur s'en était profondément inquiété. A tout prendre, ce voyage de Varennes avait été un grand enseignement pour elle. Jusqu'à ce moment, la Révolution n'avait point, à ses yeux, dépassé la hauteur d'un système de M. Pitt, d'une intrigue du duc d'Orléans ; elle croyait Paris conduit par quelques meneurs ; elle disait avec le roi : « Notre bonne province ! »

Elle avait vu la province : la province était plus révolutionnaire que Paris !

La reine attendait donc Weber avec une grande anxiété.

La porte s'ouvrit : elle tourna vivement les yeux de ce côté : mais, au lieu de la bonne grosse figure autrichienne de son frère de lait, elle vit apparaître le visage sévère et froid du docteur Gilbert.

La reine n'aimait pas ce royaliste aux théories constitutionnelles si bien arrêtées, qu'elle le regardait comme un républicain ; et, cependant, elle avait pour lui un certain respect ; elle ne l'eût envoyé chercher ni dans une crise physique, ni dans une crise morale ; mais, lui une fois là, elle subissait son influence.

En l'apercevant, elle tressaillit.

Elle ne l'avait pas revu depuis la soirée du retour de Varennes.

— C'est vous, docteur ? murmura-t-elle.

Gilbert s'inclina.

— Oui, madame, dit-il, c'est moi... Je sais que vous attendiez Weber ; mais les nouvelles qu'il vous apporte, je les apporte bien plus précises encore. Il était du côté de la Seine où l'on n'égorgeait pas, et moi, au contraire, j'étais du côté de la Seine où l'on égorgeait...

— Où l'on égorgeait ! Qu'est-il donc arrivé, monsieur ? demanda la reine.

— Un grand malheur, madame : le parti de la cour a triomphé !

— Le parti de la cour a triomphé ! Et vous appelez cela un malheur, monsieur Gilbert ?

— Oui, parce qu'il a triomphé par un de ces moyens terribles qui énervent le triomphateur, et qui parfois le couchent à côté du vaincu !

— Mais que s'est-il donc passé ?

— La Fayette et Bailly ont tiré sur le peuple ; de sorte que voilà La Fayette et Bailly hors d'état de vous servir désormais.

— Pourquoi cela ?

— Parce qu'ils sont dépopularisés.

— Et que faisait ce peuple sur lequel on a tiré ?

— Il signait une pétition demandant la déchéance.

— La déchéance de qui ?

— Du roi.

— Et vous trouvez que l'on a eu tort de tirer sur lui ? demanda la reine, dont l'œil étincela.

— Je crois qu'on eût mieux fait de le convaincre que de le fusiller.

— Mais de quoi le convaincre ?

— De la sincérité du roi.

— Mais le roi est sincère !

— Pardon, madame... Il y a trois jours, j'ai quitté le roi ; toute ma soirée s'était passée à essayer de lui faire comprendre que ses véritables ennemis, ce sont ses frères, M. de Condé, les émigrés. J'avais, à genoux, supplié le roi de rompre toute relation avec eux, et d'adopter franchement la Constitution, sauf à en réviser les articles dont la pratique ferait reconnaître l'application impossible. Le roi, convaincu, — je le croyais du moins, — avait eu la bonté de me promettre que c'était fini entre lui et l'émigration ; et, derrière moi, madame, le roi a signé et vous a fait signer, à vous, une lettre pour son frère, pour Monsieur, lettre dans laquelle il le charge de ses pouvoirs auprès de l'empereur d'Autriche et du roi de Prusse...

La reine rougit comme un enfant pris en faute ; mais un enfant pris en faute courbe la tête : elle, au contraire, se révolta.

— Nos ennemis ont-ils des espions jusque dans le cabinet du roi ?

— Oui, madame, répondit tranquillement Gilbert, et c'est ce qui rend, de la part du roi, toute démarche fausse si dangereuse.

— Mais, monsieur, la lettre était tout entière écrite de la main du roi ; elle a été — aussitôt signée par moi — pliée et cachetée par le roi, puis remise au courrier qui devait la porter.

— C'est vrai, madame.

— Le courrier a donc été arrêté ?

— La lettre a été lue.

— Mais nous ne sommes donc entourés que de traîtres ?

— Tous les hommes ne sont pas des comtes de Charny !

— Que voulez-vous dire ?

— Hélas ! je veux dire, madame, qu'un des augures fatals qui présagent la perte des rois, c'est quand ils éloignent d'eux des hommes qu'ils devraient attacher à leur fortune par des liens de fer.

— Je n'ai point éloigné M. de Charny, dit amèrement la reine ; c'est M. de Charny qui s'est éloigné. Quand les rois deviennent malheureux, il n'y a plus de liens assez forts pour retenir près d'eux leurs amis.

Gilbert regarda la reine, et secoua doucement la tête.

— Ne calomniez pas M. de Charny, madame, ou le sang de ses deux frères criera, du fond de la tombe, que la reine de France est ingrate !

— Monsieur ! fit Marie-Antoinette.

— Oh ! vous savez bien que je dis la vérité, madame, reprit Gilbert ; vous savez bien qu'au jour où un véritable danger vous menacera, M. de Charny sera à son poste, et que ce poste sera celui du danger.

La reine baissa la tête.

— Enfin, dit-elle avec impatience, vous n'étiez pas venu pour me parler de M. de Charny, je suppose ?

— Non, madame ; mais les idées sont parfois

comme les événements, elles s'enchaînent par des fils invisibles, et telles sont tirées tout à coup au jour qui devraient rester cachées dans l'obscurité du cœur... Non, je venais pour parler à la reine ; pardon si, sans le vouloir, j'ai parlé à la femme, mais me voici prêt à réparer mon erreur.

— Et que vouliez-vous dire à la reine, monsieur ?

— Je voulais lui mettre sous les yeux sa situation, celle de la France, celle de l'Europe ; je voulais lui dire : Madame, vous jouez le bonheur ou le malheur du monde en partie liée ; vous avez perdu la première manche au 6 octobre ; vous venez aux yeux de vos courtisans du moins, de gagner la seconde. A partir de demain, vous allez engager ce que l'on nomme *la belle* ; si vous perdez, il y va du trône, de la liberté, peut-être de la vie !

— Et, dit la reine en se redressant vivement, croyez-vous, monsieur, que nous reculerons devant une pareille crainte ?

— Je sais que le roi est brave : il est petit-fils de Henri IV ; je sais que la reine est héroïque : elle est fille de Marie-Thérèse ; je n'essaierai donc jamais vis-à-vis d'eux que de la conviction ; malheureusement, je doute que j'arrive jamais à faire passer dans le cœur du roi et de la reine la conviction qui est dans le mien.

— Pourquoi, alors, prendre une pareille peine, monsieur, si vous la jugez inutile ?

— Pour remplir un devoir, madame... Croyez-moi, il est doux, quand on vit dans des temps orageux comme les nôtres, de se dire, à chaque effort que l'on fait, cet effort dût-il être infructueux : « C'est un devoir que je remplis ! »

La reine regarda Gilbert en face.

— Avant toute chose, monsieur, dit-elle, pensez-vous qu'il soit possible encore de sauver le roi ?

— Je le crois.

— Et la royauté ?

— Je l'espère.

— Eh bien, monsieur, dit la reine avec un soupir profondément triste, vous êtes plus heureux que moi ; je crois que l'un et l'autre sont perdus, et je ne me débats, pour mon compte, qu'en acquit de ma conscience.

— Oui, madame, je comprends cela parce que vous voulez la royauté despotique et le roi absolu ; comme un avare qui ne sait, même en vue d'un rivage prêt à lui rendre plus qu'il ne perd dans son naufrage, sacrifier une partie de sa fortune, et qui veut garder tous ses trésors, vous vous noierez avec les vôtres, entraînée par leur poids... Faites la part de la tempête, jetez au gouffre tout le passé, s'il le faut, et nagez vers l'avenir !

— Jeter le passé au gouffre, c'est rompre avec tous les rois de l'Europe.

— Oui ; mais c'est faire alliance avec le peuple français.

— Le peuple français est notre ennemi ! dit Marie-Antoinette.

— Parce que vous lui avez appris à douter de vous.

— Le peuple français ne peut pas lutter contre une coalition européenne.

— Supposez à sa tête un roi qui veuille franchement la Constitution, et le peuple français fera la conquête de l'Europe.

— Il faut une armée d'un million d'hommes pour cela.

— On ne fait pas la conquête de l'Europe avec un million d'hommes, madame ; on fait la conquête de l'Europe avec une idée... Plantez sur le Rhin et sur les Alpes deux drapeaux tricolores avec ces mots : « Guerre aux tyrans ! liberté aux peuples ! » et l'Europe sera conquise.

— En vérité, monsieur, il y a des moments où je suis tentée de croire que les plus sages deviennent fous !

— Ah ! madame, madame, vous ne savez donc

pas ce que c'est, en ce moment, que la France aux yeux des nations ? La France, avec quelques crimes individuels, quelques excès locaux, mais qui ne tachent point sa robe blanche, qui ne souillent pas ses mains pures, cette France, c'est la vierge de la liberté ; le monde tout entier est amoureux d'elle ; des Pays-Bas, du Rhin, de l'Italie, des millions de voix l'invoquent ! Elle n'a qu'à mettre un pied hors de la frontière, et les peuples l'attendront à genoux. La France arrivant les mains pleines de liberté, ce n'est plus une nation ; c'est la justice immuable ! c'est la raison éternelle !... Oh madame, madame, profitez de ce qu'elle n'est point encore entrée dans la violence ; car, si vous attendez trop longtemps, ces mains qu'elle étend sur le monde, elle les retournera contre elle-même... Mais la Belgique, mais l'Allemagne, mais l'Italie suivent chacun de ses mouvements avec des regards d'amour et de joie, la Belgique lui dit : « Viens ! » l'Allemagne lui dit : « Je t'attends ! » l'Italie lui dit : « Sauve-moi ! » Au fond du Nord, une main inconnue n'a-t-elle pas écrit sur le bureau de Gustave : « Pas de guerre à la France ! » D'ailleurs, aucun de ces rois que vous appelez à votre aide n'est prêt à nous faire la guerre, madame. Deux empires nous haïssent profondément ; quand je dis deux empires, je veux dire une impératrice et un ministre, Catherine II et M. Pitt ; mais ils sont impuissants contre nous, à cette heure du moins. Catherine II tient la Turquie sous une de ses griffes, et la Pologne sous l'autre ; elle en aura bien pour deux ou trois ans à soumettre l'une et à dévorer l'autre ; elle pousse les Allemands vers nous ; elle leur offre la France ; elle fait honte à votre frère Léopold de son inaction ; elle lui montre le roi de Prusse envahissant la Hollande pour un simple déplaisir fait à sa sœur ; elle lui dit : « Marchez donc ! » mais elle ne marche pas. M. Pitt avale l'Inde en ce moment ; il est comme le serpent boa : cette laborieuse digestion l'engourdit ; si nous attendons qu'elle soit achevée, il nous attaquera à son tour, non point tant par la guerre étrangère que par la guerre civile... Je sais que vous en avez une peur mortelle, de ce Pitt ; je sais que vous avouez, madame, que vous ne parlez pas de lui sans avoir la *petite mort*. Voulez-vous un moyen de le frapper au cœur ? C'est de faire de la France une république avec un roi ! Au lieu de cela, que faites-vous, madame ? au lieu de cela, que fait votre amie la princesse de Lamballe ? Elle dit à l'Angleterre, où elle vous représente, que toute l'ambition de la France est d'arriver à la grande Charte ; que la révolution française, bridée et montée par le roi, va marcher à reculons ! Et que répond Pitt à ces avances ? Qu'il ne souffrira pas que la France devienne république ; qu'il sauvera la monarchie ; mais toutes les caresses, toutes les instances, toutes les prières de madame de Lamballe n'ont pu lui faire promettre qu'il sauverait le monarque ; car, le monarque, il le hait ! N'est-ce pas Louis XVI, roi constitutionnel, roi philosophe, qui lui a disputé l'Inde et arraché l'Amérique ? Louis XVI ! mais Pitt ne désire qu'une chose, c'est que l'histoire en fasse un pendant à Charles Ier !

— Monsieur ! monsieur ! s'écria la reine épouvantée, qui donc vous dévoile toutes ces choses ?

— Les mêmes hommes qui me disent ce qu'il y a dans les lettres que Votre Majesté écrit.

— Mais nous n'avons donc plus une pensée qui nous appartienne ?

— Je vous ai dit, madame, que les rois de l'Europe étaient enveloppés d'un invisible réseau dans lequel ceux qui voudraient résister se débattront inutilement. Ne résistez pas, madame : mettez-vous à la tête des idées que vous essayez de tirer en arrière, et le réseau vous deviendra une armure, et ceux qui vous haïssent deviendront vos défenseurs, et ces poignards invisibles qui vous menacent deviendront des épées prêtes à frapper vos ennemis !

— Mais ceux que vous appelez nos ennemis, monsieur, vous oubliez toujours que ce sont les rois nos frères.

— Eh ! madame, appelez une fois les Français vos enfants, et vous verrez, alors, le peu que vous sont ces frères selon la politique et la diplomatie ! D'ailleurs, tous ces rois, tous ces princes, ne vous semblent-ils point marqués du sceau fatal, du sceau de la folie ? Commençons par votre frère Léopold, caduc à quarante-quatre ans, avec son harem toscan transporté à Vienne, ranimant ses facultés mourantes par des excitants meurtriers qu'il se fabrique lui-même... Voyez Frédéric ; voyez Gustave ; l'un qui est mort, l'autre qui mourra sans postérité, — car, aux yeux de tous, il est connu que l'héritier royal de Suède est le fils de Monk, et non celui de Gustave... Voyez le roi de Portugal, avec ses trois cents religieuses... Voyez le roi de Saxe, avec ses trois cent cinquante-quatre bâtards... Voyez Catherine, cette Pasiphaé du Nord, à qui un taureau ne saurait suffire, et qui a trois armées pour amants !... Oh ! madame, madame, ne vous apercevez-vous pas que tous ces rois et toutes ces reines marchent au gouffre, à l'abîme, au suicide, et que, si vous vouliez, vous... vous ! au lieu de marcher comme eux, au suicide, à l'abîme, au gouffre, vous marcheriez à l'empire du monde, à la monarchie universelle ?

— Pourquoi donc ne dites-vous point cela au roi, monsieur Gilbert ? demanda la reine ébranlée.

— Eh ! je le lui dis, mon Dieu ! mais, comme vous avez les vôtres, il a ses mauvais génies qui viennent défaire ce que j'ai fait.

— Monsieur Gilbert, fit la reine, attendez-moi ici... J'entre un instant chez le roi, et je reviens.

Gilbert s'inclina ; la reine passa devant lui, et sortit par la porte qui conduisait chez le roi.

Le docteur attendit dix minutes, un quart d'heure,

une demi-heure ; enfin, une porte s'ouvrit, mais opposée à celle par laquelle était sortie la reine.

C'était un huissier qui, après avoir regardé de tous côtés avec inquiétude, s'avança vers Gilbert, fit un signe maçonnique, lui remit une lettre, et s'éloigna.

Gilbert ouvrit la lettre et lut :

« Tu perds ton temps, Gilbert : en ce moment, la reine et le roi écoutent M. de Breteuil, qui arrive de Vienne, et qui leur apporte ce plan de politique :

» *gagner du temps, jurer la Constitution, l'exécuter* » *littéralement, pour montrer qu'elle est inexécutable.* » *La France se refroidira, s'ennuiera ; les Français* » *ont la tête légère, il se fera quelque mode nouvelle,* » *et la liberté passera.*

» *Si la liberté ne passe pas, on aura gagné un* » *an ; et, dans un an, nous serons prêts à la guerre.* »

» Laisse donc là ces deux condamnés, qu'on appelle encore, par dérision, le roi et la reine, et rends-toi, sans perdre un instant, à l'hôpital du Gros-Caillou ; tu y trouveras un mourant, moins malade qu'eux ; car, ce mourant, peut-être pourras-tu le sauver, tandis qu'eux, sans que tu puisses les sauver, t'entraîneront dans leur chute ! »

Le billet n'avait point de signature ; mais Gilbert reconnut l'écriture de Cagliostro.

En ce moment, madame Campan entra ; cette fois, c'était par la porte de la reine.

Elle remit à Gilbert un petit billet conçu en ces termes :

« Le roi prie M. Gilbert de lui mettre par écrit tout le plan politique qu'il vient d'exposer à la reine.

» La reine, retenue par une affaire importante, a

le regret de ne pouvoir revenir près de M. Gilbert ; il serait donc inutile qu'il l'attendît plus longtemps.

Gilbert lut, resta un moment pensif, et, secouant la tête :

— Les insensés ! murmura-t-il.

— N'avez-vous rien à faire dire à Leurs Majestés, monsieur ? demanda madame Campan.

Gilbert donna à la femme de chambre la lettre sans signature qu'il venait de recevoir.

— Voici ma réponse, dit-il.

Et il sortit.

L'HOPITAL DU GROS-CAILLOU

Le Champ de Mars avait l'aspect d'un champ de bataille couvert de morts et de blessés au milieu desquels erraient, comme des ombres, des hommes chargés de jeter les morts à la Seine, et de porter les blessés à l'hôpital militaire du Gros-Caillou.

A cette époque, les hôpitaux, et surtout les hôpitaux militaires, étaient bien loin d'être organisés comme ils le sont aujourd'hui.

On ne s'étonnera donc pas du trouble qui régnait dans l'hôpital du Gros-Caillou, et de l'immense désordre qui s'opposait à l'accomplissement des désirs des chirurgiens.

La première chose qui avait manqué, c'étaient les lits. On avait alors mis en réquisition les matelas des habitants des rues environnantes.

Ces matelas étaient posés à terre, et il y en avait jusque dans la cour ; sur chacun d'eux était un blessé, attendant du secours ; mais les chirurgiens manquaient comme les matelas, et étaient plus difficiles à trouver.

Pitou était là depuis une heure, appelant à grands cris les deux ou trois chirurgiens qu'il avait vus passer, sans qu'aucun d'eux répondît à ses cris, lorsqu'il aperçut un homme vêtu de noir, éclairé par deux infirmiers, et visitant l'une après l'autre toutes ces couches d'agonie.

Plus l'homme vêtu de noir s'avançait du côté de Pitou, plus celui-ci croyait le reconnaître ; bientôt tous ses doutes cessèrent, et Pitou se hasardant à s'éloigner de quelques pas du blessé pour s'approcher d'autant du chirurgien, cria de toute la force de ses poumons :

— Hé ! par ici, monsieur Gilbert, par ici !

Le chirurgien, qui était, en effet, Gilbert, accourut à sa voix.

— Ah ! c'est toi, Pitou ? dit-il.

— Mon Dieu ! oui, monsieur Gilbert.

— As-tu vu Billot ?

— Eh ! monsieur, le voilà, répondit Pitou en montrant le blessé toujours immobile.

— Est-il mort ? demanda le docteur.

— Hélas ! cher monsieur Gilbert, j'espère que non ; mais je ne vous cache pas qu'il n'en vaut guère mieux.

Gilbert s'approcha du matelas, et les deux infirmiers qui le suivaient éclairèrent le visage du blessé.

— C'est à la tête, monsieur Gilbert, disait Pitou, c'est à la tête !... Pauvre cher M. Billot ! il a la tête fendue jusqu'à la mâchoire.

Gilbert regarda la plaie avec attention.

— Le fait est que la blessure est grave, murmura-t-il.

Puis, se tournant vers les deux infirmiers :

— Il me faut une chambre particulière pour cet homme, qui est un de mes amis, ajouta-t-il.

Les deux infirmiers se consultèrent.

— Il n'y a pas de chambre particulière, dirent-ils, mais il y a la lingerie.

— A merveille ! dit Gilbert, portons-le à la lingerie.

On souleva le blessé le plus doucement possible ; mais, quelque précaution que l'on prît, il laissa échapper un gémissement.

— Ah ! dit Gilbert, jamais exclamation de joie ne m'a fait un plaisir égal à ce soupir de douleur ! Il est vivant ; c'est le principal.

Billot fut porté à la lingerie, et déposé sur le lit d'un des employés ; puis aussitôt Gilbert procéda au pansement.

L'artère temporale avait été coupée, et de là était venue une immense perte de sang ; mais cette perte de sang avait amené la syncope ; et la syncope, en ralentissant les mouvements du cœur, avait arrêté l'hémorragie.

La nature en avait immédiatement profité pour former un caillot, lequel avait fermé l'artère.

Gilbert, avec une adresse admirable, lia d'abord l'artère au moyen d'un fil de soie ; puis il lava les chairs, et les réappliqua sur le crâne. La fraîcheur de l'eau, et peut-être bien aussi quelques douleurs plus vives occasionnées par le pansement firent rouvrir les yeux à Billot, qui prononça quelques paroles empâtées et sans suite.

— Il y a eu ébranlement du cerveau, murmura Gilbert.

— Mais, enfin, dit Pitou, du moment où il n'est pas mort, vous le sauverez, n'est-ce pas, monsieur Gilbert ?

Gilbert sourit tristement.

— J'y tâcherai, dit-il ; mais tu viens de voir encore une fois, mon cher Pitou, que la nature est un bien plus habile chirurgien qu'aucun de nous.

Alors, Gilbert acheva le pansement. Les cheveux coupés autant que la chose était possible, il rapprocha les deux bords de la plaie, les assujettit avec des bandelettes de diachylon, et ordonna qu'on eût soin de poser le malade presque assis, le dos, et non la tête, appuyé contre les oreillers.

Ce fut seulement alors que, tous ces soins accomplis, il demanda à Pitou comment il était venu à Paris, et comment, étant venu à Paris, il s'était trouvé là juste à point nommé pour secourir Billot.

La chose était bien simple : depuis la disparition de Catherine et le départ de son mari, la mère Billot, que nous n'avons jamais donnée à nos lecteurs comme un bien vigoureux esprit, était tombée dans une espèce d'idiotisme qui avait toujours été augmentant. Elle vivait, mais d'une façon toute mécanique, et, chaque jour, quelque nouveau ressort de la pauvre machine humaine, ou se détendait, ou se brisait ; peu à peu, ses paroles étaient devenues plus rares ; puis elle avait fini par ne plus parler du tout, et même par s'aliter ; et le docteur Raynal avait déclaré qu'il n'y avait qu'une chose au monde qui pût tirer la mère Billot de cette torpeur mortelle ; c'était la vue de sa fille.

Pitou s'était aussitôt offert pour aller à Paris, ou plutôt il était parti sans s'offrir.

Grâce aux longues jambes du capitaine de la garde nationale d'Haramont, les dix-huit lieues qui séparent la patrie de Demoustier de la capitale n'étaient qu'une promenade.

En effet, Pitou était parti à quatre heures du matin, et, entre sept heures et demie et huit heures du soir, il était arrivé à Paris.

Pitou semblait prédestiné à venir à Paris pour les grands événements.

La première fois, il était venu pour assister à la prise de la Bastille, et y prendre part ; la seconde fois, pour assister à la fédération de 1790 ; la troisième fois, il arrivait le jour du massacre du Champ de Mars.

Aussi trouva-t-il Paris tout en rumeur ; — c'était, du reste, l'état dans lequel il avait l'habitude de voir Paris.

Dès les premiers groupes qu'il rencontra, il apprit ce qui s'était passé au Champ de Mars.

Bailly et La Fayette avaient fait tirer sur le peuple ; le peuple maudissait à pleins poumons La Fayette et Bailly.

Pitou les avait laissés dieux et adorés ! Il les retrouvait renversés de leurs autels, et maudits ; il n'y comprenait absolument rien.

Ce qu'il comprenait seulement, c'est qu'il y avait eu, au Champ de Mars, lutte, massacre, tuerie, à propos d'une pétition patriotique, et que Gilbert et Billot devaient être là.

Quoique Pitou eût, comme on dit vulgairement, ses dix-huit lieues dans le ventre, il doubla le pas, et arriva rue Saint-Honoré, à l'appartement de Gilbert.

Le docteur était rentré, mais on n'avait pas vu Billot.

Le Champ de Mars, au reste, disait le domestique qui donnait ces renseignements à Pitou, était jonché de morts et de blessés ; Billot était peut-être parmi les uns ou parmi les autres.

Le Champ de Mars, couvert de morts et de blessés ! cette nouvelle n'étonnait pas moins Pitou que ne l'avait étonné celle de Bailly et de La Fayette, ces deux idoles du peuple, tirant sur le peuple.

Le Champ de Mars couvert de morts et de blessés ! Pitou ne pouvait se figurer cela. Ce Champ de Mars qu'il avait aidé, lui dix-millième, à niveler, que son souvenir lui rappelait plein d'illuminations, de chants joyeux, de gaies farandoles ! couvert de morts et de blessés ! parce qu'on avait voulu, comme l'année précédente, y fêter l'anniversaire de la prise de la Bastille et celui de la fédération !

C'était impossible !

Comment, en une année, ce qui avait été un motif de joie et de triomphe était-il devenu une cause de rébellion et de massacre ?

Quel esprit de vertige avait donc, pendant cette année, passé par la tête des Parisiens ?

Préoccupé par toutes ces idées, — dont aucune, d'ailleurs, n'avait l'influence de ralentir sa marche, — notre ami Ange Pitou, toujours vêtu de son uniforme de capitaine de la garde nationale d'Haramont, était arrivé au Champ de Mars par le pont Louis XV et la rue de Grenelle juste à temps pour empêcher Billot d'être jeté comme mort à la rivière.

CATHERINE

Des deux personnes que le docteur Raynal avait cru devoir prévenir de l'état désespéré de madame Billot, l'une, comme on le voit, était retenue au lit, dans un état voisin de la mort : c'était le mari ; l'autre personne seule pouvait donc venir assister l'agonisante à ses derniers moments : c'était sa fille.

Il s'agissait de faire connaître à Catherine la position dans laquelle se trouvait sa mère, et même son père ; — seulement, où était Catherine ?

On n'avait qu'un moyen possible de le savoir : c'était de s'adresser au comte de Charny.

Onze heures et demie sonnaient à l'horloge de l'École militaire lorsque, le pansement fini, Gilbert et Pitou purent quitter le lit de Billot.

Gilbert recommanda le blessé aux infirmiers ; il n'y avait plus rien à faire, qu'à laisser agir la nature.

D'ailleurs, il devait revenir le lendemain dans la journée.

Pitou et Gilbert montèrent dans la voiture du docteur, qui attendait à la porte de l'hôpital ; le docteur ordonna au cocher de toucher rue Coq-Héron.

Tout était fermé et éteint dans le quartier.

Après avoir sonné un quart d'heure, Pitou, qui allait passer de la sonnette au marteau, entendit enfin crier, non pas la porte de la rue, mais celle de la loge du concierge, et une voix enrouée et de mauvaise humeur demanda avec un accent d'impatience auquel il n'y avait pas à se tromper :

— Qui va là ?

— Moi, dit Pitou.

— Qui, vous ?

— Ange Pitou, capitaine de la garde nationale.

— Ange Pitou ?... Je ne connais pas cela !

— Capitaine de la garde nationale !

— Capitaine... répéta le concierge, capitaine...

— Capitaine ! répéta Pitou appuyant sur ce titre, dont il connaissait l'influence.

En effet, le concierge put croire que, dans ce moment où la garde nationale balançait pour le moins l'ancienne prépondérance de l'armée, il avait affaire à quelque aide de camp de La Fayette.

En conséquence, d'un ton plus radouci, mais sans ouvrir la porte, dont il se contenta de se rapprocher :

— Eh bien, monsieur le capitaine, reprit le concierge, que demandez-vous ?

— Je demande à parler à M. le comte de Charny.

— Il n'y est pas.

— A madame la comtesse, alors.

— Elle n'y est pas non plus.

— Où sont-ils ?

— Ils sont partis ce matin.

— Pour quel pays ?

— Pour leur terre de Boursonnes.

— Ah ! diable ! fit Pitou comme se parlant à lui-même ; ce sont eux que j'aurai croisés à Dammartin ; ils étaient sans doute dans cette voiture de poste... Si j'avais su cela !

Mais Pitou ne le savait pas ; de sorte qu'il avait laissé passer le comte et la comtesse.

— Mon ami, dit la voix du docteur intervenant à

cet endroit de la conversation, pourriez-vous, en l'absence de vos maîtres, nous donner un renseignement ?

— Ah ! pardon, monsieur, dit le concierge, qui, par suite de ses habitudes aristocratiques, reconnaissait une voix de maître dans celle qui venait de parler avec tant de politesse et de douceur.

Et, ouvrant la porte, le bonhomme vint, en caleçon, et son bonnet de coton à la main, prendre, comme on dit en style de domesticité, prendre *les ordres* à la portière de la voiture du docteur.

— Quel renseignement monsieur désire-t-il ? demanda le concierge.

— Connaissez-vous, mon ami, une jeune fille à laquelle M. le comte et madame la comtesse doivent porter quelque intérêt ?

— Mademoiselle Catherine ? demanda le concierge.

— Justement ! dit Gilbert.

— Oui, monsieur... M. le comte et madame la comtesse ont été la voir deux fois, et m'ont envoyé souvent lui demander si elle avait besoin de quelque chose ; mais, pauvre demoiselle ! quoique je ne la croie pas bien riche, ni elle ni son cher enfant du bon Dieu, elle répond toujours qu'elle n'a besoin de rien.

A ces mots : « Enfant du bon Dieu », Pitou ne put s'empêcher de pousser un gros soupir.

— Eh bien, mon ami, dit Gilbert, le père de la pauvre Catherine a été blessé aujourd'hui au Champ de Mars, et sa mère, madame Billot, se meurt à Villers-Cotterets : nous avons besoin de lui faire savoir cette triste nouvelle. Voulez-vous nous donner son adresse ?

— Oh ! pauvre jeune fille, Dieu l'assiste ! elle est pourtant déjà assez malheureuse ! elle demeure à Ville-d'Avray, monsieur, dans la grande rue... Je ne saurais trop vous dire le numéro ; mais c'est en face d'une fontaine.

— Cela suffit, dit Pitou ; je la trouverai.

— Merci, mon ami, dit Gilbert en glissant un écu de six livres dans la main du concierge.

— Il ne fallait rien pour cela, monsieur, dit le vieux bonhomme ; on doit, Dieu merci ! s'aider entre chrétiens.

Et, tirant sa révérence au docteur, il rentra chez lui.

— Eh bien ? demanda Gilbert.

— Eh bien, répondit Pitou, je pars pour Ville-d'Avray.

Pitou était toujours prêt à partir.

— Sais-tu le chemin ? reprit le docteur.

— Non ; mais vous me l'indiquerez !

— Tu es un cœur d'or et un jarret d'acier ! dit en riant Gilbert. Mais viens te reposer ; tu partiras demain matin.

— Cependant, si cela presse ?...

— Ni d'un côté ni de l'autre il n'y a urgence, dit le docteur : l'état de Billot est grave ; mais, à moins d'accidents imprévus, il n'est point mortel. Quant à la mère Billot, elle peut vivre encore dix ou douze jours.

— Oh ! monsieur le docteur, quand on l'a couchée avant-hier, elle ne parlait plus, elle ne remuait plus : il n'y avait que ses yeux qui semblaient encore vivants.

— N'importe, je sais ce que je dis, Pitou, et je réponds pour elle, comme je te le dis, de dix à douze jours.

— Dame ! monsieur Gilbert, vous savez cela mieux que moi.

— Autant vaut donc laisser à la pauvre Catherine une nuit encore d'ignorance et de repos ; une nuit de sommeil de plus, pour les malheureux, c'est important, Pitou !

Pitou se rendit à cette dernière raison.

— Eh bien, alors, demanda-t-il, où allons-nous, monsieur Gilbert ?

— Chez moi, parbleu ! Et, demain, continua Gilbert, à six heures du matin, les chevaux seront à la voiture.

— Pour quoi faire les chevaux à la voiture ? demanda Pitou, qui ne considérait absolument le cheval que comme un objet de luxe.

— Mais pour te conduire à Ville-d'Avray.

— Bon ! dit Pitou, il y a donc une cinquantaine de lieues, d'ici à Ville-d'Avray ?

— Non, il y en a deux ou trois, dit Gilbert, à qui devant les yeux passaient, comme un éclair de sa jeunesse, les promenades qu'il avait faites avec son maître Rousseau dans les bois de Louveciennes, de Meudon et de Ville-d'Avray.

— Eh bien, alors, dit Pitou, c'est l'affaire d'une heure, trois lieues, monsieur Gilbert ; cela se gobe comme un œuf !

— Et Catherine, demanda Gilbert, crois-tu qu'elle aussi gobe comme un œuf les trois lieues de Ville-d'Avray à Paris, et les dix-huit lieues de Paris à Villers-Cotterets ?

— Ah ! c'est vrai ! dit Pitou ; excusez-moi, monsieur Gilbert ; c'est moi qui suis un imbécile... A propos, comment va Sébastien ?

— A merveille ! tu le verras demain.

— Toujours chez l'abbé Bérardier ?

— Toujours.

— Ah ! tant mieux, je serai bien content de le voir !

— Et lui le sera aussi, Pitou ; car, ainsi que moi, il t'aime de tout son cœur.

Et, sur cette assurance, le docteur et Ange Pitou s'arrêtèrent devant la porte de la rue Saint-Honoré.

Pitou dormit comme il marchait, comme il mangeait, comme il se battait, c'est-à-dire de tout cœur ; seulement, grâce à l'habitude contractée à la campagne de se lever de grand matin, il était debout à cinq heures.

A six, la voiture était prête.

A sept, il frappait à la porte de Catherine.

Il était convenu, avec le docteur Gilbert, qu'à huit heures, on se retrouverait au chevet du lit de Billot.

Catherine vint ouvrir, et jeta un cri en apercevant Pitou.

— Ah ! dit-elle, ma mère est morte !

Et elle pâlit en s'appuyant contre la muraille.

— Non, dit Pitou ; seulement, si vous voulez la voir avant qu'elle meure, il faut vous presser, mademoiselle Catherine.

Cet échange de paroles, qui en peu de mots disait tant de choses, supprimait tout préliminaire, et mettait, du premier bond, Catherine face à face avec son malheur.

— Et puis, continua Pitou, il y a encore un autre malheur.

— Lequel ? demanda Catherine avec ce ton bref et presque indifférent d'une créature qui, ayant épuisé la mesure des douleurs humaines, ne craint plus que ses douleurs s'augmentent.

— Il y a que M. Billot a été dangereusement blessé hier au Champ de Mars.

— Ah ! fit Catherine.

Évidemment, la jeune fille était beaucoup moins sensible à cette nouvelle qu'à la première.

— Alors, continua Pitou, voilà ce que je me suis dit, — et ç'a été aussi l'avis de M. le docteur Gilbert : — « Mademoiselle Catherine fera, en passant, une visite à M. Billot, qui a été transporté à l'hôpital du Gros-Caillou, et, de là, elle prendra la diligence de Villers-Cotterets. »

— Et vous, monsieur Pitou ? demanda Catherine.

— Moi, dit Pitou, j'ai pensé, puisque vous alliez aider là-bas madame Billot à mourir, que c'était à moi de rester ici pour tâcher d'aider M. Billot à revivre... Je reste auprès de celui qui n'a personne, vous comprenez, mademoiselle Catherine ?

Pitou prononça ces paroles, avec son angélique

naïveté, sans songer qu'il faisait ainsi, en quelques mots, l'histoire tout entière de son dévouement.

Catherine lui tendit la main.

— Vous êtes un brave cœur, Pitou ! lui dit-elle. Venez embrasser mon pauvre petit Isidore.

Et elle marcha devant, car la courte scène que nous venons de raconter s'était passée dans l'allée de la maison, à la porte de la rue. Elle était plus belle que jamais, pauvre Catherine ! toute vêtue de deuil comme elle l'était ; ce qui fit pousser un second soupir à Pitou.

Catherine précéda le jeune homme dans une petite chambre donnant sur un jardin : dans cette chambre, qui, avec une cuisine et un cabinet de toilette, composait tout le logement de Catherine, il y avait un lit et un berceau :

Le lit de la mère, le berceau de l'enfant.

L'enfant dormait.

Catherine tira un rideau de gaze, et se rangea pour laisser les yeux de Pitou plonger dans le berceau.

— Oh ! le beau petit ange ! dit Pitou en joignant les mains.

Et, comme s'il eût été, en effet, devant un ange, il se mit à genoux et baisa la main de l'enfant.

Pitou fut vite récompensé de ce qu'il venait de faire : il sentit flotter sur son visage les cheveux de Catherine, et deux lèvres se posèrent sur son front.

La mère rendait le baiser donné au fils.

— Merci, bon Pitou ! dit-elle. Depuis le dernier baiser qu'il a reçu de son père, personne que moi n'avait embrassé le pauvre petit.

— Oh ! mademoiselle Catherine ! murmura Pitou, ébloui et secoué par le baiser de la jeune fille, comme il l'eût été par l'étincelle électrique.

Et, cependant, ce baiser était composé simplement de tout ce qu'il y a de saint et de reconnaissant dans l'amour d'une mère.

Dix minutes après, Catherine, Pitou et le petit Isidore roulaient dans la voiture du docteur Gilbert sur la route de Paris.

La voiture fit halte devant l'hôpital du Gros-Caillou.

Catherine descendit, prit son fils dans ses bras et suivit Pitou.

Arrivée à la porte de la lingerie, elle s'arrêta :

— Vous m'avez dit que nous trouverions le docteur Gilbert près du lit de mon père ?

— Oui...

Pitou entrouvrit la porte.

— Et il y est effectivement, dit-il.

— Voyez si je puis entrer sans crainte de lui causer une trop forte émotion.

Pitou entra dans la chambre, interrogea le docteur, et vint presque aussitôt retrouver Catherine.

— L'ébranlement causé par le coup qu'il a reçu est tel, qu'il ne reconnaît encore personne, à ce que dit M. Gilbert.

Catherine allait entrer avec le petit Isidore dans ses bras.

— Donnez-moi votre enfant, mademoiselle Catherine, dit Pitou.

Catherine eut un moment d'hésitation.

— Oh ! me le donner, à moi, dit Pitou, c'est comme si vous ne le quittiez pas.

— Vous avez raison, dit Catherine.

Et, comme elle eût fait à un frère, avec plus de confiance peut-être, elle remit l'enfant à Ange Pitou, et s'avança d'un pas ferme dans la salle, marchant droit au lit de son père.

Comme nous l'avons dit, le docteur Gilbert était au chevet du lit du blessé.

Peu de changement s'était opéré dans l'état du malade ; il était placé, comme la veille, le dos appuyé à ses oreillers, et le docteur humectait, à l'aide d'une éponge imbibée d'eau, et pressée dans sa main, les bandes qui assujettissaient l'appareil posé sur la blessure. Malgré un commencement de fièvre inflammatoire bien caractérisée, le visage, vu la quantité de sang que Billot avait perdue, était d'une pâleur mortelle ; l'enflure avait gagné l'œil et une partie de la joue gauche.

A la première impression de fraîcheur, il avait balbutié quelques mots sans suite, et rouvert les yeux ; mais cette violente tendance vers le sommeil que les médecins nomment *coma* avait de nouveau éteint sa parole, et fermé ses yeux.

Catherine, arrivée devant le lit, se laissa tomber sur ses genoux, et, levant les mains au ciel :

— Ô mon Dieu ! dit-elle, vous êtes témoin que je vous demande du plus profond de mon cœur la vie de mon père !

C'était tout ce que pouvait faire cette fille pour le père qui avait voulu tuer son amant.

A sa voix, au reste, un tressaillement agita le corps du malade ; sa respiration devint plus pressée ; il rouvrit les yeux, et son regard, après avoir erré un instant autour de lui comme pour reconnaître d'où venait la voix, se fixa sur Catherine.

Sa main fit un mouvement, comme pour repousser cette apparition, que le blessé prit, sans doute, pour une vision de sa fièvre.

Le regard de la jeune fille rencontra celui de son père, et Gilbert vit, avec une espèce de terreur, se froisser l'un à l'autre deux flammes qui semblaient plutôt deux éclairs de haine que deux rayons d'amour.

Après quoi, la jeune fille se leva et, du même pas qu'elle était entrée, alla retrouver Pitou.

Pitou était à quatre pattes, et jouait avec l'enfant.

Catherine reprit son fils avec une violence qui tenait plus de l'amour de la lionne que de celui de la femme, et le pressa contre sa poitrine en s'écriant :

— Mon enfant ! oh ! mon enfant !

Il y avait dans ce cri toutes les angoisses de la mère, toutes les plaintes de la veuve, toutes les douleurs de la femme.

Pitou voulut accompagner Catherine jusqu'au bureau de la diligence, qui partait à dix heures du matin.

Mais celle-ci refusa.

— Non, dit-elle, vous l'avez dit, votre place est près de celui qui est seul ; restez, Pitou.

Et, de la main, elle repoussa Pitou dans la chambre.

Pitou ne savait qu'obéir quand Catherine commandait.

Pendant que Pitou se rapprochait du lit de Billot, que celui-ci, au bruit que faisait le pas un peu lourd du capitaine de la garde nationale, rouvrait les yeux, et qu'une impression bienveillante succédait sur sa physionomie à l'impression haineuse qu'y avait fait passer, comme un nuage de tempête, la vue de sa fille, Catherine descendait l'escalier, et, son enfant dans ses bras, gagnait, dans la rue Saint-Denis, l'hôtel du Plat-d'Étain, d'où partait la diligence de Villers-Cotterets.

Les chevaux étaient attelés, le postillon était en selle ; il restait une place dans l'intérieur : Catherine la prit.

Huit heures après, la voiture s'arrêtait rue de Soissons.

Il était six heures de l'après-midi, c'est-à-dire qu'on était encore en plein jour.

Jeune fille, et venant, Isidore vivant, voir sa mère en bonne santé, Catherine eût fait arrêter la voiture au bout de la rue de Largny, eût contourné la ville, et fût arrivée à Pisseleu sans être vue, car elle eût eu honte.

Veuve et mère, elle ne songea même point aux railleries provinciales ; elle descendit de voiture sans impudence, mais sans crainte ; son deuil et son enfant lui semblaient, l'un un ange sombre, l'autre un ange souriant, qui devaient écarter d'elle l'injure et le mépris.

D'abord, on ne reconnut pas Catherine : elle était si pâle et si changée, qu'elle ne semblait plus la même femme ; puis ce qui la dissimulait encore mieux aux regards, c'était cet air de distinction qu'elle avait pris à la fréquentation d'un homme distingué.

Aussi, une seule personne la reconnut, et encore était-elle déjà loin.

Ce fut la tante Angélique.

La tante Angélique était à la porte de l'hôtel de ville, et causait avec deux ou trois commères.

— Oh ! cria-t-elle tout à coup, s'interrompant au milieu de son discours, Jésus Dieu ! c'est la Billotte et son enfant qui descendent de voiture !

— Catherine ? — Catherine ? répétèrent plusieurs voix.

— Eh ! oui ; tenez, la voilà qui se sauve par la ruelle.

Tante Angélique se trompait : Catherine ne se sauvait pas ; Catherine avait hâte d'arriver près de sa mère, et marchait vite. Catherine prenait la ruelle, parce que c'était le chemin le plus court.

Plusieurs enfants, à ce mot de tante Angélique : « C'est la Billotte ! » et à cette exclamation de ses voisines : « Catherine ! » plusieurs enfants se mirent à courir après la jeune fille, et, l'ayant rejointe :

— Ah ! tiens, oui, c'est vrai, dirent-ils, c'est mademoiselle...

— Oui, mes enfants, c'est moi, dit Catherine avec douceur.

Puis, comme elle était fort aimée des enfants surtout, à qui elle avait toujours quelque chose à donner, une caresse à défaut d'autre chose :

— Bonjour, mademoiselle Catherine ! dirent les enfants.

— Bonjour, mes amis ! dit Catherine. Ma mère n'est pas morte, n'est-ce pas ?

— Oh ! non, mademoiselle, pas encore.

Puis un autre enfant ajouta :

— M. Raynal dit qu'elle en a bien encore pour huit ou dix jours.

— Merci, mes enfants ! dit Catherine.

Et elle continua son chemin, après leur avoir donné quelques pièces de monnaie.

Les enfants revinrent.

— Eh bien ? demandèrent les commères.

— Eh bien, dirent les enfants, c'est elle ; et la preuve, c'est qu'elle nous a demandé des nouvelles de sa mère, et que voilà ce qu'elle nous a donné.

Et les enfants montrèrent les quelques pièces de monnaie qu'ils tenaient de Catherine.

— Il paraît que ce qu'elle a vendu se vend cher à Paris, dit tante Angélique, pour qu'elle puisse donner des pièces blanches aux enfants qui courent après elle.

Tante Angélique n'aimait pas Catherine Billot.

D'ailleurs, Catherine Billot était jeune et belle, et tante Angélique était vieille et laide ; Catherine Billot était grande et bien faite, tante Angélique était petite et boiteuse.

Puis c'était chez Billot qu'Ange Pitou, chassé de chez tante Angélique, avait trouvé un asile.

Puis, enfin, c'était Billot qui, le jour de la déclaration des droits de l'homme, était venu prendre l'abbé Fortier pour le forcer à dire la messe sur l'autel de la Patrie.

Toutes raisons suffisantes, jointes surtout à l'aigreur naturelle de son caractère, pour que tante Angélique haït les Billot en général, et Catherine en particulier.

Et, quand tante Angélique haïssait, elle haïssait bien, elle haïssait en dévote.

Elle courut chez mademoiselle Adélaïde, la nièce de l'abbé Fortier, et elle lui annonça la nouvelle.

L'abbé Fortier soupait d'une carpe pêchée aux

étangs de Wallue, flanquée d'un plat d'œufs brouillés et d'un plat d'épinards.

C'était jour maigre.

L'abbé Fortier avait pris la mine roide et ascétique d'un homme qui s'attend à chaque instant au martyre.

— Qu'y a-t-il encore ? demanda-t-il en entendant jaboter les deux femmes dans le corridor ; vient-on me chercher pour confesser le nom de Dieu ?

— Non ! pas encore, mon cher oncle, dit mademoiselle Adélaïde ; non, c'est seulement tante Angélique (tout le monde, d'après Pitou, donnait ce nom à la vieille fille), c'est seulement tante Angélique qui vient m'annoncer un nouveau scandale.

— Nous sommes dans un temps où le scandale court les rues, répondit l'abbé Fortier. Quel est le scandale nouveau que vous m'annoncez, tante Angélique ?

Mademoiselle Adélaïde introduisit la loueuse de chaises devant l'abbé.

— Serviteur, monsieur l'abbé ! dit celle-ci.

— C'est *servante* que vous devriez dire, tante Angélique, répondit l'abbé ne pouvant renoncer à ses habitudes pédagogiques.

— J'ai toujours entendu dire *serviteur*, reprit celle-ci, et je répète ce que j'ai entendu dire ; excusez-moi si je vous ai offensé, monsieur l'abbé.

— Ce n'est pas moi que vous avez offensé, tante Angélique ; c'est la syntaxe.

— Je lui ferai mes excuses, la première fois que je la rencontrerai, répondit humblement tante Angélique.

— Bien, tante Angélique, bien ! Voulez-vous boire un verre de vin ?

— Merci, monsieur l'abbé ! répondit tante Angélique, je ne bois jamais de vin.

— Vous avez tort : le vin n'est pas défendu par les canons de l'Église.

— Oh ! ce n'est point parce que le vin est ou

n'est pas défendu que je n'en bois pas, c'est parce qu'il coûte neuf sous la bouteille.

— Vous êtes donc toujours avare, tante Angélique ? demanda l'abbé Fortier se renversant dans son fauteuil.

— Hélas ! mon Dieu ! monsieur l'abbé, avare ! il le faut bien quand on est pauvre.

— Allons donc, pauvre ! et la ferme des chaises que je vous donne pour rien, tante Angélique, quand je pourrais la louer cent écus à la première personne venue.

— Ah ! monsieur l'abbé, comment ferait-elle, cette personne-là ? Pour rien, monsieur l'abbé ! il n'y a que de l'eau à y boire !

— C'est pour cela que je vous offre un verre de vin, tante Angélique.

— Acceptez donc, dit mademoiselle Adélaïde ; cela fâchera mon oncle, si vous n'acceptez pas.

— Vous croyez que cela fâchera monsieur votre oncle ? dit tante Angélique, qui mourait d'envie d'accepter.

— Bien sûr.

— Alors, monsieur l'abbé, deux doigts de vin, s'il vous plaît, pour ne pas vous désobliger.

— Allons donc ! dit l'abbé Fortier remplissant un plein verre d'un joli bourgogne pur comme un rubis ; avalez-moi cela, tante Angélique, et, quand vous compterez vos écus, vous croirez en avoir le double.

Tante Angélique allait porter le verre à ses lèvres.

— Mes écus ? dit-elle. Ah ! monsieur l'abbé, ne dites point de pareilles choses, vous qui êtes un homme du bon Dieu, on vous croirait.

— Buvez, tante Angélique ; buvez !

Tante Angélique trempa, comme pour faire plaisir à l'abbé Fortier, ses lèvres dans le verre, et, tout en fermant les yeux, avala béatement le tiers de son contenu, à peu près.

— Oh ! que c'est fort ! dit-elle ; je ne sais pas comment on peut boire du vin pur !

— Et moi, dit l'abbé, je ne sais pas comment on peut mettre de l'eau dans son vin ; mais n'importe, cela n'empêche pas que je parie, tante Angélique, que vous avez un joli magot !

— Oh ! monsieur l'abbé, monsieur l'abbé, ne dites pas cela ! je ne peux pas même payer mes contributions, qui sont de trois livres dix sous par an.

Et tante Angélique avala le second tiers du vin contenu dans le verre.

— Oui, je sais que vous dites cela ; mais je n'en réponds pas moins que, le jour où vous rendrez votre âme à Dieu, si votre neveu Ange Pitou cherche bien, il trouvera, dans quelque vieux bas de laine, de quoi acheter toute la rue du Pleux.

— Monsieur l'abbé ! monsieur l'abbé ! s'écria tante Angélique, si vous dites de pareilles choses, vous me ferez assassiner par les brigands qui brûlent les fermes et qui coupent les moissons, car, sur la parole d'un saint homme comme vous, ils croiront que je suis riche... Ah ! mon Dieu ! mon Dieu ! quel malheur !

Et, les yeux humides d'une larme de bien-être, elle avala le reste du verre de vin.

— Eh bien, fit l'abbé, toujours goguenard, vous voyez bien que vous vous y habitueriez, à ce petit vin-là, tante Angélique.

— C'est égal, dit la vieille, il est bien fort !

L'abbé avait à peu près fini de souper.

— Eh bien, demanda-t-il, voyons ! quel est ce nouveau scandale qui trouble Israël ?

— Monsieur l'abbé, la Billotte vient d'arriver par la diligence avec son enfant !

— Ah ! ah ! fit l'abbé, je croyais, moi, qu'elle l'avait mis aux Enfants-Trouvés ?

— Et elle aurait bien fait, dit tante Angélique ; au

moins, le pauvre petit n'aurait pas eu à rougir de sa mère !

— Au fait, tante Angélique, dit l'abbé, voilà l'institution envisagée sous un nouveau point de vue. — Et que vient-elle faire ici ?

— Il paraît qu'elle vient voir sa mère ; car elle a demandé aux enfants si sa mère vivait encore.

— Vous savez, tante Angélique, dit l'abbé avec un méchant sourire, qu'elle a oublié de se confesser, la mère Billot ?

— Oh ! monsieur l'abbé, reprit tante Angélique, ça, ce n'est pas sa faute : la pauvre femme a, depuis trois ou quatre mois, perdu la tête, à ce qu'il paraît ; mais c'était, du temps où la fille ne lui avait pas fait tant de peine, une femme bien dévote, bien craignant Dieu, et qui, quand elle venait à l'église, prenait toujours deux chaises, une pour s'asseoir, et l'autre pour mettre ses pieds.

— Et son mari ? demanda l'abbé, les yeux étincelant de colère ; le citoyen Billot, le vainqueur de la Bastille, combien en prenait-il de chaises, lui ?

— Ah ! dame ! je ne sais pas, répondit naïvement tante Angélique ; il n'y venait jamais, à l'église ; mais, quant à la mère Billot...

— C'est bien, c'est bien, dit l'abbé ; c'est un compte que nous réglerons le jour de son enterrement.

Puis, faisant le signe de la croix :

— Dites les grâces avec moi, mes sœurs.

Les vieilles filles répétèrent le signe de la croix que venait de faire l'abbé, et dirent dévotement les grâces avec lui.

LA FILLE ET LA MÈRE

Pendant ce temps, Catherine poursuivait son chemin. En sortant de la ruelle, elle avait pris à gauche, suivi la rue de Lormet, et, au bout de cette rue avait, par une sente tracée à travers champs, rejoint le chemin de Pisseleu.

Tout était un souvenir douloureux pour Catherine le long de ce chemin.

Et, d'abord, ce fut ce petit pont où Isidore lui avait dit adieu, et où elle était restée évanouie jusqu'au moment où Pitou l'avait retrouvée, froide et glacée.

Puis, en approchant de la ferme, le saule creux où Isidore cachait ses lettres.

Puis, en approchant encore, cette petite fenêtre par laquelle Isidore entrait chez elle ; et où le jeune homme avait été ajusté par Billot cette nuit où, par bonheur, le fusil du fermier avait fait long feu.

Puis, enfin, en face de la grande porte de la ferme, cette route de Boursonnes que Catherine avait si souvent parcourue, et qu'elle connaissait si bien, la route par laquelle venait Isidore...

Que de fois, la nuit, accoudée à cette fenêtre, les yeux fixés sur la route, elle avait attendu haletante, et, en apercevant dans l'ombre son amant, toujours exact, toujours fidèle, senti sa poitrine se desserrer, puis ouvert les deux bras à sa rencontre !

Aujourd'hui, il était mort ; mais, au moins, ses deux bras réunis sur sa poitrine y pressaient son enfant.

Que disaient donc tous ces gens de son déshonneur, de sa honte ?

Un si bel enfant pouvait-il jamais être pour une mère une honte ou un déshonneur ?

Aussi entra-t-elle rapidement et sans crainte dans la ferme.

Un gros chien aboya sur son passage ; puis, tout

à coup, reconnaissant sa jeune maîtresse, il s'approcha d'elle de toute la longueur de sa chaîne, et se
dressa, les pattes en l'air, et tout en poussant de
petits cris joyeux.

Aux abois du chien, un homme parut sur la porte,
venant voir qui en était la cause.

— Mademoiselle Catherine ! s'écria-t-il.

— Père Clouïs ! dit Catherine à son tour.

— Ah ! soyez la bienvenue, ma chère demoiselle !
dit le vieux garde ; la maison a bien besoin de votre
présence, allez !

— Et ma pauvre mère ? demanda Catherine.

— Hélas ! ni mieux, ni pis, ou plutôt pis que
mieux ; elle s'éteint, pauvre chère femme !

— Et où est-elle ?

— Dans sa chambre.

— Toute seule ?

— Non, non, non... Ah ! je n'aurais pas permis
cela. Dame ! il faut m'excuser, mademoiselle Catherine, en votre absence à tous, j'ai un peu fait le
maître ici ; le temps que vous avez passé dans ma
pauvre hutte, ça m'a fait un peu de la famille : je
vous aimais tant, vous et ce pauvre M. Isidore ?

— Vous avez su ?... dit Catherine essuyant deux
larmes.

— Oui, oui, tué pour la reine, comme M. Georges...
Enfin, mademoiselle, que voulez-vous ! il vous a
laissé ce bel enfant, n'est-ce pas ? Il faut pleurer le
père, mais sourire au fils.

— Merci, père Clouïs, dit Catherine en tendant
sa main au vieux garde ; mais ma mère ?...

— Elle est là dans sa chambre, comme je vous ai
dit, avec madame Clément, la même garde-malade
qui vous a soignée.

— Et..., demanda Catherine hésitant, a-t-elle encore
sa connaissance, pauvre mère ?

— Il y a des fois qu'on le croirait, dit le père
Clouïs : c'est quand on prononce votre nom... Ah !
cela, c'est le grand moyen, il a agi jusqu'à avant-

hier ; ce n'est que depuis avant-hier qu'elle ne donne plus signe de connaissance, même lorsque l'on parle de vous.

— Entrons, entrons, père Clouïs ! dit Catherine.

— Entrez, mademoiselle, fit le vieux garde en ouvrant la porte de la chambre de madame Billot.

Catherine plongea son regard dans la chambre. Sa mère, couchée dans son lit aux rideaux de serge verte, éclairée par une de ces lampes à trois becs comme nous en voyons encore aujourd'hui dans les fermes, était gardée, ainsi que l'avait dit le père Clouïs, par madame Clément.

Celle-ci, assise dans un grand fauteuil, roupillait dans cet état de somnolence particulier aux gardes-malades, et qui est un milieu somnambulique entre la veille et le sommeil.

La pauvre mère Billot ne semblait pas changée ; seulement, son teint était devenu d'une pâleur d'ivoire.

On eût dit qu'elle dormait.

— Ma mère ! ma mère ! cria Catherine en se précipitant sur le lit.

La malade ouvrit les yeux, fit un mouvement de tête vers Catherine ; un éclair d'intelligence brilla dans son regard ; ses lèvres balbutièrent des sons inintelligibles, n'atteignant pas même à la valeur de mots sans suite ; sa main se souleva, cherchant à compléter, par le toucher, les sens presque éteints de l'ouïe et de la vue ; mais cet effort avorta, le mouvement s'éteignit, l'œil se referma, le bras pesa comme un corps inerte sur la tête de Catherine, à genoux devant le lit de sa mère, et la malade rentra dans l'immobilité dont elle était momentanément sortie à la secousse galvanique que lui avait imprimée la voix de sa fille.

Des deux léthargies du père et de la mère, avaient, comme deux éclairs partant de deux horizons opposés, jailli deux sentiments tout contraires :

Le père Billot était sorti de son évanouissement pour repousser Catherine loin de lui ;

La mère Billot était sortie de sa torpeur pour attirer Catherine à elle.

L'arrivée de Catherine avait produit une révolution dans la ferme.

C'était Billot que l'on attendait, et non sa fille.

Catherine raconta l'accident arrivé à Billot, et dit comment, à Paris, le mari était aussi près de la mort que la femme l'était à Pisseleu.

Seulement, il était évident que chacun des deux moribonds suivait une voie différente : Billot allait de la mort à la vie ; sa femme allait de la vie à la mort.

Catherine rentra dans sa chambre de jeune fille. Il y avait bien des larmes pour elle dans les souvenirs que lui rappelait cette petite chambre, où elle avait passé par les beaux rêves de l'enfant, par les passions brûlantes de la jeune fille, et où elle revenait avec le cœur brisé de la veuve.

Le père Clouïs, remercié et récompensé, reprit le chemin de son *terrier*, comme il appelait la hutte de la pierre Clouïse.

Le lendemain, le docteur Raynal vint à la ferme.

Il y venait tous les deux jours, par un sentiment de conscience plutôt que par un sentiment d'espoir ; il savait très bien qu'il n'y avait rien à faire, et que cette vie, qui s'éteignait comme fait une lampe qui use un reste d'huile, ne pouvait être sauvée par aucun effort humain.

Il fut tout joyeux de trouver la jeune fille arrivée.

Il aborda la grande question qu'il n'eût pas osé débattre avec Billot : celle des sacrements.

Billot, on le sait, était un voltairien enragé.

Ce n'était pas que le docteur Raynal fût d'une dévotion exemplaire ; non, tout au contraire : à l'esprit du temps il joignait l'esprit de la science.

Or, si le temps n'en était encore qu'au doute, la science en était déjà à la négation.

Cependant, le docteur Raynal, dans les circonstances analogues à celles où il se trouvait, regardait comme un devoir d'avertir les parents.

Les parents pieux faisaient leur profit de l'avertissement et envoyaient chercher le prêtre.

Les parents impies ordonnaient, si le prêtre se présentait, qu'on lui fermât la porte au nez.

Catherine était pieuse.

Elle ignorait les dissentiments qui avaient eu lieu entre Billot et l'abbé Fortier, ou plutôt elle n'y attachait pas grande importance.

Elle chargea madame Clément de se rendre chez l'abbé Fortier, et de le prier de venir apporter les derniers sacrements à sa mère. — Pisseleu, étant un trop petit hameau pour avoir son église et son curé à part, relevait de Villers-Cotterets. C'était même au cimetière de Villers-Cotterets qu'on enterrait les morts de Pisseleu.

Une heure après, la sonnette du viatique tintait à la porte de la ferme.

Le saint sacrement fut reçu à deux genoux par Catherine.

Mais à peine l'abbé Fortier fut-il entré dans la chambre de la malade, à peine se fut-il aperçu que celle pour laquelle on l'avait appelé était sans parole, sans regard, sans voix, qu'il déclara qu'il ne donnait l'absolution qu'aux gens qui pouvaient se confesser ; et, quelque instance qu'on lui fît, il remporta le viatique.

L'abbé Fortier était un prêtre de l'école sombre et terrible : il eût été saint Dominique en Espagne, et Valverde au Mexique.

Il n'y avait point à s'adresser à un autre que lui : Pisseleu, nous l'avons dit, relevait de sa paroisse, et nul prêtre des environs n'eût osé empiéter sur ses droits.

Catherine était un cœur pieux et tendre, mais en même temps plein de raison : elle ne prit du refus de l'abbé Fortier que le souci qu'elle en devait prendre, espérant que Dieu serait plus indulgent en faveur de la pauvre mourante que ne l'était son ministre.

Puis elle continua d'accomplir ses devoirs de fille envers sa mère, ses devoirs de mère envers son enfant, se partageant tout entière entre cette jeune âme qui entrait dans la vie, et cette âme fatiguée qui allait en sortir.

Pendant huit jours et huit nuits, elle ne quitta le lit de sa mère que pour aller au berceau de son enfant.

Dans la nuit du huitième au neuvième jour, tandis que la jeune fille veillait au chevet du lit de la mourante — laquelle, pareille à une barque qui sombre et s'enfonce de plus en plus dans la mer, s'engloutissait peu à peu dans l'éternité — la porte de la chambre de madame Billot s'ouvrit, et Pitou parut sur le seuil.

Il arrivait de Paris, d'où il était parti le matin, selon son habitude.

En le voyant, Catherine tressaillit.

Un instant elle craignit que son père ne fût mort.

Mais la physionomie de Pitou, sans être précisément gaie, n'était cependant point celle d'un homme qui apporte une funèbre nouvelle.

En effet, Billot allait de mieux en mieux ; depuis quatre ou cinq jours, le docteur avait répondu de lui, et, le matin du départ de Pitou, le malade avait dû être transporté de l'hôpital du Gros-Caillou chez le docteur.

Du moment que Billot avait cessé d'être en danger, Pitou avait déclaré sa résolution formelle de retourner à Pisseleu.

Ce n'était plus pour Billot qu'il craignait, c'était pour Catherine.

Pitou avait prévu le moment où l'on annoncerait à Billot ce qu'on n'avait point voulu lui annoncer encore, c'est-à-dire l'état dans lequel se trouvait sa femme.

Sa conviction était qu'à ce moment-là, si faible qu'il fût, Billot partirait pour Villers-Cotterets. Et qu'arriverait-il, s'il trouvait Catherine à la ferme ?...

Le docteur Gilbert n'avait point caché à Pitou l'effet qu'avaient produit sur le blessé l'entrée de Catherine et sa station d'un instant près du lit du malade.

Il était évident que cette vision était restée au fond de son esprit, comme au fond de la mémoire reste, quand on se réveille, le souvenir d'un mauvais rêve.

A mesure que sa raison était revenue, le blessé avait jeté autour de lui des regards qui avaient peu à peu passé de l'inquiétude à la haine.

Sans doute s'attendait-il à voir d'un moment à l'autre la vision fatale reparaître.

Au reste, il n'en avait pas dit un mot ; pas une seule fois il n'avait prononcé le nom de Catherine ; mais le docteur Gilbert était un trop profond observateur pour n'avoir pas tout deviné, tout lu.

En conséquence, aussitôt Billot convalescent, il avait expédié Pitou à la ferme.

C'était à lui d'en éloigner Catherine. Pitou aurait, pour arriver à ce résultat, deux ou trois jours devant lui, le docteur ne voulant pas, avant deux ou trois jours encore, risquer d'annoncer au convalescent la mauvaise nouvelle qu'avait apportée Pitou.

Celui-ci fit part de ses craintes à Catherine avec toute l'angoisse que le caractère de Billot lui inspirait à lui-même ; mais Catherine déclara que, son père dût-il la tuer au chevet du lit de la mourante, elle ne s'éloignerait pas avant d'avoir fermé les yeux de sa mère.

Pitou gémit profondément de cette détermination ; mais il ne trouva pas un mot pour la combattre.

Il se tint donc là, prêt à s'interposer, en cas de besoin, entre le père et la fille.

Deux jours et deux nuits s'écoulèrent encore ;

pendant ces deux jours et ces deux nuits, la vie de la mère Billot sembla s'envoler souffle à souffle.

Depuis dix jours déjà, la malade ne mangeait plus ; on ne la soutenait qu'en lui introduisant de temps en temps une cuillerée de sirop dans la bouche.

On n'aurait pas cru qu'un corps pût vivre avec un pareil soutien. — Il est vrai que ce pauvre corps vivait si peu !

Pendant la nuit du dixième au onzième jour, au moment où tout souffle semblait éteint chez elle, la malade parut se ranimer, les bras firent quelques mouvements, les lèvres s'agitèrent, les yeux s'ouvrirent grands et fixes.

— Ma mère ! ma mère ! cria Catherine.

Et elle se précipita vers la porte pour aller chercher son enfant.

On eût dit que Catherine tirait l'âme de sa mère avec elle ; lorsqu'elle rentra, tenant le petit Isidore entre ses bras, la mourante avait fait un mouvement pour se tourner du côté de la porte.

Les yeux étaient restés tout grands ouverts et fixes.

Au retour de la jeune fille, les yeux jetèrent un éclair, la bouche un cri ; les bras s'étendirent.

Catherine tomba à genoux avec son enfant devant le lit de sa mère.

Alors, un phénomène étrange s'opéra : la mère Billot se souleva sur son oreiller, étendit lentement les deux bras au-dessus de la tête de Catherine et de son fils ; puis, après un effort pareil à celui du jeune fils de Crésus :

— Mes enfants, dit-elle, je vous bénis !

Et elle retomba sur l'oreiller, ses bras s'affaissèrent, sa voix s'éteignit.

Elle était morte.

Ses yeux seuls étaient restés ouverts, comme si la pauvre femme, ne l'ayant pas assez vue de son vivant, eût voulu encore regarder sa fille de l'autre côté du tombeau.

OU L'ABBÉ FORTIER EXÉCUTE, A L'ENDROIT DE LA MÈRE BILLOT, LA MENACE QU'IL AVAIT FAITE A LA TANTE ANGÉLIQUE

Catherine ferma pieusement les yeux de sa mère, avec la main d'abord, puis ensuite avec les lèvres.

Madame Clément avait depuis longtemps prévu cette heure suprême, et avait d'avance acheté deux cierges.

Tandis que Catherine, toute ruisselante de larmes, reportait dans sa chambre son enfant qui pleurait, et l'endormait en lui donnant le sein, madame Clément allumait les deux cierges aux deux côtés du chevet du lit, croisait les deux mains de la morte sur sa poitrine, lui mettait un crucifix entre les mains, et plaçait sur une chaise un bol plein d'eau bénite, avec une branche de buis du dernier dimanche des Rameaux.

Lorsque Catherine rentra, elle n'eut plus qu'à se mettre à genoux près du lit de sa mère, son livre de prières à la main.

Pendant ce temps, Pitou se chargeait des autres détails funèbres : c'est-à-dire que, n'osant aller chez l'abbé Fortier, il alla chez le sacristain pour commander la messe mortuaire, chez les porteurs pour les prévenir de l'heure à laquelle ils devaient enlever le cercueil, chez le fossoyeur pour lui dire de creuser la fosse.

Puis, de là, il alla à Haramont avertir son lieutenant, son sous-lieutenant et ses trente et un hommes de garde nationale que l'enterrement de madame

Billot avait lieu le lendemain à onze heures du matin.

Comme la mère Billot n'avait de son vivant, pauvre femme, occupé ni aucune fonction publique, ni aucun grade dans la garde nationale ou dans l'armée, la communication de Pitou à l'endroit de ses hommes fut officieuse, et non officielle, bien entendu ; ce fut une invitation d'assister à l'inhumation, et non un ordre.

Mais on savait trop ce qu'avait fait Billot pour cette révolution qui tournait toutes les têtes et enflammait tous les cœurs ; on savait trop le danger qu'en ce moment même courait encore Billot couché sur son lit de douleur, blessé qu'il avait été en défendant la cause sainte, pour ne pas regarder l'invitation comme un ordre : toute la garde nationale d'Haramont promit donc à son chef de se trouver volontairement et instantanément en armes le lendemain, à onze heures précises, à la maison mortuaire.

Le soir, Pitou était de retour à la ferme ; à la porte, il trouva le menuisier, qui apportait la bière sur son épaule.

Pitou avait instinctivement toutes les délicatesses du cœur, que l'on trouve si rarement chez les paysans, et même chez les gens du monde ; il fit cacher le menuisier et son cercueil dans l'écurie, et, pour épargner à Catherine la vue de la funèbre boîte, le bruit terrible du marteau, il entra seul.

Catherine priait au pied du lit de sa mère : le cadavre, par les soins pieux des deux femmes, avait été lavé et cousu dans son linceul.

Pitou rendit compte à Catherine de l'emploi de sa journée, et l'invita à aller prendre un peu l'air.

Mais Catherine voulait remplir ses devoirs jusqu'au bout ; elle refusa.

— Cela fera du mal à votre cher petit Isidore, de ne pas sortir, dit Pitou.

— Emportez-le, et faites-lui prendre l'air, monsieur Pitou.

Il fallait que Catherine eût une bien grande confiance dans Pitou pour lui confier son enfant, ne fût-ce que cinq minutes.

Pitou sortit comme pour obéir ; mais, au bout de cinq minutes, il revint.

— Il ne veut pas sortir avec moi, dit-il ; il pleure !

Et, en effet, par les portes ouvertes, Catherine entendit les cris de son enfant.

Elle baisa le front du cadavre, dont, à travers la toile, on distinguait encore la forme et presque les traits, et, partagée entre ses deux sentiments de fille et de mère, elle quitta sa mère pour aller à son enfant.

Le petit Isidore pleurait, en effet ; Catherine le prit dans ses bras, et, suivant Pitou, sortit de la ferme.

Derrière elle, le menuisier et sa bière y entraient.

Pitou voulait éloigner Catherine pendant une demi-heure à peu près.

Comme au hasard, il la conduisit sur le chemin de Boursonnes.

Ce chemin était si plein de souvenirs pour la pauvre enfant, qu'elle y fit une demi-lieue sans dire un mot à Pitou, écoutant les différentes voix de son cœur, et leur répondant silencieusement comme elles parlaient.

Quand Pitou crut la besogne funéraire terminée :

— Mademoiselle Catherine, dit-il, si nous revenions à la ferme ?...

Catherine sortit de ses pensées comme d'un rêve.

— Oh ! oui, dit-elle. Vous êtes bien bon, mon cher Pitou !

Et elle reprit le chemin de Pisseleu.

Au retour, madame Clément fit, de la tête, signe à Pitou que la funèbre opération était achevée.

Catherine rentra dans sa chambre pour coucher le petit Isidore.

Ce soir maternel accompli, elle voulut aller reprendre sa place au chevet de la morte.

Mais sur le seuil de sa chambre elle trouva Pitou.

— Inutile, mademoiselle Catherine, lui dit celui-ci, tout est terminé.

— Comment, tout est terminé ?

— Oui... En notre absence, mademoiselle...

Pitou hésita.

— En notre absence, le menuisier...

— Ah ! voilà pourquoi vous avez insisté pour que je sortisse... Je comprends, bon Pitou !

Et Pitou, pour sa récompense, reçut de Catherine un regard reconnaissant.

— Une dernière prière, ajouta la jeune fille, et je reviens.

Catherine marcha droit à la chambre de sa mère, et y entra.

Pitou la suivait sur la pointe du pied ; mais il s'arrêta sur le seuil.

La bière était posée sur deux chaises au milieu de la chambre.

A cette vue, Catherine s'arrêta en tressaillant, et de nouvelles larmes coulèrent de ses yeux.

Puis elle alla s'agenouiller devant le cercueil, appuyant au chêne son front pâli par la fatigue et la douleur.

Sur la voie douloureuse qui conduit le mort de son lit d'agonie au tombeau, sa demeure éternelle, les vivants qui le suivent se heurtent à chaque instant à quelque nouveau détail qui semble destiné à faire jaillir des cœurs endoloris jusqu'à leur dernière larme.

La prière fut longue ; Catherine ne pouvait s'arracher d'auprès du cercueil ; elle comprenait bien, la pauvre fille, qu'elle n'avait plus, depuis la mort d'Isidore, que deux amis sur cette terre : sa mère et Pitou.

Sa mère venait de la bénir et de lui dire adieu ;

sa mère dans le cercueil aujourd'hui, serait dans la tombe demain.

Pitou lui restait seul !

On ne quitte pas sans peine son avant-dernier ami, quand cet avant-dernier ami est une mère !

Pitou sentit bien qu'il lui fallait venir en aide à Catherine ; il entra, et, voyant ses paroles inutiles, il essaya de soulever la jeune fille par-dessous les bras.

— Encore une prière, monsieur Pitou ! une seule !

— Vous vous rendrez malade, mademoiselle Catherine, dit Pitou.

— Après ? demanda Catherine.

— Alors, je vais chercher une nourrice pour M. Isidore.

— Tu as raison, tu as raison, Pitou, dit la jeune fille. Mon Dieu ! que tu es bon, Pitou ! mon Dieu ! que je t'aime !

Pitou chancela et faillit tomber à la renverse.

Il alla à reculons s'appuyer près de la porte, contre la muraille, et des larmes silencieuses, presque de joie, coulèrent sur ses joues.

Catherine ne venait-elle pas de lui dire qu'elle l'aimait ?

Pitou ne s'abusait point sur la façon dont l'aimait Catherine ; mais, de quelque façon que Catherine l'aimât, c'était beaucoup pour lui.

Sa prière finie, Catherine, comme elle l'avait promis à Pitou, se leva et vint d'un pas lent s'appuyer à l'épaule du jeune homme.

Pitou passa son bras autour de la taille de Catherine pour l'entraîner.

Celle-ci se laissa faire ; mais, avant de franchir le seuil, tournant la tête par-dessus l'épaule de Pitou, et jetant un dernier regard sur le cercueil, tristement éclairé par les deux cierges :

— Adieu, mère ! une dernière fois, adieu ! dit-elle.

Et elle sortit.

À la porte de la chambre de Catherine et au moment où celle-ci allait y entrer, Pitou l'arrêta.

Catherine commençait à si bien connaître Pitou, qu'elle comprit que Pitou avait quelque chose à lui dire.

— Eh bien ? demanda-t-elle.

— Eh bien, balbutia Pitou un peu embarrassé, ne trouvez-vous pas, mademoiselle Catherine, que le moment serait venu de quitter la ferme ?

— Je ne quitterai la ferme que quand ma mère elle-même l'aura quittée, répondit la jeune fille.

Catherine avait dit ces mots avec une telle fermeté, que Pitou vit bien que c'était une résolution irrévocable.

— Et, quand vous quitterez la ferme, dit Pitou, vous savez qu'il y a, à une lieue d'ici, deux endroits où vous êtes sûre d'être bien reçue : la hutte du père Clouïs et la petite maison de Pitou.

Pitou appelait sa chambre et son cabinet une *maison.*

— Merci, Pitou ! répondit Catherine indiquant en même temps, d'un signe de tête, qu'elle accepterait l'un ou l'autre de ces deux asiles.

Catherine rentra dans sa chambre sans s'inquiéter de Pitou, qui, lui, était toujours sûr de trouver un gîte.

Le lendemain matin, dès dix heures, les amis convoqués pour la funèbre cérémonie affluèrent à la ferme.

Tous les fermiers des environs, ceux de Boursonnes, de Noue, d'Ivors, de Coyolles, de Largny, d'Haramont et de Vivières, étaient au rendez-vous.

Le maire de Villers-Cotterets, le bon M. de Longpré, y était un des premiers.

À dix heures et demie, la garde nationale d'Haramont, tambour battant, drapeau déployé, arriva sans qu'il lui manquât un homme.

Catherine, toute vêtue de noir, tenant entre ses bras son enfant, tout vêtu de noir comme elle, recevait chaque arrivant, et nul, il faut le dire, n'eut un autre sentiment que le respect pour cette mère et pour cet enfant vêtus d'un double deuil.

A onze heures, plus de trois cents personnes étaient réunies à la ferme.

Le prêtre, les hommes d'Église, les porteurs manquaient seuls.

On attendit un quart d'heure.

Rien ne vint.

Pitou monta dans le grenier le plus élevé de la ferme.

De la fenêtre de la ferme, on découvrait les deux kilomètres de plaine qui s'étendent de Villers-Cotterets au petit village de Pisseleu.

Si bons yeux qu'eût Pitou, il ne vit rien.

Il descendit et fit part à M. de Longpré, non seulement de ses observations, mais encore de ses réflexions.

Ses *observations* étaient que rien ne venait certainement ; ses *réflexions*, que rien ne viendrait probablement.

On lui avait raconté la visite de l'abbé Fortier, et le refus de celui-ci d'administrer les sacrements à la mère Billot.

Pitou connaissait l'abbé Fortier ; il devina tout : l'abbé Fortier ne voulait pas prêter le concours de son saint ministère à l'enterrement de madame Billot, et le prétexte, non la cause, était l'absence de la confession.

Ces réflexions, communiquées par Pitou à M. de Longpré, et par M. de Longpré aux assistants, produisirent une douloureuse impression.

On se regarda en silence ; puis une voix dit :

— Eh bien, quoi ! si l'abbé Fortier ne veut pas nous dire la messe, on s'en passera.

Cette voix, c'était celle de Désiré Maniquet.

Désiré Maniquet était connu pour ses opinions antireligieuses.

Il y eut un instant de silence.

Il était évident qu'il semblait bien hardi à l'assemblée de se passer de messe.

Et, cependant, on était en pleine école Voltaire et Rousseau.

— Messieurs, dit le maire, allons à Villers-Cotterets. A Villers-Cotterets, tout s'expliquera.

— A Villers-Cotterets ! crièrent toutes les voix.

Pitou fit un signe à quatre de ses hommes ; on glissa les canons de deux fusils sous la bière, et l'on enleva la morte.

A la porte, le cercueil passa devant Catherine, agenouillée, et devant le petit Isidore, qu'elle avait fait agenouiller près d'elle.

Puis, le cercueil passé, Catherine baisa le seuil de cette porte où elle comptait ne plus remettre le pied, et, en se relevant :

— Vous me trouverez, dit-elle à Pitou, dans la hutte du père Clouïs.

Et, par la cour de la ferme et les jardins qui donnaient sur les fonds d'une rue, elle s'éloigna rapidement.

OU L'ABBÉ FORTIER
VOIT QU'IL N'EST PAS TOUJOURS SI FACILE
QU'ON LE CROIT
DE TENIR LA PAROLE DONNÉE

Le convoi s'avançait silencieusement, formant une longue ligne sur la route, lorsque, tout à coup, ceux qui fermaient la marche entendirent derrière eux un cri d'appel.

Ils se retournèrent.

Un cavalier accourait au grand galop, venant du côté d'Ivors, c'est-à-dire par la route de Paris.

Une portion de son visage était sillonnée par deux

bandelettes noires ; il tenait son chapeau à la main, et faisait signe qu'on l'attendît.

Pitou se retourna comme les autres.

— Tiens ! dit-il, M. Billot... Bon ! je ne voudrais pas être dans la peau de l'abbé Fortier.

A ce nom de Billot, tout le monde fit halte.

Le cavalier s'avançait rapidement, et, au fur et à mesure qu'il avançait, comme Pitou avait reconnu le fermier, chacun à son tour le reconnaissait.

Arrivé à la tête du convoi, Billot sauta à bas de son cheval, auquel il jeta la bride sur le cou, et, après avoir dit d'une voix si bien accentuée, que chacun l'entendit : « Bonjour et merci, citoyens ! » il prit, derrière le cercueil, la place de Pitou, qui, en son absence, conduisait le deuil.

Un valet d'écurie se chargea du cheval, et le reconduisit à la ferme.

Chacun jeta un regard curieux sur Billot.

Il avait maigri un peu, pâli beaucoup.

Une partie de son front et les contours de son œil gauche avaient conservé les couleurs violâtres du sang extravasé.

Ses dents serrées, ses sourcils froncés indiquaient une sombre colère qui n'attendait que le moment de se répandre au-dehors.

— Savez-vous ce qui s'est passé ? demanda Pitou.

— Je sais tout, répondit Billot.

Aussitôt que Gilbert avait avoué au fermier l'état dans lequel se trouvait sa femme, celui-ci avait pris un cabriolet qui l'avait conduit jusqu'à Nanteuil.

Puis, comme le cheval n'avait pas pu le mener plus loin, Billot, tout faible qu'il était encore, avait pris un bidet de poste ; à Levignan, il avait relayé, et il arrivait à la ferme comme le convoi venait d'en sortir.

En deux mots alors, madame Clément lui avait tout dit. Billot était remonté à cheval ; au détour du mur, il avait aperçu le convoi, qui s'allongeait le long du chemin, et il l'avait arrêté par ses cris.

Maintenant, ainsi que nous l'avons dit, c'était lui qui, les sourcils froncés, la bouche menaçante, les bras croisés sur la poitrine, conduisait le deuil.

Déjà silencieux et sombre, le cortège devint plus sombre et plus silencieux encore.

A l'entrée de Villers-Cotterets, on trouva un groupe de personnes qui attendaient.

Ce groupe prit sa place dans le cortège.

A mesure que le convoi avançait à travers les rues, des hommes, des femmes, des enfants, sortaient des maisons, saluaient Billot, qui leur répondait d'un signe de tête, et s'incorporaient dans les rangs en prenant place à la queue.

Lorsque le convoi arriva sur la place, il comptait plus de cinq cents personnes.

De la place, on commençait à apercevoir l'église.

Ce qu'avait prévu Pitou arrivait : l'église était fermée.

On arriva à la porte, et l'on fit halte.

Billot était devenu livide ; l'expression de son visage se faisait de plus en plus menaçante.

L'église et la mairie se touchaient. Le serpent, qui était en même temps concierge de la mairie, et qui, par conséquent, dépendait à la fois du maire et de l'abbé Fortier, fut appelé et interrogé par M. de Longpré.

L'abbé Fortier avait défendu à aucun homme d'Église de prêter son concours à l'enterrement.

Le maire demanda où étaient les clefs de l'église.

Les clefs étaient chez le bedeau.

— Va chercher les clefs, dit Billot à Pitou.

Pitou ouvrit le compas de ses longues jambes, et revint cinq minutes après en disant :

— L'abbé Fortier a fait porter les clefs chez lui pour être sûr que l'église ne serait point ouverte.

— Il faut aller chercher les clefs chez l'abbé, dit Désiré Maniquet, promoteur-né des moyens extrêmes.

— Oui, oui, allons chercher les clefs chez l'abbé ! crièrent deux cents voix.

— Ce serait bien long, dit Billot, et quand la mort frappe à une porte, elle n'a pas l'habitude d'attendre.

Alors il regarda autour de lui : en face de l'église, on construisait une maison.

Les ouvriers charpentiers équarrissaient une poutre.

Billot marcha droit à eux, leur fit signe de la main qu'il avait besoin de la poutre qu'ils équarrissaient.

Les ouvriers s'écartèrent.

La poutre était posée sur des madriers.

Billot passa son bras entre la poutre et la terre, à peu près vers le milieu de la pièce de bois ; puis, d'un seul effort, il la souleva.

Mais il avait compté sur des forces absentes.

Sous ce poids énorme, le colosse chancela, et un instant on crut qu'il allait tomber.

Ce fut le passage d'un éclair ; Billot reprit son équilibre en souriant d'un sourire terrible ; puis il s'avança, la poutre sous le bras, d'un pas lent mais ferme.

On eût dit un de ces béliers antiques avec lesquels les Alexandre, les Annibal et les César renversaient les murailles.

Il se plaça, les jambes écartées, devant la porte, et la formidable machine commença de jouer.

La porte était de chêne ; les verrous, les serrures, les gonds étaient de fer.

Au troisième coup, les verrous, les serrures et les gonds avaient sauté ; la porte de chêne béait entrouverte.

Billot laissa tomber la poutre.

Quatre hommes la ramassèrent et la reportèrent avec peine à la place où Billot l'avait prise.

— Maintenant, monsieur le maire, dit Billot, faites placer le cercueil de ma pauvre femme, qui n'a jamais fait de mal à personne, au milieu du chœur, et toi, Pitou, réunis le bedeau, le suisse, les chantres et les enfants de chœur ; moi, je me charge du prêtre.

Le maire, conduisant le cercueil, entra dans l'église ; Pitou se mit à la recherche des chantres, des enfants de chœur, du bedeau et du suisse, se faisant accompagner de son lieutenant Désiré Maniquet et de quatre hommes, pour le cas où il trouverait des récalcitrants ; — Billot se dirigea vers la maison de l'abbé Fortier.

Plusieurs hommes voulurent suivre Billot.

— Laissez-moi seul, dit-il ; peut-être ce que je vais faire deviendra-t-il grave : à chacun la responsabilité de ses œuvres.

Et il s'éloigna, descendant la rue de l'Église, et prenant la rue de Soissons.

C'était la seconde fois, à un an de distance, que le fermier révolutionnaire allait se trouver en face du prêtre royaliste.

On se rappelle ce qui s'était passé la première fois : probablement allait-on être témoin d'une semblable scène.

Aussi, en le voyant marcher d'un pas rapide vers la demeure de l'abbé, chacun demeurait-il immobile sur le seuil de sa porte, le suivant des yeux en secouant la tête, mais sans faire un pas.

— Il a défendu de le suivre, se disaient les uns aux autres les spectateurs.

La grande porte de l'abbé était fermée comme celle de l'église.

Billot regarda s'il y avait aux environs quelque bâtisse à laquelle il pût emprunter une nouvelle poutre, il n'y avait qu'une espèce de borne de grès déchaussée par l'oisiveté des enfants, et tremblant dans son orbite comme une dent dans son alvéole.

Le fermier s'avança vers la borne, la secoua violemment, élargit l'orbite, et arracha la borne de l'encadrement de pavés où elle était emboîtée.

Puis, la soulevant au-dessus de sa tête, comme un autre Ajax ou un nouveau Diomède, il recula de trois pas, et lança le bloc de granit avec la même force qu'eût fait une catapulte.

La porte brisée vola en morceaux.

En même temps que Billot se frayait ce formidable passage, la fenêtre du premier s'ouvrait, et l'abbé Fortier apparaissait, appelant de toutes ses forces ses paroissiens à son secours.

Mais la voix du pasteur fut méconnue par le troupeau, bien décidé à laisser le loup et le berger se démêler ensemble.

Il fallut un certain temps à Billot pour briser les deux ou trois portes qui le séparaient encore de l'abbé Fortier, comme il avait brisé la première.

La chose lui prit dix minutes, à peu près.

Aussi, au bout de dix minutes écoulées, après la première porte brisée, put-on, d'après les cris de plus en plus violents, et d'après les gestes de plus en plus expressifs de l'abbé, comprendre que cette agitation croissante venait de ce que le danger se rapprochait de plus en plus de lui.

En effet, tout à coup, on vit apparaître derrière le prêtre la tête pâle de Billot, puis une main s'étendre et s'abaisser puissamment sur son épaule.

Le prêtre se cramponna à la traverse de bois qui servait d'appui à la fenêtre ; il était, lui aussi, d'une force proverbiale, et ce n'eût pas été chose facile à Hercule lui-même de lui faire lâcher prise.

Billot passa son bras, comme une ceinture, autour de la taille du prêtre ; s'arc-bouta sur ses deux jambes, et, d'une secousse à déraciner un chêne, il arracha l'abbé Fortier à la traverse de bois brisée entre ses mains.

Le fermier et le prêtre disparurent dans les profondeurs de la chambre, et l'on n'entendit plus que les cris de l'abbé, qui allaient s'éloignant comme le mugissement d'un taureau qu'un lion de l'Atlas entraîne vers son repaire.

Pendant ce temps, Pitou avait ramené, tremblants, chantres, enfants de chœur, bedeau et suisse ; tout cela, à l'exemple du serpent-concierge, s'était hâté de revêtir d'abord chapes et surplis, puis d'allumer les cierges et de préparer toutes choses pour la messe des morts.

On en était là quand on vit reparaître, par la petite sortie donnant sur la place du château, Billot, que l'on attendait à la grande porte de la rue de Soissons.

Il traînait après lui le prêtre, et cela, malgré sa résistance d'un pas aussi rapide que s'il eût marché seul.

Ce n'était plus un homme ; c'était une des forces de la nature, quelque chose comme un torrent ou une avalanche ; rien d'humain ne semblait capable de lui résister : il eût fallu un élément pour lutter contre lui !

Le pauvre abbé, à cent pas de l'église, cessa de résister.

Il était complètement dompté.

Tout le monde s'écarta pour laisser passer ces deux hommes.

L'abbé jeta un regard effaré sur la porte brisée comme un carreau de vitre, et, voyant à leurs places, — leur instrument, leur hallebarde ou leur livre à la main, — tous ces hommes à qui il avait défendu de mettre le pied dans l'église, il secoua la tête comme s'il eût reconnu que quelque chose de puissant, d'irrésistible, pesait, non pas sur la religion, mais sur ses ministres.

Il entra dans la sacristie, et en sortit un instant après en costume d'officiant, et le saint sacrement à la main.

Mais, au moment où, après avoir monté les marches de l'autel et déposé le saint ciboire sur la table sainte, il se retournait pour dire les premières paroles de l'office, Billot étendit la main.

— Assez, mauvais serviteur de Dieu ! dit-il ; j'ai tenté de courber ton orgueil, voilà tout ; mais je veux qu'on sache qu'une sainte femme comme la mienne peut se passer des prières d'un prêtre fanatique et haineux comme toi.

Puis, comme une grande rumeur montait sous les voûtes de l'église à la suite de ces paroles :

— S'il y a sacrilège, dit-il, que le sacrilège retombe sur moi.

Et, se tournant vers l'immense cortège qui emplissait non seulement l'église, mais encore la place de la mairie et celle du château :

— Citoyens, dit-il, au cimetière !

Toutes les voix répétèrent : « Au cimetière ! »

Les quatre porteurs alors passèrent de nouveau les canons de leurs fusils sous le cercueil, enlevèrent le corps, et, comme ils étaient venus, sans prêtre, sans chants d'église, sans aucune des pompes funéraires dont la religion a l'habitude de faire escorte à la douleur des hommes, ils s'acheminèrent, Billot conduisant le deuil, six cents personnes suivant le convoi, vers le cimetière, situé, on s'en souvient, au bout de la ruelle du Pleux, à vingt-cinq pas de la maison de tante Angélique.

La porte du cimetière était fermée comme celle de l'abbé Fortier, comme celle de l'église.

Là, chose étrange ! devant ce faible obstacle, Billot s'arrêta.

La mort respectait les morts.

Sur un signe du fermier, Pitou courut chez le fossoyeur.

Le fossoyeur avait la clef du cimetière ; c'était trop juste.

Cinq minutes après, Pitou rapportait non seulement la clef, mais encore deux bêches.

L'abbé Fortier avait proscrit la pauvre morte, et de l'église et de la terre sainte : le fossoyeur avait reçu l'ordre de ne point creuser de tombe.

À cette dernière manifestation de la haine du prêtre contre le fermier, quelque chose de pareil à un frisson de menace courut parmi les assistants. S'il y eût eu dans le cœur de Billot le quart du fiel qui entre dans l'âme des dévots, et qui avait l'air d'étonner Boileau, Billot n'avait qu'un mot à dire, et l'abbé Fortier avait, enfin, la satisfaction de ce martyre qu'il avait appelé à grands cris, le jour où il avait refusé de dire la messe sur l'autel de la Patrie.

Mais Billot avait la colère du peuple et du lion ; il déchirait, broyait, brisait en passant, mais ne revenait point sur ses pas.

Il fit un signe de remerciement à Pitou, dont il comprit l'intention, prit la clef de ses mains, ouvrit la porte, fit passer le cercueil d'abord, le suivit, et fut lui-même suivi du cortège funéraire, qui s'était recruté de tout ce qui pouvait marcher.

Les royalistes et les dévots étaient seuls restés chez eux.

Il va sans dire que tante Angélique, qui était de ces derniers, avait fermé sa porte avec terreur en criant à l'abomination de la désolation, et en appelant les foudres célestes sur la tête de son neveu.

Mais tout ce qui avait un bon cœur, un sens droit, l'amour de la famille ; tout ce que révoltait la haine substituée à la miséricorde, la vengeance à la mansuétude, les trois quarts enfin de la ville étaient là, protestant, non pas contre Dieu, non pas contre la religion, mais contre les prêtres et leur fanatisme.

Arrivés à l'endroit où aurait dû être la tombe, et où le fossoyeur, ignorant qu'il recevrait l'ordre de ne point la creuser, avait déjà marqué sa place, Billot tendit la main à Pitou, qui lui donna une de ses deux bêches.

Alors, Billot et Pitou, la tête découverte, au milieu d'un cercle de citoyens la tête découverte comme eux, sous le soleil dévorant des derniers jours de juillet, se mirent à creuser la tombe de la malheureuse créature qui, pieuse et résignée entre toutes, eût été bien étonnée si, de son vivant, on lui eût dit de quel scandale elle serait cause après sa mort.

Le travail dura une heure, et ni l'un ni l'autre des deux travailleurs n'eut l'idée de se relever avant qu'il fût fini.

Pendant ce temps, on avait été chercher des cordes, et, le travail achevé, les cordes étaient prêtes.

Ce furent encore Billot et Pitou qui descendirent le cercueil dans la fosse.

Ces deux hommes rendaient si simplement et si naturellement ce devoir suprême à celle qui l'attendait, qu'aucun des assistants n'eut l'idée de leur offrir son aide.

On eût regardé comme un sacrilège de ne pas les laisser faire jusqu'au bout.

Seulement, aux premières pelletées de terre qui retentirent sur la bière de chêne, Billot passa sa main sur ses yeux, et Pitou sa manche.

Puis ils se mirent à repousser résolument la terre.

Quand ce fut fini, Billot jeta loin de lui sa bêche, et tendit ses deux bras à Pitou.

Pitou se jeta sur la poitrine du fermier.

— Dieu m'est témoin, dit Billot, que j'embrasse en toi tout ce qu'il y a de vertus simples et grandes sur la terre : la charité, le dévouement, l'abnégation, la fraternité, et que je dévouerai ma vie au triomphe de ces vertus !

Puis, étendant la main sur la tombe :

— Dieu m'est témoin, dit-il encore, que je jure une guerre éternelle au roi, qui m'a fait assassiner ; aux nobles, qui ont déshonoré ma fille ; aux prêtres, qui ont refusé la sépulture à ma femme !

Et, se retournant vers les spectateurs pleins de sympathie pour cette triple adjuration :

— Frères ! dit Billot, une nouvelle assemblée va être convoquée : choisissez-moi pour représentant à cette assemblée, et vous verrez si je sais tenir mes serments.

Un cri d'adhésion universelle répondit à la proposition de Billot, et, dès cette heure, sur la tombe de sa femme, terrible autel, digne du serment terrible qu'il venait de recevoir, la candidature de Billot à l'Assemblée législative fut *posée* ; après quoi,

Billot ayant remercié ses compatriotes de la sympathie qu'ils venaient de lui montrer dans son amitié et dans sa haine, chacun, citadin ou paysan, se retira chez soi, emportant dans son cœur cet esprit de propagande révolutionnaire à qui fournissaient, dans leur aveuglement, ses armes les plus mortelles, ceux-là mêmes — rois, nobles et prêtres — ceux-là mêmes qu'il devait dévorer !

[Dans l'année qui suit, le roi accumule les erreurs. Son opposition au décret qui bannit les prêtres refusant de prêter serment à la constitution, lui vaut le surnom de « Monsieur Véto »... Le 20 juin 1792, les Tuileries sont envahies par le peuple. Pour la famille royale, c'est juste un avertissement : la foule se retire sans incident.
Mais dans les premiers jours du mois d'août, une émeute se prépare. Les instigateurs en sont Danton, Manuel, Santerre, ainsi que le nouveau maire de Paris, Pétion...]

CE QUI FAISAIT QUE LA REINE N'AVAIT PAS VOULU FUIR

Une chose rassurait les Tuileries : c'était justement ce qui épouvantait les révolutionnaires.

Les Tuileries, mises en état de défense, étaient devenues une forteresse avec une garnison terrible.

Pendant la nuit du 4 au 5, on a silencieusement fait venir, de Courbevoie, les bataillons suisses.

Quelques compagnies seulement en ont été distraites et envoyées à Gaillon, où peut-être le roi se réfugiera-t-il.

Trois hommes sûrs, trois chefs éprouvés sont près de la reine : Maillardot avec ses Suisses ; d'Hervilly avec ses chevaliers de Saint-Louis et sa garde constitutionnelle ; Mandat, commandant général de la garde nationale, qui promet vingt mille combattants résolus et dévoués.

Le 8, au soir, un homme pénétra dans l'intérieur du château.

Tout le monde connaissait cet homme : il arriva donc sans difficulté jusqu'à l'appartement de la reine.

On annonça le docteur Gilbert.

— Faites entrer, dit la reine d'une voix fiévreuse.

Gilbert entra.

— Ah ! venez, venez, docteur ! Je suis heureuse de vous voir.

Gilbert leva les yeux sur elle : il y avait dans toute la personne de Marie-Antoinette quelque chose de joyeux et de satisfait qui le fit frissonner.

Il eût mieux aimé la reine pâle et abattue que fiévreuse et animée comme elle l'était.

— Madame, lui dit-il, je crains d'arriver trop tard et dans un mauvais moment.

— Au contraire, docteur, répondit la reine avec un sourire — expression que sa bouche avait presque désapprise —, vous venez à l'heure, et vous êtes le bienvenu ! Vous allez voir une chose que j'eusse voulu vous montrer depuis longtemps : un roi véritablement roi !

— J'ai peur, madame, reprit Gilbert, que vous ne vous trompiez vous-même, et que vous ne me montriez un commandant de place, bien plutôt qu'un roi !

— Monsieur Gilbert, il se peut que nous ne nous entendions pas plus sur le caractère symbolique de la royauté que sur beaucoup d'autres choses... Pour moi, un roi n'est pas seulement un homme qui dit : « Je ne veux pas ! » C'est surtout un homme qui dit : « Je veux ! »

La reine faisait allusion à ce fameux *veto* qui avait

amené la situation au point extrême où elle se trouvait.

— Oui, madame, répondit Gilbert, et, pour Votre Majesté, un roi est surtout un homme qui se venge.

— Qui se défend, monsieur Gilbert ! car, vous le savez, nous sommes publiquement menacés ; on doit nous attaquer à main armée. Il y a, à ce qu'on assure, cinq cents Marseillais, conduits par un certain Barbaroux, qui ont juré, sur les ruines de la Bastille, de ne retourner à Marseille que lorsqu'ils auraient campé sur celles des Tuileries.

— J'ai entendu dire cela, en effet, reprit Gilbert.

— Et cela ne vous a pas fait rire, monsieur ?

— Cela m'a épouvanté pour le roi et pour vous, madame.

— De sorte que vous venez nous proposer d'abdiquer, et de nous remettre à discrétion aux mains de M. Barbaroux et de ses Marseillais ?

— Ah ! madame, si le roi pouvait abdiquer, et garantir, par le sacrifice de sa couronne, sa vie, la vôtre, celle de vos enfants !

— Vous lui en donneriez le conseil, n'est-ce pas, monsieur Gilbert ?

— Oui, madame, et je me jetterais à ses pieds pour qu'il le suivît !

— Monsieur Gilbert, permettez-moi de vous dire que vous n'êtes pas fixe dans vos opinions.

— Eh ! madame, dit Gilbert, mon opinion est toujours la même... Dévoué à mon roi et à ma patrie, j'aurais voulu voir l'accord du roi et de la Constitution ; de ce désir et de mes déceptions successives viennent les différents conseils que j'ai eu l'honneur de donner à Votre Majesté.

— Et quel est celui que vous nous donnez en ce moment, monsieur Gilbert ?

— Jamais vous n'avez été plus maîtresse de le suivre qu'en ce moment, madame.

— Voyons-le, alors.

— Je vous donne le conseil de fuir.

414

— De fuir ?

— Ah ! vous savez bien que c'est possible, madame, et que jamais facilité pareille ne vous a été offerte.

— Voyons cela.

— Vous avez à peu près trois mille hommes au château.

— Près de cinq mille, monsieur, dit la reine avec un sourire de satisfaction, et le double au premier signe que nous ferons.

— Vous n'avez pas besoin de faire un signe qui peut être intercepté, madame : vos cinq mille hommes vous suffiront.

— Eh bien, monsieur Gilbert, à votre avis, que devons-nous faire avec nos cinq mille hommes ?

— Vous mettre au milieu d'eux, madame, avec le roi et vos augustes enfants ; sortir des Tuileries au moment où l'on s'y attendra le moins ; à deux lieues d'ici, monter à cheval, gagner Gaillon et la Normandie, où l'on vous attend.

— C'est-à-dire me remettre aux mains de M. de La Fayette.

— Celui-là, au moins, madame, vous a prouvé qu'il était dévoué.

— Non, monsieur, non ! Avec mes cinq mille hommes et les cinq mille qui peuvent accourir au premier signe que nous ferons, j'aime mieux essayer autre chose.

— Qu'essaierez-vous ?

— D'écraser la révolte une bonne fois pour toutes.

— Madame, j'ai bien peur que vous ne vous aveugliez !

— Vous êtes donc d'avis qu'ils oseront nous attaquer ?

— L'esprit public tourne là.

— Et l'on croit que l'on entrera ici comme au 20 juin ?

— Les Tuileries ne sont pas une place forte.

— Non ; cependant, si vous voulez venir avec

moi, monsieur Gilbert, je vous montrerai qu'elles peuvent tenir quelque temps.

— Mon devoir est de vous suivre, madame, dit Gilbert en s'inclinant.

— Alors, venez donc ! dit la reine.

Et, conduisant Gilbert à la fenêtre du milieu, à celle qui donne sur la place du Carrousel, et d'où l'on dominait, non pas la cour immense qui s'étend aujourd'hui sur toute la façade du palais, mais les trois petites cours fermées de murs qui existaient alors, et qui s'appelaient, celle du pavillon de Flore, la cour des Princes ; celle du milieu, la cour des Tuileries, et celle qui confine de nos jours à la rue de Rivoli, la cour des Suisses :

— Voyez ! dit-elle.

En effet, Gilbert remarqua que les murs avaient été percés de jours étroits, et pouvaient offrir à la garnison un premier rempart à travers les meurtrières duquel elle fusillerait le peuple.

Puis, ce premier rempart forcé, la garnison se retirerait non seulement dans les Tuileries, dont chaque porte faisait face à une cour, mais encore dans les bâtiments latéraux ; de sorte que les patriotes qui oseraient s'engager dans les cours seraient pris entre trois feux.

— Que dites-vous de cela, monsieur ? demanda la reine. Conseillez-vous toujours à M. Barbaroux et à ses cinq cents Marseillais de s'engager dans leur entreprise ?

— Si mon conseil pouvait être entendu d'hommes aussi fanatisés qu'ils le sont, je ferais près d'eux, madame, une démarche pareille à celle que je fais près de vous. Je viens vous demander, à vous, de ne pas attendre l'attaque ; je leur demanderais, à eux, de ne pas attaquer.

— Et probablement passeraient-ils outre de leur côté ?

— Comme vous passerez outre du vôtre, madame. Hélas ! c'est là le malheur de l'humanité, qu'elle demande incessamment des conseils pour ne pas les suivre.

— Monsieur Gilbert, dit la reine en souriant, vous oubliez que le conseil que vous voulez bien nous donner n'est pas sollicité...

— C'est vrai, madame, dit Gilbert en faisant un pas en arrière.

— Ce qui fait, ajouta la reine en tendant la main au docteur, que nous vous en sommes d'autant plus reconnaissants.

Un pâle sourire de doute effleura les lèvres de Gilbert.

En ce moment, des charrettes chargées de lourds madriers de chêne entraient publiquement dans les cours des Tuileries, où les attendaient des hommes que, sous leurs habits bourgeois, on reconnaissait pour des militaires.

Ces hommes faisaient scier ces madriers sur une longueur de six pieds et dans une épaisseur de trois pouces.

— Savez-vous ce que sont ces hommes ? demanda la reine.

— Mais des ingénieurs, à ce qu'il me paraît, répondit Gilbert.

— Oui, monsieur, et qui s'apprêtent, comme vous le voyez, à *blinder* les fenêtres en réservant seulement des meurtrières pour faire feu.

Gilbert regarda tristement la reine.

— Qu'avez-vous donc, monsieur ? demanda Marie-Antoinette.

— Ah ! je vous plains bien sincèrement, madame, d'avoir forcé votre mémoire à retenir ces mots et votre bouche à les prononcer.

— Que voulez-vous, monsieur ! répondit la reine, il y a des circonstances où il faut bien que les femmes se fassent hommes : c'est lorsque les hommes...

La reine s'arrêta.

— Mais, enfin, dit-elle en achevant, non point sa

phrase, mais sa pensée, pour cette fois le roi est décidé.

— Madame, dit Gilbert, du moment que vous êtes décidée à l'extrémité terrible dont je vous vois faire votre porte de salut, j'espère que de tous côtés vous avez défendu les approches du château : ainsi, par exemple, la galerie du Louvre...

— Au fait, vous m'y faites songer... Venez avec moi, monsieur ; je désire m'assurer que l'on exécute l'ordre que j'ai donné.

Et la reine emmena Gilbert à travers les appartements jusqu'à cette porte du pavillon de Flore qui donne sur la galerie des tableaux.

La porte ouverte, Gilbert vit des ouvriers occupés à couper la galerie dans une largeur de vingt pieds.

— Vous voyez, dit la reine.

Puis, s'adressant à l'officier qui présidait à ce travail :

— Eh bien, monsieur d'Hervilly ? lui dit-elle.

— Eh bien, madame, que les rebelles nous laissent vingt-quatre heures, et nous serons en mesure.

— Croyez-vous qu'ils nous laisseront vingt-quatre heures, monsieur Gilbert ? demanda la reine au docteur.

— S'il y a quelque chose, madame, ce ne sera que pour le 10 août.

— Le 10 ? Un vendredi ? Mauvais jour d'émeute, monsieur ! Je croyais que les rebelles auraient eu l'intelligence de choisir un dimanche.

Et elle marcha devant Gilbert, qui la suivit.

En sortant de la galerie, on rencontra un homme en uniforme d'officier général.

— Eh bien, monsieur Mandat, demanda la reine, vos dispositions sont-elles prises ?

— Oui, madame, répondit le commandant général en regardant Gilbert avec inquiétude.

— Oh ! vous pouvez parler devant monsieur, dit la reine, monsieur est un ami.

Et, se retournant vers Gilbert :

— N'est-ce pas, docteur ? dit-elle.

— Oui, madame, répondit Gilbert, et l'un de vos plus dévoués !

— Alors, dit Mandat, c'est autre chose... Un corps de garde nationale placé à l'hôtel de ville, un autre au pont Neuf, laisseront passer les factieux, et, tandis que M. d'Hervilly et ses gentilshommes, M. Maillardot et ses Suisses, les recevront de face, eux leur couperont la retraite et les écraseront par-derrière.

— Vous voyez, monsieur, dit la reine, que votre 10 août ne sera pas un 20 juin !

— Hélas ! madame, dit Gilbert, j'en ai peur, en effet.

— Pour nous ?... pour nous ? insista la reine.

— Madame, reprit Gilbert, vous savez ce que j'ai dit à Votre Majesté. Autant j'ai déploré Varennes...

— Oui, autant vous conseillez Gaillon !... Avez-vous le temps de descendre avec moi jusqu'aux salles basses, monsieur Gilbert ?

— Certes, madame.

— Eh bien, venez !

La reine prit un petit escalier tournant qui la conduisit au rez-de-chaussée du château.

Le rez-de-chaussée du château était un véritable camp, camp fortifié et défendu par les Suisses ; toutes les fenêtres en étaient déjà *blindées*, comme avait dit la reine.

La reine s'avança vers le colonel.

— Eh bien, monsieur Maillardot, demanda-t-elle, que dites-vous de vos hommes ?

— Qu'ils sont prêts, comme moi, à mourir pour Votre Majesté, madame.

— Ils nous défendront donc jusqu'à la dernière extrémité ?

— Une fois le feu engagé, madame, on ne le cessera que sur un ordre écrit du roi.

— Vous entendez, monsieur ? Hors de l'enceinte

de ce château, tout peut nous être hostile ; mais, à l'intérieur, tout nous est fidèle.

— C'est une consolation, madame ; mais ce n'est pas une sécurité.

— Vous êtes funèbre, savez-vous, docteur ?

— Votre Majesté m'a conduit où elle a voulu ; me permettra-t-elle de la reconduire chez elle ?

— Volontiers, docteur ; mais je suis fatiguée : donnez-moi le bras.

Gilbert s'inclina devant cette haute faveur, si rarement accordée par la reine, même à ses plus intimes, depuis son malheur surtout.

Il la reconduisit jusqu'à sa chambre à coucher.

Arrivée là, Marie-Antoinette se laissa tomber dans un fauteuil.

Gilbert mit un genou en terre devant elle.

— Madame, dit-il, au nom de votre auguste époux, au nom de vos chers enfants, au nom de votre propre sûreté, une dernière fois je vous adjure de vous servir des forces que vous avez autour de vous, non pas pour combattre, mais pour fuir !

— Monsieur, dit la reine, depuis le 14 juillet, j'aspire à voir le roi prendre sa revanche ; le moment est venu, nous le croyons du moins : nous sauverons la royauté, ou nous l'enterrerons sous les ruines des Tuileries !

— Rien ne peut vous faire revenir de cette fatale résolution, madame ?

— Rien.

Et, en même temps, la reine tendit la main à Gilbert, moitié pour lui faire signe de se relever, moitié pour la lui donner à baiser.

Gilbert baisa respectueusement la main de la reine, et, se relevant :

— Madame, dit-il, Votre Majesté me permettra-t-elle d'écrire quelques lignes que je regarde comme tellement urgentes, que je ne veux pas les retarder d'une minute ?

— Faites, monsieur, dit la reine en lui montrant une table.

Gilbert s'assit et écrivit ces quatre lignes :

« Venez, monsieur ! la reine est en danger de mort, si un ami ne la décide point à fuir, et je crois que vous êtes le seul ami qui puisse avoir cette influence sur elle. »

Puis il signa et mit l'adresse.

— Sans être trop curieuse, monsieur, demanda la reine, à qui écrivez-vous ?

— A M. de Charny, madame, répondit Gilbert.

— A M. de Charny ! s'écria la reine pâlissant et frémissant à la fois. Et pour quoi faire lui écrivez-vous ?

— Pour qu'il obtienne de Votre Majesté ce que je n'en puis obtenir.

— M. de Charny est trop heureux pour penser à ses amis malheureux : il ne viendra pas, dit la reine.

La porte s'ouvrit : un huissier parut.

— M. le comte de Charny, qui arrive à l'instant même, dit l'huissier, demande s'il peut présenter ses hommages à Votre Majesté.

De pâle qu'elle était, la reine devint livide ; elle balbutia quelques mots inintelligibles.

— Qu'il entre ! qu'il entre ! dit Gilbert ; c'est le Ciel qui l'envoie !

Charny parut à la porte en costume d'officier de marine.

— Oh ! venez, monsieur ! lui dit Gilbert ; je vous écrivais.

Et il lui remit la lettre.

— J'ai su le danger que courait Sa Majesté, et je suis venu, dit Charny en s'inclinant.

— Madame, madame, dit Gilbert, au nom du ciel, écoutez ce que va dire M. de Charny : sa voix sera celle de la France.

Et, saluant respectueusement la reine et le comte, Gilbert sortit, emportant un dernier espoir.

LA NUIT DU 9 AU 10 AOÛT

Que nos lecteurs nous permettent de les transporter dans une maison de la rue de l'Ancienne-Comédie, près de la rue Dauphine.

Au premier étage demeurait Fréron.

Passons devant sa porte ; nous y sonnerions inutilement : il est au second, chez son ami Camille Desmoulins.

Pendant que nous montons les dix-sept marches qui séparent un étage de l'autre, disons rapidement ce qu'était Fréron.

Fréron (Louis-Stanislas) était le fils du fameux Élie-Catherine Fréron, si injustement et si cruellement attaqué par Voltaire ; quand on relit aujourd'hui les articles de critique dirigés par le journaliste contre l'auteur de *La Pucelle*, du *Dictionnaire philosophique* et de *Mahomet*, on est tout étonné de voir que le journaliste en disait juste, en 1754, ce que nous en pensons en 1854, c'est-à-dire cent ans après.

Fréron, le fils, qui avait alors trente-cinq ans, irrité par les injustices dont il avait vu accabler son père — mort de chagrin en 1776, à la suite de la suppression par le garde des Sceaux Miromesnil de son journal *L'Année littéraire* —, Fréron avait embrassé avec ardeur les principes révolutionnaires, et publiait ou allait publier à cette époque *L'Orateur du Peuple*.

Dans la soirée du 9 août, il était, comme nous l'avons dit, chez Camille Desmoulins, où il soupait avec Brune, le futur maréchal de France, et, en attendant, prote dans une imprimerie.

Barbaroux et Rebecqui étaient les deux autres convives.

Une seule femme assistait à ce repas, qui avait quelque ressemblance avec celui que faisaient les martyrs avant d'aller au cirque, et que l'on appelait le *repas libre*.

Cette femme, c'était Lucile.

Doux nom, charmante femme, qui ont laissé un douloureux souvenir dans les annales de la Révolution !

Nous ne pourrons pas t'accompagner dans ce livre, du moins jusqu'à l'échafaud où tu voulus monter, aimante et poétique créature, parce que c'était la route la plus courte pour rejoindre ton mari ; mais nous allons, en passant, esquisser ton portrait en deux coups de plume.

Un seul portrait reste de toi, pauvre enfant ! Tu es morte si jeune, que le peintre a été, pour ainsi dire, forcé de te saisir au passage. C'est une miniature que nous avons vue dans cette admirable collection du colonel Morin que l'on a laissée se disperser, toute précieuse qu'elle était, à la mort de cet excellent homme, qui mettait avec tant de complaisance ses trésors à notre disposition.

Dans ce portrait, Lucile paraît petite, jolie, mutine surtout ; il y a quelque chose d'essentiellement plébéien sur son charmant visage. En effet, fille d'un ancien commis aux Finances et d'une très belle créature que l'on prétendait avoir été la maîtresse du ministre des Finances Terray, Lucile, ainsi que le prouve son nom, Lucile Duplessis-Laridon, était, comme madame Roland, d'une extraction vulgaire.

Un mariage d'inclination avait, en 1791, uni à cette jeune fille, relativement riche pour lui, cet enfant terrible, ce gamin de génie que l'on appelait Camille Desmoulins.

Camille, pauvre, assez laid, parlant difficilement, à cause de ce bégaiement qui l'empêcha d'être orateur et en fit peut-être le grand écrivain que vous savez, Camille l'avait séduite à la fois par la finesse de son esprit et la bonté de son cœur.

Camille, quoiqu'il fût de l'avis de Mirabeau, qui avait dit : « Vous ne ferez jamais rien de la Révolution si vous ne la *déchristianisez* pas », Camille s'était marié à l'église Saint-Sulpice selon le rite catholique ; mais, en 1792, un fils lui étant né, il porta ce fils à l'hôtel de ville, et réclama pour lui le baptême républicain.

C'était là, dans un appartement du second étage de cette maison de la rue de l'Ancienne-Comédie, que venait de se dérouler, au grand effroi et en même temps au grand orgueil de Lucile, tout ce plan d'insurrection que Barbaroux avouait naïvement avoir envoyé, trois jours auparavant, dans une culotte de nankin à sa blanchisseuse.

Aussi Barbaroux, qui n'avait pas grande confiance dans la réussite du coup de main qu'il avait préparé lui-même, et qui craignait de tomber au pouvoir de la cour victorieuse, montrait-il, avec une simplicité tout antique, un poison préparé, comme celui de Condorcet, par Cabanis.

Au commencement du souper, Camille, qui n'avait guère plus d'espoir que Barbaroux, avait dit, en levant son verre, pour ne pas être entendu de Lucile :

— *Edamus et bibamus, cras enim moriemur*[1] !

Mais Lucile avait compris.

— Bon ! avait-elle dit, pourquoi parler une langue que je n'entends pas ? Je devine bien ce que tu dis, va, Camille ! et ce n'est pas moi, sois tranquille, qui t'empêcherai de remplir ta mission.

Et, sur cette assurance, on avait parlé librement et tout haut.

1. Mangeons et buvons ; car nous mourrons demain !

Fréron était le plus résolu de tous : on savait qu'il aimait une femme d'un amour sans espoir, bien qu'on ignorât quelle était cette femme. Son désespoir, à la mort de Lucile, révéla ce secret fatal.

— Et toi, Fréron, lui demanda Camille, as-tu du poison ?

— Oh ! moi, dit-il, si nous ne réussissons pas demain, je me fais tuer ! Je suis si las de la vie, que je ne cherche qu'un prétexte pour m'en débarrasser.

Rebecqui était celui qui avait le meilleur espoir dans le résultat de la lutte.

— Je connais mes Marseillais, disait-il ; c'est moi qui les ai choisis de ma main : je suis sûr d'eux, depuis le premier jusqu'au dernier ; pas un ne reculera !

Après le souper, on proposa d'aller chez Danton.

Barbaroux et Rebecqui refusèrent en disant qu'ils étaient attendus à la caserne des Marseillais.

C'était à la porte, à vingt pas à peine de la maison de Camille Desmoulins.

Fréron avait rendez-vous à la Commune avec Sergent et Manuel.

Brune passait la nuit chez Santerre.

Chacun se rattachait à l'événement par un fil qui lui était propre.

On se sépara. Camille et Lucile seuls allaient chez Danton.

Les deux ménages étaient très liés, non seulement les hommes, mais encore les femmes.

On connaît Danton ; nous-même, plus d'une fois, derrière les maîtres qui l'ont peint à grands traits, nous avons été appelé à le reproduire.

Sa femme est moins connue ; disons-en quelques mots.

C'était encore chez le colonel Morin que l'on pouvait retrouver un souvenir de cette femme remarquable, qui fut, de la part de son mari, l'objet d'une si profonde adoration ; seulement, ce n'était point une miniature qui restait d'elle comme de Lucile : c'était un plâtre.

Michelet croit que ce plâtre avait été moulé après la mort.

Le caractère en était la bonté, le calme et la force.

Sans être déjà malade de la maladie qui la tua en 1793, elle était déjà triste et inquiète, comme si, étant toute proche de la mort, elle eût eu des perceptions de l'avenir.

La tradition ajoute qu'elle était pieuse et timide.

Elle s'était, cependant, un jour, malgré cette timidité et cette piété, vigoureusement prononcée, quoique son avis fût opposé à celui de ses parents : c'était le jour où elle avait déclaré qu'elle voulait épouser Danton.

Comme Lucile dans Camille Desmoulins, elle avait, elle, derrière cette face sombre et bouleversée, dans l'homme ignoré, sans réputation ni fortune, reconnu le dieu qui, comme Jupiter fit à Sémélé, devait la dévorer en se révélant à elle.

On sentait que c'était une fortune terrible et pleine de tempêtes que celle à laquelle s'attachait la pauvre créature ; mais peut-être y eut-il dans sa décision autant de piété que d'amour pour cet ange de ténèbres et de lumière, qui devait avoir le funeste honneur de résumer cette grande année de 1792, comme Mirabeau résume 1791, comme Robespierre résume 1793.

Lorsque Camille et Lucile arrivèrent chez Danton, — les deux ménages demeuraient porte à porte : Lucile et Camille, nous l'avons dit, rue de l'Ancienne-Comédie ; Danton, rue du Paon-Saint-André, — madame Danton pleurait, et, d'un air résolu, Danton essayait de la consoler.

La femme alla à la femme, l'homme à l'homme.

Les femmes s'embrassèrent, les hommes se serrèrent la main.

— Crois-tu qu'il y aura quelque chose ? demanda Camille.

— Je l'espère, répondit Danton. Cependant, Santerre est tiède. Par bonheur, à mon avis, l'affaire de demain n'est point une affaire d'intérêt personnel, de meneur individuel : l'irritation d'une longue misère, l'indignation publique, le sentiment de l'approche de l'étranger, la conviction que la France est trahie, voilà sur quoi il faut compter. Quarante-sept sections, sur quarante-huit, ont voté la déchéance du roi ; elles ont nommé chacune trois commissaires pour se réunir à la Commune, et sauver la patrie.

— Sauver la patrie, dit Camille en secouant la tête, c'est bien vague.

— Oui ; mais, en même temps, c'est bien étendu.

— Et Marat ? et Robespierre ?

— On n'a vu naturellement ni l'un ni l'autre : l'un est caché dans son grenier, l'autre dans sa cave. L'affaire finie, on verra reparaître l'un comme une belette, l'autre comme un hibou.

— Et Pétion ?

— Ah ! bien malin qui dira pour qui il est ! Le 4, il a déclaré la guerre au château ; le 8, il a averti le département qu'il ne répondait plus de la sûreté du roi ; ce matin, il a proposé l'établissement des gardes nationaux sur le Carrousel ; ce soir, il a demandé au département vingt mille francs pour renvoyer les Marseillais.

— Il veut endormir la cour, dit Camille Desmoulins.

— Je le crois aussi, dit Danton.

En ce moment, un nouveau couple entra ; c'étaient M. et madame Robert.

Madame Robert (mademoiselle de Kéralio) dictait, le 17 juillet 1791, sur l'autel de la Patrie, la fameuse pétition que son mari écrivait.

Tout au contraire des deux autres couples, où les

maris étaient supérieurs aux femmes, ici la femme était supérieure au mari.

Robert était un gros homme de trente-cinq à quarante ans, membre du club des Cordeliers, avec plus de patriotisme que de talent, n'ayant aucune facilité pour écrire, grand ennemi de La Fayette, fort ambitieux, si l'on en croit les Mémoires de madame Roland.

Madame Robert avait alors trente-quatre ans ; elle était petite, adroite, spirituelle et fière ; élevée par son père, Guinement de Kéralio, chevalier de Saint-Louis, membre de l'Académie des inscriptions, qui comptait, parmi les écoliers qu'il avait eus, un jeune Corse dont il était loin de prévoir la gigantesque fortune ; — élevée par son père, disons-nous, mademoiselle de Kéralio avait tout bonnement tourné à la savante et à la femme de lettres ; à dix-sept ans, elle écrivait, traduisait, compilait ; à dix-huit ans, elle avait fait un roman : *Adélaïde*. Comme le traitement de son père ne suffisait pas à celui-ci pour vivre, il écrivait dans *Le Mercure* et dans le *Journal des Savants*, et plus d'une fois il y signa des articles de sa fille, qui étaient loin de déparer les siens. C'est ainsi qu'elle arriva à cet esprit vif, rapide, ardent, qui fit d'elle un des plus infatigables journalistes du temps.

Les époux Robert arrivaient du quartier Saint-Antoine.

L'aspect en était étrange, disaient-ils.

La nuit était belle, doucement éclairée, paisible en apparence ; il n'y avait personne ou presque personne dans les rues : seulement, toutes les fenêtres étaient illuminées, et toutes ces lumières semblaient briller pour éclairer la nuit.

C'était d'un effet sinistre ! Ce n'était pas l'illumination d'une fête ; ce n'était pas non plus cette lueur qui veille à la couche des morts ; on sentait en quelque sorte vivre le faubourg à travers ce sommeil fiévreux.

Au moment où madame Robert achevait son récit, le son d'une cloche fit tressaillir tout le monde.

C'était le premier coup du tocsin qui retentissait aux Cordeliers.

— Bon ! dit Danton, je reconnais nos Marseillais ! Je me doutais bien que ce seraient eux qui donneraient le signal.

Les femmes se regardaient avec terreur ; madame Danton surtout portait sur son visage tous les caractères de l'effroi.

— Le signal ? dit madame Robert. On va donc attaquer le château pendant la nuit ?

Personne ne lui répondit ; mais Camille Desmoulins, qui, au premier glas de la cloche, était passé dans la chambre voisine, rentra un fusil à la main.

Lucile poussa un cri ; puis, sentant qu'à cette heure suprême, elle n'avait pas le droit d'amoindrir l'homme qu'elle aimait, elle se jeta dans l'alcôve de madame Danton, tomba à genoux, appuya sa tête sur le lit, et se mit à pleurer.

Camille vint à elle.

— Sois tranquille, lui dit-il, je ne quitterai pas Danton.

Les hommes sortirent ; madame Danton semblait près de mourir ; madame Robert, pendue au cou de son mari, voulait absolument l'accompagner.

Les trois femmes restèrent seules : madame Danton, assise et comme anéantie ; Lucile, à genoux et pleurant ; madame Robert, parcourant la chambre à grands pas, et disant, sans s'apercevoir que chacune de ses paroles frappait au cœur madame Danton :

— Tout cela, tout cela, c'est la faute de Danton ! Si mon mari est tué, je mourrai avec lui ; mais, avant de mourir, je poignarderai Danton.

Une heure à peu près se passa ainsi.

On entendit la porte du palier se rouvrir.

Madame Robert se précipita en avant ; Lucile releva la tête ; madame Danton resta immobile.

C'était Danton qui rentrait.

— Seul ! s'écria madame Robert.

— Rassurez-vous, dit Danton, il ne se passera rien avant demain.

— Mais Camille ? demanda Lucile.

— Mais Robert ? demanda mademoiselle de Kéralio.

— Ils sont aux Cordeliers, où ils rédigent des appels aux armes. Je viens vous donner de leurs nouvelles, vous dire qu'il n'y aura rien cette nuit, et la preuve, c'est que je vais dormir.

Il se jeta, en effet, tout habillé sur son lit, et, cinq minutes après, s'endormit comme si ne se fût pas décidée en ce moment, entre la royauté et le peuple, une question de vie et de mort.

A une heure du matin, Camille rentra à son tour.

— Je vous apporte des nouvelles de Robert, dit-il ; il est allé à la Commune porter nos proclamations... Ne soyez pas inquiètes, c'est pour demain seulement, et encore, et encore !

Camille secoua la tête en homme qui doute.

Puis, cette tête, il alla l'appuyer sur l'épaule de Lucile, et à son tour il s'endormit.

Il dormait depuis une demi-heure à peu près lorsque l'on sonna à la porte.

Madame Robert alla ouvrir.

C'était Robert.

Il venait chercher Danton de la part de la Commune.

Il réveilla Danton.

— Qu'ils aillent..., et qu'ils me laissent dormir ! s'écria celui-ci ; demain, il fera jour.

Robert et sa femme sortirent ; ils rentraient chez eux.

Bientôt on sonna de nouveau.

Ce fut madame Danton qui alla ouvrir.

Elle introduisit un grand garçon blond, d'une vingtaine d'années, habillé en capitaine de la garde nationale ; il tenait un fusil à la main.

— M. Danton ? demanda-t-il.

— Mon ami ! dit madame Danton en éveillant son mari.

— Eh bien, quoi ? fit celui-ci. Encore !

— Monsieur Danton, dit le grand jeune homme blond, on vous attend là-bas.

— Où, là-bas ?

— A la Commune.

— Qui m'attend ?

— Les commissaires des sections, et particulièrement M. Billot.

— L'enragé ! dit Danton. C'est bien ! dites à Billot que je vais y aller.

Puis, regardant ce jeune homme, dont le visage lui était inconnu, et qui portait, encore enfant, les insignes d'un grade presque supérieur :

— Pardon, dit-il, mon officier ; mais qui êtes-vous ?

— Je suis Ange Pitou, monsieur, capitaine de la garde nationale d'Haramont...

— Ah ! ah !

— Ancien vainqueur de la Bastille.

— Bon !

— J'ai reçu hier une lettre de M. Billot, qui me disait que probablement on allait se cogner rudement ici, et que l'on avait besoin de tous les bons patriotes.

— Et alors ?

— Alors, je suis parti avec ceux de mes hommes qui ont bien voulu me suivre ; mais, comme ils sont moins bons marcheurs que moi, ils sont restés à Dammartin. Demain, de bonne heure, ils seront ici.

— A Dammartin ? demanda Danton. Mais c'est à huit lieues d'ici !

— Oui, monsieur Danton.

— Et Haramont, à combien de lieues est-ce de Paris ?

— A dix-neuf lieues... Nous sommes partis ce matin à cinq heures.

— Ah ! ah ! Et vous avez fait vos dix-neuf lieues dans votre journée, vous ?

— Oui, monsieur Danton.

— Et vous êtes arrivé... ?

— A dix heures du soir... J'ai demandé M. Billot ; on m'a dit qu'il était sans doute au faubourg Saint-Antoine, chez M. Santerre. J'ai été chez M. Santerre ; mais, là, on m'a dit qu'on ne l'avait pas vu, et que je le trouverais probablement aux Jacobins, rue Saint-Honoré ; aux Jacobins, on ne l'avait pas vu, et l'on m'a renvoyé aux Cordeliers ; aux Cordeliers, on m'a dit d'aller voir à l'hôtel de ville...

— Et, à l'hôtel de ville, vous l'avez trouvé ?

— Oui, monsieur Danton ; c'est alors qu'il m'a donné votre adresse, et qu'il m'a dit : « Tu n'es pas fatigué, n'est-ce pas, Pitou ? — Non, monsieur Billot. — Eh bien, va dire à Danton que c'est un paresseux, et que nous l'attendons. »

— Morbleu ! dit Danton sautant à bas du lit, voilà un garçon qui me fait honte ! Allons, mon ami, allons !

Et il alla embrasser sa femme, puis sortit avec Pitou.

Sa femme poussa un faible soupir, et renversa sa tête sur le dos de son fauteuil.

Lucile crut qu'elle pleurait et respecta sa douleur.

Cependant, au bout d'un instant, voyant qu'elle ne bougeait pas, elle réveilla Camille ; puis elle alla à madame Danton : la pauvre femme était évanouie.

Les premiers rayons du jour glissaient à travers les fenêtres : la journée promettait d'être belle ; mais, comme si c'eût été un augure néfaste, le ciel était couleur de sang.

Nous avons dit ce qui se passait dans la maison des tribuns ; disons maintenant ce qui se passait à cinq cents pas de là, dans la demeure des rois.

Là aussi, des femmes pleuraient et priaient ; elles pleuraient plus abondamment peut-être : Chateaubriand l'a dit, les yeux des princes sont faits pour contenir une plus grande quantité de larmes.

Cependant, rendons à chacun justice : madame Élisabeth et madame de Lamballe pleuraient et priaient ; la reine priait, mais ne pleurait pas.

On avait soupé à l'heure habituelle : rien ne dérangeait le roi de ses repas.

En sortant de table, et tandis que madame Élisabeth et madame de Lamballe se rendaient dans la pièce connue sous le nom de cabinet du conseil, où il était convenu que la famille royale passerait la nuit pour entendre les rapports, la reine prit le roi à part, et voulut l'entraîner.

— Où me conduisez-vous, madame ? demanda le roi.

— Dans ma chambre... Ne voudrez-vous pas mettre le plastron que vous portiez le 14 juillet dernier, sire ?

— Madame, dit le roi, c'était bon pour me préserver de la balle ou du poignard d'un assassin, un jour de cérémonie et de complot ; mais, dans un jour de combat, dans un jour où mes amis s'exposent pour moi, ce serait une lâcheté que de ne pas m'exposer comme mes amis.

Et, sur ce, le roi quitta la reine pour rentrer dans son appartement, et s'enfermer avec son confesseur.

La reine alla rejoindre au cabinet du conseil madame Élisabeth et madame de Lamballe.

— Que fait le roi ? demanda madame de Lamballe.

— Il se confesse, répondit la reine avec un accent impossible à rendre.

En ce moment, la porte s'ouvrit, et M. de Charny parut.

Il était pâle, mais parfaitement calme.

— Peut-on parler au roi, madame ? dit-il à la reine en s'inclinant.

— Pour le moment, monsieur, répondit la reine, le roi, c'est moi.

Charny le savait mieux que personne ; néanmoins, il insista.

— Vous pouvez monter chez le roi, monsieur, dit la reine ; mais vous le dérangerez fort, je vous jure. Le roi est avec son confesseur.

— C'est donc à vous, madame, répondit Charny, que je ferai mon rapport, comme major général du château.

— Oui, monsieur, dit la reine, si vous le voulez bien.

— J'aurai l'honneur d'exposer à Votre Majesté l'effectif de nos forces. La gendarmerie à cheval, commandée par MM. Rulhières et de Verdière, au nombre de six cents hommes, est rangée en bataille sur la grande place du Louvre ; la gendarmerie à pied de Paris, *intra-muros*, est consignée dans les écuries ; un poste de cent cinquante hommes en a été distrait pour faire, à l'hôtel de Toulouse, une garde qui protégera, au besoin, la caisse de l'extra-ordinaire, la caisse d'escompte et la trésorerie ; la gendarmerie à pied de Paris, *extra-muros*, composée de trente hommes seulement, est postée au petit escalier du roi, cour des Princes ; deux cents officiers et soldats de l'ancienne garde à cheval ou à pied, une centaine de jeunes royalistes, autant de gentilshommes, trois cent cinquante ou quatre cents combattants à peu près sont réunis dans l'Œil-de-bœuf et dans les salles environnantes ; deux ou trois cents gardes nationaux sont éparpillés dans les cours et dans le jardin ; enfin, quinze cents Suisses, qui sont la véritable force du château, viennent de prendre leurs différents postes, et sont placés sous le grand vestibule et au pied des escaliers, qu'ils sont chargés de défendre.

— Eh bien, monsieur, répondit la reine, toutes ces mesures ne vous rassurent-elles pas ?

— Rien ne me rassure, madame, reprit Charny, lorsqu'il s'agit du salut de Votre Majesté.

— Ainsi, monsieur, votre avis est toujours pour la fuite ?

— Mon avis, madame, est que vous vous mettiez, le roi, vous, les augustes enfants de Votre Majesté, au milieu de nous tous.

La reine fit un mouvement.

— Votre Majesté répugne à La Fayette : soit ! Mais elle a confiance en M. le duc de Liancourt ; il est à Rouen, madame ; il y a loué la maison d'un gentilhomme anglais nommé M. Canning ; le commandant de la province a fait jurer à ses troupes fidélité au roi ; le régiment suisse de Salis-Samade, sur lequel on peut compter, est échelonné sur la route. Tout est encore tranquille : sortons par le pont Tournant, gagnons la barrière de l'Étoile ; trois cents hommes de cavalerie de la garde constitutionnelle nous y attendent ; on réunira facilement à Versailles quinze cents gentilshommes. Avec quatre mille hommes, je réponds de vous conduire où vous voudrez.

— Merci, monsieur de Charny, dit la reine ; j'apprécie le dévouement qui vous a fait quitter les personnes qui vous sont chères pour venir offrir vos services à une étrangère...

— La reine est injuste pour moi, interrompit Charny ; l'existence de ma souveraine sera toujours à mes yeux la plus précieuse de toutes les existences, comme le devoir me sera toujours la plus chère de toutes les vertus.

— Le devoir, oui, monsieur, murmura la reine ; mais, moi aussi, puisque chacun en est à faire son devoir, je crois bien comprendre le mien : le mien est de maintenir la royauté noble et grande, et de veiller, si on la frappe, à ce qu'elle soit frappée debout, et tombe dignement, comme faisaient ces gladiateurs antiques qui s'étudiaient à mourir avec grâce.

— C'est le dernier mot de Votre Majesté ?

— C'est surtout mon dernier désir.

Charny salua, et, rencontrant près de la porte madame Campan, qui venait rejoindre les princesses :

— Invitez Leurs Altesses, madame, dit-il, à mettre dans leurs poches ce qu'elles ont de plus précieux : il se peut que, d'un moment à l'autre, nous soyons obligés de quitter le château.

DE NEUF HEURES A MIDI

Quand on touche à un point de l'histoire aussi important que celui où nous sommes arrivés, on ne doit omettre aucun détail, attendu que l'un se rattache à un autre, et que l'adjonction exacte de tous ces détails forme la longueur et la largeur de cette toile savante qui se déroule aux yeux de l'avenir, entre les mains du passé.

Le capitaine suisse Durler montait chez le roi pour demander à lui ou au major général les derniers ordres.

Charny aperçut le bon capitaine, cherchant quelque huissier ou quelque valet de chambre qui pût l'introduire auprès du roi.

— Que désirez-vous, capitaine ? demanda-t-il.

— N'êtes-vous pas le major général ? dit M. Durler.

— Oui, capitaine.

— Je viens prendre les derniers ordres, monsieur, attendu que la tête de colonne de l'insurrection commence à paraître sur le Carrousel.

— On vous recommande de ne pas vous laisser forcer, monsieur, le roi étant décidé à mourir au milieu de vous.

— Soyez tranquille, monsieur le major, répondit simplement le capitaine Durler.

Et il alla porter à ses compagnons cet ordre, qui était leur arrêt de mort.

En effet, comme l'avait dit le capitaine Durler, l'avant-garde de l'insurrection commençait à paraître.

C'étaient ces mille hommes armés de piques, en tête desquels marchaient une vingtaine de Marseillais et douze ou quinze gardes-françaises ; dans les rangs de ces derniers brillaient les épaulettes d'or d'un jeune capitaine.

Ce jeune capitaine, c'était Pitou, qui, recommandé par Billot, avait été chargé d'une mission que nous allons lui voir exposer tout à l'heure.

Derrière cette avant-garde venait, à la distance d'un demi-quart de lieue à peu près, un corps considérable de gardes nationaux et de fédérés précédés par une batterie de douze pièces de canon.

Les Suisses, lorsque l'ordre du major général leur fut communiqué, se rangèrent silencieusement et résolument chacun à son poste, gardant ce froid et sombre silence de la résolution.

Les gardes nationaux, moins sévèrement disciplinés, mirent à la fois dans leurs dispositions plus de bruit et de désordre, mais une résolution égale.

Les gentilshommes, mal organisés, n'ayant que des armes de courte portée, — épées ou pistolets, — sachant qu'il s'agissait cette fois d'un combat à mort, virent, avec une espèce d'ivresse fiévreuse, approcher le moment où ils allaient se trouver en contact avec le peuple, ce vieil adversaire, cet éternel athlète, ce lutteur toujours vaincu et, cependant, grandissant toujours depuis huit siècles !

Pendant que les assiégés ou ceux qui allaient l'être prenaient ces dispositions, on frappait à la porte de la cour Royale, et plusieurs voix criaient : « Parlementaire ! » tandis qu'on faisait flotter au-dessus du mur un mouchoir blanc fixé à la lance d'une pique.

On alla chercher Rœderer.

A moitié chemin, on le rencontra.

— On frappe à la porte Royale, monsieur, lui dit-on.

— J'ai entendu les coups, et j'y vais.

— Que faut-il faire ?

— Ouvrez.

L'ordre fut transmis au concierge, qui ouvrit la porte, et se sauva à toutes jambes.

Rœderer se trouva en face de l'avant-garde des hommes à piques.

— Mes amis, dit Rœderer, vous avez demandé que l'on ouvrît la porte à un parlementaire, et non à une armée. Où est le parlementaire ?

— Me voici, monsieur, dit Pitou avec sa douce voix et son bienveillant sourire.

— Qui êtes-vous ?

— Je suis le capitaine Ange Pitou, chef des fédérés d'Haramont.

Rœderer ne savait pas ce que c'était que les fédérés d'Haramont ; mais, comme le temps était précieux, il ne jugea point à propos de le demander.

— Que désirez-vous ? reprit-il.

— Je désire avoir le passage pour moi et mes amis.

Les amis de Pitou, en haillons, brandissant leurs piques, et faisant de gros yeux, paraissaient de fort dangereux ennemis.

— Le passage ! et pour quoi faire ?

— Pour aller bloquer l'Assemblée... Nous avons douze pièces de canon ; pas une ne tirera, si l'on fait ce que nous voulons.

— Et que voulez-vous ?

— La déchéance du roi.

— Monsieur, dit Rœderer, la chose est grave !

— Très grave, oui, monsieur, répondit Pitou avec sa politesse accoutumée.

— Elle mérite donc qu'on en délibère.

— C'est trop juste ! répondit Pitou.

Et, regardant l'horloge du château :

— Il est dix heures moins un quart, dit-il ; nous

vous donnons jusqu'à dix heures ; si, à dix heures sonnantes, nous n'avons pas de réponse, nous attaquons.

— En attendant, vous permettez qu'on referme la porte, n'est-ce pas ?

— Sans doute.

Puis, s'adressant à ses acolytes :

— Mes amis, dit-il, permettez qu'on referme la porte.

Et il fit signe aux plus avancés des hommes à piques de reculer.

Ils obéirent, et la porte fut refermée sans difficulté.

Mais, grâce à cette porte ouverte un instant, les assiégeants avaient pu juger des préparatifs formidables faits pour les recevoir.

Cette porte fermée, l'envie prit aux hommes de Pitou de continuer à parlementer.

Quelques-uns se hissèrent sur les épaules de leurs camarades, montèrent sur le mur, s'y établirent à califourchon, commencèrent à causer avec la garde nationale.

La garde nationale rendit la main, et causa.

Le quart d'heure s'écoula ainsi.

Alors, un homme vint du château, et donna l'ordre d'ouvrir la porte.

Cette fois, le concierge était blotti dans sa loge, et ce furent les gardes nationaux qui levèrent les barres.

Les assiégeants crurent que leur demande leur était accordée ; aussitôt la porte ouverte, ils entrèrent comme des hommes qui ont longtemps attendu, et que de puissantes mains poussent par-derrière, c'est-à-dire en foule, appelant les Suisses à grands cris, mettant les chapeaux au bout des piques et des sabres, et criant : « Vive la nation ! vive la garde nationale ! vivent les Suisses ! »

Les gardes nationaux répondirent aux cris de « Vive la nation ! »

Les Suisses gardèrent un sombre et profond silence.

A la bouche des canons seulement, les assaillants s'arrêtèrent et regardèrent devant eux et autour d'eux.

Le grand vestibule était plein de Suisses, placés sur trois de hauteur ; un rang se tenait, en outre, sur chaque marche de l'escalier ; ce qui permettait à six rangs de faire feu à la fois.

Quelques-uns des insurgés commencèrent à réfléchir, et au nombre de ceux-là était Pitou ; seulement, il était déjà un peu tard pour réfléchir.

Au reste, c'est ce qui arrive toujours en pareille circonstance à ce brave peuple, dont le caractère principal est d'être enfant, c'est-à-dire tantôt bon, tantôt cruel.

En voyant le danger, il n'eut pas un instant l'idée de le fuir ; mais il essaya de le tourner, en plaisantant avec les gardes nationaux et les Suisses.

Les gardes nationaux n'étaient pas éloignés de plaisanter eux-mêmes ; mais les Suisses gardaient leur sérieux ; car, cinq minutes avant l'apparition de l'avant-garde insurrectionnelle, voici ce qui était arrivé :

Les gardes nationaux patriotes s'étaient séparés des gardes nationaux royalistes, et, en se séparant de leurs concitoyens, ils avaient, en même temps, fait leurs adieux aux Suisses, dont ils estimaient et plaignaient le courage.

Ils avaient ajouté qu'ils recevraient dans leurs maisons, comme des frères, ceux des Suisses qui voudraient les suivre.

Alors, deux Vaudois, répondant à cet appel fait dans leur langue, avaient quitté leur rang, et étaient venus se jeter dans les bras des Français, c'est-à-dire de leurs véritables compatriotes.

Mais, au même instant, deux coups de fusil étaient partis des fenêtres du château, et deux balles avaient atteint les déserteurs dans les bras mêmes de leurs nouveaux amis.

Les officiers suisses, excellents tireurs, chasseurs d'isards et de chamois, avaient trouvé ce moyen de couper court à la désertion.

La chose avait, en outre, on le comprendra, rendu les autres Suisses sérieux jusqu'au mutisme.

Quant aux hommes qui venaient d'être introduits dans la cour, armés de vieux pistolets, de vieux fusils et de piques neuves, c'est-à-dire plus mal armés que s'ils n'avaient pas eu d'armes, c'étaient de ces étranges précurseurs de révolution comme nous en avons vu en tête de toutes les grandes émeutes, et qui accourent en riant ouvrir l'abîme où va s'engloutir un trône ; — parfois plus qu'un trône : une monarchie !

Les canonniers étaient venus à eux, la garde nationale paraissait toute portée à y venir ; ils tâchèrent de décider les Suisses à en faire autant.

Ils ne s'apercevaient pas que le temps s'écoulait, que leur chef Pitou avait donné à M. Rœderer jusqu'à dix heures, et qu'il était dix heures un quart.

Ils s'amusaient : pourquoi auraient-ils compté les minutes ?

L'un d'eux avait, non pas une pique, non pas un fusil, non pas un sabre, mais une perche à abaisser les branches d'arbres, c'est-à-dire une perche à crochet.

Il dit à son voisin :

— Si je pêchais un Suisse ?

— Pêche ! lui dit le voisin.

Et notre homme accrocha un Suisse par sa buffle-terie, et attira le Suisse à lui.

Le Suisse ne résista que juste ce qu'il fallait pour avoir l'air de résister.

— Ça mord ! dit le pêcheur.

— Alors, va en douceur ! dit l'autre.

L'homme à la perche alla en douceur, et le Suisse passa du vestibule dans la cour, comme un poisson passe de la rivière sur la berge.

Ce furent de grandes acclamations et de grands éclats de rire.

— Un autre ! un autre ! cria-t-on de tous côtés.

Le pêcheur avisa un autre Suisse, qu'il accrocha comme le premier.

Après le second, vint un troisième, puis un quatrième, puis un cinquième.

Tout le régiment y eût passé, si l'on n'eût entendu retentir le mot *En joue* !

En voyant s'abaisser les fusils avec le bruit régulier et la précision mécanique qui accompagnent ce mouvement chez les troupes régulières, un des assaillants — il y a toujours, en pareille circonstance, un insensé qui donne le signal du massacre — un des assaillants tira un coup de pistolet sur une des fenêtres du château.

Pendant le court intervalle qui, dans le commandement, sépare le mot *En joue* ! du mot *Feu* ! Pitou comprit tout ce qui allait se passer.

— Ventre à terre ! cria-t-il à ses hommes ; ventre à terre, ou vous êtes tous morts !

Et, joignant l'exemple au précepte, il se jeta à terre.

Mais, avant que sa recommandation eût eu le temps d'être suivie, le mot *Feu* ! retentit sous le vestibule, qui s'emplit de bruit et de fumée, en crachant, comme une immense espingole, une grêle de balles.

La masse compacte, — la moitié de la colonne peut-être était entrée dans la cour, — la masse compacte ondoya comme une moisson courbée par le vent, puis comme une moisson sciée par la faucille, et chancela et s'affaissa sur elle-même.

Le tiers à peine était resté vivant !

Ce tiers s'enfuit, passant sous le feu des deux lignes et sous celui des baraques ; lignes et baraques tirèrent à bout portant.

Les tireurs se fussent tués les uns les autres s'ils

n'avaient pas eu entre eux un si épais rideau d'hommes.

Le rideau se déchira par larges lambeaux ; quatre cents hommes restèrent couchés sur le pavé, dont trois cents tués roides !

Les cent autres, blessés plus ou moins mortellement, se plaignant, essayant de se relever, retombant, donnaient à certaines parties de ce champ de cadavres une mobilité pareille à celle d'un flot expirant, mobilité effroyable à voir !

Puis, peu à peu, tout s'affaissa, et, à part quelques entêtés qui s'obstinèrent à vivre, tout rentra dans l'immobilité.

Les fuyards se répandirent dans le Carrousel, débordant d'un côté sur les quais, de l'autre dans la rue Saint-Honoré, en criant : « Au meurtre ! on nous assassine ! »

Au pont Neuf, à peu près, ils rencontrèrent le gros de l'armée.

Ce gros de l'armée était commandé par deux hommes à cheval suivis d'un homme à pied, et qui semblait, quoique à pied, avoir part au commandement.

— Ah ! crièrent les fuyards, reconnaissant, dans un de ces deux cavaliers, le brasseur du faubourg Saint-Antoine, — remarquable par sa taille colossale, à laquelle servait de piédestal un énorme cheval flamand, — ah ! monsieur Santerre, à nous ! à l'aide ! on égorge nos frères !

— Qui cela ? demanda Santerre.

— Les Suisses ! ils ont tiré sur nous, *tandis que nous avions la bouche à leur joue.*

Santerre se retourna vers le second cavalier.

— Que pensez-vous de cela, monsieur ? lui demanda-t-il.

— Ma foi ! dit, avec un accent allemand très prononcé, le second cavalier, qui était un petit homme blond, portant les cheveux coupés en brosse, je pense qu'il y a un proverbe militaire qui dit : « Le soldat doit se porter où il entend le bruit de la fusillade ou du canon. » Portons-nous où se fait le bruit !

— Mais, demanda l'homme à pied à l'un des fuyards, vous aviez avec vous un jeune officier ; je ne le vois plus.

— Il est tombé le premier, citoyen représentant ; et c'est un malheur, car c'était un bien brave jeune homme !

— Oui, c'était un brave jeune homme ! répondit, en pâlissant légèrement, celui à qui l'on avait donné le titre de représentant ; oui, c'était un brave jeune homme ! aussi va-t-il être bravement vengé ! — En avant, monsieur Santerre !

— Je crois, mon cher Billot, dit Santerre, que, dans une si grave affaire, il faut appeler à notre aide non seulement le courage, mais encore l'expérience.

— Soit.

— En conséquence, je propose de remettre le commandement général au citoyen Westermann, — qui est un vrai général, et un ami du citoyen Danton, — m'offrant de lui obéir le premier comme simple soldat.

— Tout ce que vous voudrez, dit Billot, pourvu que nous marchions sans perdre un instant.

— Acceptez-vous le commandement, citoyen Westermann ? demanda Santerre.

— J'accepte, répondit laconiquement le Prussien.

— En ce cas, donnez vos ordres.

— En avant ! cria Westermann.

Et l'immense colonne, arrêtée un instant, se remit en route.

Au moment où son avant-garde pénétrait à la fois dans le Carrousel par les guichets de la rue de l'Échelle et par ceux des quais, onze heures sonnaient à l'horloge des Tuileries.

En rentrant au château, Rœderer trouva le valet

de chambre, qui le cherchait de la part de la reine ; lui-même cherchait la reine, sachant que, dans ce moment, elle était la vraie force du château.

Il fut donc heureux d'apprendre qu'elle l'attendait dans un endroit écarté où il pourrait lui parler seul et sans être interrompu.

En conséquence, il monta derrière Weber.

La reine était assise près de la cheminée, le dos tourné à la fenêtre.

Au bruit que fit la porte, elle se retourna vivement.

— Eh bien, monsieur ?... demanda-t-elle interrogeant sans donner un but positif à son interrogation.

— La reine m'a fait l'honneur de m'appeler ? répondit Rœderer.

— Oui, monsieur ; vous êtes un des premiers magistrats de la ville ; votre présence au château est un bouclier pour la royauté : je veux donc vous demander ce que nous avons à espérer ou à craindre.

— A espérer, peu de chose, madame ; à craindre, tout !

— Le peuple marche donc décidément contre le château ?

— Son avant-garde est sur le Carrousel, et parlemente avec les Suisses.

— Parlemente, monsieur ? Mais j'ai fait donner aux Suisses l'ordre de repousser la force par la force. Seraient-ils disposés à désobéir ?

— Non, madame ; les Suisses mourront à leur poste.

— Et nous au nôtre, monsieur ; de même que les Suisses sont des soldats au service des rois, les rois sont des soldats au service de la monarchie.

Rœderer se tut.

— Aurais-je le malheur d'être d'un avis qui ne s'accordât point avec le vôtre ? demanda la reine.

— Madame, dit Rœderer, je n'aurai d'avis que si Votre Majesté me fait la grâce de m'en demander un.

— Monsieur, je vous le demande.

— Eh bien, madame, je vais vous le dire avec la franchise d'un homme convaincu. Mon avis est que le roi est perdu s'il reste aux Tuileries.

— Mais, si nous ne restons pas aux Tuileries, où irons-nous ? s'écria la reine se levant tout effrayée.

— Il n'y a plus, à l'heure qu'il est, dit Rœderer, qu'un asile qui puisse protéger la famille royale.

— Lequel, monsieur ?

— L'Assemblée nationale.

— Comment avez-vous dit, monsieur ? demanda la reine clignant rapidement des yeux, et interrogeant, comme une femme persuadée qu'elle a mal entendu.

— L'Assemblée nationale, répéta Rœderer.

— Et vous croyez, monsieur, que je demanderai quelque chose à ces gens-là ?

Rœderer se tut.

— Ennemis pour ennemis, monsieur, j'aime mieux ceux qui nous attaquent en face et au grand jour que ceux qui veulent nous détruire par-derrière et dans l'ombre !

— Eh bien, madame, alors, décidez-vous : allez en avant vers le peuple, ou battez en retraite vers l'Assemblée.

— Battre en retraite ? Mais sommes-nous donc tellement dépourvus de défenseurs, que nous soyons forcés de battre en retraite avant même d'avoir essuyé le feu ?

— Voulez-vous, avant de prendre une résolution, madame, écouter le rapport d'un homme compétent, et connaître les forces dont vous pouvez disposer ?

— Weber, va me chercher un des officiers du château, soit M. Maillardoz, soit M. de la Chesnaye, soit...

Elle allait dire : « Soit le comte de Charny » ; elle s'arrêta.

Weber sortit.

— Si Votre Majesté voulait s'approcher de la fenêtre, elle jugerait par elle-même.

La reine fit, avec une répugnance visible, quelques pas vers la fenêtre, écarta les rideaux, et vit le Carrousel, et même la cour Royale remplis d'hommes à piques.

— Mon Dieu ! s'écria-t-elle, mais que font donc là ces hommes ?

— Je l'ai dit à Votre Majesté, ils parlementent.

— Mais ils sont entrés jusque dans la cour du château !

— J'ai cru devoir gagner du temps pour donner à Votre Majesté le loisir de prendre une résolution.

En ce moment, la porte s'ouvrit.

— Venez ! venez ! s'écria la reine sans savoir à qui elle s'adressait.

Charny entra.

— Me voici, madame, dit-il.

— Ah ! c'est vous ! alors je n'ai rien à vous demander ; car tout à l'heure vous m'avez déjà dit ce qu'il nous restait à faire.

— Et, selon monsieur, demanda Rœderer, il vous reste... ?

— A mourir ! dit la reine.

— Vous voyez que ce que je vous propose est préférable, madame.

— Oh ! sur mon âme, je n'en sais rien, dit la reine.

— Que propose monsieur ? demanda Charny.

— De conduire le roi à l'Assemblée.

— Cela n'est point la mort, dit Charny, mais c'est la honte !

— Vous entendez, monsieur ! dit la reine.

— Voyons, reprit Rœderer, n'y aurait-il pas un parti moyen ?

Weber s'avança.

— Je suis bien peu de chose, dit-il, et je sais qu'il est bien hardi à moi de prendre la parole en pareille compagnie ; mais peut-être mon dévouement m'inspire-t-il... Si l'on se contentait de demander à l'Assemblée d'envoyer une députation pour veiller à la sûreté du roi ?

— Eh bien, soit, dit la reine, à cela je consens... Monsieur de Charny, si vous approuvez cette proposition, allez, je vous prie, la soumettre au roi.

Charny s'inclina et sortit.

— Suis le comte, Weber, et rapporte-moi la réponse du roi.

Weber sortit derrière le comte.

La présence de Charny, froid, grave, dévoué, était, sinon pour la reine, du moins pour la femme, un si cruel reproche, qu'elle ne le revoyait qu'en frissonnant.

Puis peut-être avait-elle quelque pressentiment terrible de ce qui allait se passer.

Weber rentra.

— Le roi accepte, madame, dit-il, et MM. Champion et Dejoly se rendent à l'instant à l'Assemblée pour porter la demande de Sa Majesté.

— Mais regardez donc ! fit la reine.

— Quoi, madame ? demanda Rœderer.

— Que font-ils là ?

Les assiégeants étaient occupés à pêcher des Suisses.

Rœderer regarda ; mais, avant qu'il eût eu le temps de se faire une idée de ce qui se passait, un coup de pistolet éclata qui fut suivi de la formidable décharge.

Le château trembla, comme ébranlé dans ses fondements.

La reine poussa un cri, recula d'un pas, puis, entraînée par la curiosité, revint à la fenêtre.

— Oh ! voyez ! voyez ! s'écria-t-elle les yeux enflammés, ils fuient ! ils sont en déroute ! Que disiez-vous donc, monsieur Rœderer, que nous n'avions plus d'autre ressource que l'Assemblée ?

— Sa Majesté, répondit Rœderer, veut-elle me faire la grâce de me suivre ?

— Voyez ! voyez ! continua la reine, voici les Suisses qui font une sortie, et qui les poursuivent... Oh ! le Carrousel est libre ! Victoire ! Victoire !

— Par pitié pour vous-même, madame, dit Rœderer, suivez-moi.

La reine revint à elle et suivit le syndic.

— Où est le roi ? demanda Rœderer au premier valet de chambre qu'il rencontra.

— Le roi est dans la galerie du Louvre, répondit celui-ci.

— C'est justement là que je voulais conduire Votre Majesté, dit Rœderer.

La reine suivit, sans se faire une idée de l'intention de son guide.

La galerie était barricadée à moitié de sa longueur, et coupée au tiers ; deux ou trois cents hommes la défendaient et pouvaient se replier sur les Tuileries au moyen d'une espèce de pont volant qui, repoussé du pied par le dernier fuyard, tombait du premier étage au rez-de-chaussée.

Le roi était à une fenêtre avec MM. de la Chesnaye, Maillardoz et cinq ou six gentilshommes.

Il tenait une lunette à la main.

La reine courut au balcon, et n'eut pas besoin de lunette pour voir ce qui se passait.

L'armée de l'insurrection approchait longue et épaisse, couvrant toute la largeur du quai, et s'étendant à perte de vue.

Par le pont Neuf, le faubourg Saint-Marceau faisait sa jonction avec le faubourg Saint-Antoine.

Toutes les cloches de Paris sonnaient frénétiquement le tocsin, le bourdon de Notre-Dame couvrant de sa grosse voix toutes ces vibrations de bronze.

Un soleil ardent rejaillissait en milliers d'éclairs sur les canons des fusils et sur les fers des lances.

Puis, comme le bruit lointain de l'orage, on entendait le roulement sourd des pièces d'artillerie.

— Eh bien, madame ? demanda Rœderer.

Une cinquantaine de personnes s'étaient amassées derrière le roi.

La reine jeta un long regard sur toute cette foule qui l'entourait ; ce regard semblait aller jusqu'au fond des cœurs chercher tout ce qu'il y pouvait rester de dévouement.

Puis, muette, pauvre femme ! ne sachant à qui s'adresser, ni quelle prière faire, elle prit son enfant, le montrant aux officiers suisses, aux officiers de la garde nationale, aux gentilshommes.

Ce n'était plus la reine demandant un trône pour son héritier : c'était la mère en détresse au milieu d'un incendie, et criant : « Mon enfant ! qui sauvera mon enfant ? »

Pendant ce temps, le roi causait tout bas avec le syndic de la Commune, ou plutôt Rœderer lui répétait ce qu'il avait déjà dit à la reine.

Deux groupes bien distincts s'étaient formés autour des deux augustes personnages : le groupe du roi, froid, grave, composé de conseillers qui semblaient approuver l'avis émis par Rœderer ; le groupe de la reine, ardent, enthousiaste, nombreux, composé de jeunes militaires agitant leurs chapeaux, tirant leurs épées, levant les mains vers le dauphin, baisant à genoux la robe de la reine, jurant de mourir pour l'un et pour l'autre.

Dans cet enthousiasme, la reine retrouva un peu d'espoir.

En ce moment, le groupe du roi se réunit à celui de la reine, et le roi, avec son impassibilité ordinaire, se retrouva le centre des deux groupes confondus. Cette impassibilité, c'était peut-être du courage.

La reine saisit deux pistolets à la ceinture de M. Maillardoz, commandant des Suisses.

— Allons, sire ! dit-elle, voici l'instant de vous montrer ou de périr au milieu de vos amis !

Ce mouvement de la reine avait porté l'enthousiasme à son comble ; chacun attendait la réponse du roi, bouche béante, haleine suspendue.

Un roi jeune, beau, brave, qui, l'œil ardent, la lèvre frémissante, se fût jeté, ces deux pistolets à la main, au milieu du combat, pouvait rappeler à lui la fortune peut-être !

On attendait, on espérait.

Le roi prit les pistolets des mains de la reine et les rendit à M. Maillardoz.

Puis, se retournant vers le syndic de la Commune :

— Vous dites donc, monsieur, que je dois me rendre à l'Assemblée ? demanda-t-il.

— Sire, répondit Rœderer en s'inclinant, c'est mon avis.

— Allons, messieurs, dit le roi, il n'y a plus rien à faire ici.

La reine poussa un soupir, prit le dauphin dans ses bras, et, s'adressant à madame de Lamballe et à madame de Tourzel :

— Venez, mesdames, dit-elle, puisque le roi le veut ainsi !

C'était dire à toutes les autres : « Je vous abandonne. »

Madame Campan attendait la reine dans le corridor par lequel elle devait passer.

La reine la vit.

— Attendez-moi dans mon appartement, dit-elle : je viendrai vous rejoindre, ou je vous enverrai chercher pour aller... Dieu sait où !

Puis, tout bas, se penchant vers madame Campan :

— Oh ! murmura-t-elle, une tour au bord de la mer !

Les gentilshommes abandonnés se regardaient les uns les autres, et semblaient se dire : « Est-ce pour ce roi que nous sommes venus chercher ici la mort ? »

M. de la Chesnaye comprit cette muette interrogation.

— Non, messieurs, dit-il, c'est pour la royauté !
L'homme est mortel ; le principe, impérissable !

Quant aux malheureuses femmes, — et il y en
avait beaucoup : quelques-unes, absentes du château, avaient fait des efforts inouïs pour y rentrer ;
— quant aux femmes, elles étaient terrifiées.

On eût dit autant de statues de marbre debout
aux angles des corridors et le long des escaliers.

Enfin, le roi daigna penser à ceux qu'il abandonnait.

Au bas de l'escalier, il s'arrêta.

— Mais, dit-il, que vont devenir toutes les personnes que j'ai laissées là-haut ?

— Sire, répondit Rœderer, rien ne leur sera plus
facile que de vous suivre : elles sont en habit de
ville, et passeront par le jardin.

— C'est vrai, dit le roi. Allons !

— Ah ! monsieur de Charny, dit la reine apercevant le comte, qui l'attendait à la porte du jardin,
l'épée nue, que ne vous ai-je écouté avant-hier,
quand vous m'avez conseillé de fuir !

Le comte ne répondit point ; mais, s'approchant
du roi :

— Sire, dit-il, le roi voudrait-il prendre mon
chapeau, et me donner le sien, qui pourrait le faire
reconnaître ?

— Ah ! vous avez raison, dit le roi, à cause de la
plume blanche... Merci, monsieur.

Et il prit le chapeau de Charny, et lui donna le
sien.

— Monsieur, dit la reine, le roi courrait-il quelque
danger pendant cette traversée ?

— Vous voyez, madame, que, si ce danger existe,
je fais tout ce que je puis pour le détourner de celui
qu'il menace.

— Sire, dit le capitaine suisse chargé de protéger
le passage du roi à travers le jardin, Votre Majesté
est-elle prête ?

— Oui, répondit le roi en enfonçant sur sa tête le chapeau de Charny.

— Alors, dit le capitaine, sortons !

Le roi s'avança au milieu de deux rangs de Suisses qui marchaient du même pas que lui.

Tout à coup, on entendit de grands cris à droite.

La porte qui donnait sur les Tuileries, près du café de Flore, était forcée ; une masse de peuple, sachant que le roi se rendait à l'Assemblée, se précipitait dans le jardin.

Un homme qui paraissait conduire toute cette bande portait pour bannière une tête au bout d'une pique.

Le capitaine fit faire halte, et apprêter les armes.

— Monsieur de Charny, dit la reine, si vous me voyez sur le point de tomber aux mains de ces misérables, vous me tuerez, n'est-ce pas ?

— Je ne puis vous promettre cela, madame, répondit Charny.

— Et pourquoi donc ? s'écria la reine.

— Parce qu'avant qu'une seule main vous ait touchée, je serai mort !

— Tiens, dit le roi, c'est la tête de ce pauvre M. Mandat : je la reconnais.

Cette bande d'assassins n'osa approcher, mais elle accabla d'injures le roi et la reine ; cinq ou six coups de fusil furent tirés ; un Suisse tomba mort, un autre blessé.

Le capitaine ordonna de mettre en joue ; ses hommes obéirent.

— Ne tirez pas, monsieur ! dit Charny, ou pas un de nous n'arrivera vivant à l'Assemblée.

— C'est juste, monsieur, dit le capitaine. — Arme au bras !

Les soldats remirent l'arme au bras, et l'on continua de s'avancer en coupant diagonalement le jardin.

Les premières chaleurs de l'année avaient jauni les marronniers ; quoiqu'on ne fût encore qu'au commencement d'août, des feuilles déjà sèches jonchaient la terre.

Le petit dauphin les roulait sous ses pieds, et s'amusait à les pousser sous ceux de sa sœur.

— Les feuilles tombent de bonne heure cette année, dit le roi.

— N'y a-t-il pas un de ces hommes qui a écrit : « La royauté n'ira pas jusqu'à la chute des feuilles ? » dit la reine.

— Oui, madame, répondit Charny.

— Et comment appelle-t-on cet habile prophète ?

— Manuel.

Cependant un nouvel obstacle se présentait devant les pas de la famille royale : c'était un groupe considérable d'hommes et de femmes qui attendaient, avec des gestes menaçants, et en agitant des armes, sur l'escalier et sur la terrasse qu'il fallait monter et traverser pour se rendre du jardin des Tuileries au Manège.

Le danger était d'autant plus réel qu'il n'y avait plus moyen pour les Suisses de garder leurs rangs.

Le capitaine essaya néanmoins de leur faire percer la foule ; mais il se manifesta une telle rage, que Rœderer s'écria :

— Monsieur, prenez garde ! vous allez faire tuer le roi !

On fit halte, et un messager alla prévenir l'Assemblée que le roi venait lui demander asile.

L'Assemblée envoya une députation ; mais la vue de cette députation redoubla la fureur de la multitude.

On n'entendait que ces cris poussés avec fureur :

— A bas, Véto ! à bas, l'Autrichienne ! La déchéance ou la mort !

Les deux enfants, comprenant que c'était surtout leur mère qui était menacée, se pressaient contre elle.

Le petit dauphin demandait :

— Monsieur de Charny, pourquoi donc tous ces gens-là veulent-ils tuer maman ?

Un homme d'une taille colossale, armé d'une pique, et criant plus haut que les autres : « A bas, Véto ! à mort, l'Autrichienne ! » essayait, en dardant cette pique, d'atteindre tantôt la reine, tantôt le roi.

L'escorte suisse avait été écartée peu à peu ; la famille royale n'avait plus autour d'elle que les six gentilshommes qui étaient sortis avec elle des Tuileries, M. de Charny et la députation de l'Assemblée qui était venue la chercher.

Il y avait plus de trente pas à faire au milieu d'une foule compacte.

Il était évident qu'on en voulait aux jours du roi, et surtout à ceux de la reine.

Au bas de l'escalier, la lutte commença.

— Monsieur, dit Rœderer à Charny, remettez votre épée au fourreau, ou je ne réponds de rien !

Charny obéit sans prononcer une parole.

Le groupe royal fut soulevé par la foule comme, dans une tempête, une barque est soulevée par les flots, et fut entraîné du côté de l'Assemblée. Le roi se vit obligé de repousser un homme qui lui avait mis le poing devant le visage ; le petit dauphin, presque étouffé, criait et tendait les bras comme pour appeler au secours.

Un homme s'élança, le prit, et l'arracha des mains de sa mère.

— Monsieur de Charny, mon fils ! s'écria-t-elle ; au nom du ciel, sauvez mon fils !

Charny fit quelques pas vers l'homme qui emportait l'enfant, mais à peine eut-il démasqué la reine, que deux ou trois bras s'étendirent vers elle, et qu'une main la saisit par le fichu qui couvrait sa poitrine.

La reine jeta un cri.

Charny oublia la recommandation de Rœderer, et son épée disparut tout entière dans le corps de l'homme qui avait osé porter la main sur la reine.

455

La foule hurla de rage en voyant tomber un des siens, et se rua plus violemment sur le groupe.

Les femmes criaient :

— Mais tuez-la donc, l'Autrichienne ! donnez-nous-la donc, que nous l'égorgions ! A mort ! à mort !

Et vingt bras nus s'étendaient pour la saisir.

Mais elle, folle de douleur, ne s'inquiétant plus de son propre danger, ne cessait de crier :

— Mon fils ! mon fils !

On touchait presque au seuil de l'Assemblée ; la foule fit un dernier effort : elle sentait que sa proie allait lui échapper.

Charny était si serré, qu'il ne pouvait plus frapper que du pommeau de son épée.

Il vit, parmi tous ces poings fermés et menaçants, une main armée d'un pistolet qui cherchait la reine.

Il lâcha son épée, saisit des deux mains le pistolet, l'arracha à celui qui le tenait, et le déchargea au milieu de la poitrine du plus proche assaillant.

L'homme, foudroyé, tomba.

Charny se baissa pour ramasser son épée.

L'épée était déjà aux mains d'un homme du peuple qui essayait d'en frapper la reine.

Charny s'élança sur l'assassin.

En ce moment, la reine entrait à la suite du roi dans le vestibule de l'Assemblée : elle était sauvée !

Il est vrai que, derrière elle, la porte se refermait, et que, sur le pas de cette porte, Charny tombait frappé à la fois d'un coup de barre de fer à la tête, et d'un coup de pique dans la poitrine.

— Comme mes frères ! murmura-t-il en tombant. Pauvre Andrée !...

Le destin de Charny s'accomplissait comme celui d'Isidore, comme celui de Georges. — Celui de la reine allait s'accomplir.

Du reste, au même moment, une décharge effroyable d'artillerie annonçait que les insurgés et le château étaient aux prises.

Un instant, — comme la reine en voyant la fuite de l'avant-garde, — les Suisses purent croire qu'ils avaient eu affaire à l'armée elle-même, et que cette armée était dissipée.

Ils avaient tué quatre cents hommes, à peu près, dans la cour Royale, cent cinquante ou deux cents dans le Carrousel ; ils avaient enfin ramené sept pièces de canon.

Aussi loin que la vue pouvait s'étendre, on n'apercevait pas un homme qui pût se défendre.

Une seule petite batterie isolée, établie sur la terrasse d'une maison faisant face au corps de garde des Suisses, continuait son feu sans que l'on pût le faire taire.

Cependant, comme on se croyait maître de l'insurrection, on allait prendre des mesures pour en finir coûte que coûte avec cette batterie, lorsque l'on entendit retentir, du côté des quais, le roulement des tambours et les rebondissements bien autrement sombres de l'artillerie.

C'était cette armée que le roi regardait venir, avec une lunette de la galerie du Louvre.

En même temps, le bruit commença de se répandre que le roi avait quitté le château, et était allé demander un asile à l'Assemblée.

Il est difficile de dire l'effet que produisit cette nouvelle, même sur les royalistes les plus dévoués.

Le roi, qui avait promis de mourir à son poste royal, désertait ce poste, et passait à l'ennemi, ou, tout au moins, se rendait prisonnier sans combattre !

Dès lors, les gardes nationaux se regardèrent comme déliés de leur serment, et se retirèrent presque tous.

Quelques gentilshommes les suivirent, jugeant inutile de se faire tuer pour une cause qui elle-même s'avouait perdue.

Les Suisses seuls restèrent, sombres, silencieux, mais esclaves de la discipline.

Du haut de la terrasse du pavillon de Flore, et par les fenêtres de la galerie du Louvre, on voyait venir ces héroïques faubourgs auxquels nulle armée n'a jamais résisté, et qui en un jour avaient renversé la Bastille, cette forteresse dont les pieds étaient enracinés au sol depuis quatre siècles.

Les assaillants avaient leur plan ; ils croyaient le roi au château : ils voulaient de tous côtés envelopper le château afin de prendre le roi.

La colonne qui suivait le quai de la rive gauche reçut, en conséquence, l'ordre de forcer la grille du bord de l'eau ; celle qui arrivait par la rue Saint-Honoré, d'enfoncer la porte des Feuillants, tandis que la colonne de la rive droite, commandée par Westermann, ayant sous ses ordres Santerre et Billot, attaquerait de face.

Cette dernière déboucha tout à coup par tous les guichets du Carrousel, en chantant le *Ça ira*.

Les Marseillais menaient la tête de colonne, traînant au milieu de leurs rangs deux petites pièces de quatre chargées à mitraille.

Deux cents Suisses, à peu près, étaient en bataille sur le Carrousel.

Les insurgés marchèrent droit à eux, et, au moment où les Suisses abaissaient leurs fusils pour faire feu, ils démasquèrent leurs deux canons, et firent feu eux-mêmes.

Les soldats déchargèrent leurs fusils, mais se replièrent immédiatement sur le château, laissant à leur tour une trentaine de morts et de blessés sur le pavé du Carrousel.

Aussitôt, les insurgés, ayant en tête les fédérés marseillais et bretons, se ruant sur les Tuileries, s'emparèrent de deux cours : de la cour Royale, placée au centre, — celle où il y avait tant de morts ; — et de la cour des Princes, voisine du pavillon de Flore et du quai.

Billot avait voulu combattre là où Pitou avait été tué ; puis il lui restait un espoir, il faut le dire : c'est que le pauvre garçon n'était que blessé, et qu'il lui rendrait, dans la cour Royale, le service que Pitou lui avait rendu, à lui, dans le Champ de Mars.

Il entra donc un des premiers dans la cour du Centre ; l'odeur du sang était telle, qu'on se serait cru dans un abattoir : elle s'exhalait de ce monceau de cadavres, visible en quelque sorte comme une fumée.

Cette vue, cette odeur, exaspérèrent les assaillants ; ils se précipitèrent vers le château.

D'ailleurs, eussent-ils voulu reculer, c'eût été impossible : les masses qui s'engouffraient incessamment par les guichets du Carrousel, — beaucoup plus étroit à cette époque qu'il ne l'est aujourd'hui, — les poussaient en avant.

Mais, hâtons-nous de le dire, quoique la façade du château ressemblât à un feu d'artifice, nul n'avait même l'idée de faire un pas en arrière.

Et, cependant, une fois entrés dans cette cour du Centre, les insurgés, comme ceux dans le sang desquels ils marchaient jusqu'à la cheville, les insurgés se trouvaient pris entre deux feux : le feu du vestibule de l'horloge, et celui du double rang de baraques.

Il fallait d'abord éteindre ce feu des baraques.

Les Marseillais se jetèrent sur elles comme des dogues sur un brasier ; mais ils ne purent les démolir avec leurs mains : ils demandèrent des leviers, des hoyaux, des pioches.

Billot demanda des gargousses.

Westermann comprit le plan de son lieutenant.

On apporta des gargousses avec des mèches.

Au risque de voir la poudre éclater dans leurs mains, les Marseillais mirent le feu aux mèches, et lancèrent les gargousses dans les baraques.

Les baraques s'enflammèrent : ceux qui les défendaient furent obligés de les évacuer et de se réfugier sous le vestibule.

Là, on se heurta fer contre fer, feu contre feu.

Tout à coup, Billot se sentit étreint par-derrière ; il se retourna, croyant avoir affaire à un ennemi ; mais, à la vue de celui qui l'étreignait, il jeta un cri de joie.

C'était Pitou ! Pitou méconnaissable, couvert de sang des pieds à la tête, mais Pitou sain et sauf, Pitou sans une seule blessure.

Au moment où il avait vu s'abaisser les fusils des Suisses, il avait, comme nous l'avons dit, crié : « Ventre à terre ! » et avait donné l'exemple.

Mais, cet exemple, ses compagnons n'avaient pas eu le temps de le suivre.

La fusillade, ainsi qu'une immense faux, avait alors passé à hauteur d'homme, et scié les trois quarts de ces épis humains qui mettent vingt-cinq ans à pousser, et qu'une seconde ploie et brise.

Pitou s'était littéralement senti enseveli sous les cadavres, puis baigné d'une liqueur tiède et ruisselante de tous côtés.

Malgré l'impression — profondément désagréable — que Pitou ressentait étouffé par le poids des morts, baigné par leur sang, il résolut de ne pas souffler mot, et d'attendre, pour donner signe de vie, un instant favorable.

Cet instant favorable, il l'avait attendu plus d'une heure.

Il est vrai que chaque minute de cette heure lui avait paru une heure elle-même.

Enfin, il jugea le moment propice, quand il entendit les cris de victoire de ses compagnons, et, au milieu de ces cris, la voix de Billot, qui l'appelait.

Alors, comme Encelade enseveli sous le mont Etna, il avait secoué cette couche de cadavres qui le recouvrait, était parvenu à se remettre debout, et, ayant reconnu Billot au premier rang, il était accouru le presser contre son cœur, sans s'inquiéter de quel côté il l'y pressait.

Une décharge des Suisses, qui coucha par terre une dizaine d'hommes, rappela Billot et Pitou à la gravité de la situation.

Neuf cents toises de bâtiment brûlaient à droite et à gauche de la cour du Centre.

Le temps était lourd, et il ne faisait pas le moindre vent : la fumée de l'incendie et de la fusillade pesait sur les combattants comme un dôme de plomb ; la fumée emplissait le vestibule du château ; toute la façade, dont chaque fenêtre flamboyait, était couverte d'un voile de fumée ; on ne pouvait distinguer ni où l'on envoyait la mort, ni d'où on la recevait.

Pitou, Billot, les Marseillais, la tête de colonne, marchèrent en avant, et, au milieu de la fumée, pénétrèrent dans le vestibule.

On se trouva devant un mur de baïonnettes : c'étaient celles des Suisses.

Ce fut alors que les Suisses commencèrent leur retraite, — retraite héroïque, dans laquelle, pas à pas, de marche en marche, laissant un rang des siens sur chaque degré, le bataillon se replia lentement.

Le soir, on compta quatre-vingts cadavres sur l'escalier.

Tout à coup, par les chambres et par les corridors du château, on entendit retentir ce cri :

— Le roi ordonne aux Suisses de cesser le feu !

Il était deux heures de l'après-midi.

C'était un spectacle terrible que celui de ces Tuileries ensanglantées, fumantes, désertées par tous, excepté par les cadavres et par trois ou quatre postes qui veillaient à ce que, sous prétexte de reconnaître leurs morts, les visiteurs nocturnes ne vinssent pas piller cette pauvre demeure royale, aux portes enfoncées, aux fenêtres brisées.

Il y avait un poste sous chaque vestibule, au pied de chaque escalier.

Le poste du pavillon de l'Horloge, c'est-à-dire du grand escalier, était commandé par un jeune capitaine de la garde nationale à qui la vue de tout ce désastre inspirait, sans doute, une grande pitié, — si l'on en jugeait par l'expression de sa physionomie à chaque tombereau de cadavres que l'on emportait en quelque sorte sous sa présidence, — mais sur les besoins matériels duquel les événements terribles qui venaient de se passer ne semblaient point avoir eu plus d'influence que sur le roi ; car, vers onze heures du soir, il était occupé à satisfaire un monstrueux appétit aux dépens d'un pain de quatre livres qu'il tenait assujetti sous son bras gauche, tandis que sa main droite, armée d'un couteau, en retranchait incessamment de larges tartines qu'il introduisait dans une bouche dont la largeur se mesurait à la dimension du lopin de nourriture qu'elle était destinée à recevoir.

Appuyé contre une des colonnes du vestibule, il regardait passer, pareilles à des ombres, cette silencieuse procession de mères, d'épouses, de filles, qui venaient, éclairées par des torches posées de distance en distance, redemander au cratère éteint les cadavres de leurs pères, de leurs maris ou de leurs fils.

Tout à coup, et à la vue d'une espèce d'ombre à moitié voilée, le jeune capitaine tressaillit.

— Madame la comtesse de Charny! murmura-t-il.

L'ombre passa sans entendre et sans s'arrêter.

Le jeune capitaine fit un signe à son lieutenant.

Le lieutenant vint à lui.

— Désiré, dit-il, voici une pauvre dame de la connaissance de M. Gilbert, qui vient, sans doute, chercher son mari parmi les morts; il faut que je la suive, pour le cas où elle aurait besoin de renseignements ou de secours. Je te laisse le commandement du poste; veille pour deux!

— Diable! répondit le lieutenant, — que le capitaine avait désigné sous ce prénom de Désiré auquel nous ajouterons le nom de Maniquet, — elle a l'air d'une fière aristocrate, ta dame!

— C'est qu'aussi c'en est une, aristocrate! dit le capitaine; c'est une comtesse.

— Va donc, alors; je veillerai pour deux.

La comtesse de Charny avait déjà tourné le premier angle de l'escalier, lorsque le capitaine, se détachant de sa colonne, commença de la suivre à la distance respectueuse d'une quinzaine de pas.

Celui-ci ne s'était pas trompé. C'était bien son mari que cherchait la pauvre Andrée; seulement, elle le cherchait, non pas avec les tressaillements anxieux du doute, mais avec la morne conviction du désespoir.

Lorsque, se réveillant, au milieu de sa joie et de son bonheur, à l'écho des événements de Paris, Charny, pâle mais résolu, était venu dire à sa femme:

— Chère Andrée, le roi de France court risque de la vie, et a besoin de tous ses défenseurs. Que dois-je faire?

Andrée avait répondu:

— Aller où ton devoir t'appelle, mon Olivier, et mourir pour le roi, s'il le faut.

— Mais toi? avait demandé Charny.

— Oh! pour moi, avait repris Andrée, ne sois pas

inquiet ! Comme je n'ai vécu que par toi, Dieu permettra, sans doute, que je meure avec toi.

Et, dès lors, tout avait été convenu entre ces grands cœurs ; on n'avait pas échangé un mot de plus ; on avait fait venir les chevaux de poste ; on était parti ; et, cinq heures après, on était descendu dans le petit hôtel de la rue Coq-Héron.

Le même soir, Charny, comme nous l'avons vu, — au moment où Gilbert, comptant sur son influence, allait lui écrire de revenir à Paris, Charny, vêtu de son costume d'officier de marine, s'était rendu chez la reine.

Depuis cette heure, on le sait, il ne l'avait pas quittée.

Andrée était restée seule avec ses femmes, enfermée et priant ; elle avait eu un instant l'idée d'imiter le dévouement de son mari, et d'aller redemander sa place près de la reine, comme son mari allait redemander sa place près du roi ; mais elle n'en avait pas eu le courage.

La journée du 9 s'était écoulée pour elle dans les angoisses mais sans rien amener de bien positif.

Le 10, vers neuf heures du matin, elle avait entendu retentir les premiers coups de canon.

Inutile de dire que chaque écho du tonnerre guerrier faisait vibrer jusqu'à la dernière fibre de son cœur.

Vers deux heures, la fusillade elle-même s'éteignit.

Le peuple était-il vainqueur ou vaincu ?

Elle s'informa : le peuple était vainqueur !

Qu'était devenu Charny dans la terrible lutte ? Elle le connaissait : il devait en avoir pris sa large part.

Elle s'informa encore : on lui dit que presque tous les Suisses avaient été tués, mais que presque tous les gentilshommes s'étaient sauvés.

Elle attendit.

Charny pouvait rentrer sous un déguisement quelconque, Charny pouvait avoir besoin de fuir sans retard : les chevaux furent attelés, et mangèrent à la voiture.

Chevaux et voiture attendaient le maître ; mais Andrée savait bien que, quelque danger qu'il courût, le maître ne partirait pas sans elle.

Elle fit ouvrir les portes, afin que rien ne retardât la fuite de Charny, si Charny fuyait, et elle continua d'attendre.

Les heures s'écoulaient.

— S'il est caché quelque part, se disait Andrée, il ne pourra sortir qu'à la nuit... Attendons la nuit !

La nuit vint ; Charny ne reparut point.

Au mois d'août, la nuit vient tard.

A dix heures seulement, Andrée perdit tout espoir ; elle jeta un voile sur sa tête, et sortit.

Tout le long de son chemin, elle rencontra des groupes de femmes se tordant les mains, des bandes d'hommes criant : « Vengeance ! »

Elle passa au milieu des uns et des autres ; la douleur des uns et la colère des autres la sauvegardaient ; d'ailleurs, c'était aux hommes qu'on en voulait ce soir-là, et non pas aux femmes.

De l'un comme de l'autre côté, ce soir-là, les femmes pleuraient.

Elle vit s'éloigner deux ou trois tombereaux, et demanda ce qu'emportaient ces tombereaux ; on lui répondit que c'étaient des cadavres ramassés sur la place du Carrousel et dans la cour Royale. — On n'en était encore que là de l'enlèvement des morts.

Andrée se dit que ce n'était ni sur le Carrousel ni dans la cour Royale que devait avoir combattu Charny, mais à la porte du roi ou à la porte de la reine.

Elle franchit la cour Royale, traversa le grand vestibule, et monta l'escalier.

Ce fut en ce moment que Pitou, qui, en sa qualité de capitaine, commandait le poste du grand vestibule, la vit, la reconnut et la suivit.

LA VEUVE

Il est impossible de se faire une idée de l'état de dévastation que présentaient les Tuileries.

Le sang coulait par les chambres, et roulait comme une cascade le long des escaliers ; quelques cadavres jonchaient encore les appartements.

Andrée fit ce que faisaient les autres chercheurs : elle prit une torche, puis alla regarder cadavre par cadavre.

Et, en regardant, elle s'acheminait vers les appartements de la reine et du roi.

Pitou la suivait toujours.

Là, comme dans les autres chambres, elle chercha inutilement. Alors, un instant elle parut indécise, ne sachant plus où aller.

Pitou vit son embarras, et, s'approchant d'elle :

— Hélas ! dit-il, je me doute bien de ce que cherche madame la comtesse !

Andrée se retourna.

— Si madame la comtesse avait besoin de moi ?

— M. Pitou ! dit Andrée.

— Pour vous servir, madame.

— Oh ! oui, oui, dit Andrée, j'ai grand besoin de vous !

Puis, allant à lui, et lui prenant les deux mains :

— Savez-vous ce qu'est devenu le comte de Charny ? dit-elle.

— Non, madame, répondit Pitou ; mais je puis vous aider à le chercher.

— Il y a quelqu'un, reprit Andrée, qui nous dirait bien s'il est mort ou vivant, et, mort ou vivant, qui sait où il est.

— Qui cela, madame la comtesse ? demanda Pitou.

— La reine, murmura Andrée.

— Vous savez où est la reine ? dit Pitou.

— A l'Assemblée, je crois, et j'ai encore un espoir : c'est que M. de Charny y est avec elle.

— Oh ! oui, oui, dit Pitou saisissant cet espoir, non pas pour son propre compte, mais pour celui de la veuve ; voulez-vous y venir, à l'Assemblée ?

— Mais, si l'on me refuse la porte...

— Je me charge de vous la faire ouvrir, moi.

— Venez, alors !

Andrée jeta loin d'elle sa torche, au risque de mettre le feu au parquet et, par conséquent, aux Tuileries ; mais qu'importaient les Tuileries à ce profond désespoir ? si profond qu'il n'avait pas de larmes !

Andrée connaissait l'intérieur du château pour l'avoir habité ; elle prit un petit escalier de service qui descendait aux entresols, et des entresols au grand vestibule, de sorte que, sans repasser par tous ces appartements ensanglantés, Pitou se retrouva au poste de l'Horloge.

Maniquet faisait bonne garde.

— Eh bien, demanda-t-il, ta comtesse ?

— Elle espère retrouver son mari à l'Assemblée ; nous y allons.

Puis, tout bas :

— Comme nous pourrions bien retrouver le comte, mais mort, envoie-moi, à la porte des Feuillants, quatre bons garçons sur lesquels je puisse compter pour défendre un cadavre d'aristocrate, comme si c'était un cadavre de patriote.

— C'est bon ; va avec ta comtesse ! tu auras tes hommes.

Andrée attendait debout à la porte du jardin, où l'on avait mis une sentinelle. Comme c'était Pitou qui avait mis cette sentinelle, la sentinelle, tout naturellement, laissa passer Pitou.

Le jardin des Tuileries était éclairé par des lampions que l'on avait allumés de place en place, et particulièrement sur les piédestaux des statues.

Comme il faisait presque aussi chaud que dans la

journée, et qu'à peine une brise nocturne agitait les feuilles des arbres, la lumière des lampions montait presque, immobile, pareille à des lances de feu, et éclairait au loin, non seulement dans les parties du jardin découvertes et cultivées en parterre, mais encore sous les arbres, les cadavres semés çà et là.

Mais Andrée était maintenant tellement convaincue que c'était à l'Assemblée seulement qu'elle aurait des nouvelles de son mari, qu'elle marchait sans se détourner ni à droite ni à gauche.

On atteignit ainsi les Feuillants.

La famille royale, depuis une heure, avait quitté l'Assemblée, et était rentrée chez elle, c'est-à-dire dans un appartement provisoire qui lui avait été préparé.

Pour arriver jusqu'à la famille royale, il y avait deux obstacles à franchir : d'abord, celui des sentinelles qui veillaient au-dehors ; puis celui des gentilshommes qui veillaient au-dedans.

Pitou, capitaine de la garde nationale, commandant le poste des Tuileries, avait le mot d'ordre et, par conséquent, la possibilité de conduire Andrée jusqu'à l'antichambre des gentilshommes.

C'était ensuite à Andrée de se faire introduire près de la reine.

La reine entendit la porte de sa chambre, qui donnait dans celle du roi, s'ouvrir et se refermer, et ne se retourna point ; elle entendit des pas s'approcher de son lit, et elle resta la tête perdue dans son traversin.

Mais, tout à coup, elle bondit comme si un serpent l'eût mordue au cœur.

Une voix bien connue avait prononcé ce seul mot : « Madame ! »

— Andrée ! s'écria Marie-Antoinette se redressant sur son coude ; que me voulez-vous ?

— Je vous veux, madame, ce que Dieu voulait à Caïn, lorsqu'il lui demanda : « Caïn, qu'as-tu fait de ton frère ? »

— Avec cette différence, dit la reine, que Caïn avait tué son frère, tandis que, moi... oh ! moi, j'eusse donné non seulement mon existence, mais dix existences, si je les avais eues, pour sauver *la sienne !*

Andrée chancela ; une sueur froide passa sur son front ; ses dents claquèrent.

— Il a donc été tué ? demanda-t-elle en faisant un suprême effort.

La reine regarda Andrée.

— Est-ce que vous croyez que c'est ma couronne que je pleure ? dit-elle.

Puis, lui montrant ses pieds ensanglantés :

— Est-ce que vous croyez que, si ce sang était le mien, je n'aurais pas lavé mes pieds ?

Andrée devint pâle jusqu'à la lividité.

— Vous savez donc où est son corps ? reprit-elle.

— Qu'on me laisse sortir, et je vous y conduirai, répondit la reine,

— Je vais vous attendre sur l'escalier, madame, dit Andrée.

Et elle sortit.

Pitou attendait à la porte.

— M. Pitou, dit Andrée, une de mes amies va me conduire où est le corps de M. de Charny ; c'est une des femmes de la reine : peut-elle m'accompagner ?

— Vous savez que, si elle sort, répondit Pitou, c'est à la condition que je la ramènerai là d'où elle est sortie ?

— Vous la ramènerez, dit Andrée.

— C'est bien.

Puis, se retournant vers la sentinelle :

— Camarade, dit Pitou, une femme de la reine va sortir, pour aller chercher avec nous le corps d'un brave officier dont madame est la veuve. Je réponds de cette femme corps pour corps, tête pour tête.

— Il suffit, capitaine, répondit la sentinelle.

En même temps, la porte de l'antichambre s'ouvrit, et, le visage couvert d'un voile, la reine apparut.

On descendit l'escalier, la reine marchant la première, Andrée et Pitou la suivant.

Après une séance de vingt-sept heures, l'Assemblée venait enfin d'évacuer la salle.

Cette salle immense, où tant de bruit et d'événements s'étaient pressés depuis vingt-sept heures, était muette, vide et sombre comme un sépulcre.

— Une lumière ! dit la reine.

Pitou ramassa une torche éteinte, la ralluma à une lanterne, et la donna à la reine, qui se remit en marche.

En passant devant la porte d'entrée, Marie-Antoinette indiqua la porte avec sa torche.

— Voilà la porte où il a été tué, dit-elle.

Andrée ne répondit pas ; on l'eût prise pour un spectre suivant son évocatrice.

En arrivant au corridor, la reine abaissa sa torche vers le parquet.

— Voilà son sang, dit-elle.

Andrée resta muette.

La reine marcha droit à une espèce de cabinet, tira la porte de ce cabinet, et, éclairant l'intérieur avec sa torche :

— Voici son corps ! dit-elle.

Muette toujours, Andrée entra dans le cabinet, s'assit à terre, et, par un effort, amena la tête d'Olivier sur ses genoux.

— Merci, madame, dit-elle ; c'est là tout ce que j'avais à vous demander.

— Mais moi, dit la reine, j'ai à vous demander autre chose.

— Dites.

— Me pardonnez-vous ?

Il y eut un instant de silence, comme si Andrée hésitait.

— Oui, répondit-elle enfin ; car, demain, je serai près de lui !

La reine tira de sa poitrine une paire de ciseaux d'or, qu'elle y avait cachée comme on cache un poignard, afin de s'en faire une arme contre elle-même dans un extrême danger.

— Alors..., dit-elle, presque suppliante en présentant les ciseaux à Andrée.

Andrée prit les ciseaux, coupa une boucle de cheveux sur la tête du cadavre, puis rendit les ciseaux et les cheveux à la reine.

La reine saisit la main d'Andrée, et la baisa.

Andrée poussa un cri, et retira sa main, comme si les lèvres de Marie-Antoinette eussent été un fer rouge.

— Ah ! murmura la reine jetant un dernier regard sur le cadavre, qui pourra dire laquelle de nous deux l'aimait davantage ?...

— Ô mon bien-aimé Olivier ! murmura de son côté Andrée, j'espère que tu sais du moins maintenant que c'est moi qui t'aimais le mieux !

La reine avait déjà repris le chemin de sa chambre, laissant Andrée dans le cabinet avec le cadavre de son époux, sur lequel, comme celui d'un regard ami, descendait, par une petite fenêtre grillée, un pâle rayon de lune.

Pitou, sans savoir qui elle était, reconduisit Marie-Antoinette, et la vit rentrer chez elle ; puis, déchargé de sa responsabilité devant la sentinelle, il sortit sur la terrasse pour voir si les quatre hommes qu'il avait demandés à Désiré Maniquet étaient là.

Les quatre hommes attendaient.

— Venez ! leur dit Pitou.

Ils entrèrent.

Pitou, s'éclairant de la torche qu'il avait reprise des mains de la reine, les conduisit jusqu'au cabinet où Andrée, toujours assise, regardait, à la lueur de ce rayon ami, le visage pâle mais toujours beau de son époux.

La lumière de la torche fit lever les yeux à la comtesse.

— Que voulez-vous ? demanda-t-elle à Pitou et à ses hommes, comme si elle eût craint que ces inconnus ne vinssent lui enlever le cadavre bien-aimé.

— Madame, répondit Pitou, nous venons chercher le corps de M. de Charny, pour le porter rue Coq-Héron.

— Vous me jurez que c'est pour cela ? demanda Andrée.

Pitou étendit la main sur le cadavre avec une dignité dont on l'eût cru incapable.

— Je vous le jure, madame ! dit-il.

— Alors, reprit Andrée, je vous rends grâces, et je prierai Dieu, à mon dernier moment, qu'il vous épargne, à vous et aux vôtres, les douleurs dont il m'accable...

Les quatre hommes prirent le cadavre, le couchèrent sur leurs fusils, et Pitou, l'épée nue, se mit en tête du funèbre cortège.

Andrée marcha sur le côté, tenant dans sa main la main froide et déjà roide du comte.

Arrivé rue Coq-Héron, on déposa le corps sur le lit d'Andrée.

Alors, s'adressant aux quatre hommes :

— Recevez, dit la comtesse de Charny, les bénédictions d'une femme qui, demain, priera Dieu là-haut pour vous.

Puis, à Pitou :

— M. Pitou, dit-elle, je vous dois plus que je ne pourrai jamais vous rendre ; puis-je compter encore sur vous pour un dernier service ?

— Ordonnez, madame, dit Pitou.

— Demain, à huit heures du matin, faites que M. le docteur Gilbert soit ici.

Pitou s'inclina et sortit.

En sortant il retourna la tête, et vit Andrée qui s'agenouillait devant le lit comme devant un autel.

Au moment où il franchissait la porte de la rue,

trois heures sonnaient à l'horloge de l'église Saint-Eustache.

CE QU'ANDRÉE VOULAIT À GILBERT

Le lendemain, à huit heures précises, Gilbert frappait à la porte du petit hôtel de la rue Coq-Héron.

Sur la demande que lui avait faite Pitou au nom d'Andrée, Gilbert, étonné, s'était fait raconter les événements de la veille dans tous leurs détails.

Puis il avait longtemps réfléchi.

Puis, enfin, au moment de sortir, le matin, il avait appelé Pitou, l'avait prié d'aller chercher Sébastien chez l'abbé Bérardier, et de l'amener à la rue Coq-Héron.

Arrivé là, Pitou attendrait à la porte la sortie de Gilbert.

Sans doute, le vieux concierge était-il prévenu de l'arrivée du docteur ; car, l'ayant reconnu, il l'introduisit dans le salon qui précédait la chambre à coucher.

Andrée attendait, toute vêtue de noir.

On voyait qu'elle n'avait ni dormi ni pleuré depuis la veille ; sa figure était pâle, son œil aride.

Jamais les lignes de son visage, lignes qui indiquaient la volonté portée jusqu'à l'entêtement, n'avaient été si fermement arrêtées.

Il eût été difficile de dire quelle résolution ce cœur de diamant avait prise : mais il était facile de voir qu'il en avait pris une.

Gilbert, l'observateur habile, le médecin philosophe, comprit cela au premier coup d'œil.

Il salua et attendit.

— M. Gilbert, dit Andrée, je vous ai prié de venir.

— Et, vous le voyez, madame, dit Gilbert, je me suis exactement rendu à votre invitation.

— Je vous ai demandé, vous et non pas un autre, parce que je voulais que celui à qui je ferais la demande que je vais vous faire n'eût pas le droit de me refuser.

— Vous avez raison, madame, non point peut-être dans ce que vous allez me demander, mais dans ce que vous dites ; vous avez le droit de tout exiger de moi, même ma vie.

Andrée sourit amèrement.

— Votre vie, monsieur, est une de ces existences si précieuses à l'humanité, que je serai la première à demander à Dieu de vous la faire longue et heureuse, bien loin d'avoir l'idée de l'abréger... Mais convenez qu'autant la vôtre est placée sous une influence heureuse, autant il en est d'autres qui semblent soumises à quelque astre fatal.

Gilbert se tut.

— La mienne, par exemple, reprit Andrée après un instant de silence ; que dites-vous de la mienne, monsieur ?

Puis, comme Gilbert baissait les yeux sans répondre :

— Laissez-moi vous la rappeler en deux mots... Soyez tranquille, il n'y aura de reproche pour personne !

Gilbert fit un geste qui voulait dire : « Parlez. »

— Je suis née pauvre ; mon père était ruiné avant ma naissance. Ma jeunesse fut triste, isolée, solitaire ; vous avez connu mon père, et vous savez mieux que personne la mesure de sa tendresse pour moi...

« Deux hommes, dont l'un eût dû me rester inconnu, et l'autre... étranger, eurent sur ma vie une influence mystérieuse et fatale dans laquelle ma volonté ne fut pour rien : l'un disposa de mon âme, l'autre prit mon corps.

» Je me trouvai mère, sans me douter que j'avais cessé d'être vierge...

» Je faillis perdre, dans ce sombre événement, la tendresse du seul être qui m'eût jamais aimée, celle de mon frère.

» Je me réfugiai dans cette idée de devenir mère, et d'être aimée de mon enfant : mon enfant me fut enlevé une heure après sa naissance. Je me trouvai femme sans mari, mère sans enfant !

» L'amitié d'une reine me consolait.

» Un jour, le hasard mit dans la même voiture que nous un homme beau, jeune, brave ; la fatalité voulut que, moi qui n'avais jamais rien aimé, je l'aimasse.

» Il aimait la reine !

» Je devins la confidente de cet amour. Je crois que vous avez aimé sans être aimé, M. Gilbert ; vous pouvez donc comprendre ce que je souffris.

» Ce n'était point assez. Un jour, il arriva que la reine me dit : « Andrée, sauve-moi la vie ! sauve-moi plus que la vie : sauve-moi l'honneur ! » Il fallait, tout en restant une étrangère pour lui, devenir la femme de l'homme, que j'aimais depuis trois ans.

» Je devins sa femme.

» Cinq ans je demeurai près de cet homme, flamme au-dedans, glace au-dehors, statue dont le cœur brûlait ! Médecin, dites ! comprenez-vous ce que dut souffrir mon cœur ?...

» Un jour, enfin, jour d'ineffables délices ! mon dévouement, mon silence, mon abnégation touchè-rent cet homme. Depuis sept ans, je l'aimais sans le lui avoir laissé soupçonner par un regard, quand lui, tout frémissant, vint se jeter à mes pieds en me disant : « Je sais tout, et je vous aime ! »

» Dieu, qui voulait me récompenser, permit qu'en même temps que je retrouvais mon époux, je retrou-vasse mon enfant ! Un an s'écoula comme un jour, comme une heure, comme une minute ; cette année, ce fut toute ma vie.

» Il y a quatre jours, la foudre tomba à mes pieds.

» Son honneur lui disait de revenir à Paris, et d'y mourir. Je ne lui fis pas une observation, je ne versai pas une larme ; je partis avec lui.

» A peine arrivés, il me quitta.

» Cette nuit, je l'ai retrouvé mort !... Il est là dans cette chambre...

» Croyez-vous que ce soit par trop ambitieux à moi, après une pareille vie, de désirer dormir dans le même tombeau que lui ? Croyez-vous que ce soit une demande que vous puissiez me refuser, vous, que celle que je vais vous faire ?

» M. Gilbert, vous êtes médecin habile, savant chimiste ; M. Gilbert, vous avez eu de grands torts envers moi, vous avez beaucoup à expier... Eh bien, donnez-moi un poison rapide et sûr, et non seulement je vous pardonnerai, mais encore je mourrai le cœur plein de reconnaissance !

— Madame, répliqua Gilbert, votre vie a été, vous l'avez dit, une douloureuse épreuve, et cette épreuve, gloire vous soit rendue ! vous l'avez supportée en martyre, noblement, saintement !

Andrée fit un léger signe de tête qui signifiait : « J'attends. »

— Maintenant, vous dites à votre bourreau : « Tu m'as rendu la vie cruelle ; donne-moi une mort douce. « Vous avez le droit de lui dire cela ; vous avez raison d'ajouter : « Tu feras ce que je dis, car tu n'as le droit de me rien refuser de ce que je te demande... »

— Ainsi, monsieur ?...

— Exigez-vous toujours du poison, madame ?

— Je vous supplie de m'en donner, mon ami.

— La vie vous est-elle si lourde, qu'il vous soit devenu impossible de la supporter ?

— La mort est la plus douce grâce que puissent me faire les hommes, le plus grand bienfait que puisse m'accorder Dieu !

— Dans dix minutes, madame, reprit Gilbert, vous aurez ce que vous me demandez.

Il s'inclina et fit un pas en arrière.

Andrée lui tendit la main.

— Ah ! dit-elle, en un instant vous me faites plus de bien qu'en toute votre vie vous ne m'avez fait de mal !... Soyez béni, Gilbert !

Gilbert sortit.

A la porte, il trouva Sébastien et Pitou, qui l'attendaient dans un fiacre.

— Sébastien, dit-il en tirant de sa poitrine un petit flacon qu'il portait suspendu à une chaîne d'or, et qui contenait une liqueur couleur d'opale, Sébastien, tu donneras, de ma part, ce flacon à la comtesse de Charny.

— Combien de temps puis-je rester chez elle, mon père ?

— Le temps que tu voudras.

— Et où vous retrouverai-je ?

— Je t'attends ici.

Le jeune homme prit le flacon, et entra.

Un quart d'heure après, il sortit.

Gilbert jeta sur lui un regard rapide : il rapportait le flacon intact.

— Qu'a-t-elle dit ? demanda Gilbert.

— Elle a dit : « Oh ! pas de ta main, mon enfant ! »

— Qu'a-t-elle fait ?

— Elle a pleuré.

— Elle est sauvée, alors ! dit Gilbert. Viens, mon enfant.

Et il embrassa Sébastien plus tendrement peut-être qu'il n'avait jamais fait.

Gilbert comptait sans Marat.

Huit jours après, il apprit que la comtesse de Charny venait d'être arrêtée, et avait été conduite à la prison de l'Abbaye.

[Malgré l'opposition de Danton, Marat, Robespierre et Saint-Just font emprisonner en masse les partisans

de l'Ancien Régime. Le 1ᵉʳ septembre, des tribunaux se préparent à les juger. Grâce à Cagliostro, Gilbert se rend chez Danton et obtient de lui un ordre d'élargissement pour la comtesse de Charny...]

PENDANT LA NUIT DU 1ᵉʳ AU 2 SEPTEMBRE

Porteur du précieux papier qui lui rendait la vie d'Andrée, Gilbert se rend à l'Abbaye.

Quoiqu'il fût près de minuit, des groupes menaçants stationnaient encore aux alentours de la prison.

Gilbert passa au milieu d'eux, et vint frapper à la porte.

La porte sombre, à la voûte basse, s'ouvrit.

Gilbert passa en frissonnant : cette voûte basse était, non pas celle d'une prison, mais celle d'un tombeau.

Il présenta son ordre au directeur.

L'ordre portait de mettre à l'instant même en liberté la personne que désignerait le docteur Gilbert. — Gilbert désigna la comtesse de Charny, et le directeur ordonna à un porte-clefs de conduire le citoyen Gilbert à la chambre de la prisonnière.

Gilbert suivit le porte-clefs, monta derrière lui trois étages d'un petit escalier à vis, et entra dans une cellule éclairée par une lampe.

Une femme toute vêtue de noir, pâle comme un marbre sous ses habits de deuil, était assise près de la table sur laquelle était posée la lampe, et lisait dans un petit livre relié en chagrin et orné d'une croix d'argent.

Un reste de feu brûlait dans une cheminée à côté d'elle.

Malgré le bruit que fit la porte en s'ouvrant, elle

ne leva point les yeux ; malgré le bruit que fit Gilbert en s'approchant, elle ne leva point les yeux ; elle paraissait absorbée dans sa lecture, ou plutôt dans sa pensée, car Gilbert resta deux ou trois minutes devant elle sans lui voir tourner la page.

Le porte-clefs avait tiré la porte derrière Gilbert, et se tenait en dehors.

— Madame la comtesse..., dit enfin Gilbert.

Andrée leva les yeux, regarda un instant sans voir ; le voile de sa pensée était encore entre son regard et l'homme qui se tenait devant elle : il s'éclaircit peu à peu.

— Ah ! c'est vous, monsieur Gilbert ? demanda Andrée. Que me voulez-vous ?

— Madame, répondit Gilbert, des bruits sinistres courent sur ce qui va se passer demain dans les prisons.

— Oui, dit Andrée, il paraît qu'on doit nous égorger ; mais vous savez, monsieur Gilbert, que je suis prête à mourir.

Gilbert s'inclina.

— Je viens vous chercher, madame, dit-il.

— Vous venez me chercher ? demanda Andrée avec surprise ; et pour me conduire où ?

— Où vous voudrez, madame : vous êtes libre.

Et il lui présenta l'ordre d'élargissement signé de Danton.

Elle lut cet ordre ; mais, au lieu de le rendre au docteur, elle le garda dans sa main.

— J'aurais dû m'en douter, docteur, dit-elle en essayant de sourire ; chose que son visage semblait avoir désapprise.

— De quoi, madame ?

— Que vous veniez pour m'empêcher de mourir.

— Madame, il y a une existence au monde qui m'est plus précieuse que ne m'eût jamais été celle de mon père ou de ma mère, si Dieu m'eût accordé un père ou une mère : c'est la vôtre !

— Oui, et voilà pourquoi, une première fois déjà, vous m'avez manqué de parole.

— Je ne vous ai point manqué de parole, madame : je vous ai envoyé le poison.

— Par mon fils !

— Je ne vous avais pas dit par qui je vous l'enverrais.

— De sorte que vous avez pensé à moi, monsieur Gilbert ? de sorte que vous êtes entré pour moi dans l'antre du lion ? de sorte que vous en êtes sorti avec le talisman qui ouvre les portes ?

— Je vous ai dit, madame, que, tant que je vivrais, vous ne pouviez pas mourir.

— Oh ! cette fois, cependant, monsieur Gilbert, dit Andrée avec un sourire mieux dessiné que le premier, je crois que je tiens bien la mort, allez !

— Madame, je vous déclare que, dussé-je employer la force pour vous arracher d'ici, vous ne mourrez pas.

Andrée, sans répondre, déchira l'ordre de sortie en quatre morceaux, et en jeta les morceaux au feu.

— Essayez ! dit-elle.

Gilbert poussa un cri.

— Monsieur Gilbert, reprit Andrée, j'ai renoncé à l'idée du suicide ; mais je n'ai point renoncé à celle de la mort.

— Oh ! madame ! madame ! dit Gilbert.

— Monsieur Gilbert, je veux mourir !

Gilbert laissa échapper un gémissement.

— Tout ce que je demande de vous, c'est que vous tâchiez de retrouver mon corps, de le sauver, mort, des outrages auxquels, vivant, il n'a point échappé... M. de Charny repose dans les caveaux de son château de Boursonne : c'est là que j'ai passé les seuls jours heureux de ma vie ; je désire reposer près de lui.

— Oh ! madame, au nom du ciel, je vous adjure...

— Eh, moi, monsieur, au nom de mon malheur, je vous prie !

— C'est bien, madame ; vous l'avez dit, je dois vous obéir en tous points. Je me retire, mais je ne suis pas vaincu.

— N'oubliez pas mon dernier désir, monsieur, dit Andrée.

— Si je ne vous sauve pas malgré vous, madame, dit Gilbert, il sera accompli.

Et, saluant encore une fois Andrée, Gilbert se retira.

La porte se referma derrière lui avec ce bruit lugubre particulier aux portes des prisons.

MAILLARD

L'homme du 14 juillet, l'homme des 5 et 6 octobre, l'homme du 20 juin, l'homme du 10 août, devait être aussi l'homme du 2 septembre.

Seulement, l'ancien huissier au Châtelet devait vouloir appliquer une forme, une allure solennelle, une apparence de légalité au massacre : il voulait que les aristocrates fussent tués, mais il voulait qu'ils fussent tués légalement, tués sur un arrêt prononcé par le peuple, qu'il regardait comme le seul juge infaillible, et qui seul aussi avait le droit d'acquitter.

Une des pièces curieuses à visiter aux archives de la police est le registre de l'Abbaye, encore tout taché aujourd'hui du sang qui rejaillissait jusque sur les membres du tribunal.

Faites-vous montrer ce registre, vous qui êtes à la recherche des émouvants souvenirs, et vous verrez, à chaque instant, sur les marges, au-dessous de l'une ou l'autre de ces deux notes, écrites d'une écriture grande, belle, posée, parfaitement lisible, parfaitement calme, parfaitement exempte de trouble, de peur ou de remords, et vous verrez, disons-nous, au-dessous de l'une ou l'autre de ces deux notes : « Tué par le jugement du peuple », ou : « Absous par le peuple », ce nom : MAILLARD.

La dernière note est répétée quarante-trois fois.

Maillard a donc sauvé, à l'Abbaye, la vie de quarante-trois personnes.

Au reste, pendant qu'il entre en fonctions, vers neuf ou dix heures du soir, suivons deux hommes qui sortent des Jacobins, et qui s'acheminent vers la rue Sainte-Anne.

C'est le grand prêtre et l'adepte, c'est le maître et le disciple : c'est Saint-Just et Robespierre.

Saint-Just, au teint blafard et douteux, trop blanc pour un teint d'homme, trop pâle pour un teint de femme, à la cravate empesée et roide, élève d'un maître froid, sec et dur, plus dur, plus sec, plus froid que son maître !

Pour le maître, il y a encore quelque émotion dans ces combats de la politique où l'homme heurte l'homme ; la passion, la passion.

Pour l'élève, ce qui se passe n'est qu'une partie d'échecs sur une grande échelle, et où l'enjeu est la vie.

Prenez garde qu'il ne gagne, vous qui jouez contre lui ; car il sera inflexible, et ne fera point grâce aux perdants !

Sans doute Robespierre avait ses raisons pour ne pas rentrer, ce soir-là, chez les Duplay.

Il avait dit, le matin, qu'il irait probablement à la campagne.

La petite chambre de l'hôtel garni de Saint-Just, jeune homme, nous pourrions même dire enfant encore inconnu, lui semblait peut-être, pour cette nuit terrible du 2 au 3 septembre, plus sûre que la sienne.

Tous deux y entrèrent vers onze heures, à peu près.

Il est inutile de demander de quoi parlaient ces

deux hommes : ils parlaient du massacre ; seulement, l'un en parlait avec la sensiblerie d'un philosophe de l'école de Rousseau ; l'autre avec la sécheresse d'un mathématicien de l'école de Condillac.

Robespierre, comme le crocodile de la fable, pleurait parfois ceux qu'il condamnait.

En entrant dans sa chambre, Saint-Just posa son chapeau sur une chaise, ôta sa cravate, mit bas son habit.

— Que fais-tu ? lui demanda Robespierre.

Saint-Just le regarda d'un œil tellement étonné, que Robespierre répéta :

— Je te demande ce que tu fais.

— Je me couche, pardieu ! répondit le jeune homme.

— Et pourquoi faire te couches-tu ?

— Mais pour faire ce que l'on fait dans un lit, pour dormir.

— Comment ! s'écria Robespierre, tu songes à dormir dans une pareille nuit ?

— Pourquoi pas ?

— Quand des milliers de victimes tombent ou vont tomber, quand cette nuit va être la dernière pour tant d'hommes qui respirent encore ce soir, et qui auront cessé de vivre demain, tu songes à dormir !

Saint-Just demeura un instant pensif.

Puis, comme si, pendant ce court moment de silence, il avait puisé au fond de son cœur une nouvelle conviction :

— Oui, c'est vrai, dit-il, je sais cela ; mais je sais aussi que c'est un mal nécessaire, puisque toi-même l'as autorisé. Suppose une fièvre jaune, suppose une peste, suppose un tremblement de terre, et il mourra autant d'hommes, plus même qu'il n'en va mourir, et il n'en résultera aucun bien pour la société ; tandis que, de la mort de nos ennemis, résulte une sécurité pour nous. Je te conseille donc de rentrer chez toi, de te coucher comme je me couche, et de tâcher de dormir comme je vais dormir.

Et, en disant ces mots, l'impassible et froid politique se mit au lit.

— Adieu, dit-il, à demain !

Et il s'endormit.

Son sommeil fut aussi long, aussi calme, aussi paisible que si rien d'extraordinaire ne se fût passé dans Paris ; il s'était endormi vers onze heures et demie du soir, il se réveilla vers six heures du matin.

Saint-Just vit comme une ombre entre le jour et lui ; il se retourna du côté de sa fenêtre, et reconnut Robespierre.

Il crut que, parti la veille au soir, Robespierre était déjà revenu.

— Qui te ramène si matin ? demanda-t-il.

— Rien, dit Robespierre : je ne suis pas sorti.

— Comment ! tu n'es pas sorti ?

— Non.

— Tu ne t'es pas couché ?

— Non.

— Tu n'as pas dormi ?

— Non.

— Et où as-tu passé la nuit ?

— Debout, là, le front collé à la vitre, et écoutant les bruits de la rue.

Robespierre ne mentait pas : soit doute, soit crainte, soit remords, il n'avait pas dormi une seconde !

Quant à Saint-Just, le sommeil n'avait pas fait de différence pour lui entre cette nuit-là et les autres nuits.

Au reste, il y avait de l'autre côté de la Seine, dans la cour même de l'Abbaye, un homme qui n'avait pas plus dormi que Robespierre.

Cet homme était appuyé à l'angle du dernier guichet donnant sur la cour, et presque perdu dans la pénombre.

Voici le spectacle que présentait l'intérieur de ce dernier guichet, transformé en tribunal.

Autour d'une vaste table chargée de sabres, d'épées, de pistolets, et éclairée par deux lampes de cuivre dont la lumière était nécessaire même en plein jour, douze hommes étaient assis.

A leurs figures ternes, à leurs formes robustes, aux bonnets rouges qui les coiffaient, aux carmagnoles qui couvraient leurs épaules, on reconnaissait des hommes du peuple.

Un treizième, au milieu d'eux, avec l'habit noir râpé, le gilet blanc, la culotte courte, la figure solennelle et lugubre, la tête nue, les présidait.

Celui-là, le seul peut-être qui sût lire et écrire, avait devant lui un livre d'écrou, du papier, des plumes et de l'encre.

Ces hommes, c'étaient les juges de l'Abbaye, juges terribles rendant des jugements sans appel, qui à l'instant même étaient mis à exécution par une cinquantaine de bourreaux armés de sabres, de couteaux, de piques, et qui attendaient dans la cour ruisselants de sang.

Leur président, c'était l'huissier Maillard.

Était-il venu là de lui-même ? y avait-il été envoyé par Danton, qui eût voulu faire aux autres prisons, c'est-à-dire aux Carmes, au Châtelet, à la Force, ce que l'on fit à l'Abbaye : sauver quelques personnes ?

Nul ne le sait.

Au 4 septembre, Maillard disparaît ; on ne le voit plus, on n'entend plus parler de lui ; il est comme noyé, comme englouti dans le sang.

En attendant, depuis la veille à dix heures, il présidait le tribunal.

Il était arrivé, il avait dressé cette table, il s'était fait apporter le livre d'écrou, il avait, au hasard, et parmi les premiers venus, désigné douze juges ; puis il s'était assis au milieu de la table ; six de ses assesseurs s'étaient assis à sa droite, six à sa gauche, et le massacre avait continué, mais, cette fois, avec une espèce de régularité.

On lisait le nom porté sur l'écrou ; les guichetiers allaient chercher le prisonnier ; Maillard faisait l'historique des causes de son emprisonnement ; le prisonnier paraissait : le président consultait de l'œil ses collègues ; si le prisonnier était condamné, Maillard se contentait de dire.

— A la Force !

Alors, la porte extérieure s'ouvrait, et le condamné tombait sous les coups des massacreurs.

Si, au contraire, le prisonnier était absous, le noir fantôme se levait, lui posait la main sur la tête, et disait :

— Qu'on l'élargisse !

Et le prisonnier était sauvé.

Au moment où Maillard s'était présenté à la porte de la prison, un homme s'était détaché de la muraille, et avait été au devant de lui.

Aux premiers mots échangés entre eux, Maillard avait reconnu cet homme, et avait, en signe, non pas peut-être de soumission, mais au moins de condescendance, incliné sa haute taille devant lui.

Puis il l'avait fait entrer dans la prison, et, la table dressée, le tribunal établi, il lui avait dit :

— Tenez-vous là, et, quand ce sera la personne à laquelle vous vous intéressez, faites-moi un signe.

L'homme s'était accoudé dans l'angle, et, depuis la veille, il était là, muet, immobile, attendant.

Cet homme, c'était Gilbert.

Il avait juré à Andrée de ne point la laisser mourir, et il essayait de tenir son serment.

De quatre heures à six heures du matin, les massacreurs et les juges avaient pris un instant de repos : à six heures, ils avaient mangé.

Pendant les trois heures qu'avaient duré le sommeil et le repos, des tombereaux envoyés par la commune étaient venus et avaient enlevé les morts.

Pendant ce temps, les prisonniers entendaient la

messe ; celui qui la disait était l'abbé Lenfant, prédicateur du roi ; celui qui la servait était l'abbé de Rastignac, écrivain religieux.

C'étaient deux vieillards à cheveux blancs, à figure vénérable, et dont la parole, prêchant, d'une espèce de tribune, la résignation et la foi, eut une suprême et bienfaisante influence sur ces malheureux.

Au moment où tous étaient à genoux, recevant la bénédiction de l'abbé Lenfant, l'appel recommença.

Les heures s'écoulèrent ; on continua de massacrer.

On avait apporté dans la cour des bancs pour les spectateurs ; les femmes et les enfants des meurtriers avaient droit d'assister au spectacle : d'ailleurs acteurs de conscience, ce n'était point assez pour ces hommes d'être payés, ils voulaient encore être applaudis.

Vers cinq heures du soir, on appela M. de Sombreuil.

Celui-là, c'était un royaliste bien connu, et qu'il était d'autant plus impossible de sauver, qu'on se rappelait que, gouverneur des Invalides au 14 juillet, il avait tiré sur le peuple. Ses fils étaient à l'étranger, dans l'armée ennemie : l'un d'eux avait si bien fait au siège de Longwy, qu'il avait été décoré par le roi de Prusse.

M. de Sombreuil parut, lui aussi, noble et résigné, portant haut sa tête à cheveux blancs, qui retombaient en boucles jusque sur son uniforme ; lui aussi appuyé sur sa fille.

Cette fois, Maillard n'osa ordonner l'élargissement du prisonnier : seulement, faisant un effort sur lui-même, il dit :

— Innocent ou coupable, je crois qu'il serait indigne du peuple de tremper ses mains dans le sang de ce vieillard.

Mademoiselle de Sombreuil entendit cette noble parole, qui pèsera son poids dans la balance divine :

elle prit son père, et l'entraîna par la porte de vie, en criant :

— Sauvé ! sauvé !

Aucun jugement n'avait été prononcé, ni pour condamner ni pour absoudre.

Deux ou trois des assassins passèrent leurs têtes par la porte du guichet, pour demander ce qu'il fallait faire.

Le tribunal resta muet.

— Faites ce que vous voudrez, dit un seul membre.

— Eh bien, crièrent les meurtriers, que la jeune fille boive à la santé de la nation.

Ce fut alors qu'un homme rouge de sang, aux manches retroussées, au visage féroce, présenta à mademoiselle de Sombreuil un verre, les uns disent de sang, les autres disent simplement de vin.

Mademoiselle de Sombreuil cria : « Vive la nation ! » trempa ses lèvres dans la liqueur, quelle qu'elle fût, et M. de Sombreuil fut sauvé.

Deux heures s'écoulèrent encore.

Puis la voix de Maillard, aussi impassible en évoquant les vivants que l'était celle de Minos en évoquant les morts, la voix de Maillard prononça ces mots :

— La citoyenne Andrée de Taverney, comtesse de Charny.

A ce nom, Gilbert sentit ses jambes lui faillir, et le cœur lui manquer.

Une vie, plus importante à ses yeux que sa propre vie, allait être débattue et jugée, condamnée ou sauvée.

— Citoyens, dit Maillard aux membres du tribunal terrible, celle qui va comparaître devant vous est une pauvre femme qui a été dévouée autrefois à l'Autrichienne, mais dont l'Autrichienne, ingrate comme une reine, a payé le dévouement par de l'ingratitude ; elle a tout perdu à cette amitié : sa fortune et son mari. Vous allez la voir entrer, vêtue de noir, et, ce deuil, à qui le doit-elle ? A la prisonnière du Temple ! Citoyens, je vous demande la vie de cette femme.

Les membres du tribunal firent un signe d'assentiment.

Un seul dit :

— Il faudra voir.

— Alors, reprit Maillard, regardez.

La porte s'ouvrait, en effet, et l'on apercevait, dans les profondeurs du corridor, une femme toute vêtue de noir, le front couvert d'un voile noir, qui s'avançait seule, sans soutien, d'un pas ferme.

On eût dit une apparition de ce monde funèbre — d'où comme dit Hamlet, nul voyageur n'est revenu encore.

A cette vue, ce furent les juges qui frissonnèrent.

Elle arriva jusqu'à la table, et leva son voile.

Jamais plus incontestable, mais plus pâle beauté n'apparut aux regards des hommes : c'était une divinité de marbre.

Tous les regards se fixèrent sur elle ; Gilbert demeura haletant.

Elle s'adressa à Maillard, et, d'une voix à la fois suave et ferme :

— Citoyen, dit-elle, c'est vous qui êtes le président ?

— Oui, citoyenne, répondit Maillard, étonné, lui, l'interrogateur, d'être interrogé à son tour.

— Je suis la comtesse de Charny, femme du comte de Charny, tué dans l'infâme journée du 10 août ; une aristocrate, une amie de la reine ; j'ai mérité la mort, et je viens la chercher.

Les juges poussèrent un cri de surprise.

Gilbert pâlit, et s'enfonça le plus qu'il lui fut possible dans l'angle du guichet, essayant d'échapper au regard d'Andrée.

— Citoyens, dit Maillard, qui vit l'épouvante de Gilbert, cette femme est folle : la mort de son mari lui a fait perdre la raison ; plaignons-la, et veillons sur sa vie. La justice du peuple ne punit pas les insensés.

Et il se leva, et voulut lui poser la main sur la tête, comme il faisait pour ceux qu'il proclamait innocents.

Mais Andrée écarta la main de Maillard.

— J'ai toute ma raison, dit-elle ; et, si vous avez à faire grâce à quelqu'un, faites cette grâce à quelqu'un qui la demande et qui la mérite, mais non pas à moi, qui ne la mérite pas et qui la refuse.

Maillard se retourna du côté de Gilbert, et vit celui-ci les mains jointes.

— Cette femme est folle, répéta-t-il ; qu'on l'élargisse !

Et il fit signe à un membre du tribunal de la pousser dehors par la porte de la vie.

— Innocente ! cria l'homme ; laissez passer !

On s'écarta devant Andrée ; les sabres, les piques, les pistolets, s'abaissèrent devant cette statue du Deuil.

Mais, après avoir fait dix pas, et tandis que, penché à la fenêtre, Gilbert, à travers les barreaux, la regardait s'éloigner, elle s'arrêta.

— Vive le roi ! cria-t-elle, vive la reine ! Opprobre sur le 10 août !

Gilbert jeta un cri, et s'élança dans la cour.

Il avait vu briller la lame d'un sabre ; mais, rapide comme un éclair, la lame avait disparu dans la poitrine d'Andrée !

Il arriva à temps pour recevoir la pauvre femme dans ses bras.

Andrée tourna vers lui son regard éteint, et le reconnut.

— Je vous avais bien dit que je mourrais malgré vous, murmura-t-elle.

Puis, d'une voix à peine intelligible :

— Aimez Sébastien pour nous deux ! dit-elle.

Puis, plus faiblement encore :

— Près de lui, n'est-ce pas ? près de mon Olivier, près de mon époux... pour l'éternité.

Et elle expira.

Gilbert la prit entre ses bras et l'enleva de terre.

Cinquante bras nus et rougis de sang le menacèrent à la fois.

Mais Maillard parut derrière lui, étendit la main au-dessus de sa tête, et dit :

— Laissez passer le citoyen Gilbert, qui emporte le cadavre d'une pauvre folle tuée par mégarde.

Chacun s'écarta, et Gilbert, emportant le cadavre d'Andrée, passa au milieu des massacreurs sans qu'un seul songeât à lui barrer le chemin, tant cette parole de Maillard était souveraine sur la multitude.

LA LÉGENDE DU ROI MARTYR

Le roi était au Temple ; comment y était-il venu ? avait-on voulu d'avance lui faire la honteuse prison qu'il occupait ?

Non.

Pétion, d'abord, avait eu l'idée de le transporter au centre de la France, de lui donner Chambord, de le traiter là en roi fainéant.

La Vendée venait de se soulever : on objecta quelque hardi coup de main par la Loire. La raison parut suffisante : on renonça à Chambord.

L'Assemblée législative indiqua le Luxembourg ; le Luxembourg, palais florentin de Marie de Médicis, avec sa solitude, ses jardins rivaux de ceux des Tuileries, était une résidence non moins convenable que Chambord pour un roi déchu.

On objecta les caves du palais, donnant sur les catacombes : peut-être n'était-ce qu'un prétexte de la commune, qui voulait tenir le roi sous sa main ; mais c'était un prétexte plausible.

La commune vota donc pour le Temple. Par-là, elle entendait, non pas la tour du Temple, mais le palais du Temple, l'ancienne commanderie des chefs de l'ordre, une des maisons de plaisance du comte d'Artois.

Louis XVI avait, au Temple, trois domestiques et treize officiers de bouche. Son dîner se composait, chaque jour, de quatre entrées, de deux rôtis chacun de trois pièces, de quatre entremets, de trois compotes, de trois assiettes de fruits, d'un carafon de bordeaux, d'un carafon de malvoisie, d'un carafon de madère.

Seul, avec son fils, il buvait du vin ; la reine et les princesses ne buvaient que de l'eau.

De ce côté, matériellement, le roi n'était donc pas à plaindre.

Mais ce qui lui manquait essentiellement, c'étaient l'air, l'exercice, le soleil et l'ombre.

Habitué aux chasses de Compiègne et de Rambouillet, aux parcs de Versailles et du grand Trianon, Louis XVI se trouvait tout à coup réduit, non pas à une cour, non pas à un jardin, non pas à une promenade, mais à un terrain sec et nu, avec quatre compartiments de gazon flétri, quelques arbres chétifs, rabougris, effeuillés au vent d'automne.

Là, tous les jours, à deux heures, le roi et sa famille se promenaient ; nous nous trompons : là, tous les jours, à deux heures, on promenait le roi et sa famille.

C'était inouï, cruel, féroce, mais moins féroce, moins cruel que les caves de l'Inquisition à Madrid, que les plombs du conseil des Dix à Venise, que les cachots du Spielberg.

Remarquez bien ceci, nous n'excusons pas plus la commune que nous n'excusons les rois ; nous disons seulement : le Temple n'était qu'une représaille, représaille terrible, fatale, maladroite ; car, d'un jugement, on faisait une persécution ; d'un coupable, un martyr.

La commune était à la fois cruelle et imprudente : cruelle en entourant la famille royale de mauvais traitements, de vexations, d'injures même ; imprudente en la laissant voir faible, brisée, prisonnière.

Chaque jour, elle envoyait de nouveaux gardiens au Temple, sous le nom de municipaux ; ils entraient ennemis acharnés du roi, ils sortaient ennemis de Marie-Antoinette, mais presque tous plaignant le roi, plaignant les enfants, glorifiant madame Élisabeth.

Ils venaient pour veiller sur un abominable tyran qui avait ruiné la France, massacré les Français, appelé l'étranger ; sur une reine qui avait réuni les lubricités de Messaline aux débordements de Catherine II ; — ils trouvaient un bonhomme vêtu de gris, qu'ils confondaient avec son valet de chambre, qui mangeait bien, buvait bien, dormait bien, jouait au trictrac et au piquet, montrait le latin et la géographie à son fils, et faisait deviner des charades à ses enfants — une femme fière et dédaigneuse sans doute, mais digne, calme, résignée, encore belle, apprenant à sa fille à faire de la tapisserie, à son fils à dire des prières, parlant doucement aux domestiques, et appelant un valet de chambre « mon ami ».

Les premiers moments étaient à la haine : chacun de ces hommes, venu avec des sentiments d'animosité et de vengeance, commençait par donner cours à ces sentiments ; puis, peu à peu, il s'apitoyait ; parti le matin de chez lui, menaçant et la tête haute, il rentrait le soir, attristé, la tête basse ; sa femme l'attendait curieuse.

— Ah ! c'est toi ! s'écriait-elle.
— Oui, répondait-il laconiquement.
— Eh bien, as-tu vu le tyran ?
— Je l'ai vu.
— A-t-il l'air bien féroce ?

— Il ressemble à un rentier du Marais.

— Que fait-il ? il enrage ! il maudit la République ! il...

— Il passe le temps à étudier avec ses enfants, à leur apprendre le latin, à jouer au piquet avec sa sœur, à deviner des charades pour amuser sa femme.

— Il n'a donc pas de remords, le malheureux ?

— Je l'ai vu manger, et il mange comme un homme qui a la conscience tranquille ; je l'ai vu dormir, et je réponds qu'il n'a pas le cauchemar.

Et la femme devenait pensive à son tour.

— Mais alors, disait-elle, il n'est donc pas si cruel et si coupable qu'on le dit ?

— Coupable, je ne sais pas, cruel, je répondrais bien que non ; malheureux, à coup sûr !

— Pauvre homme ! disait la femme.

Cependant, tous ceux qui approchaient les prisonniers au Temple ne montraient pas les mêmes sentiments de respect et de pitié ; chez beaucoup, la haine et la vengeance étaient si profondément enracinées, que ce spectacle du malheur royal supporté avec des vertus bourgeoises ne pouvait les en arracher, et parfois le roi et la reine avaient à supporter des grossièretés, des injures, des insultes même.

Les tourmenteurs les plus acharnés étaient deux commensaux du Temple : l'un, le cordonnier Simon ; l'autre, le sapeur Rocher.

Simon cumulait : il était non seulement cordonnier, mais encore municipal ; non seulement municipal, mais encore un des six commissaires chargés d'inspecter les travaux et les dépendances du Temple. A ce triple titre, il ne quittait point la tour.

Cet homme, que ses cruautés exercées sur l'enfant royal ont rendu célèbre, était l'insulte personnifiée ; chaque fois qu'il paraissait devant les prisonniers, c'était pour leur faire un nouvel outrage.

Si le valet de chambre réclamait quelque chose au nom du roi :

— Voyons, disait-il, que Capet demande d'un seul coup tout ce dont il a besoin ; je n'ai pas envie de prendre pour lui la peine de remonter une seconde fois.

Rocher lui faisait pendant ; il ressemblait à un enfant auquel on donne à garder une cage avec des oiseaux, et qui, pour se distraire, leur arrache les plumes.

Il y a, dans toutes les grandes expiations, outre le supplice infligé aux patients, l'homme qui fait boire au condamné la lie et le fiel : — pour Louis XVI, il s'appelle Rocher ou Simon, pour Napoléon, il s'appelle Hudson Lowe. Mais aussi, quand le condamné a subi sa peine, quand le patient en a fini avec la vie, ce sont ces hommes-là qui poétisent son supplice, qui sanctifient sa mort ! Sainte-Hélène serait-elle Sainte-Hélène sans le geôlier à l'habit rouge ? Le Temple serait-il le Temple sans son sapeur et son cordonnier ? Voilà les véritables personnages de la légende ; aussi appartiennent-ils de droit aux longs et sombres récits populaires.

Mais, si malheureux que fussent les prisonniers, il leur restait une immense consolation : ils étaient réunis.

OÙ MAITRE GAMAIN REPARAIT

Un homme vêtu d'une carmagnole et d'un bonnet rouge, appuyé sur une béquille qui l'aidait à soutenir sa marche, se présenta au ministère de l'Intérieur.

Roland était fort accessible ; mais, si accessible qu'il fût, il était, cependant, forcé d'avoir, — comme s'il eût été ministre d'une monarchie, au lieu d'être ministre d'une république, — il était cependant forcé, disons-nous, d'avoir des huissiers dans son antichambre.

L'homme à la béquille, à la carmagnole et au bonnet rouge, fut donc obligé de s'arrêter à l'antichambre, devant l'huissier qui lui barrait le passage en lui demandant :

— Que désirez-vous, citoyen ?

— Je désire parler au citoyen ministre, répondit l'homme à la carmagnole.

Il y avait quinze jours que le titre de *citoyen* et de *citoyenne* était substitué à la qualification de *monsieur* et de *madame*.

Les huissiers sont toujours des huissiers, c'est-à-dire des personnages fort impertinents ; — nous parlons des huissiers des ministères : si nous parlions des huissiers à verge, au lieu de parler des huissiers à chaîne, nous en dirions bien autre chose !

L'huissier répondit d'un ton protecteur :

— Mon ami, apprenez une chose : c'est qu'on ne parle point comme cela au citoyen ministre.

— Et comment donc parle-t-on au citoyen ministre, citoyen huissier ? demanda le citoyen au bonnet rouge.

— On lui parle quand on a une lettre d'audience.

— Je croyais que cela se passait comme vous dites sous le règne du tyran, mais que, sous la République, dans un temps où tous les hommes sont égaux, on était moins aristocrate.

Cette réflexion fit réfléchir l'huissier.

— C'est que, continua l'homme au bonnet rouge, à la carmagnole et à la béquille, c'est que ce n'est pas amusant, voyez-vous, de venir de Versailles pour rendre service à un ministre, et de ne pas être reçu par lui.

— Vous venez pour rendre service au citoyen Roland ?

— Un peu !

— Et quel genre de service venez-vous lui rendre ?

— Je viens lui dénoncer une conspiration.

— Bon ! nous en avons par-dessus la tête des conspirations.

— Ah !

— Vous venez de Versailles pour cela ?

— Oui.

— Eh bien, vous pouvez y retourner, à Versailles.

— C'est bon, j'y retournerai ; mais votre ministre se repentira de ne pas m'avoir reçu.

— Dame ! c'est la consigne... Écrivez-lui, et revenez avec une lettre d'audience ; alors, ça ira tout seul.

— C'est votre dernier mot ?

— C'est mon dernier mot.

— Il paraît que c'est plus difficile d'entrer chez le citoyen Roland que ça ne l'était d'entrer chez Sa Majesté Louis XVI !

— Comment cela ?

— Je dis ce que je dis.

— Voyons, que dites-vous ?

— Je dis qu'il fut un temps où j'entrais aux Tuileries comme je voulais.

— Vous ?

— Oui, et je n'avais qu'à dire mon nom pour cela.

— Comment donc vous appelez-vous ? Le roi Frédéric-Guillaume ou l'empereur François ?

— Non, je ne suis pas un tyran, moi, un marchand d'esclaves, un aristocrate ; je suis tout simplement Nicolas-Claude Gamain, maître sur maître, maître sur tous.

— Maître en quoi ?

— En serrurerie donc ! Vous ne connaissez pas Nicolas-Claude Gamain, l'ancien maître serrurier de M. Capet ?

— Ah ! comment ! c'est vous, citoyen, qui êtes... ?

— Nicolas-Claude Gamain.

— Serrurier de l'ex-roi ?

— C'est-à-dire son maître en serrurerie, entendez-vous, citoyen ?

— C'est cela que je veux dire.

— En chair et en os, c'est moi.

L'huissier regarda ses camarades comme pour les interroger, ceux-ci répondirent par un signe affirmatif.

— Alors, dit l'huissier, c'est autre chose.

— Qu'est-ce que vous entendez par *c'est autre chose* ?

— J'entends que vous allez écrire votre nom sur un morceau de papier, et que je vais faire passer ce nom au citoyen ministre.

— Écrire ? Ah bien, oui, écrire ! ça n'était déjà pas mon fort avant qu'ils m'eussent empoisonné, ces brigands-là ; mais, maintenant, c'est encore pis ! Voyez comme l'arsenic m'a arrangé.

Et Gamain montra ses jambes tordues, sa colonne vertébrale déviée, et sa main crispée et crochue comme une griffe.

— Comment ! ce sont eux qui vous ont arrangé ainsi, mon pauvre homme ?

— Eux-mêmes ! et c'est cela que je viens dénoncer au citoyen ministre, et bien autre chose encore... Comme on dit qu'on va lui faire son procès, à ce brigand de Capet, ce que j'ai à dire ne sera peut-être pas perdu pour la nation, dans les circonstances où l'on se trouve.

— Eh bien, asseyez-vous là, et attendez, citoyen ; je vais faire passer votre nom au citoyen ministre.

Et l'huissier écrivit sur un morceau de papier :

« Claude-Nicolas Gamain, ancien maître serrurier du roi, demande au citoyen ministre une audience immédiate pour une révélation importante. »

Puis il remit le papier à l'un de ses camarades dont la position spéciale était d'annoncer.

Cinq minutes après, le camarade revint en disant :

— Suivez-moi, citoyen.

Gamain fit un effort qui lui arracha un cri de douleur, se leva, et suivit l'huissier.

L'huissier conduisit Gamain, non pas dans le cabinet du ministre officiel, le citoyen Roland, mais dans le cabinet du ministre réel, la citoyenne Roland.

C'était une petite chambre très simple, tendue d'un papier vert, éclairée d'une seule fenêtre dans l'embrasure de laquelle, assise à une petite table, travaillait madame Roland.

Roland était debout devant la cheminée.

L'huissier annonça le citoyen Nicolas-Claude Gamain, — et le citoyen Nicolas-Claude Gamain parut sur la porte.

Le maître serrurier n'avait jamais été, même au temps de sa meilleure santé et de sa plus haute fortune, d'un physique bien avantageux ; mais la maladie à laquelle il était en proie, et qui n'était autre qu'un rhumatisme articulaire, tout en tordant ses membres et en défigurant son visage, n'avait rien ajouté, on le comprend bien, aux agréments de sa physionomie.

Il en résulta que, lorsque l'huissier eut refermé la porte derrière lui, jamais honnête homme, — et, il faut le dire, nul mieux que Roland ne méritait le titre d'honnête homme, — il en résulta, disons-nous, que jamais honnête homme, au visage calme et serein, ne s'était trouvé en face d'un coquin à plus bas et à plus immonde visage.

Le premier sentiment qu'éprouva le ministre fut donc celui d'une profonde répugnance. Il regarda le citoyen Gamain des pieds à la tête, et, voyant qu'il tremblait sur sa béquille, un sentiment de pitié pour la souffrance d'un de ses semblables, — en supposant toutefois que le citoyen Gamain fût le semblable du citoyen Roland, — un sentiment de pitié fit que le premier mot qu'adressa le ministre au serrurier fut :

— Asseyez-vous, citoyen ; vous paraissez souffrant.

— Je crois bien que je suis souffrant ! dit Gamain

en s'asseyant ; c'est depuis que l'Autrichienne m'a empoisonné.

À ces mots, une expression de profond dégoût passa sur le visage du ministre, et il échangea un regard avec sa femme, à peu près cachée dans l'embrasure de la fenêtre.

— Et c'est pour me dénoncer cet empoisonnement, dit Roland, que vous êtes venu ?

— Pour vous dénoncer ça et autre chose.

— Apportez-vous la preuve de vos dénonciations ?

— Ah ! quant à ça, vous n'avez qu'à venir avec moi aux Tuileries, et on vous la montrera, l'armoire !

— Quelle armoire ?

— L'armoire où ce brigand-là cachait son trésor... Oh ! j'aurais dû m'en douter aussi, quand, la besogne achevée, l'Autrichienne m'a dit de sa voix câline : « Tenez, Gamain, vous avez chaud ; buvez ce verre de vin ; il vous fera du bien ! » J'aurais dû me douter que le vin était empoisonné !

— Empoisonné ?

— Oui... Je savais ça pourtant, dit Gamain avec une expression de sombre haine, que les hommes qui aident les rois à cacher des trésors ne vivent pas longtemps.

Roland s'approcha de sa femme, et l'interrogea des yeux.

— Il y a quelque chose au fond de tout cela, mon ami, dit-elle ; je me rappelle maintenant le nom de cet homme : c'est le maître serrurier du roi.

— Et cette armoire... ?

— Eh bien, demandez-lui ce que c'est que cette armoire.

— Ce que c'est que cette armoire ? reprit Gamain, qui avait entendu. Ah ! je vais vous le dire, parbleu ! C'est une armoire de fer, avec une serrure bénarde, et dans laquelle le citoyen Capet cachait son or et ses papiers.

— Et comment connaissez-vous l'existence de cette armoire ?

— Puisqu'il m'a envoyé chercher, moi et mon compagnon, à Versailles, pour lui faire marcher une serrure qu'il avait faite lui-même, et qui ne marchait pas.

— Mais, cette armoire, elle aura été ouverte, brisée, pillée au 10 août.

— Oh ! dit Gamain, il n'y a pas de danger !

— Comment, il n'y a pas de danger ?

— Non ; je défie bien qui que ce soit au monde, excepté lui ou moi, de la trouver et surtout de l'ouvrir.

— Vous êtes sûr ?

— Sûr et certain ! Telle elle était à l'heure où il a quitté les Tuileries, telle elle est aujourd'hui.

— Et à quelle époque avez-vous aidé le roi Louis XVI à fermer cette armoire ?

— Ah ! je ne puis pas dire au juste ; mais c'était trois ou quatre mois avant le départ pour Varennes.

— Et comment cela s'est-il passé ? voyons... Excusez-moi, mon ami ; la chose me paraît assez extraordinaire pour qu'avant de me mettre avec vous à la recherche de cette armoire, je vous demande quelques détails.

— Oh ! ces détails sont faciles à donner, citoyen ministre, et ils ne manqueront pas. Capet m'a envoyé chercher à Versailles ; ma femme ne voulait pas me laisser venir : pauvre femme ! elle avait un pressentiment, elle me disait : « Le roi est en mauvaise position ; tu vas te compromettre pour lui ! — Mais, lui disais-je, puisqu'il m'envoie chercher pour affaire concernant mon état, et qu'il est mon écolier, il faut bien que j'y aille. — Bon ! répondait-elle, il y a de la politique là-dessous : il a autre chose à faire, dans ce moment-ci, que de faire des serrures ! »

— Abrégeons, mon ami... De sorte que, malgré les avis de votre femme, vous êtes venu ?

— Oui, et j'eusse mieux fait de les écouter, ses avis : je ne serais pas dans l'état où je suis... Mais ils me le paieront, les empoisonneurs !

— Alors ?

— Ah ! pour en revenir à l'armoire...

— Oui, mon ami, et tâchons même de ne pas nous en écarter, n'est-ce pas ? Tout mon temps est à la République, et j'ai bien peu de temps !

— Alors, il m'a montré une serrure bénarde qui n'allait pas : il l'avait faite lui-même, ce qui me prouve que, si elle eût été, il ne m'aurait pas envoyé chercher, le traître !

— Il vous a fait voir une serrure bénarde qui n'allait pas ? reprit le ministre, insistant pour maintenir Gamain dans la question.

— Et il m'a demandé : « Pourquoi ça ne va-t-il pas, Gamain ? » J'ai dit : « Sire, il faut que j'examine la serrure. » Il a dit : « C'est trop juste. » Alors, j'ai examiné la serrure, et je lui ai dit : « Savez-vous pourquoi la serrure ne va pas ? — Non, a-t-il répondu, puisque je te le demande. — Eh bien, elle ne va pas, sire (on l'appelait encore sire à cette époque-là, le brigand !), elle ne va pas, sire... c'est tout simple, elle ne va pas... » Suivez bien mon raisonnement ; car, n'étant pas si fort en serrurerie que le roi, vous ne pourrez peut-être pas me comprendre... C'est-à-dire, non, je me rappelle maintenant : ce n'était pas une serrure bénarde, c'était une serrure de coffre.

— Cela m'est absolument égal, mon ami, répondit Roland ; comme vous l'avez deviné, je ne suis pas si fort en serrurerie que le roi, et je ne connais pas la différence qu'il y a entre une serrure bénarde et une serrure de coffre.

— La différence, je vais vous la faire toucher du doigt...

— Inutile. Vous expliquiez au roi, disiez-vous...

— Pourquoi la serrure ne fermait pas... Faut-il vous dire pourquoi elle ne fermait pas ?

— Si vous voulez, répondit Roland, qui commençait à croire que le mieux était d'abandonner Gamain à sa prolixité.

— Eh bien, elle ne fermait pas, comprenez-vous ? parce que le museau de la clef accrochait bien la grande barbe, que la grande barbe décrivait bien la moitié de son cercle, mais qu'arrivée là, comme elle n'était pas taillée en biseau, elle ne s'échappait pas toute seule ; voilà l'affaire ! vous comprenez à présent, n'est-ce pas ? la course de la barbe étant de six lignes, l'épaulement devait être d'une ligne... Comprenez-vous ?

— A merveille ! dit Roland, qui ne comprenait pas un mot.

— « C'est ma foi ça, dit le roi (on lui donnait encore ce titre à l'infâme tyran !) ; eh bien, Gamain, fais ce que je n'ai pas su faire, toi, mon maître. — Oh ! non seulement votre maître, sire ; mais encore maître sur maître, maître sur tous ! »

— Si bien... ?

— Si bien que je me mis à la besogne, tandis que M. Capet causait avec mon garçon, que j'ai toujours soupçonné d'être un aristocrate déguisé ; au bout de dix minutes, c'était fini. Alors, je descendis avec la porte de fer dans laquelle était pratiquée la serrure, et je dis : « Ça y est, sire ! — Eh bien, Gamain, dit-il, viens avec moi ! » Il marcha devant, je le suivis ; il me conduisit d'abord dans sa chambre à coucher, puis dans un couloir sombre qui communiquait de son alcôve à la chambre du dauphin ; là, il faisait si ténébreux, qu'on fut obligé d'allumer une bougie. Le roi me dit : « Tiens cette bougie, Gamain, et éclaire-moi. » (Il se permettait de me tutoyer, le tyran !) Alors, il leva un panneau de la boiserie derrière lequel il y avait un trou rond portant deux pieds de diamètre à son ouverture ; puis, comme il remarquait mon étonnement : « J'ai fait cette cachette pour y serrer de l'argent, me dit-il ; maintenant, tu vois, Gamain, il faut fermer l'ouverture avec cette porte de fer. — Ce ne sera pas long, que je lui répondis : les gonds y sont, ainsi que le pêne. » J'accrochai la porte, et je n'eus qu'à la pousser ; elle se fermait toute seule, puis on remettait le panneau en place, bonsoir ! plus d'armoire, plus de porte, plus de serrure !

— Et vous croyez, mon ami, demanda Roland, que cette armoire n'avait d'autre but que de devenir coffre-fort, et que le roi s'était donné toute cette peine pour cacher de l'argent ?

— Attendez donc ! c'était une frime : il se croyait bien malin, le tyran ! mais je suis aussi malin que lui. Voici ce qui se passa. « Voyons, dit-il, Gamain, aide-moi à compter l'argent que je veux cacher dans cette armoire. » Et nous comptâmes ainsi deux millions en doubles louis que nous divisâmes en quatre sacs de cuir ; mais, tandis que je comptais son or, je vis du coin de l'œil le valet de chambre qui transportait des papiers, des papiers, des papiers... et je me dis : « Bon ! l'armoire, c'est pour renfermer des papiers ; l'argent, c'est une frime ! »

— Que dis-tu de cela, Madeleine ? demanda Roland à sa femme en se baissant vers elle, de manière à ce que, cette fois, Gamain ne l'entendît pas.

— Je dis que cette révélation est de la plus haute importance, et qu'il n'y a pas un instant à perdre.

Roland sonna.

L'huissier parut.

— Avez-vous une voiture attelée dans la cour de l'hôtel ? demanda-t-il.

— Oui, citoyen.

— Faites-la approcher.

Gamain se leva.

— Ah ! dit-il tout vexé, vous en avez assez de moi comme cela, à ce qu'il paraît ?

— Pourquoi donc ? demanda Roland.

— Puisque vous appelez votre voiture... Les ministres ont donc encore des voitures sous la République ?

— Mon ami, répondit Roland, les ministres auront des voitures en tout temps : une voiture n'est pas un luxe pour un ministre ; c'est une économie.

— Une économie de quoi ?

— De temps, c'est-à-dire de la denrée la plus chère et la plus précieuse qu'il y ait au monde !

— Alors, il faudra donc que je revienne, moi ?

— Pourquoi faire ?

— Dame ! pour vous mener à l'armoire où est le trésor.

— Inutile.

— Comment ça, inutile ?

— Sans doute, puisque je viens de demander la voiture pour y aller.

— Pour aller où ?

— Aux Tuileries.

— Nous y allons donc ?

— De ce pas.

— A la bonne heure !

— Mais, à propos, dit Roland.

— Quoi ? demanda Gamain.

— La clef ?

— Quelle clef ?

— La clef de l'armoire... Il est probable que Louis XVI ne l'a pas laissée à la porte.

— Oh ! bien certainement, attendu qu'il n'est pas si bête qu'il en a l'air, le gros Capet.

— Alors, vous prendrez des outils.

— Pourquoi faire ?

— Pour ouvrir l'armoire.

Gamain tira de sa poche une clef toute neuve.

— Et qu'est-ce que c'est donc que cela ? demanda-t-il.

— Une clef.

— La clef de l'armoire, que j'ai faite de souvenir ; je l'avais bien étudiée, me doutant qu'un jour...

— Cet homme est un grand misérable ! dit madame Roland à son mari.

— Tu penses donc... ? demanda celui-ci avec hésitation.

— Je pense que nous n'avons pas le droit, dans notre position, de refuser aucun des renseignements que la fortune nous envoie pour arriver à la connaissance de la vérité.

— La voilà ! la voilà ! disait Gamain rayonnant et montrant la clef.

— Et vous croyez, demanda Roland avec un dégoût qu'il lui était impossible de cacher, vous croyez que cette clef, quoique faite de souvenir, et après dix-huit mois, ouvrira l'armoire de fer ?

— Et du premier coup, je l'espère bien ! dit Gamain. Ce n'est pas pour des prunes qu'on est maître sur maître, maître sur tous.

— La voiture du citoyen ministre attend, dit l'huissier.

— Irai-je avec vous ? demanda madame Roland.

— Certainement ! s'il y a des papiers, c'est à toi que je les confierai ; n'es-tu pas le plus honnête homme que je connaisse ?

Puis, se retournant vers Gamain :

— Venez, mon ami, lui dit Roland.

Et Gamain suivit en grommelant entre ses mâchoires :

— Ah ! je l'avais bien dit que je te revaudrais *cela*, M. Capet ?

Cela ? — Qu'est-ce que c'était que *cela* ?

C'était le bien que le roi lui avait fait !

LE PROCÈS

Les papiers de l'armoire de fer, livrés par Gamain,
— auquel la Convention accorda douze cents livres
de pension viagère pour cette belle œuvre, et qui
mourut tordu par les rhumatismes, après avoir mille
fois regretté la guillotine, où il avait aidé à envoyer
son royal élève ; — les papiers de l'armoire de fer,
au grand désappointement de monsieur et de madame
Roland, ne contenaient rien contre Dumouriez et
Danton : ils compromettaient surtout le roi et les
prêtres ; ils dénonçaient ce pauvre petit esprit aigre,
étroit, ingrat de Louis XVI, qui ne haïssait que ceux
qui avaient voulu le sauver : Necker, La Fayette,
Mirabeau ! — Il n'y avait rien non plus contre la
gironde.

La discussion sur le procès commença le
18 novembre.

Qui l'ouvrit, cette discussion terrible ? qui se fit
le porte-glaive de la montagne ? qui plana au-dessus
de la sombre assemblée comme l'ange de l'exter-
mination ?

Un jeune homme, ou plutôt un enfant de vingt-
quatre ans, envoyé avant l'âge voulu à la Convention, et que nous avons déjà vu apparaître dans
cette histoire.

C'était chez ce jeune homme que rentrait Robespierre dans la nuit du 2 septembre ; ce fut ce jeune
homme qui dormit quand Robespierre ne dormait
pas ; — ce jeune homme, c'était Saint-Just.

— Saint-Just, lui disait un jour Camille Desmoulins, sais-tu ce que dit de toi Danton ?

— Non.

— Il dit que tu portes ta tête comme un saint
sacrement.

Un pâle sourire se dessina sur la bouche féminine
du jeune homme.

— Bien, dit-il ; et, moi, je lui ferai porter la sienne comme un saint Denis !

Et il tint parole.

Saint-Just descendit lentement du sommet de la montagne, il monta lentement à la tribune, et lentement il demanda la mort... Il *demanda*, nous nous trompons : il *ordonna* la mort.

Ce fut un discours atroce que celui que prononça ce beau jeune homme pâle aux lèvres de femme ; le relève qui voudra, l'imprime qui pourra ; nous n'en avons pas le courage.

« Il ne faut pas longuement juger le roi, dit-il : *il faut le tuer.*

» *Il faut le tuer*, car il n'y a plus de lois pour le juger ; lui-même les a détruites.

» *Il faut le tuer* comme un ennemi ; on ne juge que les citoyens. Pour juger le tyran, il faudrait d'abord le refaire citoyen.

» *Il faut le tuer* comme un coupable pris en flagrant délit, la main dans le sang ; la royauté est, d'ailleurs, un crime éternel : un roi est hors de la nature ; de peuple à roi, nul rapport naturel. »

Il parla ainsi une heure, sans s'animer, sans s'échauffer, avec une voix de rhéteur, des gestes de pédant, et, à la fin de chaque phrase, revenaient ces mots qui tombaient d'un poids singulier, et qui produisaient chez les auditeurs un ébranlement pareil à celui du couteau de la guillotine : « Il faut le tuer ! »

Ce discours fit une sensation terrible ; pas un des juges qui ne sentît, en l'écoutant, pénétrer jusqu'à son cœur le froid de l'acier ! Robespierre lui-même s'effraya de voir son disciple, son élève, planter si fort au-delà des avant-postes républicains les plus avancés le sanglant drapeau de la révolution.

Dès lors, non seulement le procès fut résolu, mais encore Louis XVI fut condamné.

Essayer de sauver le roi, c'était se dévouer à la mort.

Danton en eut l'idée, il n'en eut pas le courage : il avait eu assez de patriotisme pour réclamer le nom d'assassin, il n'eut pas assez de stoïcisme pour accepter celui de traître.

Le 11 décembre, le procès s'ouvrit.

Dès cinq heures du matin, la générale battit dans tout Paris ; les portes du Temple s'ouvrirent, et l'on fit entrer dans les cours de la cavalerie et du canon.

A neuf heures, le roi et le dauphin montèrent pour déjeuner dans l'appartement des princesses ; il y eut une dernière heure passée ensemble, mais sous les yeux des municipaux.

Le dauphin insista pour faire une partie de siam ; tout préoccupé qu'il devait être, le roi voulut donner cette distraction à son fils.

Le dauphin perdit toutes les parties, et par trois fois s'arrêta au n° 16.

— Maudit n° 16 ! s'écria-t-il ; je crois qu'il me porte malheur.

Le roi ne répondit rien, mais le mot le frappa comme un funeste présage.

A onze heures, tandis qu'il donnait au dauphin sa leçon de lecture, deux municipaux entrèrent, annonçant qu'ils venaient chercher le jeune Louis pour le conduire chez sa mère ; le roi voulut savoir les motifs de cette espèce d'enlèvement : les commissaires se contentèrent de répondre qu'ils exécutaient les ordres du conseil de la commune.

Le roi embrassa son fils, et chargea Cléry de le conduire près de sa mère.

Cléry obéit et revint.

— Où avez-vous laissé mon fils ? demanda le roi.

— Dans les bras de la reine, sire, répondit Cléry.

Un des commissaires reparut.

— Monsieur, dit-il à Louis XVI, le citoyen Chambon, maire de Paris (c'était le successeur de Pétion), est au conseil, et va monter.

— Que me veut-il ? demanda le roi.

— Je l'ignore, répondit le municipal.

Et il sortit, laissant le roi seul.

Le maire parut à une heure seulement ; il était accompagné du nouveau procureur de la commune Chaumette, du secrétaire greffier Coulombeau, de plusieurs officiers municipaux, et de Santerre, accompagné lui-même de ses aides de camp.

Le roi se leva.

— Que me voulez-vous, monsieur ? demanda-t-il s'adressant au maire.

— Je viens vous chercher, monsieur, répondit celui-ci, en vertu d'un décret de la Convention dont le secrétaire greffier va vous donner lecture.

En effet, le secrétaire greffier déroula un papier, et lut :

« Décret de la Convention nationale qui ordonne que Louis Capet... »

A ce mot, le roi interrompit le lecteur.

— Capet n'est point mon nom, dit-il ; c'est le nom d'un de mes ancêtres.

Puis, comme le secrétaire voulait continuer la lecture :

— Inutile, monsieur.

Et, se tournant vers les commissaires :

— J'eusse désiré, ajouta-t-il, que mon fils m'eût été laissé pendant les deux heures que j'ai passées à vous attendre : de deux heures cruelles, on m'eût fait deux heures plus douces. Au reste, ce traitement est une suite de ceux que j'éprouve depuis quatre mois... Je vais vous suivre, non pour obéir à la Convention, mais parce que mes ennemis ont la force en main.

— Alors, venez, monsieur, dit Chambon.

— Je ne demande que le temps de passer une redingote par-dessus mon habit. — Cléry, ma redingote !

Cléry passa au roi la redingote qu'il demandait, et qui était couleur noisette.

Chambon marcha le premier ; le roi le suivit.

Au bas de l'escalier, le prisonnier regarda avec

inquiétude les fusils, les piques et surtout les cavaliers bleu de ciel dont il ignorait la formation ; puis il jeta un dernier regard sur la tour, et l'on partit.

Il pleuvait.

Le roi était dans une voiture, et fit la route avec un visage calme.

En passant devant les portes Saint-Martin et Saint-Denis, il demanda laquelle des deux on avait proposé de démolir.

Au seuil du manège, Santerre lui posa la main sur l'épaule et le conduisit à la barre, à la même place et sur le même fauteuil où il avait juré la constitution.

Tous les députés étaient restés assis au moment de l'entrée du roi ; un seul, quand il passa devant lui, se leva et salua.

Le roi, étonné, se retourna et reconnut Gilbert.

— Bonjour, monsieur Gilbert, dit-il.

Puis, à Santerre :

— Vous connaissez M. Gilbert, dit-il : c'était autrefois mon médecin ; vous ne lui en voudrez donc pas trop, n'est-ce pas, de m'avoir salué ?

L'interrogatoire commença.

Là, le prestige du malheur commence à disparaître devant la publicité : non seulement le roi répondit aux questions qui lui étaient adressées, mais encore il y répondit mal, hésitant, biaisant, niant, chicanant sa vie, comme eût pu faire un avocat de province plaidant une question de mur mitoyen.

Le grand jour n'allait pas au pauvre roi.

L'interrogatoire dura jusqu'à cinq heures.

A cinq heures, Louis XVI fut conduit dans la salle des conférences, où il attendit sa voiture.

Le maire s'approcha de lui.

— Avez-vous faim, monsieur, lui demanda-t-il, et voulez-vous prendre quelque chose ?

— Je vous remercie, dit le roi avec un geste de refus.

Mais presque aussitôt, voyant un grenadier tirer un pain de son sac, et en donner la moitié au procureur de la commune Chaumette, il s'approcha de celui-ci :

— Voulez-vous bien me donner un morceau de votre pain, monsieur ? lui demanda-t-il.

Mais, comme il avait parlé à voix basse, Chaumette se recula.

— Parlez tout haut, monsieur ! lui dit-il.

— Oh ! je puis parler tout haut, reprit le roi avec un sourire triste ; je demande un morceau de pain.

— Volontiers, répondit Chaumette.

Et, lui tendant son pain :

— Tenez, coupez ! dit-il. C'est un repas de Spartiate ; si j'avais une racine, je vous en donnerais la moitié.

On descendit dans la cour.

A la vue du roi, la foule entama le refrain de *la Marseillaise*, appuyant avec énergie sur ce vers :

Qu'un sang impur abreuve nos sillons !

LA LÉGENDE DU ROI MATYR

Le premier soin du roi, en arrivant, avait été de demander qu'on le conduisît à sa famille ; on lui répondit qu'il n'y avait pas d'ordre à ce sujet.

Louis comprit que, comme tout condamné à qui l'on fait un procès mortel, il était au secret.

On croyait généralement deux choses : ou que, suivant l'exemple de Charles Ier, dont il savait si bien l'histoire, le roi refuserait de répondre à la Convention ; ou que, s'il répondait, il répondrait hautainement, fièrement, au nom de la royauté, non pas comme un accusé qui subit un jugement, mais comme un chevalier qui accepte le défi et ramasse le gant du combat.

Par malheur pour lui, Louis XVI n'était point de nature assez royale pour s'arrêter à l'un ou à l'autre de ces deux partis.

Il répondit mal, timidement, gauchement, comme nous l'avons déjà dit ; et, sentant que, devant toutes les pièces tombées, à son insu, entre les mains de ses ennemis, il s'enferrait, le pauvre Louis finit par demander un conseil.

Après une délibération tumultueuse qui suivit le départ du roi, le conseil fut accordé.

Le lendemain, quatre membres de la Convention, nommés commissaires à cet effet, allèrent demander à l'accusé quel était le conseil choisi par lui.

— M. Target, répondit-il.

Les commissaires se retirèrent, et l'on prévint M. Target de l'honneur que lui faisait le roi.

Chose inouïe ! cet homme, — homme d'une grande valeur, ancien membre de la Constituante, un de ceux qui avaient pris la part la plus active à la rédaction de la Constitution, — cet homme eut peur !

Il refusa lâchement, pâlissant de crainte devant son siècle, pour rougir de honte devant la postérité !

Mais, dès le lendemain du jour où le roi avait comparu, le président de la Convention recevait cette lettre :

« Citoyen président,

» J'ignore si la Convention donnera à Louis XVI un conseil pour le défendre, et si elle lui en laissera le choix ; dans ce cas, je désire que Louis XVI sache que, s'il me choisit pour cette fonction, je suis prêt à m'y dévouer. Je ne vous demande pas de faire part à la Convention de mon offre ; car je suis éloigné de me croire un personnage assez important pour qu'elle s'occupe de moi, mais j'ai été appelé deux fois au conseil de celui qui fut mon maître, dans le temps où cette fonction était ambitionnée par tout le monde : je lui dois le même service lorsque c'est une fonction que bien des gens trouvent dangereuse.

» Si je connaissais un moyen possible pour lui faire savoir mes dispositions, je ne prendrais pas la liberté de m'adresser à vous.

» J'ai pensé que, dans la place que vous occupez, vous avez plus que personne moyen de lui faire passer cet avis.

» Je suis avec respect, etc., etc.

» MALESHERBES. »

Deux autres demandes arrivèrent en même temps ; l'une d'un avocat de Troyes, M. Sourdat. « Je suis, disait-il hardiment, porté à défendre Louis XVI par le sentiment que j'ai de son innocence ! » L'autre, d'Olympe de Gouges, l'étrange improvisatrice méridionale, qui dictait ses comédies, parce que, disait-on, elle ne savait pas écrire.

Olympe de Gouges s'était faite l'avocat des femmes ; elle voulait qu'on leur donnât les mêmes droits qu'aux hommes, qu'elles pussent briguer la députation, discuter les lois, déclarer la paix et la guerre ; et elle avait appuyé sa prétention d'un mot sublime : « Pourquoi les femmes ne monteraient-elles pas à la tribune ? dit-elle ; elles montent bien à l'échafaud ! »

Elle y monta, en effet, la pauvre créature ; mais, au moment où fut prononcé le jugement, elle redevint femme, c'est-à-dire faible, et, voulant profiter du bénéfice de la loi, elle se déclara enceinte.

Le tribunal renvoya la condamnée à une consultation de médecins et de sages-femmes ; le résultat de la consultation fut que, s'il y avait grossesse, cette grossesse était trop récente pour qu'on pût la constater.

Devant l'échafaud, elle redevint homme, et mourut ainsi que devait mourir une femme comme elle.

Quant à M. de Malesherbes, c'était ce même Lamoignon de Malesherbes qui avait été ministre avec Turgot, et était tombé avec lui. Nous l'avons dit ailleurs, c'était un petit homme de soixante et dix à soixante et douze ans, né naturellement gauche et distrait, rond, vulgaire, « vraie figure d'apothicaire », dit Michelet, et dans lequel on était loin de soupçonner un héroïsme des temps antiques.

Devant la Convention, il n'appela jamais le roi que *sire*.

— Qui te rend si hardi de parler ainsi devant nous ? lui demanda un conventionnel.

— Le mépris de la mort, répondit simplement Malesherbes.

Et il la méprisait bien, cette mort à laquelle il marcha en causant avec ses compagnons de charrette, et qu'il reçut comme s'il ne devait, selon le mot de M. Guillotin, éprouver, en la recevant, qu'une *légère fraîcheur* sur le cou. Le concierge de Monceaux — c'était à Monceaux que l'on portait les corps des suppliciés, — le concierge de Monceaux constata une singulière preuve de ce mépris de la mort : dans le gousset de la culotte de ce corps décapité, il trouva la montre de Malesherbes ; elle marquait deux heures. Selon son habitude, le condamné l'avait remontée à midi, c'est-à-dire à l'heure où il marchait à l'échafaud.

Le roi, à défaut de Target, prit donc Malesherbes et Tronchet ; ceux-ci, pressés par le temps, s'adjoignirent l'avocat Desèze.

Le 14 décembre, on annonça à Louis qu'il avait permission de communiquer avec ses défenseurs, et que, le même jour, il recevrait la visite de M. de Malesherbes.

Le dévouement de celui-ci l'avait fort touché, quoique son tempérament le rendît peu accessible à ces sortes d'émotions.

En voyant venir à lui, avec une simplicité sublime, ce vieillard de soixante et dix ans, le cœur du roi se gonfla, et ses bras — ces bras royaux qui se desserrent si rarement — s'ouvrirent, et, tout en larmes :

— Mon cher monsieur de Malesherbes, dit le roi, venez m'embrasser !

Puis, après l'avoir affectueusement serré sur sa poitrine :

— Je sais à qui j'ai affaire, continua le roi ; je m'attends à la mort, et suis préparé à la recevoir. Tel que vous me voyez en ce moment, — et je suis bien tranquille, n'est-ce pas ? — eh bien, tel je marcherai à l'échafaud !

C'était le 26 que le roi devait, pour la seconde fois, paraître à la barre de la Convention.

Il avait fait son testament la veille ; il craignait, on ne sait pourquoi, d'être assassiné en allant le lendemain à la Convention.

La reine était prévenue que, pour la seconde fois, le roi se rendait à l'Assemblée. Le mouvement des troupes, le bruit du tambour eussent pu l'effrayer outre mesure si Cléry n'eût pas trouvé moyen de lui en faire connaître la cause.

A dix heures du matin, Louis XVI partit, sous la surveillance de Chambon et de Santerre.

Arrivé à la Convention, il lui fallut attendre une heure : le peuple se vengeait d'avoir fait cinq cents ans antichambre au Louvre, aux Tuileries et à Versailles.

Une discussion avait lieu à laquelle le roi ne pouvait assister : une clef remise par lui, le 12, à Cléry, avait été saisie dans les mains du valet de chambre ; on avait eu l'idée d'essayer cette clef à l'armoire de fer, et elle l'avait ouverte.

Cette clef avait été montrée à Louis XVI.

— Je ne la reconnais pas, avait-il répondu.

Selon toute probabilité, il l'avait forgée lui-même.

Ce fut dans ces sortes de détails que le roi manqua complètement de grandeur.

La discussion terminée, le président annonça à l'Assemblée que l'accusé et ses défenseurs étaient prêts à paraître à la barre.

Le roi entra accompagné de Malesherbes, de Tronchet et de Desèze.

— Louis, dit le président, la Convention a décidé que vous seriez entendu aujourd'hui.

— Mon conseil va vous lire ma défense, répondit le roi.

Il se fit un profond silence ; toute l'Assemblée comprenait qu'on pouvait bien laisser quelques heures à ce roi dont on brisait la royauté, à cet homme dont on tranchait la vie.

Puis peut-être cette assemblée, dont quelques membres avaient donné la mesure d'un esprit si supérieur, s'attendait-elle à voir jaillir une grande discussion ; prête à se coucher dans son sépulcre sanglant, déjà drapée dans son linceul, peut-être la royauté allait-elle se dresser tout à coup, apparaître avec la majesté des mourants, et dire quelques-unes de ces paroles que l'histoire enregistre, et que les siècles répètent.

Il n'en fut point ainsi : le discours de l'avocat Desèze fut un véritable discours d'avocat.

C'était, cependant, une belle cause à défendre que celle de cet héritier de tant de rois, que la fatalité amenait devant le peuple, non pas seulement en expiation de ses propres crimes, mais en expiation des crimes et des fautes de toute une race.

Il nous semble qu'en cette occasion, si nous avions eu l'honneur d'être M. Desèze, nous n'eussions point parlé au nom de M. Desèze.

La parole était à saint Louis et à Henri IV ; c'était à ces deux grands chefs de race à laver Louis XVI des faiblesses de Louis XIII, des prodigalités de Louis XIV, des débauches de Louis XV !

Il n'en fut point ainsi, nous le répétons.

Desèze fut ergoteur quand il eût dû être entraînant ; il s'agissait, non pas d'être concis, mais d'être poétique ; il fallait s'adresser au cœur, et non au raisonnement.

Mais peut-être, ce plat discours terminé, Louis XVI allait-il prendre la parole, et, puisqu'il avait consenti à se défendre, allait-il se défendre en roi, dignement, grandement, noblement.

« Messieurs, dit-il, on vient de vous exposer mes moyens de défense ; je ne vous les renouvellerai point en vous parlant peut-être pour la dernière fois. Je vous déclare que ma conscience ne me reproche rien, et que mes défenseurs ne vous ont dit que la vérité.

» Je n'ai jamais craint que ma conduite fût examinée publiquement ; mais mon cœur est déchiré d'avoir trouvé dans l'acte d'accusation l'imputation d'avoir voulu faire répandre le sang du peuple, et surtout que les malheurs du 10 août me soient attribués.

» J'avoue que les preuves multipliées que j'avais données dans tous les temps de mon amour pour le peuple, et la manière dont je m'étais conduit, me paraissaient devoir prouver que je craignais peu de m'exposer pour épargner son sang, et éloigner à jamais de moi une pareille imputation. »

Comprenez-vous le successeur de soixante rois, le petit-fils de saint Louis, de Henri IV et de Louis XIV, ne trouvant que cela à répondre à ses accusateurs ?

Mais plus l'accusation était injuste à votre point de vue, sire, plus l'indignation devait vous faire éloquent. Vous deviez laisser quelque chose à la postérité, ne fût-ce qu'une sublime malédiction à vos bourreaux !

Aussi, la Convention, étonnée, demanda-t-elle :

— Vous n'avez pas autre chose à ajouter à votre défense ?

— Non, répondit le roi.

— Vous pouvez vous retirer.

Louis se retira.

Ce fut dans la soirée du samedi 19 que la mort fut votée, mais ce ne fut que le dimanche 20, à trois heures du matin, que Vergniaud prononça l'arrêt.

Pendant ce temps, Louis XVI, privé de toute communication avec le dehors, savait que son sort se décidait, et, seul, loin de sa femme et de ses enfants, — qu'il avait refusé de voir dans le but de mortifier son âme, comme un moine pécheur mortifie sa chair, — il remettait avec une indifférence parfaite, en apparence du moins, sa vie et sa mort entre les mains de Dieu.

Le dimanche matin, 20 janvier, à six heures, M. de Malesherbes entra chez le roi. Louis XVI était déjà levé ; il se tenait le dos tourné à une lampe placée sur la cheminée, les coudes posés sur une table, le visage couvert de ses deux mains.

Le bruit que son défenseur fit en entrant le tira de sa rêverie.

— Eh bien ? demanda-t-il en l'apercevant.

M. de Malesherbes n'osa répondre ; mais le prisonnier put voir, à l'abattement de son visage, que tout était fini.

— La mort ! dit Louis ; j'en étais sûr.

Alors, il ouvrit les bras, et serra M. de Malesherbes, tout en larmes, sur sa poitrine.

Puis :

— M. de Malesherbes, dit-il, depuis deux jours, je suis occupé à chercher si, dans le cours de mon règne, j'ai pu mériter de mes sujets le plus petit reproche ; eh bien, je vous jure, dans toute la sincérité de mon cœur, comme un homme qui va paraître devant Dieu, que j'ai toujours voulu le

bonheur de mon peuple, et n'ai pas formé un seul
vœu qui lui fût contraire.

LE 21 JANVIER

M. Edgeworth de Firmont était le confesseur de
madame Élisabeth ; il y avait déjà près de six
semaines que le roi, prévoyant la condamnation
dont il venait d'être frappé, avait demandé à sa
sœur des conseils sur le choix du prêtre qui devait
l'accompagner à ses derniers moments, et madame
Élisabeth avait, en pleurant, conseillé à son frère de
s'arrêter à l'abbé de Firmont.

Ce digne ecclésiastique, Anglais d'origine, avait
échappé aux massacres de septembre et s'était retiré
à Choisy-le-Roi sous le nom d'Essex ; madame Élisabeth connaissait sa double adresse, et, l'ayant fait
prévenir à Choisy, elle espérait qu'au moment de la
condamnation, il se trouverait à Paris.

Elle ne se trompait pas.

L'abbé Edgeworth avait, comme nous l'avons dit,
accepté la mission avec une joie résignée.

Aussi, le 21 décembre 1792, écrivait-il à un de ses
amis d'Angleterre :

« Mon malheureux maître a jeté les yeux sur moi
pour le disposer à la mort, si l'iniquité de son
peuple va jusqu'à commettre ce parricide. Je me
prépare moi-même à mourir, car je suis convaincu
que la fureur populaire ne me laissera pas survivre
une heure à cette horrible scène ; mais je suis
résigné : ma vie n'est rien ; si, en la perdant, je
pouvais sauver celui que Dieu a placé pour la ruine
et la résurrection de plusieurs, j'en ferais volontiers
le sacrifice, et ne serais pas mort en vain. »

Le roi avait rejoint son confesseur dans le cabinet de la tourelle, et se faisait raconter par lui la manière dont il avait été amené au Temple. Ce récit pénétra-t-il dans son esprit, ou les mots confus bourdonnèrent-ils seulement à son oreille, éteints par ses propres pensées ? C'est ce que personne ne peut dire.

En tout cas, voici ce que raconta l'abbé.

Prévenu par M. de Malesherbes, qui lui avait donné rendez-vous chez madame de Senozan, que le roi devait avoir recours à lui s'il était condamné à la peine de mort, l'abbé Edgeworth, au risque du danger qu'il courait, était revenu à Paris, et, connaissant la sentence rendue le dimanche matin, attendait rue du Bac.

A quatre heures du soir, un inconnu s'était présenté chez lui, et lui avait remis un billet conçu en ces termes :

« Le conseil exécutif, ayant une affaire de la plus haute importance à communiquer au citoyen Edgeworth de Firmont, l'invite à passer au lieu de ses séances. »

L'inconnu avait ordre d'accompagner le prêtre : une voiture attendait à la porte.

L'abbé descendit et partit avec l'inconnu.

La voiture s'arrêta aux Tuileries.

L'abbé trouva les ministres en conseil ; à son entrée, ils se levèrent.

— Êtes-vous l'abbé Edgeworth de Firmont ? demanda Garat.

— Oui, répondit l'abbé.

— Eh bien, Louis Capet, continua le ministre de la justice, nous ayant témoigné le désir de vous avoir près de lui dans ses derniers moments, nous vous avons mandé pour savoir si vous consentez à lui rendre le service qu'il réclame de vous.

— Puisque le roi m'a désigné, dit le prêtre, c'est mon devoir de lui obéir.

— En ce cas, reprit le ministre, vous allez venir avec moi au Temple ; je m'y rends de ce pas.

Et il emmena l'abbé dans sa voiture.

Le récit achevé :

— Monsieur, dit le roi, oublions tout maintenant, pour songer à la grande, à l'unique affaire de mon salut.

Alors, Cléry se hâta de disposer l'autel ; — c'était la commode de la chambre recouverte d'une nappe. Quant aux ornements sacerdotaux, on les avait trouvés dans la première église où l'on s'était adressé ; cette église était celle des Capucins du Marais, près l'hôtel Soubise.

L'autel disposé, Cléry alla prévenir le roi.

— Pourrez-vous servir la messe ? lui demanda Louis.

— Je l'espère, répondit Cléry ; seulement, je ne sais pas par cœur les répons.

Alors, le roi lui donna un livre de messe qu'il ouvrit à l'*Introït*.

M. de Firmont était déjà dans la chambre de Cléry, où il s'habillait.

En face de l'autel, le valet de chambre avait placé un fauteuil, et mis un grand coussin devant ce fauteuil ; mais le roi le lui fit ôter, et en alla lui-même chercher un plus petit et garni de crin, dont il se servait ordinairement pour dire ses prières.

Dès que le prêtre rentra, les municipaux, qui, sans doute, craignaient d'être souillés par le contact d'un homme d'église, se retirèrent dans l'anti-chambre.

Il était six heures ; la messe commença. Le roi l'entendit d'un bout à l'autre à genoux, et avec le plus profond recueillement. Après la messe, il communia, et l'abbé Edgeworth, le laissant à ses prières, alla, dans la chambre voisine, se dévêtir des habits sacerdotaux.

Le jour commençait à paraître ; la générale retentissait, battue dans toutes les sections de Paris ; ce mouvement et ce bruit se répercutaient jusque dans la tour, et glaçaient le sang dans les veines de l'abbé de Firmont et de Cléry.

Mais le roi, plus calme qu'eux, prêta un instant l'oreille, et dit sans s'émouvoir :

— C'est probablement la garde nationale que l'on commence à rassembler.

Quelque temps après, les détachements de cavalerie entrèrent dans la cour du Temple ; on entendit le piétinement des chevaux et la voix des officiers.

Enfin, à neuf heures, le bruit augmentant, les portes s'ouvrirent avec fracas ; Santerre entra, accompagné de sept ou huit municipaux et de dix gendarmes qu'il rangea sur deux lignes.

A ce mouvement, sans attendre que l'on frappât à la porte du cabinet, le roi sortit.

— Vous venez me chercher ? dit-il.

— Oui, monsieur.

— Je demande une minute.

Et il rentra en refermant la porte.

— Pour cette fois, tout est fini, mon père, dit-il en se jetant aux genoux de l'abbé de Firmont. Donnez-moi donc votre dernière bénédiction, et priez Dieu qu'il me soutienne jusqu'au bout !

La bénédiction donnée, le roi se releva, et, ouvrant la porte du cabinet, il s'avança vers les municipaux et les gendarmes qui étaient au milieu de la chambre à coucher.

Tous avaient leur chapeau sur la tête.

— Mon chapeau, Cléry, dit le roi.

Cléry, tout en larmes, s'empressa d'obéir.

— Y a-t-il parmi vous, demanda Louis XVI, quelque membre de la commune ?... Vous, je crois ?

Et il s'adressait, en effet, à un municipal nommé Jacques Roux, prêtre assermenté.

— Que me voulez-vous ? dit celui-ci.

Le roi tira son testament de sa poche.

— Je vous prie de remettre ce papier à la reine...
à ma femme.

— Nous ne sommes pas venus ici pour prendre
tes commissions, répondit Jacques Roux, mais pour
te conduire à l'échafaud.

Le roi reçut l'injure avec la même humilité qu'eût
fait le Christ, et avec la même douceur que l'homme-
Dieu, se tournant vers un autre municipal nommé
Gobeau :

— Et vous, monsieur, demanda-t-il, me refuserez-
vous aussi ?

Et, comme Gobeau paraissait hésiter :

— Oh ! dit le roi, c'est mon testament ; vous
pouvez en prendre lecture : il y a même des dispositions que je désire que connaisse la commune.

Le municipal prit le papier.

Alors, voyant Cléry qui, — craignant, comme le
valet de chambre de Charles Ier, que son maître ne
tremblât de froid, et qu'on ne crût que c'était de
peur, — voyant, disons-nous, Cléry qui lui présentait
non seulement le chapeau qu'il avait demandé, mais
encore sa redingote :

— Non, Cléry, dit-il ; donnez-moi seulement mon
chapeau.

Cléry lui donna le chapeau, et Louis XVI profita
de cette occasion pour serrer une dernière fois la
main de son fidèle serviteur.

Puis, de ce ton de commandement qu'il avait si
rarement pris dans sa vie :

— Partons, messieurs ! dit-il.

Ce furent les dernières paroles qu'il prononça
dans son appartement.

Sur l'escalier, il rencontra le concierge de la tour,
Mathay, que, la surveille, il avait trouvé assis devant
son feu, et qu'il avait, d'une voix assez brusque, prié
de lui céder sa place :

— Mathay, dit-il, j'ai été, avant-hier, un peu vif
avec vous : ne m'en veuillez pas !

Mathay lui tourna le dos sans répondre.

Le roi traversa la première cour à pied, et, en traversant cette cour, se retourna deux ou trois fois pour dire adieu à son seul amour, à sa femme ; à sa seule amitié, à sa sœur ; à sa seule joie, à ses enfants.

A l'entrée de la cour se trouvait une voiture de place peinte en vert ; deux gendarmes en tenaient la portière ouverte : à l'approche du condamné, un d'eux y entra d'abord, et se mit sur la banquette de devant ; le roi y monta ensuite, et fit signe à M. Edgeworth de s'asseoir à côté de lui, dans le fond ; l'autre gendarme y prit place le dernier, et ferma la portière.

Deux bruits coururent alors : le premier, c'est que l'un de ces deux gendarmes était un prêtre déguisé ; le second, c'est que tous deux avaient reçu l'ordre d'assassiner le roi à la moindre tentative qui serait faite pour l'enlever. Ni l'une ni l'autre de ces deux assertions ne reposait sur une base solide.

A neuf heures et un quart, le cortège se mit en marche...

Un ciel bas et brumeux ne laissait voir, au reste, qu'une forêt de piques au milieu desquelles brillaient quelques rares baïonnettes ; en avant de la voiture marchaient les cavaliers, et, en avant des cavaliers, une multitude de tambours.

Le roi eût voulu s'entretenir avec son confesseur, mais il ne le pouvait, à cause du bruit. L'abbé de Firmont lui prêta son bréviaire : il lut.

A la porte Saint-Denis, il leva la tête, croyant entendre des clameurs particulières.

En effet, une dizaine de jeunes gens, se précipitant par la rue Beauregard, fendirent la foule, le sabre à la main, en criant :

— A nous, ceux qui veulent sauver le roi !

Trois mille conjurés devaient répondre à cet appel fait par le baron de Batz, aventurier conspirateur ; il donna bravement le signal, mais, sur trois mille conjurés, quelques-uns seulement répondirent. Le baron de Batz et ces huit ou dix enfants perdus de la royauté, voyant qu'il n'y avait rien à faire, profitèrent de la confusion causée par leur tentative, et se perdirent dans le réseau de rues qui avoisine la porte Saint-Denis.

C'était cet incident qui avait distrait le roi de ses prières, mais il eut si peu d'importance, que la voiture ne s'arrêta même pas. — Quand elle s'arrêta, au bout de deux heures dix minutes, elle était parvenue au terme de sa course.

Dès que le roi sentit que le mouvement avait cessé, il se pencha vers l'oreille du prêtre, et dit :

— Nous voici arrivés, monsieur, si je ne me trompe.

M. de Firmont garda le silence.

Au même moment un des trois frères Samson, bourreaux de Paris, vint ouvrir la portière.

Alors, le roi, posant la main sur le genou de l'abbé de Firmont :

— Messieurs, dit-il d'un ton de maître, je vous recommande monsieur que voilà... Ayez soin qu'après ma mort, il ne lui soit fait aucune injure ; c'est vous que je charge d'y veiller.

Pendant ce temps, les deux autres bourreaux s'étaient approchés.

— Oui, oui, répondit l'un d'eux, nous en aurons soin ; laissez-nous faire.

Louis descendit.

Les valets de bourreau l'entourèrent et voulurent lui enlever son habit ; mais lui les repoussa dédaigneusement, et commença de se déshabiller seul.

Un instant le roi resta isolé dans le cercle qu'il s'était fait, jetant son chapeau à terre, ôtant son habit, dénouant sa cravate ; mais alors les bourreaux se rapprochèrent de lui.

L'un d'eux tenait une corde à la main.

— Que voulez-vous ? demanda le roi.

— Vous lier, répondit le bourreau qui tenait la corde.

— Oh ! pour cela, s'écria le roi, je n'y consentirai

jamais : renoncez-y... Faites ce qui vous est commandé ; mais vous ne me lierez pas ! non, non, jamais !

Les exécuteurs élevèrent la voix ; une lutte corps à corps allait, aux yeux du monde, ôter à la victime le mérite de six mois de calme, de courage et de résignation, lorsqu'un des trois frères Samson, ému de pitié, mais cependant condamné à exécuter la terrible tâche, s'approcha, et, d'un ton respectueux :

— *Sire*, dit-il, avec ce mouchoir...

Le roi regarda son confesseur.

Celui-ci fit un effort pour parler.

— Sire, dit l'abbé de Firmont, ce sera une ressemblance de plus entre Votre Majesté et le Dieu qui va être votre récompense !

Le roi leva les yeux au ciel avec une suprême expression de douleur.

— Assurément, dit-il, il ne faut pas moins que son exemple pour que je me soumette à un pareil affront !

Et, se retournant vers les bourreaux en leur tendant ses mains résignées :

— Faites ce que vous voudrez, ajouta-t-il ; je boirai le calice jusqu'à la lie.

Les marches de l'échafaud étaient hautes et glissantes ; il les monta, soutenu par le prêtre. Un instant celui-ci, sentant le poids dont il pesait sur son bras, craignit quelque faiblesse dans ce dernier moment ; mais, arrivé à la dernière marche, le roi s'échappa, pour ainsi dire, des mains de son confesseur, comme l'âme allait s'échapper de son corps, et courut à l'autre bout de la plate-forme.

Il était fort rouge, et n'avait jamais paru si vivant ni si animé.

Les tambours battaient ; il leur imposa silence du regard.

Alors, d'une voix forte, il prononça les paroles suivantes :

— Je meurs innocent de tous les crimes qu'on

m'impute ; je pardonne aux auteurs de ma mort, et je prie Dieu que le sang que vous allez répandre ne retombe jamais sur la France !...

— Battez, tambours ! dit une voix que l'on crut longtemps avoir été celle de Santerre, et qui était celle de M. de Beaufranchet, comte d'Oyat, fils bâtard de Louis XV et de la courtisane Morphise. — C'était l'oncle naturel du condamné.

Les tambours battirent.

Le roi frappa du pied.

— Taisez-vous ! cria-t-il avec un accent terrible ; j'ai encore à parler.

Mais les tambours continuèrent leur roulement.

— Faites votre devoir, hurlaient les hommes à pique qui entouraient l'échafaud, s'adressant aux exécuteurs.

Ceux-ci se jetèrent sur le roi, qui revint à pas lents vers le couperet, jetant un regard sur ce fer taillé en biseau dont, un an auparavant, lui-même avait donné le dessin.

Puis son regard se reporta sur le prêtre, qui priait à genoux au bord de l'échafaud.

Il se fit un mouvement confus derrière les deux poteaux de la guillotine : la bascule chavira, la tête du condamné parut à la sinistre lucarne, un éclair brilla, un coup mat retentit, et l'on ne vit plus qu'un large jet de sang.

Alors, un des exécuteurs, ramassant la tête, la montra au peuple, en aspergeant les bords de l'échafaud du sang royal.

A cette vue, les hommes à pique hurlèrent de joie, et, se précipitant, trempèrent dans ce sang, les uns leurs piques, les autres leurs sabres, — leurs mouchoirs, ceux qui en avaient ; puis ils poussèrent le cri de « Vive la République ! »

Mais, pour la première fois, ce grand cri, qui avait fait tressaillir de joie les peuples, s'éteignit sans écho. La République avait au front une de ces taches fatales qui ne s'effacent jamais ! elle venait, comme l'a dit plus tard un grand diplomate, de commettre bien plus qu'un crime : elle venait de commettre une faute.

Il y eut dans Paris un immense sentiment de stupeur ; chez quelques-uns la stupeur alla jusqu'au désespoir : une femme se jeta à la Seine ; un perruquier se coupa la gorge ; un libraire devint fou ; un ancien officier mourut de saisissement.

Enfin, à l'ouverture de la séance de la Convention, une lettre fut ouverte par le président ; cette lettre était d'un homme qui demandait que le corps de Louis XVI lui fût remis, pour qu'il l'enterrât près de son père.

Ainsi, le 21 janvier 1793, mourut le roi Louis XVI.

Il était âgé de trente-neuf ans cinq mois et trois jours ; il avait régné dix-huit ans ; il était resté prisonnier cinq mois et huit jours.

Son dernier souhait ne fut point accompli, et son sang est retombé non seulement sur la France, mais encore sur l'Europe tout entière !

UN CONSEIL DE CAGLIOSTRO

Le soir de cette terrible journée et tandis que les hommes à pique parcouraient les rues désertes et illuminées de Paris, rendues plus tristes encore par leur illumination, en portant au bout de leurs armes des lambeaux de mouchoirs et de chemises tachés de rouge, et criant : « Le tyran est mort ! voilà le sang du tyran ! » — deux hommes se tenaient au premier étage d'une maison de la rue Saint-Honoré dans un silence égal, mais dans une attitude bien différente.

L'un, vêtu de noir, était assis devant une table, la tête appuyée entre ses mains, et plongé soit dans une profonde rêverie, soit dans une profonde douleur ; l'autre, vêtu d'un costume de campagnard, se promenait à grands pas, l'œil sombre, le front plissé, les bras croisés sur la poitrine : seulement, chaque fois que, dans sa marche qui coupait diagonalement la chambre en deux, celui-ci passait près de la table, il jetait à la dérobée sur l'autre un regard interrogateur.

Depuis combien de temps étaient-ils ainsi tous deux ? Nous ne saurions le dire. Mais, enfin, l'homme au costume campagnard, aux bras croisés, au front plissé, à l'œil sombre, parut se lasser de ce silence, et, s'arrêtant en face de l'homme en habit noir et au front appuyé entre ses mains :

— Ah ça ! citoyen Gilbert, dit-il en fixant son regard sur celui auquel il s'adressait, c'est donc à dire que je suis un brigand, moi, parce que j'ai volé la mort du roi ?

L'homme à l'habit noir releva la tête, secoua son front mélancolique, et, tendant la main à son compagnon :

— Non, Billot, dit-il, vous n'êtes pas plus un brigand que je ne suis un aristocrate : vous avez voté selon votre conscience, et, moi, j'ai voté selon la mienne ; seulement, j'ai voté la vie, et vous avez voté la mort. Or, c'est une chose terrible, que d'ôter à un homme ce qu'aucun pouvoir humain ne peut lui rendre !

— Avions-nous le droit, lorsque, enfermé au Temple, le roi continuait d'être une conspiration vivante contre la liberté ? avions-nous ou n'avions-nous pas le droit de le traduire devant la Convention nationale nommée pour le juger ?

— Vous l'aviez.

— Si nous avions le droit de le juger, nous avions le droit de le condamner.

— Oui, à l'exil, au bannissement, à la prison perpétuelle, à tout, excepté à la mort.

— Et pourquoi pas à la mort ?

— Parce que votre ennemi était vaincu, et l'on ne tue pas un ennemi vaincu. Un meurtre de sang-froid, ce n'est pas un jugement ; c'est une immolation. Vous venez de donner à la royauté quelque chose du martyre, à la justice, quelque chose de la vengeance. Prenez garde ! prenez garde ! en faisant trop, vous n'avez pas assez fait. Charles Ier a été exécuté, et Charles II a été roi. Jacques II a été banni, et ses fils sont morts dans l'exil. La nature humaine est pathétique, Billot, et nous venons d'aliéner de nous pour cinquante ans, pour cent ans peut-être, cette immense partie de la population qui juge les révolutions avec le cœur. Ah ! croyez-moi, mon ami ce sont les républicains qui doivent le plus déplorer le sang de Louis XVI ; car ce sang retombera sur eux, et leur coûtera la République.

— Il y a du vrai dans ce que tu dis là, Gilbert ! répondit une voix qui partait de la porte d'entrée.

Les deux hommes tressaillirent et se retournèrent d'un même mouvement ; — puis, d'une même voix :

— Cagliostro ! dirent-ils.

— Eh ! mon Dieu, oui, répondit celui-ci. Mais il y a du vrai aussi dans ce que dit Billot.

— Hélas ! répondit Gilbert, voilà le malheur, c'est que la cause que nous plaidons a une double face, et que chacun, en l'envisageant de son côté, peut dire : J'ai raison.

— Oui, mais il doit aussi se laisser dire qu'il a tort, reprit Cagliostro. Demain, Gilbert, on vous fera un crime de votre indulgence, et, après-demain, peut-être auparavant, à vous, Billot, de votre sévérité. Croyez-moi, dans la lutte mortelle qui se prépare entre la haine, la crainte, la vengeance, le fanatisme, bien peu resteront purs ; les uns se tacheront de boue, les autres de sang. Partez, mes amis ! partez !

— Mais la France ? dit Gilbert.

— Oui, la France ? répéta Billot.

— La France, matériellement, est sauvée, dit

Cagliostro ; l'ennemi de dehors est battu, l'ennemi du dedans est mort. Si dangereux que soit pour l'avenir l'échafaud du 21 janvier, il est, incontestablement, une grande puissance dans le présent : la puissance des résolutions sans retour. Le supplice de Louis XVI voue la France à la vengeance des trônes, et donne à la République la force convulsive et désespérée des nations condamnées à mort. Voyez Athènes dans les temps antiques, voyez la Hollande dans les temps modernes. Les transactions, les négociations, les indécisions ont cessé à partir de ce matin ; la Révolution tient la hache d'une main, le drapeau tricolore de l'autre. Partez tranquilles : avant qu'elle dépose la hache, l'aristocratie sera décapitée ; avant qu'elle dépose le drapeau tricolore, l'Europe sera vaincue. Partez, mes amis ! partez !

— Oh ! dit Gilbert, Dieu m'est témoin que, si l'avenir que vous me prophétisez est vrai, je ne regrette pas la France ; mais où irons-nous ?

— Ingrat ! dit Cagliostro, oublies-tu ta seconde patrie, l'Amérique ? oublies-tu ces lacs immenses, ces forêts vierges, ces prairies vastes comme des océans ? N'as-tu pas besoin, toi qui peux te reposer, du repos de la nature, après ces terribles agitations de la société ?

— Me suivrez-vous, Billot ? demanda Gilbert en se levant.

— Me pardonnerez-vous ? demanda Billot en faisant un pas vers Gilbert.

Les deux hommes se jetèrent dans les bras l'un de l'autre.

— C'est bien, dit Gilbert, nous partirons.

— Quand cela ? demanda Cagliostro.

— Mais dans... huit jours.

Cagliostro secoua la tête.

— Vous partirez ce soir, dit-il.

— Pourquoi ce soir ?

— Parce que je pars demain.

— Et où allez-vous ?

— Vous le saurez un jour, amis !

— Mais comment partir ?

— *Le Franklin* appareille dans trente-six heures pour l'Amérique.

— Mais des passeports ?

— En voici.

— Mon fils ?

Cagliostro alla ouvrir la porte.

— Entrez, Sébastien, dit-il ; votre père vous appelle.

Le jeune homme entra et vint se jeter dans les bras de son père.

Billot soupira profondément.

— Il ne nous manque plus qu'une voiture de poste, dit Gilbert.

— La mienne est tout attelée à la porte, répondit Cagliostro.

Gilbert alla à un secrétaire où était la bourse commune, — un millier de louis, — et fit signe à Billot d'en prendre sa part.

— Avons-nous assez ? dit Billot.

— Nous avons plus qu'il ne faut pour acheter une province.

Billot regarda autour de lui avec embarras.

— Que cherchez-vous, mon ami ? demanda Gilbert.

— Je cherche, répondit Billot, une chose qui me serait inutile si je la trouvais, puisque je ne sais pas écrire.

Gilbert sourit, prit une plume, de l'encre et du papier.

— Dictez, fit-il.

— Je voudrais envoyer un adieu à Pitou, dit Billot.

— Je m'en charge pour vous.

Et Gilbert écrivit.

Quand il eut fini :

— Qu'avez-vous écrit ? lui demanda Billot.

Gilbert lut :

« Mon cher Pitou,

» Nous quittons la France, Billot, Sébastien et moi, et nous vous embrassons bien tendrement tous trois.

» Nous pensons que, comme vous êtes à la tête de la ferme de Billot, vous n'avez besoin de rien.

» Un jour, probablement, nous vous écrirons de venir nous rejoindre.

» Votre ami,

» GILBERT. »

— C'est tout ? demanda Billot.
— Il y a un *post-scriptum*, dit Gilbert.
— Lequel ?
Gilbert regarda le fermier en face et dit :

« Billot vous recommande Catherine. »

Billot poussa un cri de reconnaissance, et se jeta dans les bras de Gilbert.

Dix minutes après, la chaise de poste qui emportait loin de Paris Gilbert, Sébastien et Billot, roulait sur la route du Havre.

Épilogue

CE QUE FAISAIENT, LE 15 FÉVRIER 1794, ANGE PITOU ET CATHERINE BILLOT

Un peu plus d'un an après l'exécution du roi, et le départ de Gilbert, de Sébastien et de Billot, par une belle et froide matinée du terrible hiver de 1794, trois ou quatre cents personnes, c'est-à-dire le sixième, à peu près, de la population de Villers-Cotterets, attendaient, sur la place du château et dans la cour de la mairie, la sortie de deux fiancés dont notre ancienne connaissance M. de Longpré était en train de faire deux époux.

Ces deux fiancés étaient Ange Pitou et Catherine Billot.

Hélas ! il avait fallu de bien graves événements pour amener l'ancienne maîtresse du vicomte de Charny, la mère du petit Isidore, à devenir madame Ange Pitou.

Table

Le Livre de Poche Biblio

Extrait du catalogue

Sherwood ANDERSON
Pauvre Blanc

Guillaume APOLLINAIRE
L'Hérésiarque et Cie

Miguel Angel ASTURIAS
Le Pape vert

James BALDWIN
Harlem Quartet

Adolfo BIOY CASARES
Journal de la guerre au cochon

Karen BLIXEN
Sept contes gothiques

Mikhail BOULGAKOV
La Garde Blanche
Le Maître et Marguerite

André BRETON
Anthologie de l'humour noir

Erskine CALDWELL
Les Braves Gens du Tennessee

Italo CALVINO
Le Vicomte pourfendu

Elias CANETTI
Histoire d'une jeunesse -
La langue sauvée
Histoire d'une vie -
Le flambeau dans l'oreille
Les Voix de Marrakech
Le Témoin auriculaire

Blaise CENDRARS
Rhum

Jacques CHARDONNE
Les Destinées sentimentales
L'Amour c'est beaucoup plus
que l'amour

**Joseph CONRAD
et Ford MADOX FORD**
L'Aventure

René CREVEL
La Mort difficile

Alfred DÖBLIN
Le Tigre bleu

Iouri DOMBROVSKI
La Faculté de l'inutile

Lawrence DURRELL
Cefalù

Friedrich DURRENMATT
La Panne
La Visite de la vieille dame

Jean GIONO
Mort d'un personnage
Le Serpent d'étoiles

Jean GUÉHENNO
Carnets du vieil écrivain

Lars GUSTAFSSON
La Mort d'un apiculteur

Henry JAMES
Roderick Hudson
La Coupe d'Or
Le Tour d'écrou

Ernst JÜNGER
Jardins et routes
(Journal I, 1939-1940)
Premier journal parisien
(Journal II, 1941-1943)
Second journal parisien
(Journal III, 1943-1945)
La Cabane dans la vigne
(Journal IV, 1945-1948)
Héliopolis
Abeilles de verre
Orages d'acier

Ismaïl KADARÉ
Avril brisé
Qui a ramené Doruntine ?

Franz KAFKA
Journal

Composition réalisée par C.M.L., Montrouge.

IMPRIMÉ EN FRANCE PAR BRODARD ET TAUPIN
Usine de La Flèche (Sarthe).
LIBRAIRIE GÉNÉRALE FRANÇAISE - 6, rue Pierre-Sarrazin - 75006 Paris.

ISBN : 2 - 253 - 05041 - 5   ✛ 30/6647/2